KB196718

문화가 인문학이 되는 시간

사상·유적편

CULTURISSIME
by Florence Braunstein and Jean-François Pépin

First published by Editions Gallimard, Paris
© Editions Gallimard France, 2017.
© BOOK'S HILL for the Korean Edition.

Published by arrangement with Editions Gallimard
through Sibylle Books Literary Agency, Seoul

이 책의 한국어판 저작권은 시빌에이전시를 통해
프랑스 Gallimard 출판사와 독점계약한 도서출판 북스힐에 있습니다.
저작권법에 의해 한국 내에서 보호를 받는 저작물이므로 무단 전재 및 무단 복제를 금합니다.

Cet ouvrage, publié dans le cadre du Programme d'aide à la Publication Sejong,
a bénéficié du soutien de l'Institut français de Corée du Sud.

이 책은 주한프랑스문화원 세종출판번역지원프로그램의 도움으로 출간되었습니다.

문화가 인문학이 되는 시간

장프랑수아 페팽
플로랑스 브론스타인 지음
조은미 · 권지현 옮김

사상·유적편

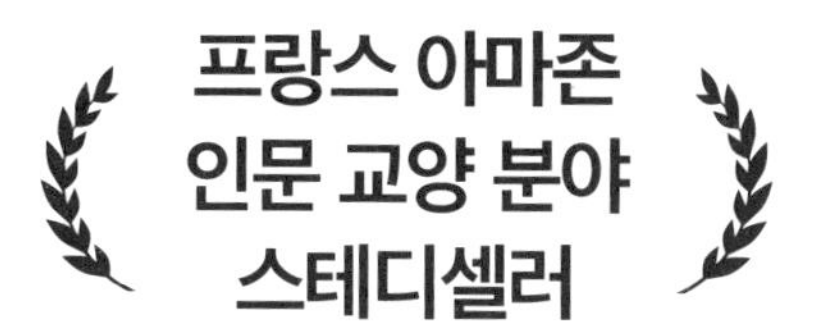

서문

제작의 비밀

이 책은 우리에게 세상으로 가는 길을 열어주는, 종이로 만든 호기심의 방이다. 중국을 통일한 진시황제, 프랑크 왕국의 왕비 클로틸드, 음악가 헨델, 샤를 드골 장군, 화가 장미셸 바스키아 등 훌륭한 위인들과 함께 세계를 여행하게 해준다. 여행을 하면서 안토니누스 방벽, 생트푸아 수도원, 토바호 주변에 사는 바탁족의 가옥, 바르셀로나의 사그라다 파밀리아 성당을 발견할 수 있을 것이다. 그래서 이 책은 단지 읽는 데 그치는 것이 아닌 우리가 느낄 수 있게 하는 책, 꿈꿀 수 있게 하는 책이며, 서로 다른 사상과 서로 다른 존재 방식이 남긴 길로 우리를 데려가기 위한 책이다. 필자들은 발견이 풍성하려면 어느 정도의 상상, 꿈, 유머가 있어야 한다는 생각에 중점을 두고 이 책을 썼다.

이 책을 연대순으로 읽는다면 그리스에서 대칭의 원칙에 따라 지어진 저택에 살면서 그 당시 중요했던 철학 및 종교 개념을 섭렵하는, 페리클레스의 애첩 아스파시아의 삶을 알 수 있다. 그런 면에서 이 책은 특정 시대에 관한 무언가를 찾는 사람에게는 체계적이고 질서 정연한 도구가 될 수 있고 고대, 중세, 근대, 현대까지 시간의 흐름에 따라 여행하도록 안내해주는 문화 가이드가 될 수도 있다.

'인물편'에서는 각 시대의 주요 **인물**들을 소개한다. 다양한 영혼을 가졌던 베토벤처럼 유명하든, 검은 모차르트라는 별명이 붙은 슈발리에 드 생조르주처럼 잘 알려지지 않았든, 중국의 유일한 여제인 측천무후처럼 서양에서는 거의 알려지지 않았든, 그들은 모두 그 시대의 주역이다. 시대의 흐름에 따라 차례대로 나타나는 위인보다 우리를 더 잘 비춰볼 수 있는 거울이 있을까? 위대하든 그렇지 않든 그들은 우리에 대해 말하고 있다. 그들의 열정은 곧 우리의 열정이고, 그들의 욕망, 야망, 때로는 지나친 사랑도 곧 우리의 것이다. 매력적인 또는 두려운 거울인 그들의 존재는 우리의 희망과 욕망을 대신 보여준다. 그들은 인간의 조건을 뛰어넘어 영웅이 되고자 했다. 거인의 어깨 위에 앉아서 우리도 학자, 과학자, 예술가, 왕과 왕비, 특출난 남자와 여자를 따라가 보자.

'인물편'에 이어서 '사상·유적편'에서는 시대를 관통한 사상과 인류의 빛나는 문화유산에 대해 설명한다. **사상**은 세상을 바라보는 주요 방식을 소개한다. 고전 철학—아리스토텔레스주의나 실존주의—이 유대인들의 계몽주의인 하스칼라, 오리엔탈리즘, 아르 앵코에랑과 한자리에 모였다. 교리나 이론, 또는 삶의 태도나 방식이 생명을 얻고 의미를 갖는다. 사상에 관한 이 부분은 철학, 종교, 문학, 경제학, 사회학, 고고학에서 비롯된 사상의 비등에 초점을 맞춘다. 사상은 인간이 존재하기 때문에 있는 것이다. 인간은 자신의 기원과 미래, 죽음에 대한 생각을 멈춘 적이 없다. 점점 더 확장되고 복잡해지는 세상이라는 현실에 침잠되어 자신을 둘러싼 수수께끼의 답을 찾으며 두려움을 마주한다. 인간은 세상에 묻고 자신에게 묻는다. 생각하는 사람은 질문을 하는 사람이고, 그 답을 찾기 시작하면서 더 많은 질문을 하는 존재이다.

유적은 시간의 풍파를 이겨내고 우리의 문화유산이 된 물리적 지문이다. 유적을 의미하는 'monument'의 라틴어 어원인 'monumentum'(모누멘툼)은 '기억하다'는 뜻의 동사 'monere'(모네레)에서 파생되었다. 유적은 사건을 기억하고 기념한다. 유적이 역사적이라고 말할 수 있는 것은 그것이 보호되고 보존되었기 때문에 가능한 일이다. 또한 사상적 혹은 예술적이라고 말할 수 있는 것은 유적이 엄청난 작업의 합이기 때문에 가능하다. 이 모든 면이 유적에 관한 부분에서 다루어진다. 유적은 시간의 길 위에 남겨진 작은 조약돌이다. 그것은 때로는 변화, 혁신, 진보를 나타내고 때로는 절정, 완벽, 걸작을 나타낸다. 모든 유적은 독보적이고 타인에게는 이웃 문화권을 대표한다. 웅장하든 소박하든 유적은 선인들이 자기 뒤에 남기고 싶어 했던 것의 가장 강렬한 표현이며 그들의 노하우, 기술, 예술, 감수성의 증거이다.

자, 이제 지식의 길을 따라 좋은 여행을 하길 빈다.

차례

서문: **제작의 비밀**_4

고대 L'ANTIQUITÉ

사상

기독교_14 | 도교_17 | 도나투스파_20 | 마니교_22 | 무신론_24 | 불교_26 | 브라만교_29 | 신토_31 | 아리스토텔레스주의_33 | 아유르베디즘_38 | 애니미즘_40 | 에피쿠로스주의_43 | 영지주의_47 | 오르페우스교_49 | 유교_52 | 유대교_54 | 자이나교_61 | 탄트라교_63 | 토테미즘_66 | 플라톤주의_69 | 피타고라스주의_74 | 힌두교_78

유적

나브타 플라야_84 | 디오클레티아누스 궁전_86 | 로마의 콜로세움_88 | 마사다_90 | 마우솔로스의 영묘_92 | 만리장성_94 | 소림사_97 | 신비의 저택_99 | 아부심벨_103 | 안토니누스 방벽_106 | 알렉산드로스 모자이크_108 | 이시스 신전_110 | 카잔루크의 트라키아인 무덤_113 | 크노소스 궁전_115 | 키르쿠스 막시무스_118 | 타르퀴니아의 공동묘지_120 | 통곡의 벽_123 | 파르테논_125 | 파이윰 미라 초상화_128 | 판테온_130 | 페트라_132 | 포르타 니그라_135 | 퐁뒤가르 수도교_137 | 프톨레마이오스의 칸타로스_139 | 피라미드_141 | 해골 성지_144

중세 LE MOYEN ÂGE

궁정풍 연애_150 | 마이모니데스 교리_153 | 보고밀파_157 | 수도주의_161 | 스콜라 철학_164 | 아베로에스주의_168 | 아우구스티누스주의_171 | 오컴주의_174 | 이슬람교_177 | 카타리파_183 | 탁발 수도회_187 | 토마스주의_191

금각사_196 | 노트르담 대성당_200 | 몽생미셸 수도원_202 | 바위의 돔_204 | 보로부두르_205 | 산마르코 대성당_207 | 산 조반니 세례당_209 | 생드니 대성당_211 | 생트마리마들렌 대성당_214 | 생트샤펠 성당_217 | 생트푸아 수도원_220 | 성 기오르기스 교회_222 | 성 소피아 대성당_224 | 아야 소피아_226 | 안자르_228 | 알람브라_229 | 앙코르 와트_232 | 이세 신궁_236 | 장크트갈렌 수도원_237 | 카르카손_240 | 티칼_242 | 파하르푸르 대승원_245

근대 LE MONDE MODERNE

경건주의_250 | 고전주의_253 | 근대성_257 | 데카르트주의_260 | 마키아벨리즘_264 | 매너리즘_267 | 바로크_270 | 반종교 개혁_273 | 신구 논쟁_277 | 얀센주의_279 | 우생학_282 | 유토피아적 이상주의_284 | 인문주의_287 | 자유분방주의_290 | 프리메이슨_292 | 플레이아드_295

데제르 드 레츠_300 | 바탁족의 가옥_302 | 베르사유 궁전_305 | 보르도 대극장_310 | 산 카를로 극장_312 | 샹보르성_314 | 성 바실리 대성당_317 | 성 베드로 대성당_320 | 세인트 폴 대성당_322 | 슈농소성_325 | 아그라 요새_327 | 아스키아 무덤_329 | 엘 에스코리알_332 | 타지마할_335 | 톱카프 궁전_337 | 팡테옹_339 | 페테르고프_341 | 피렌체 대성당_343 | 황금 사원_346

현대 L'ÉPOQUE CONTEMPORAINE

고고학_352 | 다다이즘_357 | 상징주의_359 | 실존주의_362 | 심리학_365 | 아날학파_369 | 아르 앵코에랑_371 | 예술을 위한 예술_374 | 오리엔탈리즘_376 | 인상주의_378 | 입체파_382 | 자유주의_386 | 진화론_390 | 초현실주의_393 | 표현주의_398 | 하스칼라_401

기마르 저택_406 | 뉴욕 구겐하임 미술관_408 | 록펠러 센터_411 | 루브르 피라미드_414 | 미요 대교_416 | 바우하우스_418 | 빌라 사부아_421 | 사그라다 파밀리아_424 | 사크레쾨르 대성당_426 | 수정궁_428 | 시드니 오페라 하우스_430 | 에투알 개선문_432 | 에펠 탑_434 | 오페라 가르니에_437 | 유럽 지중해 문명 박물관_439 | 조르주 퐁피두 센터_441 | 중국탕_444 | 케 브랑리 박물관_447

■ 도판 목록_449

■ 찾아보기_450

사상·유적

고대는 중동에서 인류 최초의 문자가 출현한 기원전 4000년경에 시작해서 보통 중세의 시작으로 알려진 서로마 제국이 멸망한 해인 476년에 끝난다. 전 분야에 걸쳐 막대한 정보가 수집되면서 우리는 고대를 새로운 시각으로 바라보게 되었다. 고대는 더 이상 그리스인과 로마인의 전유물이 아니다. 그 당시에도 다양한 사고방식이 존재했다. 이 책에서는 아시아, 중동, 지중해 연안 등 각 문화권의 자율성을 존중하고 그 지역의 문화를 있는 그대로 관찰하며 태곳적부터 이어져 온 변화를 살펴보고자 했다. 우리는 고대가 우리의 고정 관념을 뛰어넘는 시대이며, 고대인의 사상 속에 반드시 현대 사회를 구성하는 요소들이 담겨 있는 것은 아님을 알고 있다. 현대 사회라는 왜곡된 프리즘을 통해서 고대를 이해하려고 할 필요는 없는 것이다. 고대 사회를 그리스라는 하나의 틀로 규정할 수 없으므로 인도, 아시아, 소아시아, 아프리카까지 고려했다. 우리는 이 책에서 이들 지역의 주요 사상과 유적을 살펴볼 것이다. '사상'은 세계를 인식하는 여러 방식, 그리고 인간과 우주를 중심에 두는 관점을 다루고 있다. '유적'은 세월을 견디고 오늘날 인류의 문화유산이 된 유형의 지문들을 소개한다.

고대

L'ANTIQUITÉ

고대

사상

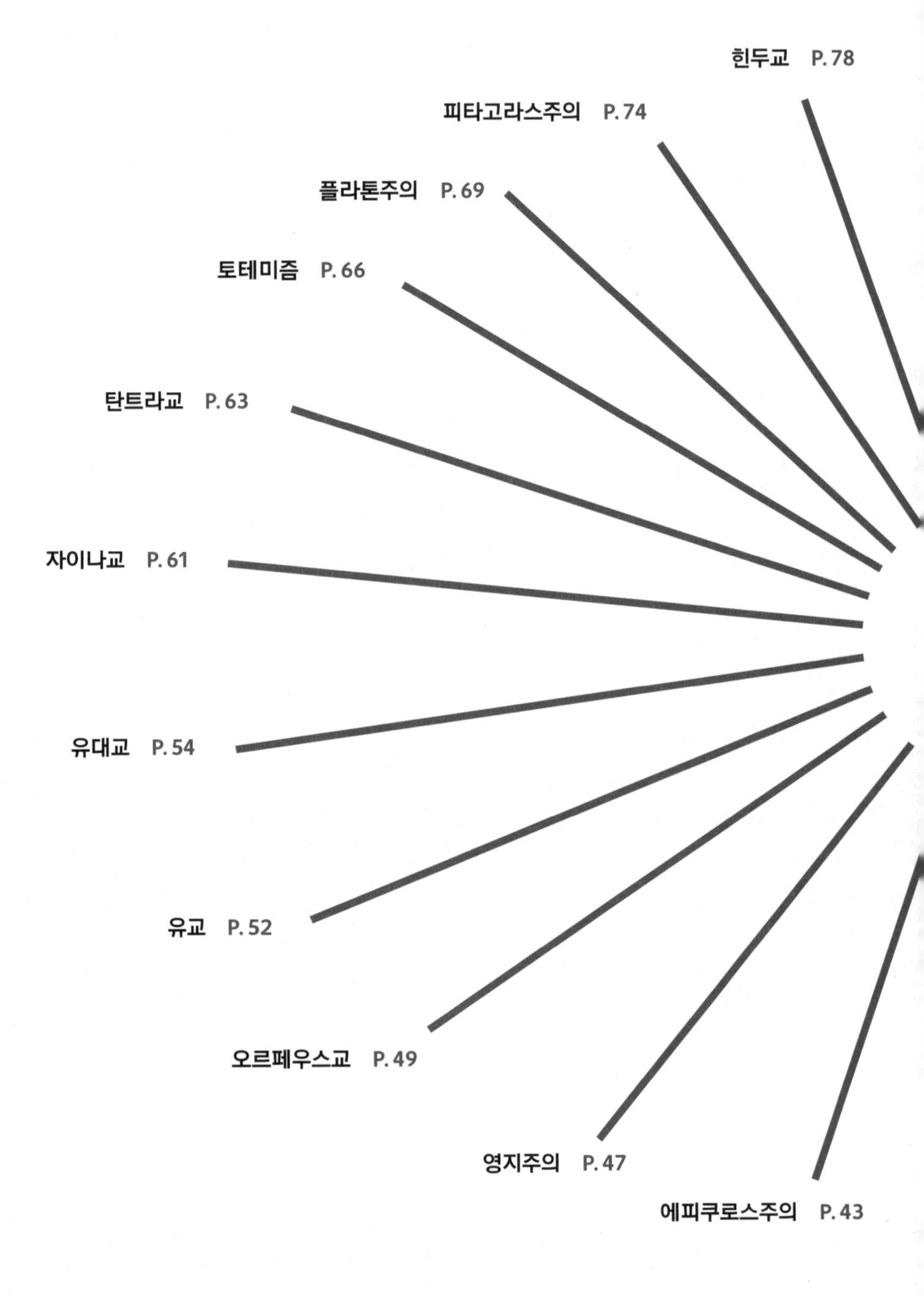

힌두교 P. 78
피타고라스주의 P. 74
플라톤주의 P. 69
토테미즘 P. 66
탄트라교 P. 63
자이나교 P. 61
유대교 P. 54
유교 P. 52
오르페우스교 P. 49
영지주의 P. 47
에피쿠로스주의 P. 43

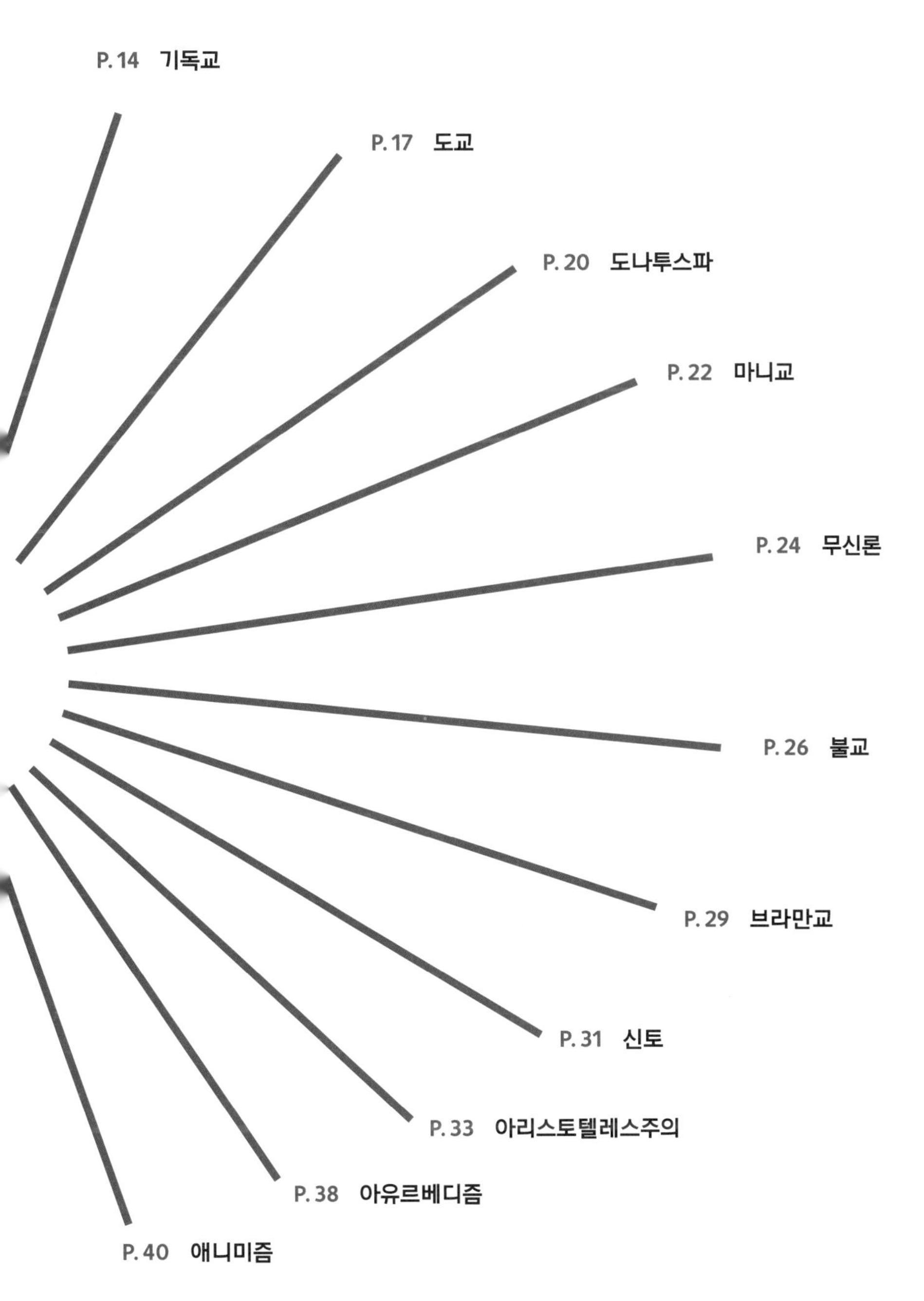
P. 14 기독교
P. 17 도교
P. 20 도나투스파
P. 22 마니교
P. 24 무신론
P. 26 불교
P. 29 브라만교
P. 31 신토
P. 33 아리스토텔레스주의
P. 38 아유르베디즘
P. 40 애니미즘

기독교

기원후 1세기에 등장한 기독교는 복음서가 전하는 예수 그리스도의 생애에 바탕을 둔다. 이 종교는 로마 제국의 국교였고 중세 시대에 사회를 조직하는 틀이었으며 유럽인의 사고를 지배하는 사상이었다. 기독교의 가장 큰 특징은 모세 율법을 연구하는 교부들이나 사회의 상류층으로 구성된 선택받은 사람들만이 아니라 백성 전체를 대상으로 했다는 점이다. 사회 계층이나 출신 민족에 상관없이 믿음을 가진 사람이라면 누구에게나 천국의 문을 열어주었던 기독교는 진정한 혁명이었다. 기독교는 본질적으로 그리스도의 업적, 즉 신의 아들이 인간에게 가져다준 교리, 종교, 그리고 교회이다. 그렇게 보면 그리스도는 자신의 창조물에게 존재를 드러낸 신이 보여준 절대적 진리이자 그릇됨을 피하고 조물주에 대한 의무를 다하기 위해 따라야 하는 가르침이다. 예수는 신앙과 기독교적 도덕을 지키는 왕에게는 종말이 올 때까지 보살핌을 약속했다.

기독교의 전승

기독교는 그리스도의 재림이라는 독특한 사건을 중심으로 발달했다. 그런데 그리스도 자체도 그리스의 문화적, 지적, 언어적 공간에서 수차례 변형을 거친 결과물이다. 기독교 교리의 확산은 엄청난 지적 발전과 동시에 일어났다. 아람어로 전해진 예수의 말은 곧바로 그리스어로 번역되었다. 수 세기 동안 구두로 계승되던 것이 기원후 몇십 년 동안 수많은 책으로 만들어졌다. 여러 제자가 예수의 생애 중 주요 사건들을 재구성하려고 했다. 그들은 예수가 일으킨 기적과 그의 설교에 관한 이야기 및 증언을 짧은 시간 안에 모을 수 있었다. 그 글들을 여러 번 수정한 결과물이 바로 복음서이다. 기독교가 공식적으로 인정받은 것은 테살로니카 칙령(380)이 내려진 4세기의 일이다. 기독교가 국교로 정해지면서 이교도의 종교 의식은 금지되었다. 이때부터 아테네를 제외하고 그리스 문화의 영향권에 있던 동방 전체에서 기독교가 받아들여졌다. 서양에서는 대부분의 도시가 기독교로 기울었다.

문헌에 기록된 예수

예수의 말씀과 삶에 대한 이야기는 그의 사후 30~40년이 지난 뒤인 기원후 70년경에야 알려지기 시작했다. 기독교 문서가 아닌 사료의 저자는 1세기의 이교도와 유대인이었다. 『탈무드』와 역사가 플라비우스 요세푸스가 쓴 『유대 고대사』에 예수의 존재가 언급되어 있다. 2세기에 작성된 라틴어 사료는 훨씬 더 많다. 타키투스는 『연대기』에서 네로 황제 시절 로마가 불탈 때 기독교인들에 대해서 이렇게 썼다. "그 이름은 그리스도에서 왔다. 티베리우스 통치 시절에 지방관인 폰티우스 필라투스가 그를 처형했다." 수에토니우스는 『황제 열전』에서 예수의 존재를 언급했고, 소플리니우스는 제국 내에서 기독교인들의 영향력이 점점 더 커진다고 말했다. 기독교 문헌 중 일부는 『신약』에 포함되었다. 바울로 서신은 그중 가장 오래된 문서이다. 복음서는 예수의 어린 시절이나 그가 설교를 하던 배경에 대한 정보를 주지 못했다. 다만 「마가복음」과 「마태복음」에 나사렛이 예수의 고향으로 나와 있고, 「누가복음」에는 유대의 베들레헴이라고 나와 있다. 예수가 태어난 해에 대해서는 기원전 6년이나 7년이라고 기록된 「마태복음」을 정설로 삼는다. 12월 25일을 예수의 탄신일로 보는 것은 2세기 말에 정해졌다. 동방 교회는 예수의 생일을 1월 6일로 본다.

잘못된 신앙, 이단

초기의 교회는 인정도 받고 바탕으로 삼을 수 있을 만큼 권위가 있는 성경을 원했다. 이는 이단—원래의 의미는 '오류'이다—이 발달하는 것을 막고자 하는 의도이기도 했다. 5세기의 주된 이단은 네스토리우스파와 단성설이었다. 시조인 네스토리우스의 이름을 딴 네스토리우스파는 예수를 신이 아닌 인간으로 보았다. 그리고 하느님의 말씀이 살아있는 성전일 뿐이라고 여겼으며, 성모 마리아는 예수가 신이 아니니 인간의 어머니라고 주장했다. 단성설은 네스토리우스파에 대한 반발로 생겼지만 그 반대의 이유로 오류에 빠진다. 신이 인간을 품었으니 예수 안에는 신의 본성만 있다고 주장한 것이다.

모음집인 『성경』

150년경 유대인이 인정한 성경인 『구약』 이외에 4개의 복음서가 추가되었다. 마가, 마태, 누가, 요한이 쓴 이 복음서들이 모여 『신약』이 되었다. 「사도행전」은 『신약』

의 다섯 번째 책으로 누가가 썼다고 전해진다. 『신약』은 계시록으로 끝나는데, 로마의 기독교인 박해와 세상의 종말을 예언하고 예수의 재림(파루시아)과 최후의 심판을 경고한다. '성경Bible'이라는 말은 기원후 4세기 초인 헬레니즘 시대에 생겼다. 이 시기에 서양에서는 다신교가 사라지면서 이교도의 글들도 줄어들었는데, 그 대신에 진리를 세울 것을 사명으로 했던 기독교 서적들이 늘어났다. 초기의 설교자들은 평민이었으며 복음서의 이야기와 사도들이 남긴 글들을 보면 그들이 역사가로서의 자질을 갖추었음을 알 수 있다. 성인으로 추대된 4명의 복음서 저자는 다음과 같다.

마가: 베드로의 측근으로 이집트 교회를 세웠다. 「마가복음」은 그가 베드로와 나눈 대화를 정리한 결과물이다.
마태: 가장 오래된 복음서인 「마태복음」의 저자이다. 「마태복음」은 히브리어 사투리로 쓰였다가 그리스어와 칼데아어로 번역되었다.
누가: 그리스어로 「누가복음」을 썼고 「사도행전」도 썼다. 「사도행전」은 초기 교회의 역사를 담고 있다.
요한: 에페소스에서 「요한복음」을 썼다. 바울로가 이미 개종시킨 에페소스는 요한이 펼친 전도의 중심지가 되었다.

『구약』과 『신약』

『성경』은 여러 부분으로 나뉜다. 첫 5서인 모세 오경을 비롯해 예언서, 역사서, 시가서 등이 모여 『구약』을 이룬다. 『신약』은 『구약』보다 뒤늦게 작성되었으며 기독교에서만 인정한다. 『성경』은 신자들에게 신의 말씀을 전하는 책이다. 그래서 『성경』의 번역은 사제들에게 매우 중요하고 민감한 문제이다. 그리스어 번역본인 『70인역』은 『구약』만 번역한 것이다. 라틴어 번역은 히에로니무스가 했으며, 13세기부터 이 라틴어 번역본을 '불가타'라고 불렀다. 1943년까지 가톨릭교회는 히에로니무스의 번역본만 정본으로 인정했다.

도교

역사가 사마천에 따르면 노자는 석가모니와 동시대 인물이다. 노자가 가르친 새로운 교리는 도교라고 불린다. 노자는 우주를 '도道'의 원칙에 따라 조직된 조화로운 하나로 보았다. 우주의 질서가 유지되려면 도교의 신도들은 그 질서를 따르고 일정한 가치와 명령을 지켜야 한다. 우주의 조화에 부합하는 것은 도교와 유교에서 모두 이상적인 완벽함, 즉 '도'라고 불리는 길을 추구하는 것이다. 문명을 자연의 질서가 파괴된 결과로 보기 때문에 도교는 우주의 리듬과 원초적 순수함으로 돌아가자고 설파한다. 그러려면 내면을 비워야 하고, 그래야 기원으로 되돌아갈 수 있다. 명상은 몸이 우주를 다스리는 힘과 만날 수 있는 방법이다. 도교 사상의 특징은 철학적 요소와 종교적 요소, 신비주의적 요소와 과학적인 요소를 결합했다는 점이다. 자연과 인간의 상호 작용, 세계와 인간 사회의 상호 작용, 만물의 기원인 도로의 회귀, 조상을 모시는 것, 군주의 신성을 믿는 것 등이 도교의 주요 개념이다.

도란 무엇인가

도는 일반적으로 '길'과 '설명하다'라는 두 가지 뜻이 있다. 그 의미는 가르침의 말, 즉 교리로까지 확장될 수 있다. 유교에서는 도가 도덕적 교리를 가리킨다. 종교적인 측면에서 도는 또 다른 의미를 갖는다. 즉 도는 하늘과 땅, 신성한 힘과 인간의 소통을 의미한다. 도는 기술이자 방법론이자 힘이다. 공자는 인간이 조직적인 도시에 속해서 우주의 질서와 같은 질서가 유지되도록 기여하기를 바랐지만 노자는 절대적인 것을 추구하고 개인주의를 주장하라고 설파했다. 격언집이라고 할 수 있는 『도덕경』에서 도는 새로운 형이상학적 의미를 갖는다. 자각할 수 없는 도는 모든 특정한 현상의 잠재적인 형태와 힘을 내포하고 있다. 도는 과정의 결과이지 창조의 결과가 아니다. 도는 세상의 기원으로 정의될 수 있다. 하늘과 땅이 생기기 이전에 존재했던 "도는 비옥한 본질을 자기 안에 담고" 있고 1만 개의 존재가 그 하늘과 땅 사이의 빈 공간에 저절로 태어났다. 장자는 자신의 이름을 딴 저서 『장자』에서 도는 "충만한 것도 아니고 비어 있는 것도 아니다"라고 했다. 실제로 도는 단순히 하나의 원칙이나 교리가 아니다. 노자가 보여주고 정의하고 이름 붙이려 했던 것은 그보다 더 복합적인 것이다.

음과 양

음과 양이 최초로 철학적 의미를 띤 것은 『역경』에서였다. 양은 태양, 불, 빛, 남성성을 가리키고 음은 달, 물, 그림자, 여성성을 가리킨다. 서로 보완적인 개념인 음과 양은 우주의 모든 것을 관장한다. 도는 음과 양이 조화롭게 대치할 때 나타난다. 중국의 우주에 관한 신화에서는 반고盤古라는 신이 땅과 하늘을 분리했고 땅과 하늘의 요소들이 각각 음과 양으로 나뉘었다고 본다. 인간도 육체의 각 부분이 대우주의 구성 요소(머리-하늘, 발-땅, 눈-해와 달, 숨-바람)와 연결되어 있으며 5개의 장기는 자연의 요소(폐-금속, 심장-불, 간-나무, 비장-땅, 신장-물)에 상응한다. 사회의 구조도 세계의 구조에서 비롯된다. 사회도 "우주처럼 조절의 원칙과 창조의 에너지를 내포하고 있어야 한다." 도교는 초월적인 힘에 좌우되지 않는 동일한 관계 조직에 속하는 존재를 개념화했다. 모든 것은 대립, 상호 의존, 또는 음과 양의 원칙을 따르는 존재가 탄생해서 생긴 결과물이다. 그것을 상징적으로 표현한 태극도가 도의 이미지를 잘 반영한다.

변화의 책

'변화의 책'이라고도 알려진 『역경』은 미래를 점치는 책이다. 이 책에 나오는 추상적 도형인 64괘에는 각각 6개의 선이 그려져 있다. 이 괘를 이용해서 예언을 할 수 있다. 선은 하나의 선일 수도 있고 나뉘어 있을 수도 있는데, 완전한 선은 양을, 나뉜 선은 음을 나타낸다. 괘를 읽는 사람은 그것이 나타내는 상징을 해석할 수 있어야 한다. 어떤 선은 변형되어 두 번째 괘를 만들 수 있다. 조합을 늘려가면 최대 4096개의 행동 유형이 나타난다. 괘는 우리가 세상에서 부딪힐 수 있는 수많은 사회적·정신적 상황을 분석하고 설명할 수 있게 해준다. 『역경』은 인간이 살아가면서 맞이할 모든 상황을 분류한 것이라고 볼 수 있다.

행동하지 않음으로써 행동하기

'행동의 부재'를 뜻하는 무위無爲는 도교의 중요하면서도 복합적인 원리이다. 『도덕경』에서는 무위를 "행동하지 않음으로써 행동하기"로 본다. 도를 따르려면 자아를 제쳐두고 빈 상태에서 자연의 도를 받아들이고 따라야 한다. 이론적으로 보면 이 단계가 반드시 필요하지는 않다. 모든 인간의 궁극적 목표가 싸우지 않고 승리를 거두는 도의 법칙을 지키는 것이기 때문이다. 그러나 무위가 무기력을 뜻하는 것은 아니다. 행동은 발생될 수밖에 없으므로 행동을 하는 자가 행동의 흔적을 남기지 말아야 한다. 무위가 없으면 실현될 수 있는 것이 없다. 자연의 섭리를 거스르는 개입이 이루어지면 예상과는 반대되는 결과가 나오거나 아예 일을 그르칠 수 있다. 무위를 추구한다면, 성공을 위해 자신을 지워야 하고 자발적으로 폭력과 공격적인 행동을 삼가야 한다. 이상적으로는 토론도 논쟁도 벌이지 않아야 한다. 도교는 통제가 가장 적을 때 잘 돌아가는 사회를 이상적으로 본다. 무위는 인간이 행복해질 수 있는 비결로 여겨진다. 무위를 통해서 모든 일이 이루어질 수 있기 때문이다. 사람들에게 큰 영향을 미친 이러한 가르침은 손자의 저서 『손자병법』에도 나타난다. 손자의 주장에 따르면 분쟁을 해결하고자 하는 개인이나 집단은 적의 기대를 무효화시킬 줄 알아야 한다. 싸움을 하지 않고 이기는 것은 자신과 상대방을 아주 잘 알 때에만 가능하다.

도나투스파

도나투스파는 4세기에 로마의 아프리카 속주에서 발달했다. 도나투스파라는 이름은 알제리 북부와 튀니지 서부를 어우르는 누미디아 교구의 사제 도나투스 마그누스 Donatus Magnus의 이름에서 기원한다. 도나투스는 탈락자lapsi와 배교자를 용납하지 않았다. 디오클레티아누스 황제가 기독교를 탄압할 때 탈락자들은 기독교를 부정했고 배교자들은 『성서』를 넘겨주었다. 박해받은 사제와 주교들의 태도도 다양했다. 완전히 항복한 사람이 있는가 하면 반쯤 넘어간 사람도 있었다. 신앙을 부정하지 않으면서 『성서』를 파기하는 것을 보고만 있는 사람이 있는가 하면 아예 도망간 사람도 있었다. 순교는 의무가 아니었고 도망치는 것은 명예로운 선택이었다.

도나투스의 주장

문제는 원래 이교를 믿었던 로마 제국이 기독교로 개종하면서 시작되었다. 305년에 박해에 종지부를 찍는 칙령이 발표되었다. 313년에는 콘스탄티누스 1세가 밀라노 칙령을 통해 종교적 관용을 공식화했다. 테오도시우스 1세가 테살로니카 칙령을 380년에 내리면서 기독교는 로마 제국의 국교이자 유일한 합법적인 종교가 되었다. 100년도 채 지나지 않아 상황이 급변한 것이다. 박해를 받던 이들의 종교가 유일한 종교가 되었고, 옛 신들을 숭배하는 것은 금지되었다. 그러는 사이에 한 가지 문제가 반복적으로 제기되었다. 박해가 있었을 때 신앙을 부정했거나 『성서』를 불태우도록 내어준 기독교인들을 어떻게 할 것인가? 그 당시에 신앙을 저버렸던 사제나 주교가 다시 예배와 성사를 주관하자 문제는 훨씬 더 첨예해졌다. 도나투스와 그를 따르는 신자들은 그런 성사는 가치가 없다고 주장했다. 그럴 자격이 없는 사람들이 주관했기 때문이다. 결국 배교자들의 인도로 교회에 들어온 신자들은 세례부터 다시 받아야 한다는 뜻이다. 가톨릭교회를 조직하는 역사적 순간에는 정치권력도 개입했다.

반대자들

아우구스티누스는 카르타고 공의회에 참석해서 도나투스파를 맹렬히 비난했다. 그는 그 자리에서 교회가 예수의 육체이므로 교회의 일원이 주관한 성사는 모두 유효하다는 주장을 펼쳤다. 그와 같은 주장을 펼친 사람으로는 도나투스파를 반대하는 글을 썼던 밀레비스(지금의 알제리에 소재)의 주교 옵타투스가 있다.

하나의 공동체, 두 명의 사제

312년에 카르타고의 새 주교로 카이킬리아누스가 임명되었다. 그러나 누미디아에 있던 도나투스는 그가 배교자에게 서품을 받았다는 이유로 임명에 반대했고 다른 주교인 마조리누스를 선출하도록 했다. 이러한 상황이 예외적이었던 것은 아니다. 하나의 공동체에 두 성직자가 있고 그중 하나는 도나투스파인 경우가 흔했다. 콘스탄티누스 1세와 아를 공의회는 이를 규탄했다. 분쟁을 해결하는 것은 황제의 몫이었는데, 그들의 입장은 시간과 공의회에 따라서 변하다가 340년 키르쿰켈리온으로 불리는 농민들이 종교적으로 불안정한 상황을 이용해 토지 소유주들을 학살한 사건과 겹쳤다. 결국 411년 카르타고 공의회에서 도나투스파 주교들과 가톨릭교도들이 모여 만민의 교회를 분열시켰던 갈등을 종식했다. 그러나 도나투스파 신도들은 자신들의 관점을 뿌리내리는 데 실패했다. 이듬해에 그들의 교리는 이단으로 분류되었고 재산은 몰수당했다. 429년 반달족이 아프리카를 정복할 때에도 몇몇 도나투스파 공동체가 남아 있기는 했지만 서서히 사라졌다.

마니교

마니교는 선과 악을 확연히 구분하는 이원론적 종교이다. 창시자는 페르시아인이었던 마니Mani이다. 3세기에 살았던 마니는 자신을 마지막 예언자이자 다른 모든 종교를 대체할 보편적 메시지를 가진 자로 자칭했다. 그는 교리의 훼손을 피하고 가르침의 통일성을 확보하기 위해서 살아생전에 자신의 글을 경전으로 정했다.

마니교는 오랫동안 기독교의 이단으로 간주되었지만 하나의 종교로 인정할 필요가 있다. 교리의 일관성과 엄격한 제도가 마니교의 독보적인 특징이기 때문이다. 과거의 모든 진리—특히 조로아스터, 석가모니, 예수가 밝힌 진리—를 모두 포괄한다는 마니교는 그야말로 보편적인 종교를 꿈꾸었다. 여러 종교를 단순히 혼합한 것이 아니라 다양한 문화권에 적용될 수 있는 메시지를 알리고자 했다. 삼위일체, 불교, 윤회를 받아들이는 마니교는 맥락과 관점에 따라서 이란과 인도의 종교 및 기독교와 가깝다고 할 수 있다.

마니교의 부활

마니교는 초창기부터 선교 활동에 큰 의미를 부여했다. 그 결과 사산조 페르시아의 동부 지역에 전파되었다. 마니교 공동체는 이 지역에서 많은 박해를 받았음에도 불구하고 10세기까지 존속했다. 아바스 왕조 시절 박해가 심해지자 어쩔 수 없이 사마르칸트(지금의 우즈베키스탄)로 이동했다. 마니의 가르침은 서쪽으로 빠르게 전파되어 이집트에서 북아프리카를 거쳐 4세기 초에 로마로 확산되었다.

기독교 교회뿐만 아니라 로마 제국도 마니교를 맹렬히 비난했고, 결국 마니교는 1세기 뒤에 서유럽에서, 곧이어 로마 제국의 동쪽 지역에서 거의 자취를 감췄다. 그러나 중세에 마니교와 확연히 유사한 이단들이 유럽에 다시 뿌리내렸다. 바오로파(아르메니아, 7세기), 보고밀파(불가리아, 10세기), 카타리파 또는 알비파(프랑스 남부, 12세기) 등이 그것이다. 이들이 마니교의 영향을 많이 받은 것은 분명하지만 직접적인 역사적 관계를 증명하는 것은 어렵다. 7세기에는 대상로가 다시 열리면서 마니교가 동방에서 새로운 도약의 계기를 맞았다. 마니교 선교사가 694년에 중국의 황궁까지 진출했으니 말이다. 초기에 중국은 종교적 자유를 존중했다가 843년부터 이를 인정하지 않았다. 마니교는 박해에도 불구하고 14세기까지 존속했다. 위구르족이 8세기에 동투르키스탄을 차지했을 때 마니교를 받아들였고, 840년에 멸망하기 전까지 마니교를 국교로 삼았다.

마니교의 교리

마니교에 따르면 빛과 어둠이 충돌해서 세상이 탄생했다. 마니교의 체계는 이러한 대립을 중심으로 돌아간다. 이 대립은 인간에게서도 찾아볼 수 있다. 영혼은 빛이고 육체는 어둠인 것이다. 마니교의 가르침은 인간을 영혼에서 해방시키는 것을 목적으로 한다. 신도들은 '선택받은 자'(성직자)이든 '듣는 자'(평신도)이든 마니의 십계명을 지켜야 한다. 마니교 공동체는 신도들을 이처럼 두 부류로 나누었는데, 그 기준은 조상이었다. 평신도는 성직자보다 가벼운 규율을 지켰고, 성직자는 독신, 생명 존중, 엄격한 식이법 등 지켜야 할 규율이 더 많았다. 또한 제물을 바치지는 않았지만 기도와 금식을 해야 했다. 평신도가 살아생전에 성직자가 되는 일은 불가능했다. 평신도로 태어난 사람이 가르침을 따르면 다음 생에서 성직자의 몸으로 태어날 수 있고 결국 구원에 이를 수 있다. 빛의 왕국은 영원히 존재한다.

무신론

무신론atheism이라는 말은 그리스어 '아테오스atheos'에서 유래되었다. '아테오스'를 직역하면 그 의미가 명쾌하게 이해되는 듯싶다가도 한편으로는 더 모호하게 느껴진다. 원래 '신이 없는'이라는 뜻의 이 단어는 신의 영역 밖에 있는 것을 가리켰기 때문에 신의 존재를 부정하는 교리와는 아무 상관이 없었다. 고대에는 무신론을 옹호하는 사람이 많지 않았지만 근대에 와서는 무신론이 확산되었고 열렬한 지지자도 생겼다. 무신론자는 자신이 속한 공동체가 믿는 종교를 거부하는 불경한 사람, 즉 신의 보호를 받지 않는 사람을 가리켰다. 소크라테스가 재판을 받았을 때 재판관들로 하여금 결국 그에게 사형 선고까지 내리게 한 범죄는 바로 불경죄였다. 플라톤은 『소크라테스의 변론』에서 소크라테스가 '절대적인 무신론자parapan atheos'가 아니었음을 보여주려고 했다. 무신론자라는 표현은 이후 사라졌다가 1564년 샤를 드 부르그빌의 『아테오마시*Athéomachie*』에 다시 등장했다. 부르그빌은 이 책에서 신을 인정하지 않는 무신론자들을 고발했다. 로마 교회의 공식 문서인 교황의 회칙 파센디에 무신론이라는 말이 언급된 것은 1907년이었다. 오늘날 이해되고 있는 무신론은 일신교의 신만이 아니라 고대의 인간을 닮은 여러 신과 애니미즘의 정령에도 해당된다. 즉 모든 종교적 신앙에 의문을 제기하는 것이다.

신은 인간이 아닌가

무신론의 의미를 유신론—신이 존재한다고 단언하고 이를 증명하려는 믿음의 체계—에 반대되는, 신에 대한 부정으로 제한하지 않는 것이 바람직하다. 이쯤에서 불가지론이 무엇인지 살펴보자. 영국의 생물학자이자 다윈의 진화론 연구의 일인자인 토머스 헉슬리가 1869년 런던에서 열린 형이상학회 회의에서 처음 언급한 불가지론은 무신론과 중요한 차이가 있다. 무신론자는 신이 없다고 주장하는 반면, 불가지론자는 신이 존재하는지 알 수 없다고 말한다. 따라서 불가지론자이면서 신을 믿는 일은 얼마든지 가능하다. 불가지론자이면서 신을 믿지 않는 일도 물론 가능하다. 그렇다면 신앙주의란 무엇일까? 신앙주의란 신에 대한 믿음을 설파하고 종교적 진리를 아는 데 필요한 이성의 힘을 최소화하는 철학적 관점이다. 신은 필연적으로 모습을 감춘다. 믿음으로 받아들여진 신의 존재와 권위야말로 확신과 구원의 유일한 통로이다. 오늘날 신앙주의 신학자들은 인간의 정신이 종교적 진리를 이해할 수는 없어도 그것을 받아들이기 위한 기본적 이성이 존재한다고 말한다. 17세기에 블레즈 파스칼은 타고난 능력만으로는 종교적 확신을 갖지 못하며 믿음을 정당화할 수 없다고 주장했다. 그는 이 말을 통해서 인간의 유한성, 특히 신의 계획을 알 수 없는 인간을 강조하고자 했다.

만약 신이 존재하지 않는다면

파스칼은 『팡세』에서 내기를 통해 회의주의를 극복해야 한다고 말했다. 신이 없다면 회의주의자는 신을 믿는다고 해도 잃을 것이 없다. 반대로 신이 존재한다면 영원한 생명을 얻는다. "내기에서 이긴다면 모든 것을 얻을 것이고, 내기에서 진다고 해도 아무것도 잃지 않을 것이다. 그러니 주저 말고 신이 존재한다는 쪽에 내기를 걸어라." 그러나 무신론자에게는 말도 안 되는 주장이다. 신을 거부하는 것은 증명의 대상이 아니라 결정이기 때문이다. 무신론은 현실에 속하는 것과 믿음에 속하는 것을 분명히 대립시킨다. 종교란 환상에 불과하고, 신은 인간의 발명품이라는 것이다. 19세기 유물론자들은 종교적 믿음의 중요성에 대해 의문을 가지고 신앙과 소외, 즉 인간이 자신의 권리와 조건, 본성을 박탈당하는 형태의 관계를 부각했다. 예를 들어 루트비히 포이어바흐는 신에게 자신의 장점을 완벽한 형태로 투사하는 사람은 그 장점을 박탈당한다고 주장했다. 마르크스는 노동이 그러한 소외의 결과이며 인간은 노동에서 벗어나기 위해 저세상으로 피한다고 말했다. 그런가 하면 니체는 신은 죽었다고 말했고 인간이 비천해진 삶을 딛고 일어서서 어린아이와 같은 자유를 회복하려면 우상을 파괴해야 한다는 주장을 펼쳤다. 그의 뒤를 사르트르가 이었다. 사르트르는 인간이 형이상학적이거나 신학적인 기준에 맞추지 말고 자신의 가치를 스스로 만들고 선택해야 한다고 주장했다. 종교의 도그마에 관한 문제는 종교적 중립이라는 현안에 가려져 있는 것이 사실이다. 파스칼의 이야기로 시작했으니 도스토옙스키가 던진 경고로 마무리할까 한다. "신이 존재하지 않았다면 모든 것이 허용되었을 것이다."

불교

불교는 석가모니의 가르침을 바탕으로 기원전 6세기에서 기원전 4세기에 형성된 종교이다. 인도 북서부에서 불교가 처음 등장했을 때 브라만교에 비해 불교 수행자들은 종교적 의식에 대해 더 자유로웠고 개인적인 영적 경험을 추구했다. 불교는 역사상 기독교와 경쟁했고, 쇄신을 이룬 힌두교와 9세기 이슬람의 침략을 견디다가 13세기에 인도 북부에서 결국 사라졌다. 시간이 흐르면서 소수의 무리가 불교를 다시 받아들였다. 기원전 3세기에 아소카왕이 불교로 개종한 덕분에 불교가 인도 전역과 실론에 전파되었고, 이어서 동남아시아와 중앙아시아로까지 확산되었다. 석가모니의 사상은 브라만교의 사상에 비하면 진정한 혁명이었다. 누구나 해탈할 수 있고 출신 성분에 상관없이 누구나 평정을 이룰 수 있다고 했기 때문이다. 기독교가 출현하기 600여 년 전에 인류 역사상 최초로 만인을 위한 종교가 탄생한 것이다.

석가모니의 가르침

석가모니의 가르침은 그의 제자들을 통해 우리에게 전해졌다. 따라서 그 내용이 석가모니가 했던 말과 정확하게 일치하는지는 알 수 없다. 중요한 것은 그 가르침이 이루어졌던 장소와 그의 말을 들으러 모였던 사람들이다. 석가모니의 가르침은 모든 고통이 불만으로부터 온다는 것에서 출발한다. 그래서 모든 욕망도 고통의 근원이다. 욕망의 대상조차 영원하지 않기 때문이다. 석가모니는 형이상학적 물질로서의 영혼은 존재하지 않는다고 보았다. 그는 자아가 환상이고, 그것이 만든 부, 사회적 지위, 가족, 또는 정체성을 상징하는 물건도 환상이라고 간주했다. 석가모니의 가르침에 따르면 육체와 영혼은 진짜 본성에 해당하지 않는다. 반대로 실용적이고 도덕적인 의미에서 행위의 주체인 '나'의 존재를 인정한다. 삶은 출현과 소멸의 연속이고, 영원한 것은 없다. 우주는 인과의 법칙인 카르마의 산물이다. 선한 행동은 미래의 행위에서 기쁨을 낳고, 선하지 않은 행동은 고통을 낳는다.

사성제

석가모니의 장례식이 끝나고 그의 유해는 함에 넣어 탑에 보관되었다. 원래 탑은 흙을 쌓고 그 위에 '법륜'을 상징하는 석가모니의 가르침을 새겨 넣은 돌로 주변을 둘러싼 모양이다. 법륜은 석가모니가 사르나트에서 했던 첫 번째 설교의 주제인 팔정도와 관련이 있다. 석가모니는 사르나트에서 사성제에 대해서도 말했는데, 그가 무화과나무 아래에서 했다는 유명한 명상으로 깨달았던 것이 바로 사성제이다. 석가모니의 가르침에는 여러 버전이 존재하는데, 사성제만큼은 모든 문헌이 똑같이 다루고 있어서 사르나트에서의 설교와 사성제가 불교의 핵심 요소가 되었다.

사성제 중 첫 번째 진리는 **고제**苦諦이다. 고제는 괴로움, 불만족, 비영속성을 뜻한다. 존재하는 모든 것은 살아 있든 그렇지 않든 변화할 수밖에 없다. 완벽하고 완성된 것은 없으며 모든 것이 고통의 원인이다.

두 번째 진리는 **집제**集諦이다. 집제는 고통의 원인에 관한 것이다. 모든 욕망, 탐욕, 집착은 고통을 불러일으킨다. 감각에 동한 것이든 존재나 무존재에 대한 갈망에 동한 것이든 언제나 고통에 노출된다.

세 번째 진리는 **멸제**滅諦이다. 멸제는 고통의 끝을 말한다. 정도는 달라도 해방에 이를 수 있고, 가장 높은 경지가 바로 환생의 끝이기도 한 '열반' 또는 '해탈'이다.

네 번째 진리는 고통의 끝에 이르는 길인 **도제**道諦이다. 그 길을 '팔정도'라고 부르는데, 그것은 수행자가 여덟 가지 측면—정견, 정사유, 정어, 정업, 정명, 정정진, 정념, 정정—에서 올바르게 행동해야 하기 때문이다.

업보와 마야

환생이 계속 되풀이되는 것을 뜻하는 윤회에 갇힌 인간은 자기 자신을 알고 완성해야 열반에 이를 수 있다. 인간은 광물, 식물, 인간으로 진화하면서 단계를 계속 올라간다. 인간은 지혜(즈냐나), 의지(이샤샤), 행위(크리야)가 된다. 이 단계에서는 지능과 업보로 인해 인간의 욕망은 매우 커지고 제2의 본성이 된다. 그가 신에 대해 의식하기 시작하면 처음에는 신과 싸운다. 그를 해방시키는 것은 막가magga, 즉 도제에 해당한다. 즈냐나 막가는 자신을 아는 것이고, 치트는 순수한 의식이며, 박티 마르기는 자신을 사랑하는 것이다. 이렇게 해서 인간은 모크샤, 즉 해탈에 이른다. 해탈은 업보의 일반 법칙에 따라 결정된다. 인간은 자신의 행위가 낳은 결과를 벗어날 수 없다. 세상이 아니라 자신의 의식에 관한 인식의 덫에서 빠져나오면 모든 번뇌를 벗어나 궁극적인 평안인 열반에 이를 수 있다. 구원을 얻는 것은 마야의 세계, 즉 겉모습의 세계를 피할 줄 알아야 가능하다. 요가는 구원에 이르는 방법이다.

불교의 변화와 다양성

현대 불교에는 주요한 세 흐름이 있는데, 모두 '수레'를 뜻하는 '야나yana'라는 말이 명칭에 들어가 있다. 여기서 수레는 해탈의 길로 나아갈 수 있는 수단을 가리킨다. 불교의 세 유파는 석가모니가 세상을 떠난 뒤 몇 세기에 걸쳐 분리되어 발전했다. 첫 번째 유파는 소승 불교로 산스크리트어로는 '히나야나'라고 하며 '작은 수레'를 의미한다. 이 이름은 소승 불교의 반대파가 지었다고 한다. 보수적인 소승 불교는 '장로들의 길'인 테라바다를 중시해서 석가모니의 교리와 계율을 엄격하게 지킬 것을 권장한다. 이 유파는 인도 고대 불교의 '팔리어 성전'을 섬긴다. 또 다른 유파는 '큰 수레'를 뜻하는 '마하야나', 즉 대승 불교이다. 석가모니의 제자들이 전승한 대승 불교는 기원후 초기에 형성되었고 9세기 이후 동아시아와 중앙아시아의 불교문화를 지배했다. 대승 불교의 교리는 우주론, 복잡한 의식주의, 형이상학, 보편적 해방을 지지하는 윤리학 등을 담고 있다. 대승 불교에서 세 번째 유파인 밀교가 갈라져 나오는데, 산스크리트어로 '성스러운 의식의 길'을 뜻하는 '만트라야나' 또는 '벼락/금강석의 길'을 뜻하는 '바즈라야나'라고 한다. '바즈라vajra'는 인간의 절대적이고 파괴할 수 없는 현실을 뜻한다. 이러한 세 유파 외에도 티베트, 일본, 중국에 불교의 다른 유파들이 존재한다.

브라만교

종교사가들은 브라만교를 힌두교의 초기 형태로 본다. 브라만교의 또 다른 명칭인 베다교는 '베다Veda'라고 불리는 경전의 이름에서 비롯되었다. 브라만교가 힌두교에 자리를 내준 시기가 정확히 언제인지는 알 수 없지만 브라만교 신도들의 저술 활동이 줄어든 것은 기원전 5세기이다. 이 시기에 힌두어로 쓴 글들이 나타나기 시작했다. 산스크리트어로 작성된 브라만교의 글들은 1000년 동안 이어졌는데, 오래된 문서일수록 그 가치도 높다.

『베다』

『베다』는 4개의 모음집(삼히타)으로 구성되어 있다. 첫 번째 책이 '시의 베다'인 『리그베다』이다. 신에게 바치는 송가 약 1000편이 수록되어 있으며, 브라만교 신도들은 이를 의례 때 암송한다. '노래의 베다'라는 뜻의 『사마베다』는 거의 대부분 『리그베다』에서 가져온 시구들로 이루어져 있고 성가를 부르는 데 도움을 주기 위해 만들어졌다. '신성한 의례의 베다'인 『야주르베다』는 점점 더 복잡해지는 의례와 의례에 필요한 만트라에 대해 설명한다. 『아타르바베다』는 '주문의 베다'이다. 베다 시대 이후 수 세기 동안 이 네 삼히타는 '브라마나'라고 불리는 수많은 주해서의 대상이 되었다. 『브라마나』는 제물을 바치는 의례의 중요성과 활용법에 대해 설명한다. 가장 까다로운 의례가 나타내는 상징을 다룬 『아란야카』(B.C. 8세기)와 우주와 인간의 본성에 관해 다룬 『우파니샤드』(B.C. 9세기~B.C. 6세기)도 『브라마나』와 맥락을 같이 한다. 불, 태양, 벼락의 신인 아그니, 다른 신들에게 불멸을 약속하고 오늘날에는 생명의 본질로 간주되며 헌주로 표상화된 소마, 가장 높은 계급의 신이자 수많은 적과 악마를 물리친 전사 인드라, 우주의 법과 도덕률을 수호하는 바루나는 브라만교에서 가장 중요한 신들이다.

희생의 힘

브라만교의 우주론에서 희생은 가장 중요한 역할을 한다. 그래서 모든 것의 기원인 희생(제물)이 의례에서도 중요한 위치를 차지하는 것이다. 신도들은 신을 주인공으로 한 희생 의식을 되풀이한다. '만물의 주인'인 프라자파티는 우주와 동일시된다. 프라자파티는 최초의 인류 푸루샤로 표현되기도 하는데, 푸루샤의 잘린 팔다리에서 세상의 모든 생명이 탄생했다. 다른 신들도 그에게서 나왔다. 자신의 몸을 신과 인간에게 내어준 프라자파티의 희생을 통해 우주의 질서인 다르마가 세워졌다. 희생은 우주의 균형을 유지하는 데 필수 조건이다.

최초의 황금알

푸루샤 이전에는 무엇이 있었을까? 그때에는 존재도 없었고 비존재도 없었다. 단 하나, 최초의 알이 있었다. 이는 힌두교의 우주론에서 중요하게 다루는 주제이고 오르페우스교나 핀란드 신화 등 다른 문화권에도 등장하는 테마이다. 무한한 세계에는 무한한 생명이 존재한다. 이는 수많은 창조와 흡수의 과정으로 형상화되는데, 각 단계는 최고의 창조자인 브라흐마에게는 하루에 일어나는 일이다. 브라흐마의 생애는 311조 400억 년이며 1년은 360일이다. 창조적 활동을 벗어나는 모든 것은 창조자의 삶과 함께 끝나야 한다. 브라만의 천복은 각 우주가 시작될 때 나타난다. 황금알은 브라흐마, 비슈누, 시바라는 세 창조신을 가리키는 트리무르티의 행위로 만들어지고, 트리무르티는 이 알을 보존하거나 삼켜버린다. 그다음에 아함카라—환영 같은 사고를 창조한다—가 나타나서 소리, 촉감, 형태, 맛, 냄새의 모든 중요한 원칙인 탄마트라를 만든다. 특정한 존재를 만드는 것은 데바deva를 만드는 것으로 시작한다. 데바는 원래 비인격적인 형태였는데 '빛나는 존재', 즉 신의 지위를 얻게 되었다. '데바'에서 어근 '디브div'는 '빛나다'라는 뜻이다. 힌두교에서 가장 중요한 여신도 이름이 '어머니 여신' 혹은 '위대한 여신'인 데비이다. 신들은 인간이 의례와 제물을 통해서 우주의 균형을 유지하도록 돕는다. 이 우주에서 진정한 인간은 아트만의 씨앗인 지바트만이다.

신토

신토神道는 동양 문화권에서 이해하는 의미로 엄격히 따지면 종교로 볼 수 없다. 신토라는 말은 직역하면 '신의 길'이라는 뜻이다. 이는 일본의 매우 오래된 관습과 신앙을 통합하기 위해 사용된 말로, 불교가 중국에서 일본으로 전파되던 시기인 6세기에 확립되었다. 원래 일본의 신앙은 애니미즘과 다신교가 특징이었다. 일본인들은 자연이나 훌륭한 덕을 쌓은 조상과 관련된 신인 '카미'를 숭배했다. 8세기에는 불교와 신토가 공존했고, 절 안에 신토 사원이 있기도 했다. 이런 일이 가능했던 것은 진언종의 창시자 구카이空海 때문이다. 그는 신토와 불교가 근본적으로는 같다고 주장했다. 거기에서 발달한 양부신도는 18세기까지 존속했다. 카미는 베다교의 신 데바와 비슷하다고 볼 수 있다. 이 당시에 유교와 도교도 신토에 영향을 주었다. 유교와 도교의 차이점이 하나의 교리로 통합된 것이다. 신토가 추구하는 도덕에는 군사적 가치가 담겨 있지만 신토는 모든 형태의 폭력이나 동물과 인간을 해치는 행위를 벌하는 불교의 영향도 받았기 때문에 어느 정도의 중요성이 있는지는 설명하기 어렵다.

창시자도 없고 도그마도 없는 신토

신토는 창시자도 없고 공식적으로 인정된 경전이나 도그마도 없다. 그러나 그 믿음은 수 세기에 걸쳐 명맥을 유지했다. 스스로 신의 자식으로 여기는 일본인들은 신토를 국가의 정체성을 확립하는 매개체로 여긴다. 신토가 기술된 가장 오래된 자료는 13세기에 작성된 『고사기』와 『일본서기』이다. 제국의 연대기 형식으로 쓰인 이 두 사료는 신들에 대한 신화적 이야기를 담고 있다. 『고사기』는 일본인들을 신의 후예로 보는 우주론으로 시작한다. 조상에게 지내는 제사는 하늘에서 비롯된 하나의 가족이라는 개념에서 출발한다. 가족의 일원은 각자 가족의 명예를 위한 카미와 가족을 보호하기 위한 카미를 모신다. 집 안에 마련한 사원인 도코노마는 벽감으로 되어 있고 반드시 그림, 도자기, 분재를 놓아둔다. 신앙생활은 가족 관계를 돈독히 하고 아버지와 아들의 관계를 중시하는 효과가 있다. 신토는 고정된 도덕이나 윤리를 바탕으로 하지 않는다. 신토는 신에게 이르는 길이므로 인간에게 정의롭고 옳고 충직한 것을 선택할 수 있게 한다. 신토를 애니미즘을 중시하는 종교, 비합리적인 믿음의 총체, 또는 원시적 문화로 치부하는 것은 그 가치를 완전히 무시하는 것이다. 바로 그 가치 때문에 신토가 1500년 동안 불교와 함께 존재하고 20세기 후반에 서양의 합리적인 사고와 맞설 수 있었던 것이다.

일본의 오르페우스

이자나기와 그의 아내 이자나미는 신들로부터 세상을 창조하라는 명을 받았다. 신들은 부부에게 장식이 새겨진 도끼창을 주었다. 부부는 하늘과 '꿈틀거리는 땅'을 연결하는 '하늘에 떠 있는 다리'로 갔다. 그곳에서 도끼창을 바닷물에 담갔다. 도끼창을 꺼내자마자 물방울이 생겨 떨어지면서 일본 열도의 섬들이 되었다. 부부는 자연의 힘을 상징하는 신들을 탄생시켰다. 마지막으로 불의 신인 아들을 낳은 이자나미는 불에 타 숨졌다. 분노한 이자나기는 아들을 죽였는데, 시체의 사지에서 다시 신들이 태어났다. 그리스 신화에 나오는 오르페우스나 수메르의 에레슈키갈처럼 이자나기도 아내를 데려오려고 저승으로 내려갔다. 이자나미는 저승의 신들에게 남편의 뜻을 전했고, 신들은 그녀가 지상으로 올라가려면 남편이 뒤를 돌아보지 말아야 한다고 일렀다. 이자나미는 이를 이자나기에게 알렸지만 그는 유혹을 참지 못했다. 그 벌로 이자나기의 왼쪽 눈에서 태양의 여신 아마테라스가 태어났고, 오른쪽 눈에서 달의 신 츠쿠요미가 태어났다.

지금도 살아 있는 신화

1946년에 황령이 발표되기 전까지 일본인들은 황제 일가를 신으로 모셨다. 황가의 일원은 카미와 본질적으로 같다고 여겨졌다. 그들이 태양의 여신 아마테라스의 후손이라는 신화도 존재했다. 신화에 따르면, 아마테라스의 손자 니니기노 미코토가 규슈에 가서 황권의 상징이 될 물건 3개를 가지고 돌아왔다. 그것은 거울과 검, 보석이었다. 그의 손자인 진무 천황은 야마토국의 왕좌에 올랐던 최초의 인간 천황이었다.

아리스토텔레스주의

아리스토텔레스주의란 아리스토텔레스의 저서에 담긴 가르침을 바탕으로 수 세기에 걸쳐 만들어진 사상적 입장이다. 아리스토텔레스는 원래 아카데메이아의 회원이었으나 스승 플라톤과 점점 거리를 두었다. 그는 이데아론보다 감각적 세계의 경험과 변증법을 중시했다. 또한 『정치학』에서 플라톤의 『국가』에 나타난 전체주의로의 일탈을 비판했다. 아리스토텔레스는 초기에 논리학에 집중했고 자신의 사고 체계의 바탕이 되는 10개의 범주를 만들었다. 이러한 방법론을 통해서 언어의 요소뿐만 아니라 사고의 구조에 관한 논리적 추론법을 개발했다. 아리스토텔레스의 업적은 자기 시대의 지식에 관해 물었다는 것이다. 그가 철학의 역사와 우리 문명에 미친 영향은 매우 커서 지금까지도 사용되는 많은 용어가 그에 의해 탄생했다. 문법과 논리학에서 쓰는 '주체'와 '술어', 사물에 특정한 본질을 부여하는 것을 정의한 '형태'와 형태가 구체화하는 '물질', 사물에 내재된 능동적 힘인 '에너지', 지금은 숨어 있지만 해방되어 발현될 수 있는 것을 뜻하는 '잠재력', 용인된 두 진리에서 세 번째 진리로 오류의 가능성 없이 나아가게 하는 형식적 구조를 가진 논리적 추론법인 '삼단 논법' 등이 그것이다.

아리스토텔레스는 누구인가

아리스토텔레스는 기원전 384년에 그리스 북부 스타게이라에서 태어났다. 그의 아버지는 마케도니아 왕의 시의侍醫였다. 아카데메이아에서 20년을 보낸 그는 알렉산드로스 3세의 스승이 되었다. 아테네를 손아귀에 둔 마케도니아 왕국의 군주의 측근이 되면서 그는 아테네로 돌아올 수 있었다. 이 시기에 아리스토텔레스는 귀납과 분석 방법을 개발하고 삼단 논법을 만들었으며, 그 이후에 자신의 학파를 형성했다. 아리스토텔레스학파는 아폴론 리케이오스를 기리며 소크라테스가 자주 찾았던 숲속에 '리케이온Lykeion'이라는 학원을 세웠다. 이곳에서 아리스토텔레스는 제자들과 산책하면서 강의를 했다. 가장 어려운 강의는 '구술 강의'(그리스어로 '아크로아마acroama')로, 심화 단계의 수강생들이 들었다. 오후에는 일반 대중을 대상으로 가장 간단한 문제들을 다루는 공개 강의를 했다. 알렉산드로스 3세가 사망하자 아테네에서는 마케도니아 왕국에 대한 저항의 움직임이 일었고 이는 아리스토텔레스에 대한 반감으로도 나타났다. 아리스토텔레스는 아테네를 떠나 어머니의 고향인 할키스에 머물렀고 1년 뒤에 그곳에서 세상을 떠났다.

논리학

아리스토텔레스는 논리학의 창시자로 불린다. 그가 남긴 논리학 분야의 저작에는 후에 '오르가논Organon'이라는 이름이 붙여졌다. 오르가논은 사고의 '도구'라는 뜻이다. 오르가논의 첫 번째 책인 『범주론』은 10개의 범주에 대해 다루고 있다. 이 책에 따르면 실체, 양, 질, 관계, 장소, 시간, 상태, 소유, 능동, 수동이라는 범주를 가지고 현실을 구분할 수 있으며, 그 구분을 통해 현실의 모든 권한이 체계 속에서 자기 자리를 찾을 수 있다. 『해석론』에서는 자신의 명제들을 소개한다. 오르가논의 핵심이라고 할 수 있는 저서는 삼단 논법의 규칙, 형태, 이론을 다룬 『분석론 전서』와 『분석론 후서』이다. 여기에서 아리스토텔레스는 변증법—추론 및 토론 방법—과 궤변—겉으로 보기에는 올바른 추론 같아서 진리를 말하는 것처럼 보이지만 논리적으로 받아들일 수 없는 오류—을 소개했다. 철학사에 보기 드문 영향력을 끼친 『분석론 전서』와 『분석론 후서』는 아리스토텔레스의 중요한 저작에 속한다.

박학다식한 철학자

아리스토텔레스는 많은 분야의 지식을 다루었다. 비록 글로 남기지는 않았지만 식물학, 동물학, 화학, 역사학, 심리학 등에 관심을 보였다. 그는 학문을 시적인 것, 실용적인 것, 사색적인 것 등 세 범주로 나누고 각 분야에 관련된 저서를 남겼다. 시적인 학문에 대한 저서는 창작 기술을 다루었다(『수사학』과 '오르가논'). 실용적인 학문은 인간의 행동을 대상으로 하며 그런 학문을 대표하는 저서는 안내서의 형태를 취할 수 있다(『니코마코스 윤리학』과 『정치학』). 진리를 아는 것이 유일한 목적인 학문은 사색적인 학문이라고 할 수 있다(『자연학』과 『형이상학』).

아리스토텔레스의 삼단 논법

삼단 논법 연습은 지난 수천 년 동안 모든 세대 학생들의 즐거움이었다. 삼단 논법은 대전제, 소전제, 결론이라는 세 가지 명제를 기본으로 한다. 원래 대전제와 소전제가 참이고 논리적이면 가능한 하나의 결론에 도달할 수밖에 없을 뿐더러 그 결론을 반박할 수도 없다. 보편성에서 특수성으로 나아가는 이 연역법은 오류의 여지를 주지 않는다. 아래의 예제를 살펴보고 명제의 순서를 잘 지키도록 하자.

모든 인간은 죽는다(대전제).

나는 인간이다(소전제).

고로 나는 죽는다(결론).

우리의 생각과 달리 삼단 논법 연습은 그저 재미로 하는 단순한 게임이 아니다. 아리스토텔레스는 내용과 상관없이 사고의 순서를 연구하고 체계화할 때 이 삼단 논법을 처음 사용한 사람이다. 그래서 그를 형식 논리학의 창시자라고 부르는 것이다. 논리를 전개하는 데 있어서 특정 순간을 표시하기 위해 문자를 사용한 것—현대 수리 논리학에 상존하는, 추론의 체계적 연구에 매우 중요한 장치—도 그가 최초이다. 예를 들어 위에 나왔던 삼단 논법은 다음과 같이 도식적으로 표기될 수도 있다. "A가 B에 속하고 B가 C에 속한다면 A는 C에 속한다."

윤리학과 행복

도덕 철학을 다룬 아리스토텔레스의 저서는 모두 3권으로, 사실은 저자가 불분명한 『대 윤리학』, 『에우데모스 윤리학』(총 8권. 마지막 권은 일부만 전해짐), 그리고 이 3권 중 가장 중요한 책으로 꼽히는 『니코마코스 윤리학』(총 10권)이다. 아리스토텔레스의 윤리학에 대한 접근은 목적론적이다. 즉 그는 인생의 궁극적 목적, 특히 행복에 집중했다. 행복은 그리스어로 '에우다이모니아eudaimonia'라고 하며, 그 자체가 목적인 최고의 선을 가리킨다. 모든 문제는 행복에서 출발한다. 어떻게 행복해질 것인가? 사실 건강이나 기업의 성공 등 다른 종류의 선도 존재하고 행복에 이르려면 그런 선도 추구해야 한다. 그런데 이때 또 다른 문제가 생긴다. 최고의 선인 행복은 모든 이에게 똑같이 정의되는가? 그렇지 않다. 행복에 대한 개념은 사람마다 다르다.

어떤 이는 행복이 쾌락이라는 보편적이고 세속적인 개념을 선호할 것이고, 또 다른 이는 선한 행동, 사회에서 받을 수 있는 존경을 행복이라고 생각할 수도 있다. 또 다른 누군가는 진리의 추구라는 지적이고 조금 더 고상한 개념을 생각할 것이다. 철학적 삶, 정치적 삶, 화려한 삶은 이 윤리학적 문제의 삼각형을 이룬다. 아무튼 아리스토텔레스는 행복을 덕에 부합하는 합리적 활동과 뗄 수 없다고 생각했다. 더 나아가 그는 행복이 그러한 활동의 결과물이라고 믿었다. 덕은 타고나는 것이 아니라 교육과 훈련으로 습득하는 것이다. 그리고 살아가는 동안 행동을 통해 덕이 발현되도록 해야 한다. 덕에는 도덕적 덕과 지적 덕이 있다. 도덕적 덕에는 용기, 절제, 관대함이 포함된다. 도덕적 덕을 지나침의 악과 모자람의 악 중간에 있는 것으로 볼 수도 있다. 온건한 사람은 지나치게 많이 먹지도 마시지도 않을 것이고 지나치게 적게 먹지도 마시지도 않을 것이다. 지적 덕은 예술, 신중함, 지혜이다. 이 덕목들이 있어야 윤리적 행위와 학문 활동 및 사색으로 발현되는 이해가 가능하다. 결론적으로 말하면, 지혜 없이 선할 수 없고 도덕적 덕 없이 지혜로울 수 없다는 것이다.

형이상학 또는 '제1철학'

아리스토텔레스는 자신의 저서 『형이상학』을 통해 형이상학이라는 '지혜의 학문'을 다른 모든 학문의 우위에 두고자 했다. 이 책에 '형이상학'이라는 제목을 붙인 사람은 3세기 후 로도스의 안드로니쿠스이다. 형이상학이란 '자연학 이후'라는 뜻이다. 『형이상학』을 구성하는 14권의 책은 지식을 구성하는 최초의 원리에 관한 질문을 던진다. 가장 보편적이고 이해 가능한 개념으로서의 현실을 대상으로 삼은 아리스토텔레스는 존재를 있는 그대로 존재하게 만드는 원인을 탐구했다. 자연학과 형이상학이 다른 점은 형이상학이 존재의 유형, 다시 말하면 존재의 본질과 형식적 본질을 다룬다는 것이다. 단어를 들었을 때 떠오르는 의미와 달리 본질이란 단순히 물질을 이루는 요소들이 아니라 물질 속에 구현된 이해 가능한 구조 혹은 영원한 형태를 말한다. 본질은 정적이지 않다. 그렇기 때문에 아리스토텔레스가 힘과 행위에 관한 이론을 내놓을 수 있었던 것이다. 조각상은 조각가가 조각을 시작하기 전에도 대리석 속에 힘으로 존재하고, 조각이 끝나면 행위로 존재한다. 따라서 힘은 존재와 비존재의 중간 단계로 볼 수 있다. 아리스토텔레스는 존재를 있는 그대로 존재하게 만드는 원리와 원인을 세우는 단계를 재구성했다. 그 원인에는 형상인(조각상은 어떤 형태를 띨 것인가), 질료인(조각상은 무엇으로 만들어지나), 동력인(누가 조각하나), 목적인(예를 들어 정원을 장식하기 위함)이 있다.

아유르베디즘

'생명의 과학'이라는 의미의 아유르베다는 『베다』('지식') 문헌과 밀접한 관련이 있는 인도의 전통 의학이다. 산스크리트어로 작성된 아유르베다의 주요 문헌은 기원후 초기에 작성되었으며 문헌에 담긴 지식은 산스크리트어가 지식인의 언어인 모든 곳에 전파되었다. 주요 문헌으로는 『차라카 삼히타』, 『수슈루타 삼히타』, 『바그바타 삼히타』 등이 있다. '삼히타samhita'는 '수집'이라는 뜻이고 각 제목의 첫 단어는 아유르베다의 신비한 창시자인 저자들을 가리킨다. 『차라카 삼히타』는 아유르베다 문헌 중 가장 오래된 것으로 현자 아트레야 푸나르바수의 가르침을 직접적으로 담고 있다. 따라서 아유르베다의 기원은 힌두교의 조상격인 종교들의 기원과 같다고 할 수 있다. 그러나 의학과 관련된 부분은 조금씩 합리적으로 변했다. 사실 아유르베다는 마술이나 종교적 기원이 있는 다른 의학과는 거리가 멀다. 아유르베다는 관찰, 분석, 진단에 근거하기 때문이다. 계절과 기후가 어떻게 인간의 행동에 영향을 미치는지 연구하고, 위생과 섭식에 가장 큰 관심을 가진다. 좋은 장소에서 좋은 시간에 적당한 것을 먹지 않으면 기질의 균형이 깨진다. 아유르베다는 중앙아시아 전역에 퍼졌고 문헌 중 많은 책이 티베트나 몽골에서 번역되었다. 지금은 인도뿐만 아니라 서양에서도 아유르베다의 전통이 살아 있으며 웰빙과 관련된 생활방식에 접목되고 있다.

체액과 육체

『베다』에 따르면 인간은 육체, 정신, 영혼이라는 세 부분으로 이루어졌다. 합리적인 사실에서 출발한 의학은 육체를 돌보고, 종교는 정신을, 요가는 영혼을 돌본다. 육체는 본질적으로 다공질이고, 체액이 드나들 수 있는 조직으로 이루어져 있다. 인간은 누구나 '프라크리티prakriti'라고 하는 근본 물질을 가지고 있다. 생활 조건과 일정한 행동 등에 의해 프라크리티가 변질되면 '비크리티vikriti'가 된다. 『리그베다』와 『아타르바베다』는 우주를 구성하고 인체에 들어 있는 다섯 가지 물질을 언급한다. 뼈와 살에 해당하는 흙, 담즙에 해당하는 불, 숨에 해당하는 공기, 체액에 해당하는 물, 빈 기관에 들어 있는 에테르가 그것이다. 이 다섯 가지 상태의 조합에 따라 생물학적 기질인 도샤dosha가 만들어진다. 도샤에는 가장 활동적인 요소인 공기(바타), 변형을 일으키는 담즙(피타), 통합하는 역할을 하는 점액(카파)이 있다. 도샤는 히포크라테스의 체액설과 비교된다. 『바람에 관하여』에서 히포크라테스는 '체액의 균형을 유지해야 건강하다'고 주장하는데, 이러한 프네우마에 관한 그의 주장은 아유르베디즘에서 강조하는 바와 유사하다. 아유르베다는 일반 외과(샬리야), 산과와 소아과(카우마라브르티야), 독성학(아가다탄트라), 정신 의학(부타비디야), 활력을 주는 의학(라자야나), 일반 치료(카야), 안과와 치과(살라키야), 정력과 관련된 의학(바지카라나) 등 여덟 분야로 나뉜다.

애니미즘

‘애니미즘animism’이라는 단어의 기원을 먼저 살펴보자. 라틴어 ‘아니마anima’는 ‘영혼’이라는 뜻이며 우리가 쉬는 숨, 공기, 생명력이라는 의미도 포함한다. 애니미즘은 ‘아니마’에 대한 믿음을 바탕으로 한다. 만물에는 영혼이 깃들어 있고 모든 것은 영혼이 지배한다는 믿음이다. 따라서 애니미즘은 지상에서 수많은 형태를 띠고 지극히 다양한 방식으로 실천되고 있다. 오늘날에도 아프리카, 아시아, 오세아니아, 아메리카에서 문자가 없는 문명에 애니미즘이 존재한다. 모순적으로 들릴 수도 있으나 유대교, 이슬람교, 기독교 등 문자로 적힌 교리를 바탕으로 하는 계시 종교에서도 애니미즘의 흔적을 발견할 수 있다. 서양 사회에서는 애니미즘이 신비학이나 심령주의 또는 샤머니즘의 형태를 띤다. 서양 사회의 특징 중 하나가 합리주의임에도 불구하고 불가해한 것은 여전히 서양인의 상상을 자극한다. 1978년 노벨 문학상 수상자인 아이작 B. 싱어도 시상식에서 이렇게 말하지 않았던가? “유령들은 이디시어를 좋아합니다. 제가 아는 한 유령들은 다 이디시어를 할걸요?”

20세기에서 현재까지

애니미즘은 의도와 의지를 가진 신비한 힘이 현실에 깃들어 있다고 주장한다. 물리적이기만 한 원인은 존재할 수 없으며 모든 것이 상위의 힘에서 비롯된다는 것이다. 영국의 인류학자 에드워드 타일러는 민족지학적 자료에서 애니미즘에 관한 이론을 최초로 발전시켰다. 그는 진화론과 맥을 같이하는 『원시 문화』에서 애니미즘이야말로 인간 사회가 발달하는 첫 단계라고 보았다. 그뿐만 아니라 그는 애니미즘이 일신교의 조상이라고 주장했다. 사회학자 에밀 뒤르켐은 19세기부터 서양 사회에 성행했던 종교 현상에 관한 토론에 참여했다. 1912년에 출간된 『종교 생활의 원초적 형태』에서 뒤르켐은 애니미즘의 문제를 다루고 이어서 토테미즘에 대해 자세히 고찰했다. 토템 문화에서 한 부족의 일원들은 동물이나 식물 또는 한 사물과 특별한 관계를 맺고 거기에 특별한 힘을 부여한다. 뒤르켐은 ‘마나mana’에 대해서도 다루었다. 원래 멜라네시아와 폴리네시아 부족에서 유래된 마나는 사람이나 영혼, 사물이 가진 초자연적인 힘이나 능력을 말한다. 연구자들은 마나와 관련된 종교적 체험을 수족의 '와칸다'나 이로쿼이족의 '오렌다'와 비교했다.

성인식: 번지 점프

팡트코트섬은 옛 뉴헤브리디스 제도(지금의 바누아투)의 북쪽에 위치한다. 이 섬의 남쪽에 있는 분랍이라는 마을에서는 매우 특이한 종교 의식을 벌인다. 바로 번지 점프이다. 그 기원에 관해서는 다음과 같은 전설이 전해진다. 옛날에 성마르고 폭력적인 남편이 있었는데 나무 위로 도망간 아내를 쫓아 자기도 나무 위로 기어올랐다. 그런데 아내는 선견지명이 있어서 남편이 올라오자 발목에 넝쿨을 묶고 뛰어내렸다. 아내를 잡으려고 남편도 뛰어내렸으나 그는 죽고 말았다. 분랍 마을 사람들은 이러한 아내의 행동을 따라 하게 되었는데, 남자들만 번지 점프를 한다. 아마도 남성성을 과시함으로써 전설 속 남편에 대한 복수를 하는 것이리라. 번지 점프를 하려면 먼저 탑을 쌓아야 한다. 보통 2주에서 5주 정도 걸린다. 나뭇가지를 넝쿨로 묶어 만든 탑은 높이가 20미터에 달하기도 한다. 탑 중간 중간에는 발을 디딜 수 있는 지지대를

애니미즘이 너의 아니마를 살릴 것이다

인간을 살리는 생명력에는 시작도 없고 끝도 없다. 그래서 애니미즘을 숭배하는 문화에서는 시간을 순환으로 인식한다. 과거, 현재, 미래가 복잡하게 얽혀 있기 때문에 삶과 죽음이 확연히 구분되지 않는다. 애니미즘의 세계관에 따르면 죽음은 항상 곁에 있으며 삶에 통합되어 있다. 그래서 가족이 죽으면 자기 집에 묻는 공동체도 있다. 사람들의 삶은 다양한 의식으로 점철되어 있다.

- 출생 시 **공동체 가입 의식**.
- 아이가 성인이 되기까지 다양한 단계를 거치도록 하는 **성인식**. 성인식은 교육의 기능과 공동체의 질서 유지 기능을 갖는다.
- 사람에게 깃든 나쁜 영혼을 쫓아내는 **치유 의식**. 치유 방법은 희생물을 바치거나 마법의 물약을 마시는 것 등 다양하다.
- 죽은 사람을 저세상으로 잘 보내는 **장례 의식**.

만들어놓는다. 여자들은 번지 점프에서 배제되지만 그 전에 남자들과 춤을 춘다. 점프를 할 남자가 탑 위로 올라가면 사람들이 발목에 넝쿨을 묶어준다. 그러고 나면 남자는 뛰어내린다. 워낙 능숙하게 뛰어내리기 때문에 인명 사고는 일어나지 않는다. 최악의 경우 근육을 다치는 정도이다. 남자들은 어려서부터 직접 만든 낮은 탑에서 점프 연습을 한다. 이 의식은 공동체에서 매우 중요한 의미를 띤다. 번지 점프는 남성성을 시험하는 의식이기도 하지만 농경 사회의 풍요를 기원하는 의식이기도 하다.

에피쿠로스주의

에피쿠로스주의는 에피쿠로스가 가르친 사상이다. 그의 사상은 데모크리토스의 원자 개념을 차용한 자연론이기도 하지만 인간이 두려움—죽음에 대한 두려움까지—을 극복하고 영혼의 평정인 아타락시아를 얻도록 가르쳐주는 도덕 철학이기도 하다. 에피쿠로스의 사상은 정치적·사회적 혼란, 빈곤 등으로 도시 국가가 붕괴될 위기에 처했던 시대에 아테네에서 발달하고 확산되었다. 이 사상은 정치와 관련된 것은 추구하지 않았고 자신에게 충실할 것을 권장했다. 일반적으로 에피쿠로스주의는 쾌락의 추구를 존재의 목적으로 본 쾌락주의와 동의어처럼 사용된다. 그러나 에피쿠로스학파는 쾌락을 추구할 때 중용을 지켜야만 아타락시아에 이를 수 있다고 가르친다. 물론 인간의 의무가 쾌락을 추구하는 것이라고 주장하지만 행복은 지혜와 떼려야 뗄 수 없는 관계라고 본다. 그렇다고 쾌락에 관한 에피쿠로스학파의 입장을 스토아학파의 입장과 혼동해서도 안 된다. 스토아학파는 쾌락과 고통은 개인의 행복과 관련이 없다고 본다. 개인의 행복은 열정이 없어야 이룰 수 있는 것이기 때문이다. 에피쿠로스는 쾌락을 행복한 삶의 본질이라고 주장했다. 그래서 철학이 삶의 기술이라고 보았다. 이러한 개념의 기저에는 에피쿠로스의 자연론이 담고 있는 물질주의가 자리하고 있다. 존재하는 모든 것, 그러니까 인간도 원자로 구성되었다. 외부 요인으로 인해 원자들이 움직여서 서로 부딪치면 감각이 발생한다. 감각이 없는 물체에서 감각이 있는 물체로의 진정한 발로인 시뮬라크르simulacre는 물체와 동일한 구조를 가지고 있기 때문에 우리에게 감각을 직접 느낄 수 있게 한다.

수백 년에 걸친 에피쿠로스주의

에피쿠로스주의는 키케로 시대에 이미 로마에 자리를 잡았다. 심지어 유행하던 철학이었다. 가장 유명한 신봉자로는 루크레티우스가 있는데, 그는 『사물의 본성에 관하여』라는 서사시를 통해 뒤늦게나마 에피쿠로스의 가르침에 대한 보다 다듬어진 버전을 독자에게 선보였다. 『사물의 본성에 관하여』가 에피쿠로스의 철학을 집대성한 작품임은 부정할 수 없다. 에피쿠로스의 자연론에 대해 거의 완벽하고 놀라울 정도로 세밀하게 소개하고 있기 때문이다. 중세에 키케로의 글을 통해 전해진 에피쿠로스의 철학은 교부들이 일으킨 논쟁의 대상이 되었다. 단테 시절에 에피쿠로스학파라고 하면 사람들의 시선이 곱지 않았다. 그것은 구세주와 영혼의 불멸을 부정한다는 뜻이었기 때문이다. 16세기에 유명한 에피쿠로스학파의 학자로는 프랑스의 미셸 드 몽테뉴와 이탈리아의 프란체스코 구이차르디니를 꼽을 수 있다. 1세기가 더 지난 뒤 잉글랜드 왕국에서 토머스 홉스가 쾌락 이론을 차용했고, 프랑스에서는 홉스의 친구이자 사제였던 피에르 가상디가 에피쿠로스 체계를 다루었다. 그는 에피쿠로스의 사상이 신앙을 부정하지 않은 상태에서 쾌락을 추구하려고 하기 때문에 기독교와 양립할 수 있다고 믿었다. 이때부터 18세기까지 프랑스는 유럽에서 에피쿠로스의 철학이 가장 활성화된 나라가 되었다. 그 대표적인 주자들을 '리베르탱libertin'이라고 불렀는데, 그들은 프랑수아 드 라 로슈푸코와 샤를 드 생에브르몽 같은 모럴리스트, 인간을 기계적이고 물질적인 관점에서 보았던 쥘리앵 드 라 메트리 같은 과학자, 원자들의 물리학을 매우 중요하게 여겼던 폴 앙리 디트리히 돌바트 남작 같은 학자, 유용성의 윤리를 실험 과학의 한 형태로 축소시킨 클로드아드리앵 엘베시우스, 지식을 감각론으로 정의한 에티엔 보노 드 콩디야크 같은 철학자 등 매우 다양했다.

정원의 남자, 에피쿠로스

에피쿠로스는 기원전 341년 사모스섬에서 태어났다. 부모는 아테네에서 이주한 정착민이었다. 열여덟 살이 되었을 때 그는 학업을 위해 아테네로 갔다. 콜로폰, 미틸리니, 람프사쿠스 등을 전전하다가 다시 아테네로 돌아온 뒤에는 집과 정원—그의 철학의 상징—을 마련하고 학교를 세웠다. 에피쿠로스는 기원전 270년에 세상을 떠날 때까지 이곳에서 제자들을 가르쳤다. 지금까지 전해진 것은 그의 서간문과 격언 일부가 전부이다. 에피쿠로스의 교육 방식도 정통을 벗어났지만 그의 가르침의 정수였던 그의 철학도 교육 방식에 못지않게 교조적이었다. 스승과 제자들이 쓴 저서의 수만 보아도 얼마나 활발한 이론 활동을 펼쳤는지 알 수 있다. 그의 저서들은 '디알로기스모이dialogismoi', 즉 '대화'라고 불렸다. 이 원칙에 따라, 그리고 이론의 유용성은 적용에 있으므로 에피쿠로스는 대화를 '원론'(스토이케이아)에 요약해서 담았다. 이런 면에서는 에피쿠로스를 교리 문답 방법론의 창시자로 볼 수도 있을 것이다. 물론 구체적인 행동이 이론만큼 중요하다. 에피쿠로스는 일상뿐만 아니라 학교에서 우정으로 서로 돕고 의무를 지키는 것을 특히 중시했다.

에피쿠로스의 철학

삶의 기술로서의 에피쿠로스의 철학은 행복을 약속하거나 행복해지기 위한 방법을 알려주는 것을 목적으로 한다. 이 원칙과 방법론을 다룬 것이 기준론—자연론, 도덕론과 더불어 그의 철학을 이루는 세 분야 중 하나—이다. 기준론은 지식론과 진리의 기준을 다룬다. 에피쿠로스의 명제는 모든 감각은 참되고 감각만이 진리의 기준이 된다는 것이다. 기준론에서 말한 내용처럼 에피쿠로스의 자연론도 데모크리토스의 원자론을 차용해서 변형시켰다. 에피쿠로스와 데모크리토스는 원자가 빈 공간에 존재하며 변화한다고 주장했다. 그러나 아리스토텔레스가 『자연학』에서 던졌던 문제에서 출발한 에피쿠로스는 원자의 크기에 따른 차이점을 설정했을 뿐만 아니라 낙하 각도인 클리나멘을 도입해서 원자의 이탈 원인과 운동의 역학 이론을 완전히 새롭게 정리했다. 그리고 '자연'이라고 부르는 자연적 필연의 개념과 인간 및 동물의 운동을 설명할 수 있는 유일한 개념으로 자유 의지도 추가했다. 자연론에 있어서 에피쿠로스는 영혼에 관심을 두었다. 그 선택이 모순적으로 보이는 것은 그가 영혼을 육체로 간주했으므로 이에 따르면 영혼 또한 원자로 구성된다고 보아야 하기 때문이다. 원자는 매우 가벼우며 운동, 정지, 불, 에테르 등 네 종류가 있다. 그중 가장 작고 운동이 활발한 에테르는 감수성과 사고를 설명해준다. 영혼은 두 부분으로 나뉜다. 가슴에 모인 원자들은 지성이라 불리며, 몸 전체에 퍼진 원자들은 영혼이라 불린다. 영혼의 움직임은 곧 원자의 움직임과 같다. 영혼의 죽음을 의미하는 모든 활동이 멈추면 모든 감각도 멈춘다. 에피쿠로스의 이론은 우리를 죽음에 대한 두려움에서 해방시켰다.

'갈고리' 원자

에피쿠로스는 원자가 중력에 의해 상하 운동을 한다고 생각했다. 그런데 원자는 수직이 아니라 크게 기울어져 이동한다. 루크레티우스는 이러한 성질을 클리나멘이라고 불렀다. 이를 '편위'라고도 한다. 편위가 일어나면 원자들이 충돌할 수 있다. 원자의 표면이 매끄러우면 튕겨나가고 반대로 갈고리 모양이면 서로 얽혀 좀 더 큰 복합물이 만들어진다. 우주도 원자들로 이루어진 대형 복합물이다.

신을 제자리로

에피쿠로스와 그의 제자들은 정치에는 참여하지 않았다. 따라서 그들이 가진 신에 대한 생각은 도시 국가의 삶에 영향을 주려는 것이 아니었다. 그들은 종교가 아니라 미신을 반대했다. 에피쿠로스와 루크레티우스의 목적은 신의 존재를 부정하는 것이 아니라 오히려 신이 인간의 영성에 매우 큰 역할을 한다는 사실을 증명하는 것이었다. 우리의 영혼은 신이 없는 우주로 만족할 수 없다. 행복과 지혜를 얻으려면 신이 필요하다. 에피쿠로스의 철학은 세계에서 있어야 할 자리에 신을 있게 했다. 신에 대한 그의 분석은 전혀 부정적이지 않았다.

영지주의

영지주의gnosticism라는 용어를 처음 사용한 사람은 잉글랜드의 시인이자 철학자인 헨리 모어였다. 그는 지중해 연안과 중동 지역의 종교 집단 및 고대 이교도들을 지칭하기 위해 이 용어를 썼다. 2세기에 기독교 집단들은 스스로를 '지식을 가진 자들'을 가리키는 말인 '그노스티코이gnostikoi'라고 불렀다. 그러나 영지주의적 믿음과 의례는 집단마다 매우 상이해서 연구자들은 이 표현을 사용하는 것을 꺼리고 이교도나 특정 분파를 가리키는 것으로 제한한다. 그러나 중요한 공통분모는 존재한다. 이 집단들은 동일한 질문을 던진다. 신이 존재하는데도 왜 악이 존재하는 것일까? 그래서 영지주의자들은 두 신이 있다고 가정했다. 지상의 일에는 관여하지 않는 절대적 존재인 선이 있고, 물질에 신성을 담아 창조의 기원이 된 또 다른 신(얄다바오트)은 악이 존재하게 만들었다. 영지주의자들은 초월적인 왕국에서 온 인간 종족은 구원을 받을 수 있다고 믿었다. 보통 '천사'라고 불리는 종족이다. 구원은 그노시스gnosis에 이를 수 있고 영성의 기원으로 복귀할 수 있는 계시이다. 기독교와 비교해 정의하면 영지주의의 교리는 특히 1세기에 그리스 철학의 영향을 많이 받았음을 알 수 있다. 플라톤주의와 신플라톤주의의 신화, 그리고 피타고라스의 일부 가르침에서도 영향을 받았다. 그러나 영지주의의 이원론은 훨씬 더 분열적이며 물질을 구성하는 기본 요소들의 개념이 훨씬 더 부정적이다.

『이단 반박』

영지주의에 관한 대표적 문헌은 『거짓 지식의 폭로와 반박』이다. '이단 반박'이라는 제목으로 더 잘 알려져 있다. 총 5권으로 이루어졌으며 이레네오 주교가 그리스어로 썼다. 알렉산드리아의 클레멘스, 테르툴리아누스, 로마의 히폴리투스 등 다른 기독교 저자들이 주해를 달기도 했던 이 책은 시몬 마구스, 메난드로스, 마르키온 등이 따르는 이단을 기술하고 공격하고 있다. 시몬 마구스는 예수와 동시대 인물로 영지주의의 가장 오래된 지도자이다. 알렉산드리아에서 공부했고 페르시아의 마법사들과 엠페도클레스에게서 영감을 받았다. 그는 불을 모든 것의 기원으로 보았다. 그의 제자인 메난드로스는 스스로를 메시아로 여겼다. 마르키온은 정식 가톨릭을 지향한다고 자처하는 단체를 로마에 세울 정도였으니 이단이라고 할 수 있다. 그는 겉으로 인간일 뿐이었던 예수의 현신을 부정했고 당시 사회가 받아들이기 힘든 준엄한 도덕률을 전파했다. 『이단 반박』은 오랫동안 영지주의에 관한 유일한 자료였다.

2세기에도 계속되다

영지주의의 여러 분파가 발달한 것은 2세기의 일이다. 사투르니누스는 시몬 마구스와 비슷한 그노시스를 설파했고, 바실리데스는 조로아스터교의 영향을 받은 교리를 확산시켰다. 이집트의 카르포크라테스와 그의 아들 에피파니우스도 비슷한 활동을 했다. 로마에서 가장 영향력 있던 영지주의의 지도자는 발렌티누스였다. 이때가 영지주의와 교회의 대립이 가장 심했던 시기였다. 논쟁의 중심은 인간의 몸으로 태어난 예수가 인간과 신의 면모를 동시에 가졌다는 이중성이었다. 발렌티누스의 교리는 두 집단으로 전해졌다. 서방에서는 헤라클레온과 프톨레마이오스가, 동방에서는 테오도투스와 마르쿠스가 지도자였다. 영지주의 분파는 그 수가 많았다. 시리아와 이집트에서 활발하게 활동했던 오피스파 또는 나스틱파에 관한 자료가 오늘날까지 전해진다. 그들은 에덴동산의 뱀(그리스어로 '오피스'이고 히브리어로는 '나아스'이다)을 지식의 상징으로 섬겼다. 3세기에 영지주의 조직들은 전성기를 맞이했다. 그러나 그로부터 한 세기가 지난 뒤 기독교의 영향력이 커지기 시작하면서 그들은 영향력을 잃었다. 4세기에 나온 이단을 날카롭게 비판한 책으로는 에피파니우스의 『파나리온 또는 모든 이단에 대한 반박서』가 꼽힌다.

나그함마디

1945년 이집트 룩소르 부근 나그함마디에서 단지에 든 고문서가 우연히 발견되었다. 4세기에 이집트에서 공주수도주의가 시작되었을 때부터 많은 사원이 이 지역에 들어섰다는 점을 고려할 때 기독교인들이 문서를 모았으리라고 짐작할 수 있다. 문서의 종류는 2세기와 3세기에 그리스어로 작성된 글 50여 편을 콥트어로 번역한 13개의 코덱스codex이다. 영지주의와 신비주의의 전통에 속하는 글들 중 가장 유명한 것은 「토마스 복음서」이다. 대부분의 글은 유대교와 기독교의 정경과 동시대에 작성된 것으로, 정경을 다시 썼거나 이어서 쓴 형식이다. 예를 들면 「창세기」와 「요한계시록」의 새로운 버전을 볼 수 있으며, 구세주의 말, 제자들과의 대화, 사제들의 편지도 볼 수 있다. 코덱스는 현재 카이로의 콥트 박물관에 소장되어 있다.

오르페우스교

오르페우스교는 기원전 6세기에 그리스에서 발달하기 시작했다. 그리스 신화에 등장하는 오르페우스는 뮤즈 칼리오페와 트라키아의 왕 오이아그루스 사이에서 태어났다. 그는 주술의 신으로 알려져 있다. 그가 리라를 연주하면 동물들이 그 소리에 빠져들었고 저승문을 지키는 수문장마저 굴복시켰다고 한다. 오르페우스교의 출현과 발달은 그리스 국교에 대한 회의와 기존의 사회 질서에 대한 거부에서 비롯된 결과였다. 오르페우스교 신도들은 사회에서 멀어졌고 사회의 관습에 반대했기 때문에 결국 주변인이었다. 오르페우스교가 탄생한 맥락 자체가 사회의 변화와 깊은 연관이 있으므로 사회가 변하자 종교의 의미도 사라졌다. 따라서 4세기부터는 종교라기보다 하나의 문학 사조로 보아야 한다. 오르페우스는 몬테베르디, 글루크, 오펜바흐 등이 작곡한 오페라와 장 콕토, 마르셀 카뮈 등이 만든 영화에 자주 등장하는 인물이 되었다. 1912년 프랑스 시인 아폴리네르가 피카소, 들로네, 레제, 피카비아, 뒤샹을 다룬 『입체파 화가들: 미학적 명상』에서 기술한 화풍도 오르페우스에서 연유해 오르피즘이라고 부른다.

오르페우스는 누구인가

그리스 신화에서는 오르페우스를 영웅시의 뮤즈가 낳은 아들로 그리고 있다. 오르페우스는 아폴론에게서 물려받은 음악적 재능으로 아르고호 원정에서 적을 무찔렀다. 그의 연주가 세이렌의 노래보다 훨씬 더 강력했던 것이다. 어느 날 그의 아내 에우디리케가 뱀에 물려 죽자 그는 아내를 데려오겠다며 저승으로 향했다. 이번에도 리라를 연주해서 뱃사공 카론과 개 케르베로스를 홀려 스틱스강을 건넜다. 그의 사랑에 감동한 저승의 신 하데스는 두 사람을 풀어주면서 조건을 하나 내걸었다. 지상으로 나갈 때까지 뒤를 돌아보면 안 된다는 것이었다. 두 사람이 거의 지상으로 나왔을 무렵 오르페우스는 에우리디케가 잘 따라오는지 확인하려고 뒤를 돌아보았고, 그러자 에우리디케는 사라지고 만다. 베르길리우스는 이 이야기를 『게오르기카』 제4권에서 언급했는데, 사실 그보다 더 오래된 버전들도 있고 저승에 내려가는 이야기도 다르다. 오르페우스의 죽음도 출처마다 다르다. 가장 유명한 버전에서는 그가 디오니소스 축제 도중 디오니소스가 아니라 아폴론에게 의식을 바치려 했다가 마이나스들에게 죽임을 당하는 것으로 나온다. 전통적으로 오르페우스는 저승에서 얻은 지식 때문에 밀교의 창시자로 여겨진다.

찢겨 죽임을 당한 디오니소스

기원전 6세기에 작성된 시적인 아름다운 글들을 읽어보면 신화에서 비롯된 것인지 종교적 신앙에서 비롯된 것인지 구분하기 힘들다. 가장 놀라운 글은 우주 기원론에 담긴 세상의 기원에 관한 것들이다. 그중에는 오르페우스교의 영향이 드러나는 글이 여럿 있는데 모두 헤시오도스의 『신통기』를 번안한 것이다. 오르페우스교의 교리는 디오니소스 신을 섬기는 전통에서 비롯되었으며 그 밑바탕에는 인간의 기원에 대해 이야기하는 신화가 있다. 제우스의 질투 많은 아내 헤라가 티탄족을 부추겨서 어린 신 디오니소스를 찢어 죽인 후 시신을 삶아 그 살을 먹게 한다는 이야기이다. 이 신화에서 디오니소스는 다시 태어난다. 제우스는 티탄족에게 벼락을 내려 벌했는데, 티탄족의 재에서 최초의 인간이 태어난다. 인간은 디오니소스의 신성과 티탄족의 특징을 모두 합쳐놓은 존재이다. 조상이 둘이므로 오르페우스교 신도들은 영혼의 정화를 목적으로 삼는다. 이 신화는 금지된 음식에 대해서도 설명해준다.

오르페우스교 신도들에게는 영혼이 있을까

오르페우스교 신도들은 영혼이 무덤 같은 육체에 갇혀 있다고 믿었다. 영혼은 불멸의 요소이다. 정화를 목적으로 하는 입문은 영혼이 몸에서 떨어져 나오게 하고 불멸을 보장한다. 이것은 새로운 이상이었다. "신앙은 양극에서 동일한 거리를 유지하는 것이 아니라 한쪽에서 완전히 떨어져 나와 다른 한쪽으로 고양되는 삶을 사는 것이다."• 따라서 신성한 요소가 인간의 요소를 지배해야 한다. 죽음 뒤에 영혼은 다시 태어나서 영원한 삶을 누린다. 물론 하데스의 아내인 페르세포네에게 자신이 정화되었음을 증명해야 한다. 죽은 자들은 황금이나 뼈로 만든 얇은 판에 기도문을 새겨서 무덤으로 가져간다. 이는 지하의 신들에게 보이기 위한 것으로 그래야 페르세포네를 만날 수 있다. 시칠리아와 칼라브리아에서 이와 같은 판이 대거 발견되었다.

• M. Détienne, J.-P. Vernant, *La Cuisine du sacrifice*, NRF, Gallimard, 1979, p. 183.

육식도 NO, 제물도 NO

날고기를 먹는 것이 디오니소스 축제의 핵심이었지만 오르페우스교 신도들에게는 그렇지 않았다. 그들은 살아 있는 것을 먹지 않았고 살생에 반대했다. 그래서 피가 흐르는 제물을 바치지 않았다. 프로메테우스가 속임수로 신에게 바친, 최초의 피가 흐르는 제물의 가치를 거부했다. 프로메테우스는 제우스에게 고기 두 덩어리를 보여주고 그중 하나를 선택하게 했다. 그러나 맛있게 보이는 고기는 안에 뼈와 지방을 감추고 있었다. 제우스는 그 고기를 선택했고 맛없어 보이는 고기는 인간에게 주었다. 그때부터 인간은 고기를 먹기 시작했고 살을 제외한 나머지 부분을 신주와 신들의 양식만 먹는 신에게 바쳤다. 오르페우스교 신도들이 육체를 정화하기 위해 육식을 거부했던 것은 그리스 공동체에 만연한 타락, 정치계의 주요한 동력 역할을 하기까지 한 도덕적 결함에 맞서고자 함이었다.

회화의 오르피즘

기욤 아폴리네르는 오르피즘을 입체파에 속하는 특이한 분파를 지칭하는 이름으로 썼다. 기존의 회화는 식별 가능한 형태나 현실의 사물을 그리는 것이 지배적인 경향이었지만 그 당시 전위 예술은 이러한 경향을 따르지 않았다. 아폴리네르는 1912년 『입체파 화가들: 미학적 명상』에서 새로운 회화의 탄생을 천명했다. 그는 오르피즘을 "시각적 현실에서 차용한 것이 아니라 화가가 완전히 창조해서 강력한 현실을 갖춘 새로운 것을 그리는" 예술이라고 정의했다. 그리고 오르피즘이 당시 「최초의 원」을 그렸던 로베르 들로네와 함께 시작되었다고 말했다. 「최초의 원」이 중요하게 평가되는 이유는 여럿인데, 특히 표현에 대한 관심을 버리고 색의 미학적 힘에만 주력했다는 점에서 그러하다. 오르피즘은 당시 근대성의 상징적 예술이었던 음악에도 영향을 미쳤다. 음악 분야에서도 이러한 방향의 고찰과 실험이 적지 않았던 것이다. 상징주의 작가와 화가들은 이미 음악의 음색과 회화의 색이 갖는 유사성을 강조했다. 1910년 칸딘스키는 『예술에서의 정신적인 것에 대하여』에서 음악과 회화의 관계를 탐색하고 상응 관계를 설정했다. 다양한 예술 표현 양식의 한가운데에 있었던 오르피즘은 완전한 예술 작품을 구현하려는 시도였다.

유교

때로는 철학으로, 때로는 종교로 인식되는 유교는 하나의 사고방식이나 삶의 방식으로 여겨질 수도 있다. 다시 말해 하나의 세계관, 사회 윤리, 정치 이데올로기, 생활 방식으로 볼 수 있다는 의미이다. 유교는 도덕적 이상을 목표로 삼으며, 그 이상에 도달하는 방법은 덕을 갖추는 것이다. 인간은 다른 사람들 속에서 자기 자리를 찾아야 한다. 그래서 유교의 기본 개념도 '인仁'이다. 인은 '어짊'으로 번역될 수 있다. 즉 나와 남을 존중한다는 것이다. 부모에게 효도하고 조상에게 제사를 지내는 것은 행동 윤리의 기본이며 이는 모든 종류의 인간관계에 적용된다. 인은 자기 절제와 타인에 대한 예의 등 선한 인간의 태도에 항상 나타나야 한다. 유교는 중국 한나라의 공식 교리이자 국교가 되었다.

공자의 가르침

'콘푸키우스Confucius'는 '쿵쯔'로 발음하는 공자의 중국 이름을 16세기에 예수회 선교사들이 라틴어로 표기한 것이다. 기원전 551년경에 노나라(지금의 산둥성)에서 태어난 공자는 대대로 높은 벼슬에 오른 인물이 많았던 귀족 집안의 자제였다. 그러나 정작 그는 일찍이 부모를 여의고 가난하게 살았다. 공자는 중도(지금의 베이징)의 행정관을 지냈는데, 이때 자신의 이론을 적용해서 이상적인 정부를 만들려고 했다. 전통에 따라 그는 토목 공사를 담당하고 정치 보좌관 역할도 수행했다. 그러나 그의 전기에서 가장 중요하게 다룬 사건은 바로 노자와의 만남이다. 두 사람이 나눈 대화는 『장자』를 비롯해 도교에 관한 여러 책에 자주 등장한다. 조상이 물려준 전통을 중시한 공자의 사상은 제자들이 들었던 그의 격언들을 엮은 『논어』를 통해 주로 알려졌다. 공자는 전통이야말로 가장 이상적인 덕이라고 보았다. 당시 중국의 군주와 지식인의 역할이 중요하다는 사실을 인지했기에 정치적·사회적 질서가 주된 관심사였다. 공자는 도덕이 정치의 근간이며, 따라서 군주는 현명하고 훌륭하게 행동해야 하고 타인의 모범이 되어야 한다고 주장했다. 그래야 주변 사람들도 선해질 수 있다. 덕은 덕을 낳고, 누구나 타인과 인류를 존중하는 마음을 길러서 선한 인간이 되기 위해 노력할 수 있다.

유교의 고전

공자의 가르침과 교훈은 수 세기 동안 중국의 사상을 형성해온 오경五經의 전통과 결부되어 있다. 오경은 인용문, 잠언, 법령 등을 엮은 『서경』, 시를 엮은 『시경』, 공자가 태어난 노나라의 연대기인 『춘추』, 운명을 점치는 『역경』, 의례에 관한 『예기』이다. 유교의 기본이 되는 오경에 사서四書도 덧붙여야 한다. 사서는 큰 학문이라는 뜻의 『대학』, 공자와 제자들의 대화를 기록한 『논어』, 변하지 않는 중간을 의미하는 『중용』, 공자의 가르침을 이어받아 맹자가 쓴 『맹자』를 말한다. 공자 사후에 세상에 나온 사서에 그의 사상과 교리가 모두 담겨 있다.

『논어』: 『논어』는 공자의 모든 가르침을 격언 모음집 형식으로 엮은 책이다. 그의 제자들은 공자의 철학적 유산을 보존하기 위해 저마다 스승의 가르침을 모아 책을 냈고, 그 언행록들이 『논어』의 바탕이 되었다. 완성본은 기원전 1세기에 나왔다.

『중용』과 『대학』: 유교의 다른 학파들을 대변하는 『중용』은 열정의 균형을 이룰 것을 권하고, 『대학』은 덕을 갖추고자 하는 군주와 백성의 욕구를 조명한 교리 요약본이다.

유대교

야훼와 선택받은 민족의 연맹으로 창시된 유대교는 세계 최초의 유일신 종교이다. 유대교의 유산은 교리나 철학을 전달하지 않는 『성경』과 결부되어 있다. 『성경』은 실존주의적이고 윤리적인 측면에서 인간 삶의 조건을 이야기한 인류의 역사로 읽을 수 있다. 유대교의 바탕에는 윤리의 존재론적 원칙에 대한 요구가 있다. 유대 민족은 수백 년 동안 『구약』의 교훈을 일상과 유일신에 대한 믿음에 적용할 줄 알았다. 그로 인해 유대 민족은 율법을 지키면서도 세계에 대해 개방된 자세를 잃지 않았다. 자신에게 하는 행동과 타인에게 하는 행동이 똑같이 중요하다고 여겼다. 70년에 예루살렘이 함락되고 성전이 무너지자 유대 민족은 두 번째 디아스포라를 경험했다. 이를 계기로 유대교는 지중해 연안으로 퍼졌다. 엘리 포르Élie Faure의 표현에 따르면, 무기한 망명 신세였던 유대인들은 '훌륭한 지적 유연성'을 갖출 수 있었고 그로 인해 자아 성찰의 힘을 기르면서도 주변을 비판하고 판단할 수 있었다.

"이름이 무엇입니까?" "신이라네"

고대 종교에서 늘 그렇듯이 히브리인들도 신의 진짜 이름을 몰랐다. 그들은 신을 형용사로 지칭하거나 '군주'라는 뜻의 '엘' 또는 '엘로힘'이라고 불렀다. 모세가 신에게 이름이 무엇인지 묻자 신은 수수께끼 같은 대답을 했다. "나는 나다." 그래서 히브리인들은 신을 이러한 의미를 가진 네 글자 '야훼YHWH'로 부른다.

『성경』에 나타난 유대교

유대교의 역사는 3000년이나 되었다. 그 역사는 중동의 셈족에 속하는 유목 민족인 히브리인들이 겪은 고난으로 시작한다. 그 이야기를 담은 것이 유대교가 인정하는 『성경』의 첫 5권인 모세 오경이다. 첫 번째 책인 「창세기」에서는 창조와 만물의 기원과 관련된 여러 사건을 이야기하며, 아브라함이라는 인물이 나온다. 일설에 따르면 히브리의 어원은 아브라함의 조상인 에벨이다. 에벨은 노아의 아들인 셈의 증손자이다. '지나가다'라는 뜻의 동사 '아바르'가 어원이라는 설도 있다. 그렇다면 히브리인은 '지나가는 사람'이라는 뜻이 된다. 이는 이집트인들이 히브리인을 가리켜 썼던 '유목민'이라는 뜻의 단어 '하비루'와 비슷하다. 유대교도라는 말은 유대 왕국이 전 민족을 대표하게 된 때에야 널리 사용되었다. 유구한 구두 전승의 전통이 유지되다가 문자로 바뀌었다.

족장의 시대(B.C. 1750년경~B.C. 1250년경): 아브라함은 유목민이었던 히브리 민족을 이끌고 캅카스 남부에서 팔레스타인까지 갔다. 그 이후 대기근으로 인해 그들은 다시 이집트로 흘러 들어갔다. 메르넵타 석비에는 "이스라엘은 파괴되었고 그 씨앗마저도 사라졌다"라고 새겨져 있는데 이것이 이스라엘을 최초로 언급한 기록이다.

출애굽과 약속의 땅(B.C. 1250년경): 히브리 민족은 모세의 지휘하에 이집트를 탈출해서 팔레스타인에 정착했다. 팔레스타인에도 이미 히브리 민족에 속하는 부족들이 살고 있었다. 「출애굽기」의 주인공이자 저자인 모세의 활약으로 이야기는 매력적이고 장면들은 힘이 넘친다. 파라오에게 히브리인들을 해방하라고 요구했지만 소용이 없자 모세는 이집트에 열 가지 재앙이 닥치리라고 예언했다. 결국 히브리인들은 모세와 함께 이집트를 떠나 팔레스타인에 정착했다.

사사들(B.C. 1250년경~B.C. 1000년경): 히브리인들은 르우벤, 시므온, 유다, 잇사갈, 스불론, 에브라임, 므낫세, 베냐민, 단, 납달리, 갓, 아셀 등 야곱의 열두 아들이 시조가 된 12지파를 형성했다. 다윗왕은 예루살렘으로 언약궤를 옮겼다.

왕들의 시대(B.C. 587년까지): 신이 보낸 왕들은 아브라함이 신과 한 약속이 지켜지는지 살폈다. 이 시대는 네부카드네자르 2세가 예루살렘을 정복하면서 막을 내렸다.

기원전 164년에 유대인의 국가가 건국되었으며 몇 년 뒤 마카베오 가문 출신의 요나단이 대사제이자 장군이 되었다. 기원전 129년에 유대인들은 완전한 독립을 얻었다. 왕이자 대사제였던 히르카누스는 이스라엘의 영토를 되찾았고 이곳에 다윗과 솔로몬의 왕국이 번성했다.

다윗과 솔로몬

다윗은 탁월한 장군으로 이스라엘 왕국의 영토를 확장했다. 그는 다마스쿠스의 대부분을 차지했고 북부와 동부로 통하는 교통로를 확보했다. 다윗은 예배에서 자주 사용되는 일종의 서창인 「시편」 영창을 만든 사람으로 알려져 있다. 그는 예루살렘에 음악 학교를 세워서 찬송의 반주에 필요한 하프 교육뿐만 아니라 기악 교육도 시켰다. 다윗의 후계자는 아들 솔로몬이었다. 그는 약 40년 동안 나라를 통치하면서 유대와 이스라엘의 12지파를 이끄는 절대 군주가 되었다. 솔로몬의 재위 기간 동안 무역과 세금으로 부가 쌓이면서 나라는 최고의 번영기를 맞았다. 이 무렵에 백성의 편에 선 예언가들이 나타났다. 그들은 신의 명을 받아 군주를 돕고 필요한 경우 그들에게 의무를 상기시켰으며, 야훼와 선택받은 민족이 맺은 언약과 관련해 의무를 잊어버리거나 지키지 않을 때에는 민족과 국왕 모두에게 재앙이 닥치리라 예언했다. 솔로몬은 중요한 건축물들을 남겼다. 그는 자신의 궁을 확장했고, 페니키아의 건축가들을 불러들여 여호수아가 무너뜨린 아소르의 이교 성전을 모델로 성전을 건설하도록 했다. 야훼에게 바친 이 성전은 완성되기까지 7년이 걸렸다.

랍비 유대교

기원전 1세기에 유대 세계에 두 무리가 출현했는데 바리새파와 사두개파이다. 민중과 더 가까웠던 바리새파는 구전을 따랐고, 사두개파는 문헌을 더 중시했다. 기원전 37년 헤로데 1세가 '유대인들의 왕'이라는 칭호를 받았다. 그의 왕국은 유대, 사마리아, 갈릴리와 그 주변 지역까지 확장되었다. 헤로데 1세가 죽고 왕위에 오른 아르켈라오스는 공포 정치를 실시했다. 그러나 로마에 살던 유대인들이 청원해서 아우구스투스 황제는 그를 폐위시켰다. 그렇게 해서 로마 총독 체제가 시작되었다. 로마 총독 중 가장 널리 알려진 인물은 폰티우스 필라투스이다. 팔레스타인은 로마의 속주가 되었다. 70년에 베스파시아누스의 아들 티투스는 예루살렘을 포위한 뒤 성전과 함께 도시를 파괴했다. 2세기에 하드리아누스는 예루살렘을 로마의 도시로 공식화하려고 했지만 이에 저항하는 폭동이 일어났다. 하드리아누스는 폭동을 진압했으나 로마의 피해가 워낙 커서 승리를 자축하지도 못했다. 랍비 유대교가 형성된 것도 2세기였다. 안식일을 지키는 것은 유대교의 가장 중요한 의식이 되었다. 구전으로 전해지던 랍비들의 가르침을 글로 옮긴 『미슈나』는 랍비 아키바의 작품인데, 135년에 유대인들이 로마를 상대로 반란을 일으켰을 때 완성되었다. 그러나 반란은 실패했고 바리새파만 살아남았다.

「홍해 횡단」, 미세화, 조르주 트뤼베르, 1492~1493년.

유대교의 개신교, 카라이트

히브리어로 '읽다'라는 뜻의 '카라qara'에서 유래된 카라이트Karaite는 유일신과 성서를 중시하는 유대교의 분파이다. 오늘날의 형태는 유대교 안에서 발달했으며 8세기에 나타났다. 카라이트를 유대교의 개신교로 부르기도 한다. 카라이트 신도들은 『타나크』 또는 『미크라』라고 하는 유대교 경전 외에 다른 문헌은 신뢰하지 않았다. 인간이 스스로 정한 규율이라는 이유로 구전으로 전해지는 규율과 『탈무드』를 거부했다. 신이 내려준 경전만이 모든 신앙의 근본이라는 것이다. 같은 이유로 기존의 랍비 유대교에서 랍비가 차지하는 중요한 위치도 인정하지 않았다. 카라이트의 창시자는 아난 벤 다비드이다. 8세기 중반에 그는 페르시아에서 바빌론에 유배된 유대인들의 우두머리가 되기 위해 동생과 대립했다. 칼리파는 동생을 유배자들의 우두머리로 인정했고, 화가 난 그는 정통 유대교에서 떨어져 나와 카라이트라는 종교를 만들었다. 아난 벤 다비드는 '계명의 책'이라는 뜻의 『세페르 하미츠보트』를 썼다. 그에 따르면 누구나 자신의 이성으로 경전을 이해할 자유가 있다. 그 결과 수많은 이견이 나왔고 카라이트는 여러 분파로 갈라졌다. 그중에는 원래 금했던 구전을 중시하는 분파도 생겼다. 카라이트의 전성기는 9세기와 10세기로, 중동과 콘스탄티노폴리스에 이어 중유럽과 동유럽까지 확산되었다. 이 지역들과 이스라엘에는 아난 벤 다비드가 죽고 그 후계자들이 합류한 카라이트 공동체들이 지금도 존재한다.

『히브리 성경』

유대교가 살아남아 발전할 수 있었던 것은 『구약』과 그 가르침을 담은 토라 덕분이다. 이야기와 예언, 시가 담긴 『구약』의 첫 5권은 디아스포라 시기에 유대 민족과 늘 함께했다. 『히브리 성경』은 '타나크'라고 불리는데, 이는 『히브리 성경』을 구성하는 세 부분인 율법서 토라, 예언서 네비임, 성문서 케투빔의 첫 글자를 따서 만든 두문자어이다.

토라

토라는 기독교에서 '모세 오경'으로 부르며 「창세기」, 「출애굽기」, 「레위기」, 「민수기」, 「신명기」로 구성되어 있다. 「창세기」는 인간의 창조부터 요셉의 죽음까지 인간의 기원을 담고 있다. 「출애굽기」는 히브리인들이 이집트를 탈출하는 내용이다. 「레위기」에서는 사제와 레위족 신관이 지켜야 하는 의식—봉헌, 제물, 축일, 안식일—을 자세히 다룬다. 「민수기」는 여러 부족에 대한 인구 조사 관련 내용을 비롯해, 신의 말을 믿지 않은 부족들은 저주를 받고 사막에서 40년 동안 방황하는 벌을 받았다는 내용 등을 담고 있다. 또한 의식에 관한 규율 외에 보다 일반적인 규율도 「민수기」에 소개되었다. 「신명기」(그리스어로는 '데우테로노미온'이며 두 번째 법이라는 뜻이다)는 모세의 유언이라고 할 수 있다. 모세는 신에 대한 믿음을 저버리지 않도록 이스라엘인들에게 권하는 규율을 모두 「신명기」에 요약해두었다. 그는 지시를 내린 뒤 멋진 성가로 마무리한다. 이 책은 이스라엘의 자손을 위해 신이 한 모든 기적을 나열한 일종의 회고록이다.

네비임

네비임은 '예언서'로도 불린다. 첫 번째 책인 「여호수아기」는 모세가 죽은 뒤 일어난 사건들을 담고 있다. 약속의 땅에 들어간 유대 민족과 12지파가 땅을 어떻게 나누었는지가 소개되고 여호수아의 죽음으로 마무리된다. 「사사기」는 사사들의 통치를 받는 히브리 민족의 역사를 살펴보고 예언가 사무엘의 탄생까지 이야기한다. 「사무엘기」는 이스라엘의 마지막 사사였던 사무엘의 생애뿐만 아니라 사울왕과 다윗왕의 생애도 보여준다. 두 왕에 대해 다룬 「열왕기」는 약 6세기 동안 유대 왕국과 이스라엘 왕국에서 일어난 사건을 담고 있다. 「이사야서」와 「예레미야서」, 「에제키엘서」는 '제2의 예언자들'이라고 불린다. 「이사야서」는 예루살렘에 닥칠 불행을 예언한다. 기독교에서는 「이사야서」를 메시아의 재림을 예언한 것으로 본다. 「예레미야서」는 예루살렘의 함락과 파괴라는 대재앙을 예고한다. 629년에 시작된 예언과 그 이후에 이어지는 애가의 어조는 매우 애절하다. 신을 보았다는 내용에서 시작하는 「에제키엘서」는 성전의 건설에 대한 예언으로 끝맺으며 예루살렘과 모든 국가에 대한 심판이 있을 것이라고 경고한다. 『히브리 성경』에는 많은 글이 담겨 있지만 '제2의 예언자들'을 잇는 12명의 예언자들을 알리는 글은 적은 편이다. 이 예언자들이 쓴 글을 '소예언서'라고 부르는 이유가 그것이다. 소예언서는 원래 같은 양피지에 기록되어 하나의 책으로 구성되어 있었다. 이 예언자들은 자신들이 살던 동시대를 다루면서 다른 예언자들과 비슷한 예언을 남겼다. 이들은 메시아의 재림에 대해서는 두려움에 떨기도 했다.

케투빔

케투빔은 「시편」(종교적인 시)과 「잠언」(지혜의 글), 「욥기」, 「아가」, 「룻기」, 「애가」, 「전도서」, 「에스테르기」, 「다니엘서」, 「에즈라기」, 「느헤미야기」, 「역대기」로 구성된다. 예언자 사무엘이 쓴 것으로 전해지는 「룻기」는 사사들의 시대에 살았던 룻이라는 모압 출신의 과부에 관한 서정적인 이야기이다. 룻의 후손이 다윗이다. 「에스테르기」는 아하스에로스 대왕(크세르크세스 1세)이 주최한 화려한 연회로 시작한다. 이 연회에는 왕국의 주요 인물들이 참석하는데, 에스테르라는 여인이 페르시아의 군주를 유혹해서 왕비가 된다. 그녀는 아하스에로스 대왕에게 유대인들의 안녕을 보장받기 위해 힘쓴다.

고대 그리스어로 작성된 『성경』(『70인역』)은 『히브리 성경』에 두 권을 덧붙였다. 바로 「토빗기」와 「유딧기」이다. 이 책들은 원래 케투빔에는 포함되지 않았다. 「토빗기」는 『성경』에서 가장 인기가 많은 글로, 토빗이 아들에게 해주는 조언이 이 책에서 가장 아름다운 부분이다. 아들 토비야는 여행을 하다가 눈이 먼 아버지를 고칠 수 있는 약을 발견한다. 또 기적처럼 사라를 만나 혼인을 하게 된다. 「유딧기」는 외부의 침략에 관한 이야기를 담고 있어서 다른 글들과 결이 다르다. 네부카드네자르의 장군 홀로페르네스가 유대 왕국으로 군대를 출격시킨다. 신앙심이 깊은 젊은 과부 유딧은 시민들을 독려하고 용기를 북돋운다. 그녀는 홀로페르네스의 목을 베어 전시했고 이를 보고 사기충천한 유대인들은 아시리아 군대를 물리칠 수 있었다.

자이나교

자이나교는 기원전 10세기~기원전 9세기에 동인도의 갠지스 분지에서 출현했다. 그리고 속세를 포기하고 현실을 초월하는 자세를 강조한 불교 및 여타 신앙들과 같은 시기에 발달했다. 의식과 제물을 기준으로 권위를 인정받는 브라만교의 전통에 반기를 든 움직임이라고 할 수 있다. 신흥 종교들은 의식을 거부하고 각자 자신의 노력으로 윤회에서 벗어날 수 있는 방법인 금욕을 중시했다. 자이나교는 영적 순수함과 깨달음을 향해 나아갈 수 있는 길을 가르친다. 신도들은 불해不害, 비폭력, 생명 존중을 생활 방식으로 받아들인다. 자이나교의 이름은 산스크리트어로 '지ji', 즉 '정복하다'라는 의미의 동사에서 파생되었다. 신도들이 열정과 감각을 이기고 금욕을 실천해서 완전지와 순수한 영혼, 계시를 얻기 위해 벌이는 치열한 전투를 뜻한다. 마지막 단계에 도달하는 사람은 소수인데 그들을 '지나', 즉 '정복자'라고 하며, '자인'은 '정복자를 따르는 자'를 말한다. 평신도 '자이나'도 공동체의 일원으로 받아들여진다.

위대한 영웅

자이나교는 기원전 7세기부터 진정한 문화 체계로 발전해서 철학, 예술, 건축, 수학, 천문학, 문학 등 다양한 분야에 스며들었다. 자이나교의 많은 개념이 힌두교나 불교와 비슷하지만—동일한 문화적·언어적 배경에서 발달했기 때문이다—자이나교는 매우 독특한 현상으로 간주될 만하다. 자이나교의 신도들은 신이 아니라 '개척자'의 의미를 가진 '티르탕카라'라는 예언자들을 숭배한다. 24번째이자 마지막 예언자가 '위대한 영웅' 마하비라Mahavira이다. 석가모니가 마하비라보다 한 세기 뒤에 태어났지만 동시대에 살았다고 볼 수 있다. 마하비라의 생애와 그를 중심으로 만들어진 최초의 자이나교 공동체에 관한 이야기는 『칼파수트라』 등을 통해 전해졌다. 석가모니와 마찬가지로 마하비라도 무사 계급인 크샤트리아 출신의 왕의 아들이다. 그는 서른 살에 왕자라는 신분을 버리고 출가했다. 12년 동안 명상을 한 뒤에 완전지에 이르고 자신의 가르침을 설파하기 시작했다.

자이나교를 오늘날의 형태로 완성한 사람은 마하비라로 알려져 있다. 지금도 신도들이 지키고 있는 불해(모든 생명을 절대로 존중하기), 진지, 정직, 순결, 무소유에 관한 5개의 기본법인 마하브라타를 만든 이도 마하비라이다. 마하비라는 옷을 벗었을 때 벌레에게 공격당해도 불살생을 지키기 위해 벌레를 죽이지 못했다. 그는 완벽한 도덕심을 가졌기에 흰옷을 입는 백의파가 아니라 옷을 입지 않는 나체파에 속했다. 그것은 그가 설파하던 초월의 규율에도 부합했다. 마하비라는 기원전 527년 비하르의 파바에서 세상을 떠났다. 그는 이미 '정복자'인 지나의 칭호를 받은 상태였다. 지나는 탐욕과 욕망을 지배하고 땅에 대한 소유와 모든 집착을 포기한 사람이다.

불해, 아힘사

아힘사ahimsa의 가장 일반적인 뜻은 '비폭력'이지만 '불해'라고 하는 것이 더 적당하다. 불해는 동물이든 식물이든 어떠한 생명(지바)도 해치지 않겠다는 의미이다. 이는 가장 엄격한 채식주의를 내포한다. 식물도 발아를 통해서 생명을 빼앗기는 데 상징적인 동의를 할 때에만 먹을 수 있다. 신도들은 해가 지면 먹지도 않고 마시지도 않으며, 어쩌다가 벌레가 입에 들어가는 것을 막기 위해 천(무크하바스트리카)으로 입을 가린다. 이는 행동뿐만 아니라 생각으로도 생명을 해하지 않겠다는 뜻이다. 부정적인 것은 업보로 집결된다. 한 사람이 윤회를 벗어날 때까지 살게 될 여러 삶을 결정하는 것이 이 업보이다. 서양에서는 아힘사의 개념이 인도를 식민 지배했던 영국에 대항한 마하트마('위대한 영혼') 간디의 비폭력 투쟁으로 대중화되었다. 그는 '사티아그라하satyagraha'라는 철학으로 평화로운 저항 또는 시민 불복종 운동을 벌였다.

탄트라교

탄트라교는 힌두교와 불교에서 파생된 종교로, 마찬가지로 인도에서 발생했다. 탄트라교는 수행을 통해 에너지를 상징하는 여신과 접촉하는 것을 목표로 삼는다. 신비주의적인 교리와 그와 관련된 수행은 '씨실'이라는 뜻의 경전 『탄트라*Tantra*』를 기반으로 한다. 탄트라교는 기독교 시대의 초기에 출현한 것으로 보이지만 탄트라 불교(밀교)와 관련된 최초의 글은 6세기가 되어서야 나왔다. 이 종교가 인도에 널리 퍼지기까지는 200~300년을 더 기다려야 했다. 탄트라교는 궁극적 현실은 비어 있다는 불교의 근본적인 가르침을 담고 있다. 탄트라교가 말하는 우주는 초자연적인 힘으로 짜인 광활한 천이고, 인간은 다양한 수행을 통해 그 힘을 몸에서 깨울 수 있다. 수행은 요가, 호흡 훈련, 경전 낭송, 명상, 심지어 특이한 성생활까지 포함한다. 인도 북부의 카주라호 사원에 있는 조각물들은 탄트라교가 성생활(마이투나)을 중시했음을 보여준다. 탄트라교는 개인과 만유, 영혼과 육체의 영역을 수렴함으로써 힘과 에너지를 얻는다고 본다.

의식과 마법

탄트라교의 의식과 수행은 신의 성적 기운과 하나가 되는 것을 목표로 삼는다. 신도들은 정신, 영혼, 육체의 기술을 통해 신과 하나가 된다. 만트라의 반복적인 낭송과 명상이 합쳐지면 수행자는 황홀경에 이를 수 있고 의식의 다음 단계로 나아갈 수 있다. 해로운 정신적 힘으로부터 보호하는 등 정신 및 영혼이 도달해야 할 또 다른 목표를 위해 사용하는 만트라도 있다. 가장 강력하고 힌두교에서 가장 많이 사용하는 만트라는 신성한 음인 '옴Om'이다. 불교에서 가장 중요한 만트라는 '옴 마니 파드메 훔Om Mani Padme Hum'이다.

만다라와 얀트라

산스크리트 어근 '만man'은 '생각하다'라는 뜻이고 접미사 '트라tra'는 보통 행동을 완수하게 해주는 사물이나 도구를 가리킬 때 쓴다. 만트라는 명상이나 신성한 의식을 행할 때 낭송한다. 올바르게 읊으면 사고를 통해 현실을 바꿀 수 있다. 명상에 도움이 되는 그림도 만트라와 관련이 있는데 바로 만다라와 얀트라이다. 절제의 '도구'라는 뜻을 가진 얀트라는 다소 복잡한 기하학적 형태이다. 만다라는 조금 더 복잡한

금강계 만다라, 직물에 물감, 17~18세기, 티베트.

여러 개의 원으로 이루어져 있다. 만다라는 도형 안에 그려진 신성한 영역이고 신의 그릇이며 우주의 힘이 만나는 지점이다. 티베트의 만다라는 모래로 만들었다가 의식 도중에 지워버린다. 이는 모든 것이 헛되다는 것을 보여준다. 9세기에 사일렌드라 왕조가 자와섬에 세운 보로부두르 불교 사원의 평면도도 만다라의 형태를 띤다. 『탄트라』는 평범한 겉모습과 평범한 생각이 발현되지 않도록 하는 것이 목적이었기 때문에 몸짓, 인상, 상징적 물건으로 여신을 형상화했다.

의미심장한 도형

티베트에는 매우 독특한 만다라가 있다. 천에 그린 불화 '탕가'이다. 탕가에는 사각형 안에 하나 또는 여러 개의 동심원이 있고, 동심원 안에는 또 다른 사각형이 그려져 있다. 그 중심에서 출발한 선이 사각형의 꼭짓점에 닿아 삼각형을 이룬다. 탕가의 중심과 각 삼각형의 중심에는 신의 상징이나 이미지를 담은 5개의 원이 있다. 만다라의 주위에는 무지를 불태우는 불의 반지, 파괴할 수 없고 깨달음으로 이끌어주는 다이아몬드 띠, 인간의 인식이 갖는 8개의 측면을 상징하는 8개의 청룡도가 그려진 원, 수행자가 열망하는 정신적 부활을 의미하는 연잎으로 만든 띠가 감싸고 있다.

토테미즘

토테미즘totemism은 오지브와어로 '가까운 형제자매'를 뜻하는 '오토테만ototeman'에서 파생되었다. 여기서 형제자매는 같은 엄마에게서 태어났기 때문에 혼인할 수 없는 관계를 말한다. 토테미즘은 한 집단이 동물이나 식물, 사물의 영혼을 숭배하는 신앙 체계이다. 인간과 토템이 맺는 관계는 혈연관계로 표현될 수도 있고 신비주의적 성격의 관계로 나타날 수도 있다. 인류학자들이 토테미즘을 체계화하려고 분류 체계를 통일하려 했다면 클로드 레비스트로스는 『오늘날의 토테미즘』(1962)에서 토테미즘의 정의 자체에 의문을 던졌다. 그는 토테미즘이 "절대적인 정의를 내리려는 모든 노력을 벗어난다. 기껏해야 특정적이지 않은 요소들을 우발적으로 배치할 뿐이다. 그러면 특정한 사례에서 경험적으로 관찰 가능한 특징을 모아놓게 되므로 독특한 특성을 유출시키지 못한다. 그러므로 유기적인 종합이 될 수 없고 사회적 성격의 연구 대상도 아니다"라고 했다. 매우 다양한 형태를 띠는 토테미즘은 주로 사냥과 채집, 기껏해야 소를 기르는 것으로 생계를 유지하는 부족에게서 가장 많이 발생한다. 토템은 의식 행위의 대상이 될 때가 많지만 토테미즘을 종교로 보지 않는 것이 일반적이다. 조상에 대한 숭배나 애니미즘 등 다른 신앙과 혼합되는 경우가 많다.

단순한 것에서 복잡한 것으로

에밀 뒤르켐은 『종교 생활의 원초적 형태』에서 가장 간단한 형태의 종교를 연구해 이론을 정립했다. 그는 어떤 현상의 본질에 접근하려면 그 현상의 가장 원시적인 형태를 관찰해야 한다고 생각했고, 토테미즘이 바로 종교의 본질에 해당한다고 믿었다. 뒤르켐은 종교의 목적이 사회의 변화라고 주장했다. 그는 이 책에서 연구의 세 가지 축을 소개했다.

- 오스트레일리아 부족의 체계 및 토테미즘에 대한 상세한 기술과 분석.
- 위의 사례를 통해 종교의 본질에 관한 이론 정립.
- 사회적 측면에서 보았을 때 분류 체계를 설명하는 사회적 맥락을 통해 발달하는 인간의 사고 형태에 대한 고찰.

이 연구 과정은 1) 신성한 것과 세속적인 것으로 나뉘어 전개되는 종교 현상의 정의, 2) 애니미즘과 자연주의에 관한 다른 이론들에 대한 반박으로 요약될 수 있다. 애니미즘에서 종교적 믿음은 영혼에 대한 믿음이고, 자연주의에서는 인간이 숭배하는 자연적 힘의 변화이다.

샤먼의 역할

'샤먼shaman'이라는 말은 시베리아 지역에서 사용되며 퉁구스 어족에 속하는 만주어에서 왔다. 인류학자들은 '샤먼'이 유래되었다는 단어인 '사만saman'이 '알다'라는 뜻의 동사 '사sa'에서 파생했다고 생각했다. 따라서 샤먼은 '아는 자'라는 뜻이 된다. 엄격한 의미에서 본 샤머니즘은 아시아 북부 우랄알타이어를 쓰는 민족의 종교와 문화이다. 그러나 샤머니즘은 샤먼이 전사, 종교 지도자, 고문 등의 역할을 하는 집단이 있는 문명을 가리키는 말로도 사용되었다. 샤먼은 아메리칸 인디언, 오스트레일리아 원주민, 아프리카 부족 등 특히 북반구의 민족에게서 많이 찾아볼 수 있다. 샤먼의 문화가 아메리카 대륙에 전파된 것은 아시아에서 최초의 이주민이 넘어간 것이 계기였다. 일본의 신토 공동체에 있는 샤먼은 한국 북부에 살던 유목 민족이 이주하면서 생긴 것이다. 샤먼은 특별한 능력을 가지고 있었기 때문에 사회에서도 특별한 지위를 가졌다. 그의 권위는 영혼과 교감하는 능력에서 나왔다. 북은 샤먼에게 매우 중요한 도구이다. 북이 울리면 샤먼은 접신하고 영혼이 그의 몸이나 북에 깃든다. 접신한 샤먼의 행위를 연구한 학자들도 있는데, 미르체아 엘리아데Mircea Eliade

연어 모양의 토템, 나무에 조각, 틀링기트족.

는 아메리카, 남아시아, 오세아니아, 중국, 티베트의 샤먼에 관심을 기울였다.

샤먼이 되는 길

샤먼은 타고난 재능이 있어야 될 수 있다. 영혼이 산 사람들의 세계와 소통하고 싶을 때 중간자의 역할을 할 샤먼을 지목한다. 입문자는 오랜 기간 엄격하게 훈련해야 두려움을 극복하고 자기 안에서 자라는 영혼의 힘을 조화롭게 제어할 수 있다. 일정한 단계를 거쳐서 초자연적 힘을 증명한 다음에야 샤먼으로 인정받을 수 있다. 우선 조상의 영혼이 그를 지목해야 하고, 꿈을 통한 계시를 받거나 간질 발작, 또는 신병이라고 부르는 질환을 앓아야 인정받는다. 입문은 샤먼이 육체적 질병이나 정신적 질병에 걸리지 않도록 조절할 수 있게 하는 단계이다.

샤먼의 입문식에서 주로 다루어지는 주제는 무엇일까?

- 샤먼이 고립되는 시기.
- 죽음을 상징하는 상처, 의식의 일환으로 받는 고문.
- 상처 입은 몸: 자상, 할복. 몸을 칼로 베는 것은 장기를 새로 태어나게 한다는 의미이다.
- 승천이나 지옥으로 떨어지는 것은 중요한 가르침의 원천이다.
- 샤먼은 옛 삶을 잊고 이름을 바꿔야 하며 새로운 언어를 써야 한다.
- 이물질(돌, 수정 등)을 몸에 넣어 주술적 힘을 갖는다.

플라톤주의

플라톤주의는 소크라테스의 제자이자 아리스토텔레스의 스승이며 아카데메이아를 설립한 플라톤의 가르침에서 출발한 철학이다. 플라톤의 사상은 주로 그가 나눈 대화로 전해졌고, 그 내용은 인간의 삶에 대한 지속적인 관심이 주를 이룬다. 플라톤의 질문은 감각적으로 인식한 세상의 변화와 별개로, 변하지 않고 영원한 현실에 대한 믿음에서 출발한다. 그리고 이러한 절대적 가치에 대한 믿음이 그의 선배나 후배의 철학—특히 소피스트의 상대주의—과 다른 점이다. 플라톤주의의 핵심은 감각의 세계와 지성의 세계를 구분하는 '이데아론'이다. 플라톤의 대화에 등장하는 인물들은 이데아를 알기 위해서, 즉 사물의 원칙과 본질로 거슬러 올라가기 위해서 진리에 점진적으로 다가가는 방법인 변증법을 쓴다. 플라톤의 사상이 이상향에 접근하는 모습은 라파엘로의 「아테네 학당」에 표현된 대로이다. 제자 아리스토텔레스가 손바닥을 땅으로 향한 것은 그가 현실을 중시한다는 뜻이다. 그 옆에 선 플라톤은 반대로 손가락으로 하늘을 가리키고 있다.

플라톤은 누구인가

플라톤은 아테네 최고 귀족 가문의 후손이다. 일설에 따르면 그의 혈통은 아테네의 마지막 왕과 위대한 사회 정치 개혁가였던 솔론으로 거슬러 올라간다. 페리클레스가 사망한 이듬해에 태어난 그에게는 누이 하나와 형 글라우콘과 아데이만토스가 있었다. 형들은 그의 대작 『국가』에도 등장한다. 배다른 동생 안티폰은 『파르메니데스』에 나온다. 플라톤은 어렸을 때부터 소크라테스의 열렬한 추종자였고 소크라테스가 그의 철학의 출발점이 되었다고 할 수 있다. 소크라테스가 개인의 도덕 문제에 주로 관심을 가지고 공동체의 삶에 비판적인 입장을 취했다면, 플라톤은 개혁가도 아니었고 제도의 적도 아니었다. 그렇다고 해서 플라톤이 정치에 대해 생각하지 않은 것은 아니다. 그는 30인 참주가 이끌던 정부에 큰 희망을 주었다. 30인 참주의 우두머리였던 크리티아스는 플라톤의 가까운 친척이었다. 과두제가 전복되고 민주주의가 복원되자 소크라테스의 사형에도 불구하고 플라톤은 제도에 대한 믿음을 잃지 않았다.

스승이 세상을 떠난 뒤에 플라톤은 그리스는 물론이고 이집트와 이탈리아를 여행했다. 여행하는 중에 귀족 가문 출신으로 디오니시우스왕의 친척인 정치가 시라쿠사의 디온을 만났다. 디온은 플라톤의 제자이자 친구가 되는데, 이는 플라톤이 시칠리아를 두 번이나 더 여행한 이유를 설명해준다. 플라톤은 『파이돈』과 『국가』에서 피타고라스의 제자들을 비난하기도 했지만 그들에게서 영향을 받은 것으로 보인다. 플라톤은 아테네에 대학의 시초로 볼 수 있는 아카데메이아를 세웠다. 아카데메이아는 재능 있는 학생을 많이 받아들였고 외국인도 초대했다. 아리스토텔레스도 아카데메이아에 다녔고 이곳에서 학생들을 가르치다가 자신의 학교를 세웠다. 이후 플라톤은 많은 대화를 글로 썼고 이상적인 국가의 주요 특징을 열거한 자신의 대표작 『국가』를 집필했다. 플라톤은 여든 살에 아테네에서 세상을 떠났다. 아카데메이아는 그의 제자들이 운영했는데, 이후 플라톤의 가르침과는 거리가 먼 철학자들의 손에 넘어갔다. 결국 526년에 유스티니아누스 1세는 아카데메이아를 폐교했다.

방대한 작품

플라톤의 저서는 미학, 신학, 인식론, 언어 철학, 정치 철학, 우주 생성론 등 철학의 다양한 분야를 어우르는 수많은 주제를 다룬다. 현존하는 저작은 30여 권의 대화편과 13편의 서간문—그중 몇 편은 그가 쓴 것이 아니라고 알려져 있다—이다. 플라톤은 많은 글을 썼지만 글로 쓴 것은 한계가 있다고 생각했다. 말로 하는 대화만큼 독자가 의문을 자유롭게 제기할 수 없다는 것이다. 사상을 적은 글은 시공간을 초월하지만 대화 본연의 특징인 변증법적 소통은 불가능하다. 특히 독자의 무지와 악의에 노출된다. 그런데 철학은 사실을 발견하거나 도그마를 정립하는 것이 목적이 아니라 지혜를 얻거나 적어도 지혜를 구하는 것을 목적으로 한다. 대화편에서는 다소 극적인 요소를 살려서 소크라테스와 그의 대화 상대자들의 개성이 드러나도록 하는 가운데 독자의 사고가 진행되게 했다. 그래서 독자도 대화에 참여해 자신만의 논리와 반대 의견을 만들어갈 수 있다.

삼각관계

플라톤의 철학에는 세 가지 요소를 결합하는 경향이 두드러진다.

- **도덕론:** 지혜, 용기, 절제
- **존재론:** 존재, 생성, 비존재
- **우주론:** 신, 세상의 영혼, 물질
- **심리학:** 열정, 이성, 욕구
- **국가:** 법관, 전사, 장인
- **지식:** 과학, 견해, 감각

대화의 기술: 변증법

변증법(그리스어로 '디알렉티케dialektike')은 플라톤뿐만 아니라 아리스토텔레스, 그리고 이후에 회의주의자들의 저서에서도 중요한 역할을 한다. 변증법은 주제에 대해 자세히 몰라도 추론이 유효한지 확인할 수 있는 방법이다. 우리는 알려진 것, 혹은 우리가 알고 있다고 믿는 것을 좀 더 확장된 체계에 포함시키고 우리의 지식을 형질과 유개념에 따라 분류해야 한다. 예를 들어 진리를 알고 있다고 믿는다면 진리란 무엇인지에 대해 질문을 던져야 한다. 즉 플라톤의 방법은 상식을 깨고 편견을 뛰어넘는 것이다. 플라톤과 그의 제자들은 변증법을 통해 감각적인 세계에서 눈을 돌려 관념적인 세계의 진리에 도달했다. 감각에서 관념으로 넘어가면서 담화의 합리성이 만들어진다. 이 과정이 일어나지 않으면 추론 과정에서 모순이 나타난다.

플라톤의 사상

플라톤의 대화편을 모르는 사람은 없지만 그 내용이 정확히 무엇인지 아는 사람은 거의 없다. 가장 잘 알려진 대화편을 간략히 살펴보자.

『소크라테스의 변명』은 소크라테스가 재판 당시 했던 변론을 담고 있다. 그의 죄는 아테네 신들의 존재를 부정하고 청년들을 타락시켰다는 것이었다. 소크라테스는 판결이 나기 전에 재판관들에게 탄원하지 않았는데, 이는 그들이 공정한 판단을 하는 데 영향을 주고 싶지 않았기 때문이다. 그는 죽기 전에 아테네 사람들에게 자신이 그들을 대했던 것처럼 자신의 아들을 대해달라고 당부했다.

『고르기아스』는 '성숙'이라는 주제로 넘어가는 일종의 과도기를 상징한다. 모두 4부로 구성된 이 대화편의 핵심 주제는 수사학이다. 소크라테스는 고르기아스, 폴뤼스, 칼리클레스와 각각 토론을 벌인다. 그는 말과 수사학적 능력을 권력에 도달할 무기로 사용하는 소피스트들을 공격했다. 제4부는 플라톤의 종말론을 소개한다. 의인들은 죽음을 두려워하지 않아도 된다고 그는 말하고 있다.

『메논』은 덕을 다룬다. 덕이 천성인지 아니면 가르쳐서 얻을 수 있는 것인지, 어떻게 하면 덕을 알 수 있는지와 같은 질문을 던진다. 이 질문에 답하기 위해 소크라테스는 한 노예에게 기하학 문제를 낸다. 여기에서 불멸의 영혼에 깊이 묻힌 지식이 다시 떠오른다는 상기론이 나온다. 재능은 탐구에 내재한다.

『향연』에서는 7명의 연사가 사랑의 장점에 대해 차례로 말한다. 사랑에 대한 찬가가 끝나자 소크라테스는 대화의 정점을 만들어낸다. 손님들이 말한 논리에 문제를 제기한 것이다. 그는 처음에는 육체, 그다음에는 영혼, 마지막으로는 지식의 아름다움을 추구하는 것이 사랑이라고 주장했다.

『국가』 역시 대화록이다. 도입부에서는 정의의 개념을 정립하려는 시도를 하고, 그에 이어 10권에 걸쳐 정의라는 주제를 다룬다. 소크라테스는 문제를 개인의 영역에서 도시 국가의 영역으로 옮겨 생각해볼 것을 제안한다. 그렇게 해서 이상적인 도시 국가의 특징이 그려진다. 이런 도시 국가에 있는 공동체는 세 계급으로 나뉘어야 한다. 각 계급마다 직업도 정해져 있어서 다른 직업을 택할 수 없다. 첫 번째 계급은 물질적인 필요를 충족시키는 일을 담당한다. 그다음 계급은 국가를 수호하는 일을 하며, 마지막 계급은 도시를 다스린다. 각 계급이 갖춰야 하는 덕목인 절제, 용기, 지혜도 정의되어 있다. 정의는 모든 계급이 조화롭게 살 수 있도록 해주는 덕목이다. 도시 국가에서 이러한 덕목들은 사회적, 개인적, 정치적, 도덕적 서열에만 제한될 수 없다. 이상적인 도시 국가의 초인적 가치는 선의 우월성이다. 선이야말로 다른 덕목들을 드높일 수 있는 것이며 철학자만이 선을 알 수 있다. 따라서 철학자만이 도시 국가를 통치할 수 있다. 제7권에는 동굴의 비유가 나온다. 플라톤은 비유를 통해서 감각의 세계—그림자의 세계—와 관념의 세계, 즉 이데아의 세계를 구분한다. 자신의 그림자를 동굴 안쪽에 투사하는 이데아의 세계가 곧 현실 세계이다.

플라톤주의의 복귀

플라톤은 철학의 역사에서 큰 영향력을 행사했다. 기원전 1세기에 필론은 플라톤의 가르침에 다시 관심을 기울였고, 1세기에 플루타르코스는 절충적인 플라톤주의를 발전시켰다. 플로티노스와 그의 제자 포르피리오스는 전통을 이어받았고 철학사가들은 이 전통을 신플라톤주의로 구분한다. 보이티우스는 번역과 비평—하나의 독립적인 장르가 되었다—으로 플라톤과 아리스토텔레스의 철학을 중세 사람들에게 전했다. 아카데메이아가 폐쇄되면서 예수를 생각하지 않고 철학하는 일은 불가능해졌다. 혹은 기독교가 플라톤주의의 가장 중요한 요소들을 흡수했다고 볼 수도 있다. 이를 신플라톤주의 신학이라고 할 수 있을 것이다. 신플라톤주의 신학을 이끈 대표적인 인물로는 요하네스 스코투스 에리우게나와 캔터베리의 안셈이 있다.

피타고라스주의

피에르 아도는 『영적 훈련과 고대 철학』에서 고대 철학이 과학이나 이론의 집합체라기보다는 인간을 변화시키기 위한 하나의 실천이자 삶의 방식이었다고 주장했다. 피타고라스가 실존적 학문인 철학을 실천하고 가르친 방식에 대해 정확하게 알기는 어렵다. 피타고라스의 글이 남아 있지 않아서 전해 내려오는 그의 가르침이 정말 그의 것인지 확신할 수 없기 때문이다. 확실한 것은 그가 수를 매우 중시했다는 사실이다. 산술은 그 자체로도 중요한 역할을 하지만 다른 학문에도 영향을 미치기에 더욱 중요하다. 산술은 다른 현실과 현상을 해석할 수 있게 해주는 상징적 영역이기도 하다. 수와 그 조화에 관한 고찰에서 출발한 피타고라스는 음악에도 크게 기여했다. 그러나 피타고라스가 유명해진 것은 피타고라스 정리, 윤회, 우주의 음악, 황금률 덕분이기도 하다. 피타고라스는 '철학'이라는 말을 만들어낸 사람으로도 알려져 있다.

신비한 인물 피타고라스

피타고라스의 삶은 그야말로 미스터리이다. 아리스토텔레스 시절에도 피타고라스에 관한 정보가 드물었기 때문에 그는 이내 전설이 되었고 수 세기에 걸쳐 여러 이야기가 첨가되었다. 몇몇 신피타고라스주의자들이 그의 전기를 쓰고자 했는데 그중 티아나의 아폴로니오스는 자신이 전생에 피타고라스였다면서 자료 하나 없이 전기를 쓸 수 있다고 주장했다. 피타고라스는 사모스섬에서 태어났으며 페니키아, 칼데아, 이집트, 인도까지 수차례 여행을 했다고 알려져 있다. 그는 무녀를 통해 델포이의 신탁을 알게 되었고 스승 자라타스를 만나기도 했다. 아폴로도로스에 따르면 피타고라스의 전성기는 폴리크라테스가 권력을 잡고 있던 사모스섬을 떠나 망명을 했던 때이다. 피타고라스가 크로토네에 도착해서 종교 공동체를 설립했을 때 그의 나이는 마흔이었다. 그가 옹호한 개혁은 정치적인 것이었다. 신과 인간의 새로운 관계가 도시 국가의 삶에 영향을 주어야 하기 때문이다. 이탈리아 남부에 존재했던 이 소수의 공동체는 덕이 지배할 수 있도록 하고 그와 동시에 '정신의 귀족'이 갖는 특권을 되살리려고 했다. 피타고라스가 죽기 전에 이미 공동체는 해체되었지만 그 영향력은 지속되었다. 피타고라스학파는 이때 두 분파로 갈렸다. 피타고라스학파에 입문하려면 모두 네 단계를 거치게 되는데 그중 최고 두 단계의 이름을 그대로 따서 각각 아쿠스마티코이('듣는 자')와 마테마티코이('배우는 자')로 불렸다. '듣는 자'들은 기존의 의식과 도덕률을 지켰고, '배우는 자'들은 피타고라스의 가르침이 갖는 학문적 성격에 더 몰입했다.

피타고라스의 이론

피타고라스주의자들은 의식을 중시하는 엄격한 규율을 따랐다. 신성함을 상징하는 흰옷을 입고 제물은 칼이나 불을 사용하지 않고 바쳐야 했다. 또한 순결을 지켜야 했다. 채식과 운동도 권장되었다. 피타고라스는 신비주의와 실천, 이성적인 사고와 사변적인 사고를 연결할 줄 알았다. 윤회는 피타고라스의 교리 중 가장 잘 알려졌다. 인간이 죽으면 영혼이 육체에서 빠져나와 216년 뒤에 새로운 육체로 태어난다는 것이다. 영혼이 이동할 수 있다는 믿음은 피타고라스가 주장하는 생활 방식에도 스며들어 있었다. 피타고라스는 자신의 전생을 기억한다고 주장했다. 그는 헤르메스의 후손이기 때문에 전생을 기억할 수 있고 방대한 지식을 활용할 수 있다고 말했다. 또한 음악으로 영혼을 정화하고 훗날 철학이라고 부를 정신 활동을 배웠다고도 했다. 그는 철학이 환생을 용이하게 해주는 지식이라고 생각했다. 피타고라스의 사상이 형이상학으로 기울기는 했지만 소크라테스 이전의 사상가들, 특히 물리학에 집중했던 이오니아의 철학자들에게 관심이 많았다. 피타고라스는 역(건조하다 vs. 습하다, 따뜻하다 vs. 춥다 등)이 지배하는 세상, 기원이 무한한 세상을 주장했다. 그러나 우주는 한계가 있고 조화로운 공간으로 보았다. 피타고라스의 전통은 이탈리아 르네상스에 영향을 미쳤다. 이는 황금률에 대한 관심만 보아도 알 수 있다. 수학적 관점에서 전통은 끊기지 않았지만 신비주의적이고 미학적인 관점은 금지되었다. 1509년에 나온 이탈리아 수학자 루카 파치올리의 『신성 비례』에는 레오나르도 다빈치의 삽화가 실려 있는데 그중 하나가 유명한 십이면체이다. 사실 피타고라스를 정밀과학의 아버지로 생각하는 인문주의자들이 많다. 17세기 합리주의자 고트프리트 빌헬름 라이프니츠가 피타고라스의 전통을 물려받았다고 인정한 마지막 철학자이자 과학자일 것이다.

「황금시」에 갇힌 교리

이 얼마나 모순적인가! 피타고라스의 저서는 전혀 남아 있지 않지만 그의 제자들이 3세기에 필사한 70여 편의 「황금시」는 수백 년 동안 시인들에게 규칙으로 자리 잡았다. "오 제우스여, 우리의 아버지여, 당신은 수많은 악에서 모든 인간을 구할 것입니다. 그들이 어떤 신의 도움을 받는지 당신이 모두에게 보여준다면! 하지만 용기를 가져야 합니다. 당신은 인간이라는 종족이 신성하고, 신성한 자연이 그들에게 모든 것을 드러낸다는 것을 아시니까요. 만약 자연이 당신에게 모든 것을 드러낸다면 당신은 제가 정한 모든 것을 없앨 것입니다. 영혼을 치유한 당신은 모든 악에서 인간을 구할 것입니다."

수의 음악

수는 원리이다. 피타고라스 사상의 바탕에는 수의 기본적인 특성에 대한 기술이 있다. 피타고라스주의자들에게 신성한 상징 중 하나가 테트라크티스tetraktys(1+2+3+4=10)이다. 정삼각형으로 형상화된 이 상징은 완전한 수 10을 담고 있다. 피타고라스는 여기에서 출발해 산술, 기하학, 화성의 비율을 찾았다. 이 세 영역에서 그가 기여한 바는 크다. 음악 분야에서 테트라크티스를 적용한 것은 칠음계를 이론화하는 결과를 낳았다. 하나의 현에 1:2, 2:3, 3:4 비율의 음정을 적용한 피타고라스는 중세까지 음악사에서 가장 중요한 위치를 점했다. 이 화성 법칙은 우주에도 적용되었다. 코스모스라는 말을 처음 사용한 피타고라스는 처음에는 수, 그다음에는 음악에 대한 직감을 바탕으로 행성 간의 거리와 운동을 기술했다. 그가 행성들이 만드는 음악을 듣고 이해할 수 있었다는 말도 있다. 아무튼 진정한 조화는 여러 숫자가 맺는 관계의 단순성에서 비롯된다. 이러한 지식은 배움의 마지막 바로 전 단계까지 간 '듣는 자'들에게 전달되었다. 신비주의적 가르침은 배움의 마지막 단계에 있는 '배우는 자'들을 위한 것이었다. 그러나 뜻을 알 수 없는 주문이거나 겉으로 보기에 단순한 미신처럼 보이는 것이 대부분인데, 사실은 누구나 도달할 수는 없는 지혜의 메시지를 담고 있었다.

정리의 남자

피타고라스가 만든 정리에는 무엇이 있을까? 우선 삼각형의 세 각의 합이 두 직각의 합과 같다는 것을 증명한 정리가 있다. 메소미타미아에서는 이미 알려져 있었던 것으로 전해지는 다음의 정리는 피타고라스가 체계적으로 정립하면서 그의 이름을 따서 '피타고라스 정리'라고 불린다. 직삼각형에서 빗변의 길이의 제곱은 나머지 두 변의 길이의 제곱의 합과 같다. 이는 기본적인 평면 기하학, 원에 관한 기초적 지식, 공간에서 면적과 부피 측정을 포괄한다. 하지만 그의 증명은 정확성이 떨어지고 이성보다 본능에 더 의존했다. 피타고라스의 수학은 유클리드의 수학과는 아직 거리가 멀다.

힌두교

힌두교는 기원전 2000년경에 발달하기 시작했으므로 세계에서 가장 오래된 종교라고 할 수 있다. 인도 아대륙에서 발달한 힌두교의 역사는 매우 다양한 분파의 지속적인 발달과 통일의 결과물이다. 서양어에 힌두교Hinduism라는 말이 도입된 것은 영어를 통해서였다. 모니어 모니어윌리엄스 경이 산스크리트어-영어 사전을 만든 덕분이었다. '힌두Hindu'라는 이름의 기원은 그보다 더 오래되었고 인더스강의 산스크리트어 명칭인 '신두Sindhu'에서 비롯되었다. 인도에 도착한 첫 여행자들—그리스인과 페르시아인—이 그곳 주민들을 힌두라고 불렀으며 주민들은 16세기 투르크족과 스스로를 구분하기 위해 이 이름을 썼다. 그러다가 결국 우리가 오늘날 알고 있는 종교적 의미만 띠게 되었다. 19세기에는 힌두교를 지칭하는 명칭이 여럿 있었다. 베다교와 브라만교는 힌두교의 역사 중 첫 두 시기를 구분하는 명칭이라고 할 수 있다. 또한 '영원한 법'이라는 의미의 '사나타나 다르마sanatana dharma'가 사용되기도 했다. 사나타나 다르마라는 명칭은 시간적으로는 물론이고 삶 전체(전통, 관습, 이상 등)와 관련이 있으므로 그 적용에 있어서도 교리의 영속성을 보여주기 때문에 특히 의미가 있다. 이는 종교를 고정된 믿음의 체계로 보는 서양과는 반대이다. 이처럼 힌두교에서는 믿음보다 행위와 행동이 더 중요하고, 4000년의 긴 역사에도 불구하고 도그마가 존재하지 않는다. 힌두교는 창시자도 없고 예언가도 없다. 힌두교는 『베다』 경전을 토대로 하고, 태어났을 때부터 영적으로 우월함을 인정받는 상류층 계급인 브라만이 그 가르침을 전달할 뿐이다.

힌두교의 발전

베다교의 의식은 시간이 흐르면서 점점 더 복잡해졌다. 베다교의 시기가 끝나갈 무렵인 8세기에는 의식이 워낙 복잡해서 매우 숙련된 브라만과 사제만이 제대로 의식을 수행할 수 있을 정도였다. 브라만의 권세가 갈수록 높아지자 베다교는 사색적이고 철학적인 영향력을 높이는 방향으로 발전을 꾀했다. 그렇게 해서 나타난 것이 힌두교의 중심 사상인 브라만이다. 브라만의 뜻은 많은데 모든 것을 포함하는 기원인 '절대적인 것'으로 이해할 수 있다. 그것은 일종의 우주의 영혼으로, 그 안에 개인의 영혼인 아트만이 녹아 있다. '아트만 = 브라만'이라는 공식—'자아'가 궁극적 현실을 구성하는 우주의 질서를 다스리는 원칙과 하나를 이룬다는, 형이상학적으로 매우 과감한 생각—이 힌두교의 형이상학의 기본이다. 이때 환생, 업보, 제물이 아닌 명상을 통해 이룰 수 있는 윤회에서의 탈출 등의 개념이 확산되었다. 석가모니와 마하비라('위대한 영웅')가 각각 불교와 자이나교를 창시하고 이단적인 분파들도 세력이 커지자 브라만교는 자리를 잡기 어려워졌다. 게다가 인도 최대의 제국이 등장했던 기원전 3세기에는 아소카왕이 불교로 개종하면서 불교의 전파에 앞장섰다.

그리스인들

페르시아어로 '야우나', 히브리어로 '야반', 아시리아어로 '야바나이', 산스크리트어로 '야바나'는 모두 이오니아 사람들을 가리키는 말이었다. 그중 야바나는 인도어로 서양인을 가리키는 말이 되었다. 『마하바라타』에는 "야바나들은 모든 지식을 가지고 있다"라는 문장이 나온다. 알렉산드로스 3세의 원정은 오늘날의 아프가니스탄, 타지키스탄, 우즈베키스탄에 걸쳐 있는 박트리아의 남부 지중해 인근 지방을 그리스 세계로 병합시키는 결과를 낳았다. 이로 인해 그리스-박트리아 왕국들이 출현했다. 비록 오래 지속되지는 못했지만(B.C. 3세기~1세기) 그 영향력은 컸는데, 특히 예술 분야에서 가장 두드러졌다. 그리스 문명은 동방과 조화를 잘 이루었다. 273년에 사산조 페르시아와의 전쟁으로 팔미라가 파괴되고 유럽 상인들이 인도를 갈 때 이용하던 육로가 막혔으며 알렉산드리아의 무역이 쇠퇴했다. 이에 따라 해상 거래도 줄어들면서 3세기경 그리스의 영향력도 사라졌다.

피타고라스와 윤회

사모스섬의 현인 피타고라스는 세상을 많이 돌아다녔다고 전해진다. 석가모니가 설교하러 다니던 시절에 인도에 간 적도 있다고 한다. 인도에서 돌아온 그는 제자들에게 육식을 금했으며 영혼의 윤회에 대해 가르쳤다. 환생에 대한 믿음은 불교에만 있는 것이 아니다. 이 믿음은 많은 민족에게서 자생적으로 발생한 것으로 보인다. 환생을 믿어야 지상의 가난과 근심을 신의 정의와 양립시킬 수 있기 때문이다. 순수하고 물질적인 것에서 멀어진 영혼만이 눈에 보이지 않는 신의 공간으로 들어갈 수 있는 것이다. 욕망과 열정에 사로잡힌 인간은 감각적인 세계에 갇혀 또 다른 육신이라는 감옥에 갇힌다.

서양에의 개방

그 이후에는 힌두교의 신화를 다룬 대서사시 두 편이 세상에 나왔는데, 바로 『라마야나』와 『마하바라타』이다. 『마하바라타』에서 크리슈나로, 『라마야나』에서는 라마로 현신한 비슈누는 시바와 마찬가지로 숭배의 대상이었다. 방랑 시인들 덕분에 이 두 대서사시는 서양에 전해진 최초의 글이 되었다. 지금까지도 읊어지고 있는 이 작품들은 서양에 힌두교를 전파하고 알리는 데 크게 기여하고 있다. 기원전 185년 마우리아 왕조가 몰락하고 320년 굽타 왕조가 출현하기까지 여러 차례 침략이 일어나면서 인도는 오늘날의 파키스탄에 있는 넓은 지역과 서부의 여러 지역을 빼앗겼다. 한편 인도는 로마 제국과 활발한 해상 무역을 벌이면서 그 어느 때보다 서양에 문호를 활짝 개방했다. 서양과의 새로운 만남은 예술과 건축에 영향을 미쳤다.

체액설

아유르베다는 히포크라테스가 주장했던 것과 유사한 체액설에 바탕을 둔다. 서양 의학에는 혈액, 점액, 황담즙, 흑담즙 등 4개의 체액이 존재하며 각 체액은 사람의 기질에 해당한다. 아유르베다는 '도샤'라고 부르는 생명 에너지와 관련된 3개의 체액을 구분한다. 그것은 공기, 담즙, 점액이다. 체액이 부족하거나 많아서 생기는 것이 질병이라는 주장은 4체액설과 아유르베다의 공통점이다. 갈레노스가 이어받은 히포크라테스의 4체액설은 18세기에 요하나 라바터가 다시 옹호했다. 도샤는 여전히 아유르베다의 원칙 중 하나이다.

우주를 설명하다

우주를 원자로 설명하려 했던 것은 에피쿠로스나 카나다나 마찬가지였다. 힌두교 현자인 카나다의 저서로 전해지는 바이셰시카학파의 교리는 모든 존재가 원자로 이루어졌다는 이론을 담고 있다. 삼키아학파는 세상의 다양한 물질을 하나의 원리로

여덟 개의 팔을 가진 힌두교의 신 브라흐마, 「비슈누의 일곱 번의 환생 이야기」, 1802년.

설명하는데 이는 제논, 피타고라스, 더 나아가 아리스토텔레스의 철학을 연상시킨다. 베단타학파는 엘레아학파를 초월해 자연의 변화를 무한하고 절대적인 물질의 일시적 변화로 보는 이상적인 범신론을 추구했다. 『베다』는 헤시오도스와 영지주의자들과 유사하게 창조를 카오스 속에서 출현한 사랑으로 보았다. 힌두교가 인간의 목적을 다르마, 아르타, 카르마 등으로 나누었듯이 플라톤의 『고르기아스』에서는 소크라테스를 따라서 정직한 인간의 목적을 유용함과 유쾌함으로 보았다.

고대

유적

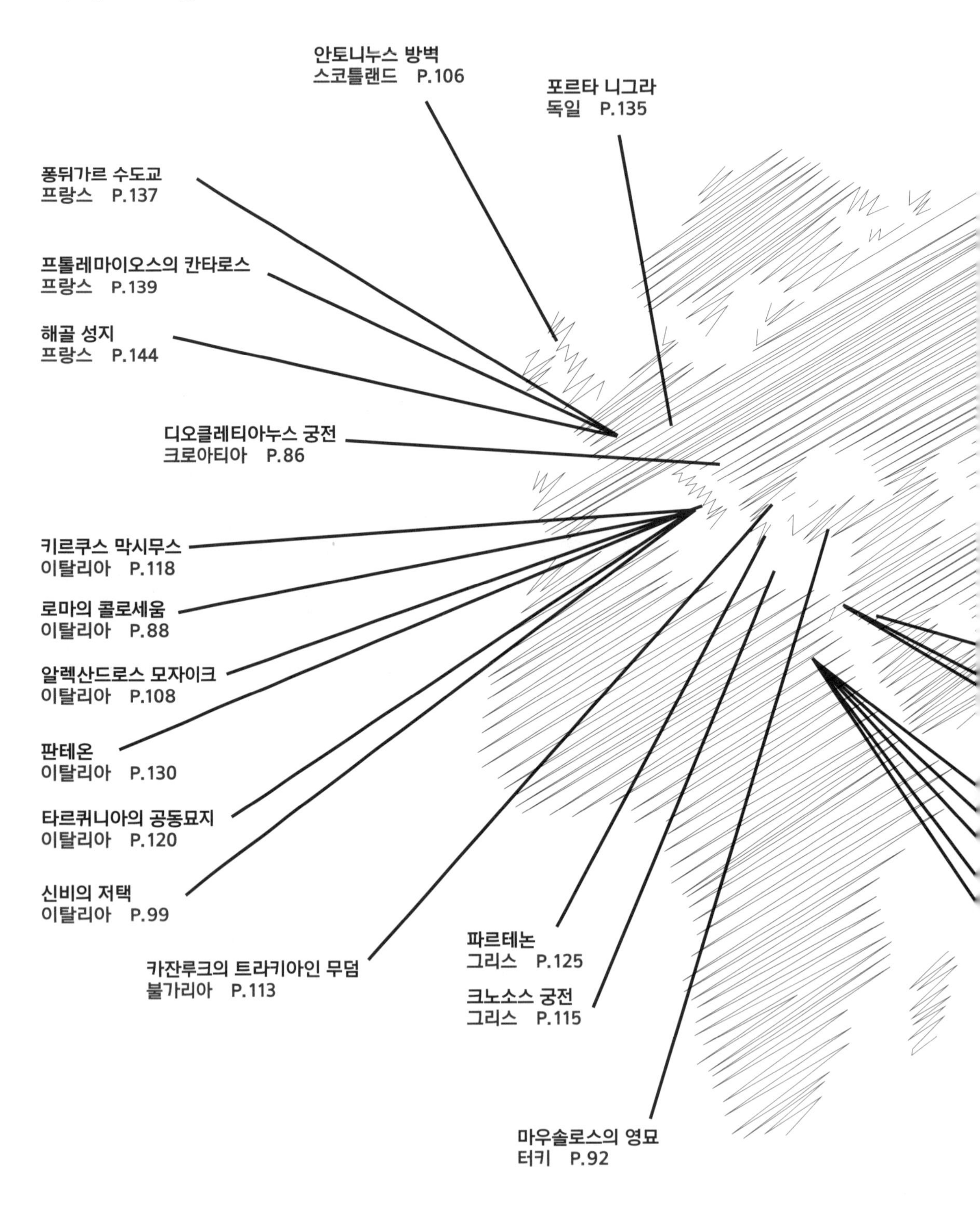
안토니누스 방벽
스코틀랜드 P.106
포르타 니그라
독일 P.135
퐁뒤가르 수도교
프랑스 P.137
프톨레마이오스의 칸타로스
프랑스 P.139
해골 성지
프랑스 P.144
디오클레티아누스 궁전
크로아티아 P.86
키르쿠스 막시무스
이탈리아 P.118
로마의 콜로세움
이탈리아 P.88
알렉산드로스 모자이크
이탈리아 P.108
판테온
이탈리아 P.130
타르퀴니아의 공동묘지
이탈리아 P.120
신비의 저택
이탈리아 P.99
카잔루크의 트라키아인 무덤
불가리아 P.113
파르테논
그리스 P.125
크노소스 궁전
그리스 P.115
마우솔로스의 영묘
터키 P.92

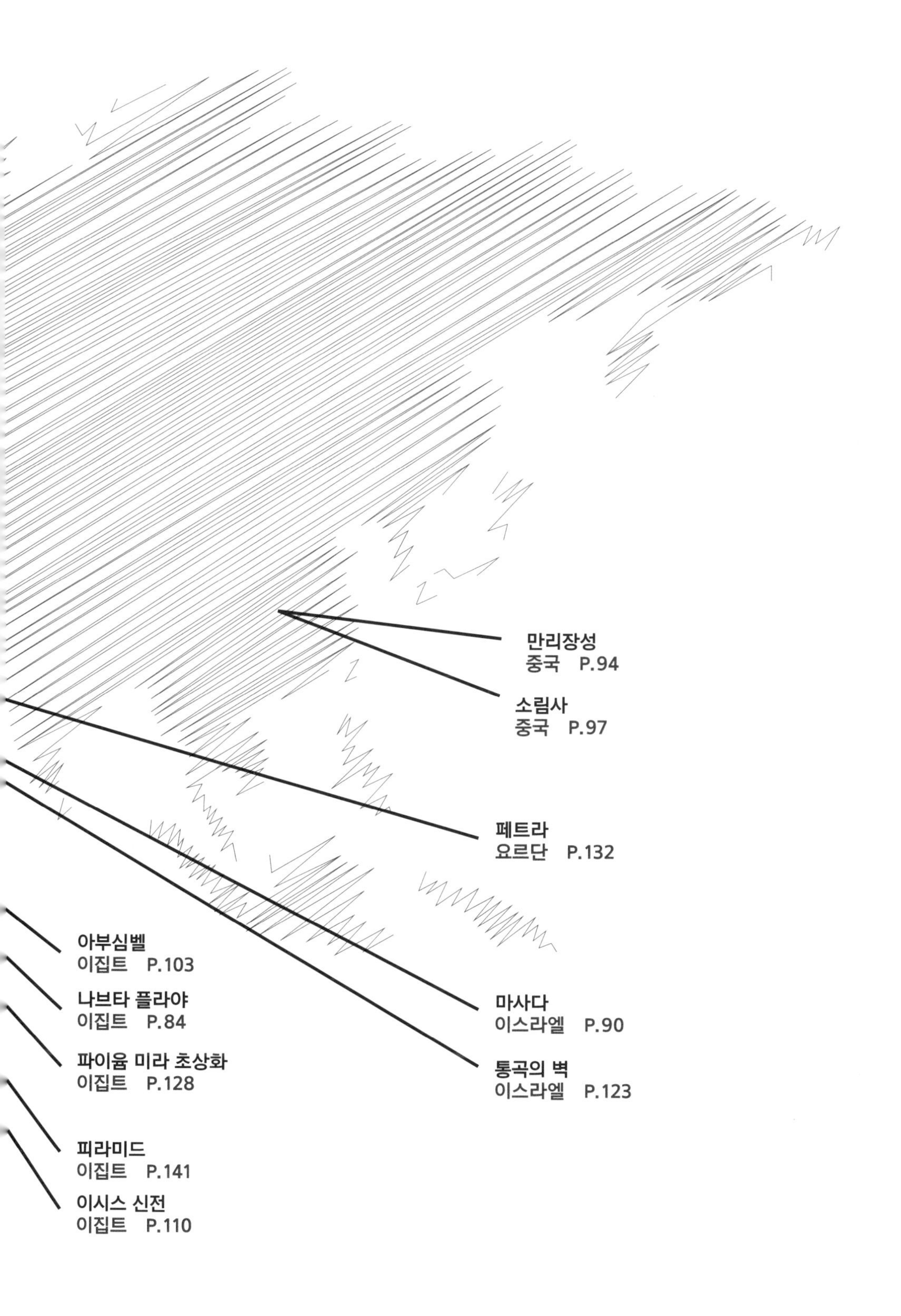
만리장성
중국 P.94
소림사
중국 P.97
페트라
요르단 P.132
아부심벨
이집트 P.103
나브타 플라야
이집트 P.84
파이윰 미라 초상화
이집트 P.128
피라미드
이집트 P.141
이시스 신전
이집트 P.110
마사다
이스라엘 P.90
통곡의 벽
이스라엘 P.123

나브타 플라야 이집트

나브타 플라야Nabta Playa 유적은 아부심벨에서 서쪽으로 100킬로미터 떨어진 누비아 사막에 위치한다. 1973년 미국 고고학 발굴단이 발견한 나브타 플라야는 매우 특별한 곳이다. 습한 기후로 커다란 샘이 여럿 형성되었고 기원전 10000년에서 기원전 7000년에 여러 유목민이 이곳에 정착했다. 기원전 6500년에 만들어진 것으로 추정되는 거석 유적이 이곳에서 발견되었다. 원시적인 형태이지만 소의 조상이라고 할 수 있는 오록스를 사육하고 수수를 재배했던 흔적도 남아 있다. 돌연장 외에 아프리카에서 가장 오래된 토기도 발굴되었다.

원형 달력

나브타 플라야의 가장 중요한 구조물 중 하나는 돌로 만든 원이다. 원의 지름은 4미터 남짓이며 중앙에 수직으로 세운 돌들이 놓여 있다. 모양이 다른 돌들을 세워 4개의 입구를 표시해놓았다. 2개씩 짝을 지은 이 돌들은 남과 북, 그리고 누비아 사막에서 우기가 시작되는 하지에 해가 뜨는 방향을 가리킨다. 영국의 스톤헨지보다도 1000여 년이나 앞서 만들어진 이 원형 구조물은 현존하는 가장 오래된 천체 달력이다.

많은 거석

나브타 플라야에서는 길이 500미터, 너비 200미터 면적의 땅에 수직으로 세워진 30개 정도의 거석이 발견되었다. 가로 및 세로의 길이가 각각 5미터와 4미터에 달하는 타원형 돌도 있다. 중앙에는 큰 돌들이 수평으로 놓여 있다. 발굴단은 돌들 앞에서 길이 6미터, 깊이 4미터의 구덩이를 발견했다. 돌들은 오리온자리를 가리킨다. 대체 이 돌의 배열이 의미하는 바는 무엇일까? 이는 아직까지 풀리지 않는 수수께끼로 남아 있다.

고대 이집트의 중심지

기원전 12000년경 열대 강우 지역이 이동하면서 사헬 지역에서 자랄 수 있는 식물이 나브타 플라야에도 나타나기 시작했다. 고고학자들이 이곳에서 발견한 임시 야영지는 동물 사육과 토기 제작이 시작될 무렵의 주거 형태로 볼 수 있다. 1000년 후 이 야영지는 규모가 커지면서 오두막으로 이루어진 마을로 발전했다. 기원전 8100년경 양과 염소가 나타났고, 기원전 7500년경에는 극심한 가뭄으로 인해 사막에 살던 사람들이 나브타 플라야로 이주했다. 이들의 사회 구성은 물론 제의 또한 복잡했다. 이들은 봉분 안에 점토로 묘실을 만들었으며, 제물로 죽인 소를 함께 묻었다. 나브타 플라야는 오랫동안 정치적·사회적 연대를 공고히 다지기 위한 중요한 제의 장소였다.

디오클레티아누스 궁전 크로아티아 스플리트

크로아티아 달마티아 해안의 스플리트에 있는 디오클레티아누스 궁전은 잘 보존된 로마식 건축물 중 하나이다. 로마 황제들이 더 이상 로마에 머물지 않던 시절 디오클레티아누스는 니코메디아에 궁전을 짓고 그곳에서 업무를 보았으며 스플리트에도 궁전을 지어 여생을 보내고자 했다. 니코메디아의 궁전에 대해서는 책에서 언급된 것 외에 다른 흔적은 남아 있지 않다. 디오클레티아누스에게 스플리트의 궁전은 오로지 휴식을 위한 곳이었으므로 집무와 관련된 공간은 찾아볼 수 없다. 그는 293년 사두 정치 체제를 창안하고 305년 후계자를 지정해 왕위를 양위한 후 316년까지 이 궁전에서 여생을 보냈다. 디오클레티아누스가 죽은 뒤 수 세기 동안 이 궁전이 어떤 운명을 겪었는지는 정확히 알 수 없다. 서로마와 동로마 황제들의 관저로, 그리고 동고트의 지배를 받던 시기에는 총독들의 관저로 사용되었다는 기록이 남아 있을 뿐이다. 7세기에 슬라브족이 쳐들어오자 이웃 도시인 살로나 사람들은 이곳으로 피신해 와서 살았다. 이들의 거주가 길어지면서 궁전의 잔해 위에 새로운 건축물이 세워지기 시작했다.

스플리트에 있는 디오클레티아누스 궁전, 에르네스트 에브라르의 복원 조감도, 1911년.

디오클레티아누스와 유피테르

요새화된 건축물은 외적의 침입을 포함한 모든 외부의 공격을 막는 데 매우 중요했다. 그러나 디오클레티아누스 궁전은 빌라로 불리기도 했다. 성벽 안 북쪽 구역의 절반은 상점과 병영, 그리고 일반인의 가옥들이 세워졌다. 황제가 거주하는 건물들은 남쪽 구역의 절반을 차지했는데, 내부에는 작은 방들이 미로처럼 복잡하게 배열되었다. 그중 팔각형의 트리클리니움triclinium 식당이 유명하다. 궁전의 남쪽으로는 유피테르 신전과 영묘가 있다. 39미터 길이의 영묘는 신전과 거의 비슷한 규모이다. 비록 석관은 발견되지 않았지만 영묘는 궁전에서 가장 보존이 잘된 곳이다. 유피테르 신전은 650년부터 대성당으로 사용되다가 1880년에 복원되었다. 4미터 높이의 단 위에 세워진 영묘는 계단을 통해 올라가야 한다. 양쪽에는 스핑크스상이 무덤을 지키고 있다. 영묘의 정면은 '대성당 정원'이라고 불리는 중정을 향해 있는데, 5미터 높이의 기둥이 27미터가량 늘어선 페리스타일, 즉 주랑식 중정이다. 이 기둥들 중에서 12개는 이집트의 붉은색 화강암으로 만들었고 나머지는 대리석을 사용했다. 유피테르 신전의 입구와 현관도 대성당 정원을 향해 있으며 원형 공간을 통해 온천장과 건물 지하로 갈 수 있다.

도시인가 아니면 궁전인가

디오클레티아누스 궁전은 대규모 건축 계획에서 비롯되었다. 궁전 면적이 3헥타르에 달했고, 아드리아해 쪽에 남아 있는 성벽의 경우 두께는 2미터, 높이는 무려 22미터에 이른다. 지금은 거의 사라졌지만 16개의 탑이 성벽을 따라 세워졌고, 기둥으로 장식된 4개의 문은 각각 금, 은, 철, 청동으로 제작되었다. 이 성채 내부는 로마 도시와 병영을 본떠 설계되었다. 내부 공간은 남북과 동서 방향으로 가로지르는 두 축, 카르도와 데쿠마누스가 교차하며 4등분 되었다. 이렇게 다양한 건축 요소가 하나의 유적 안에 들어 있다 보니 이곳이 도시였는지 요새였는지, 아니면 궁전이었는지 궁금해진다.

로마의 콜로세움 이탈리아

기원후 72년에 베스파시아누스 황제의 명으로 축조되기 시작해 8년 뒤 그의 아들 티투스 황제 때 완공된 로마의 콜로세움은 2헥타르가 넘는 공간에 5만 명을 수용할 수 있는 세계 최대의 원형 경기장이다. 원래 이름은 플라비우스 원형 경기장으로, 길이 188미터, 너비 155미터, 바깥 원주의 길이가 527미터에 달하는 타원형의 건축물이다. 경기가 이루어지는 운동장, 즉 아레나만 보아도 길이가 86미터에 너비가 54미터이다. 이곳에서는 검투사들의 결투나 맹수와의 싸움이 벌어졌고, 심지어 바다 위의 전투도 재현되었다. 경기가 시작되면 지하에 갇혀 있던 맹수가 기계 장치로 열리는 철문을 통과해 경기장으로 나갔다. 돌로 만든 계단식 관중석 아래로 이어지는 궁륭 모양의 통로는 지금도 통행이 가능하다. 콜로세움도 개선문처럼 대표적인 로마식 건축물이다. 중세 시대에는 벼락과 지진으로, 그 후에는 야만적 파괴 행위로 인해 대리석 의자나 장식이 사라졌다. 1990년대에 복원 공사가 이루어졌다.

콜로세움의 구조

콜로세움은 세 층으로 구성되며 층마다 돌출된 반원주가 받치고 있는 80개의 아치가 있다. 반원주는 상층부의 경우에는 코린토스 양식, 중층부는 이오니아 양식, 저층부는 도리아 양식이 조화롭게 적용되어 있다. 콜로세움 1층의 아치형 구조물에는 번호가 새겨져 있어 관중을 분산해서 입장시킬 수 있었다. 내부에서 보면 아치 구조는 기둥 위에 수평으로 올린, 들보의 일종이라고 할 도리architrave가 축을 이룬다. 이러한 구조와 240개의 버팀목 덕분에 천연 직물로 만든 천막 벨라리움을 펼쳐 관중을 햇빛으로부터 보호할 수 있었다. 이 해가림용 천막을 펼치려면 며칠이 걸렸고 그 작업은 당시 거대한 장막을 유일하게 다룰 수 있었던 미세노Miseno 함대의 수병들이 맡았다.

무대 위로!

로마의 극장은 고대 그리스의 공연장과 마찬가지로 반원형으로 구성된 계단식 관람석과 합창과 춤이 이루어졌던 오케스트라, 그리고 무대로 구성된다. 그러나 로마의 공연물은 종교적 색채를 띤 그리스극과 성격이 달랐기에 극장의 배치 또한 차이가 있었다. 관람석은 언덕이 아닌 아치형 구조물 위에 만들었고, 아치를 통해 밖으로 나갈 수 있었다. 무대가 가장 잘 보이는 자리는 황제와 베스타 여신을 섬기는 무녀들이 차지했고, 그다음으로 좋은 자리는 원로원 의원들의 몫이었다. 조금 더 높은 곳에는 기사나 중간 계층이, 제일 높은 층에는 평민들이 앉았다. 그리스 극장의 오케스트라는 원형이지만, 로마의 건축가들은 이 공간을 둘로 나누어 한쪽은 오케스트라로, 다른 한쪽은 무대로 사용했다. 그러나 벽면에 다양한 장식과 조각이 들어가면서 그 크기가 줄어들었다. 콜로세움의 개관식은 100일 동안 진행되었다. 콜로세움에서 목숨을 잃은 검투사는 2000여 명에 이르며, 제국의 방방곡곡에서 옮겨온 동물 9000여 마리가 희생되었다.

마사다 이스라엘

'요새'를 의미하는 마사다Masada는 역사가 플라비우스 요세푸스의 책을 접한 사람들만 이 아는 이름이었다. 요세푸스는 기원전 40년 파르티아 제국이 침략하자 헤로데 대왕과 그의 가족이 마사다로 피신했으며, 기원후 73년 이곳에 살던 유대인들은 로마군에 끝까지 저항하다가 모두 스스로 목숨을 끊었다고 전하고 있다. 마사다는 이스라엘의 남쪽, 사해의 남서쪽에 위치하며 434미터 높이의 바위 절벽 위에 세워졌다.

저 꼭대기를 향해

이 바위 절벽은 예루살렘을 떠나야 했던 헤로데 대왕이 피난처를 세우면서 유명해졌다. 그는 이곳에 왕궁도 건설했다. 그러나 이 절벽에 요새를 만든 것은 마카베오 전쟁 당시 유대인의 지도자였던 요나단 마카베오이다. 헤로데 대왕은 기원전 37년에서 기원전 5년 사이 세 번에 걸쳐 마사다를 정비했다. 이곳의 특징은 무엇보다 두터운 성벽과 방어 탑, 그리고 수로이다. 이 수로들을 통해 거대한 수조에 물을 채웠으며 최대 75만 리터까지 보관할 수 있었다. 로마군은 마사다를 함락하기 위해 요새 주변에 벽을 쌓고 수백 미터에 이르는 돌 경사로를 만들어 무기를 옮겼다. 지금까지 남아 있는 이 축조물은 로마 시대의 문명을 엿볼 수 있게 해준다. 매우 척박한 유대의 사막에 세워진 요새와 병영은 귀중한 문화유산이다.

마사다의 의의

70년 예루살렘이 함락된 후 대표적인 유대인 저항군이었던 열심당원들을 비롯해 유대인들은 마사다 요새로 피신했다. 두 해 동안 전투가 이어졌고 전세는 유대인에게 불리했다. 1000명 남짓한 유대인들은 8000여 명의 로마 병사들을 상대해야 했던 것이다. 몇 달 동안 이어진 공략 끝에 로마군은 난공불락의 요새로 여겨졌던 마사다 안으로 들어갈 수 있었다. 유대인 저항군의 지도자 엘르아잘 벤 야이르는 로마에 항복하느니 모두 자결할 것을 명했다. 이후 마사다는 2세기경 잠시 요새로 사용되었다가 6세기에 동로마 교회가 세워졌고, 1943년 바르샤바 유대인 봉기 때는 유대 민족정신의 상징이 되었다. 마사다의 발굴 작업은 1960년대 시작되었다.

헤로데 대왕의 궁전

헤로데 대왕은 두 가지 이유로 마사다 요새를 정비했다. 첫 번째 이유는 이집트의 세력을 막기 위해서였는데, 이집트를 다스리던 클레오파트라가 유대 지방을 손에 넣으려고 할 수 있었기 때문이다. 두 번째 이유는 로마인들에 의해 왕위에 오른 헤로데 대왕이 유대인 저항 세력에 위협을 느꼈기 때문이다. 왕궁 등을 비롯한 건축물은 초기에는 소박한 편이었다. 기원전 20년경 북쪽에 목욕장과 18개의 곳간, 행정용 건물을 세우고 서쪽의 건축물을 증축했으며 요새로 통하는 여러 개의 길을 닦았다. 마지막으로 79개의 탑과 석조 대피소, 유대교 회당을 만들었다.

마우솔로스의 영묘 터키

마우솔로스는 기원전 4세기 서부 아나톨리아의 카리아를 다스렸던 태수이다. 그는 카리아의 주도 할리카르나소스에 자신의 묘를 짓게 했다. 마우솔로스가 죽자 왕비 아르테미시아가 태수가 되어 세계 7대 불가사의 중 하나인 이 고대 유적을 완성했다. 지금은 사라진 이 영묘의 모습은 마르쿠스 비트루비우스 폴리오 같은 고대 학자들의 기록을 토대로 짐작할 수 있을 뿐이다. 가이우스 플리니우스 세쿤두스는 이 영묘에서 볼 수 있는 스코파스, 브리악식스, 레오카레스와 같은 고대 그리스 조각가들의 작품에 대해 기록했다. 이런 이유로 수많은 조각상으로 장식된 웅장하고 화려한 장묘 건축물을 마우솔로스라고 부르게 되었다. 하지만 웅장했던 영묘는 폐허로 변하게 된다. 15세기 초 성 요한 기사단은 부서진 영묘에서 보드룸성 축조에 필요한 석재를 가져갔다. 1857년 영국의 고고학자 찰스 토머스 뉴턴이 영묘의 위치를 발견했고 발굴 작업을 시작했다. 작업 결과 수많은 건물 잔해와 조각상 파편들이 발견되었는데, 그중 묘혈을 둘러싼 4개의 조각판에는 그리스인과 아마조네스인의 전투 장면이 새겨져 있다. 영묘 잔해의 대부분은 현재 대영 박물관에 보관되어 있다.

마우솔로스의 영묘, 「세계 8대 불가사의」, 필립 갈레, 1572년.

마우솔로스 영묘의 의의

기원전 6세기 카리아 지방은 페르시아 제국의 지배를 받고 있었지만 조금씩 독립의 발판을 마련하고 있었다. 마우솔로스는 아나톨리아 남서쪽 지역을 카리아에 병합하고 수도를 할리카르나소스로 옮겼다. 그리스 문화에 젖어 있던 마우솔로스는 새로운 수도에 요새와 영묘 등을 짓는 대규모 건설 작업을 추진했다. 프리에네에 있는 아테나 신전을 지은 두 그리스 건축가 사티로스와 프티오스가 마우솔로스 영묘의 건축을 맡았다. 받침대 구실을 하는 넓은 고원 위에 세워진 영묘는 세 층으로 구성되었다. 1층에는 묘실이, 2층에는 기도실과 이오니아식 이중 열주가 있었다. 3층은 피라미드 구조로 되어 있었으며, 영묘의 꼭대기에는 대리석으로 만든 4두 2륜 전차가 자리하고 있었다. 층마다 내부를 프리즈 장식으로 가득 채웠다.

만리장성 중국

만리장성은 세계에서 가장 긴 건축물이다. 정치, 사회, 역사, 지리적으로 매우 특수한 상황이 만들어낸 만리장성은 외세 침입을 막기 위한 중국의 의지는 물론 방어 기술의 발전과 그 시대별 변화를 보여준다. 세계에서 보기 드문 이 건축물은 한나라, 명나라 등 중국의 여러 왕조에 걸쳐 완성되었다.

만 리나 이어지는 성벽

춘추 전국 시대 중국에는 여러 곳에 성벽이 축조되었다. 위나라, 진나라, 연나라가 서로 간의 공격은 물론 오랑캐의 침입을 막기 위해 성벽을 확장했다. 사마천의 『사기』 등의 사료에 따르면 중국의 초대 황제인 진시황제가 북쪽 국경을 지키기 위해 만리장성을 축성하기 시작했다고 한다. 그러나 정확한 기록인지는 알 수 없다. 진시황제가 기존의 성벽을 보수하고 연결하는 공사에 인부들을 동원한 것은 분명하나 '만 리나 이어지는 성벽'은 전설에 가깝다. 중국의 1리는 대략 570미터에 해당하니, '만 리'는 그저 매우 큰 수를 의미한다고 보면 된다. 『사기』에 따르면 30만 명의 사람들이 만리장성 축조에 동원되었다. 수많은 인부가 끔찍한 노동 환경에서 목숨을 잃었으니, 결국은 진시황제에 대한 부정적 평가에 한몫을 한 셈이다. 건축의 왕이라는 별명이 무색하지 않게 그는 정복한 나라의 왕궁과 똑같은 궁전을 짓는 등 많은 건축물로 수도 셴양을 아름답게 꾸몄다. 그리고 정복한 나라의 왕과 귀족들을 새로 지은 궁에 거하게 했다. 또한 큰 도로 3개를 만들어 셴양과 전국 각지가 연결되도록 했는데, 가운데 길은 황제만 다닐 수 있었다.

만리장성의 의의

진나라 시황제의 뒤를 이어 만리장성 축조를 재개하고 규모를 확대한 것은 한 무제를 비롯한 한나라의 황제들이었다. 만리장성은 실크 로드의 보호막이기도 했다. 제나라와 수나라에서도 성벽 증축이 이루어졌으나 만리장성이 세계 최대의 성벽으로 완성된 것은 명나라 때였다. 최고 높이 17미터의 요철 모양 성벽이 6700킬로미터에 걸쳐 이어졌다. 성벽 동쪽 끝의 산해관과 북서쪽 끝의 자위관은 만리장성의 첫 번째 관문과 마지막 관문이다. 성벽을 따라 순찰용 길을 만들어 군사들이 빨리 이동할 수 있었다. 최상의 방어를 위해 여러 겹으로 성벽을 쌓기도 했으며, 심지어 8겹의 성벽이 발견된 곳도 있다. 만리장성은 햇볕에 말리거나 불에 구운 벽돌로 내벽을 쌓고 그 안에 모래와 석탄재의 혼합물을 넣어 만들었다. 나무와 돌도 사용되었다. 이 모든 재료는 물이 스며드는 것을 막아주었다. 만리장성은 18세기에 복원되었다.

명, 도자기 같은 왕조

명 왕조는 1368년에서 1644년까지 중국을 지배했다. 명 태조인 홍무제는 농민 출신이었지만 부유한 상인 계급을 우대하고 농민들의 삶은 도외시했다. 그 결과 농민 반란이 빈번하게 일어났고 자신의 출신을 잊어버린 홍무제는 잔인하게 이들을 진압했다. 궁 안에만 머물렀던 그는 백성들의 경제적 상황이나 사회적 현실과 단절되었고, 환관들이 권력을 휘둘렀다. 문학과 철학은 유교를 받들었고 다른 것은 허용되지 않았다. 고답적인 풍토에 갇힌 학문의 최고 목표는 고전을 재생산하는 것일 뿐이었다. 15세기 영락제 시대에 이루어진 기념비적인 전집의 출간이 그 예이다. 1만 1000권에 달하는 지식의 총체 속에서 새로운 학문은 발견할 수 없었다. 중앙에 위치한 제국이라는 뜻의 중국이 서방에 문호를 개방하기 시작하자 1600년에는 광저우에 포르투갈인들이 들어왔다. 동인도 회사를 설립한 잉글랜드인들도 받아들였다. 그러나 외국과의 교류는 몇몇 항구에서만 이루어졌을 뿐이다. 예수회 신부를 제외하고 대부분의 외국인은 중국에서 자유롭게 돌아다닐 수 없었기 때문이다. 포르투갈인들과 함께 온 마테오 리치와 다른 예수회 신부들은 궁을 드나들기도 했다. 당시 가톨릭교의 영향력은 미미했으나 수학과 천문학에 능한 마테오 리치는 존중을 받았다. 그는 중국과 서구 문명 사이의 가교 역할을 했고, 포르투갈어-중국어 사전을 집필했으며 유교 경전을 번역했다.

자금성과 북극성

천자, 즉 황제의 궁인 자금성紫禁城은 세상의 중심을 의미했다. 자금성은 수도 베이징의 행정 중심지였지만 그 상징적 영향력도 지대했다. 자금성의 '자紫'는 높이가 10미터에 달하는 자금성 벽의 보라색을 의미하기도 하지만 무엇보다 천궁 회전축의 중심인 북극성, 즉 자미성을 의미한다. 중국 역사에서 자금성을 능가할 황궁은 없었다. 자금성보다 더 웅대한 궁의 건축을 금지했기 때문이다. 세계 최대 궁전인 자금성의 크기는 남북으로 960미터, 동서로 750미터이며, 총면적 72헥타르에 8000개가 넘는 방이 있다. 자금성에 사용된 색은 미적 효과 외에도 특별한 의미를 갖는다. 예를 들어 기둥의 붉은색은 행복을 상징한다. 중국의 신년 카드에 항상 붉은색이 들어가는 것도 같은 이유이다. 지붕의 기와는 노란 유약으로 칠해져 있는데 노란색은 황족만이 사용할 수 있는 색이다. 자금성의 상징적 의미를 단지 색깔에서만 찾을 수 있는 것은 아니다. 자금성은 그 어떤 건축물보다도 음과 양의 의미를 풍성하게 간직하고 있다.

소림사 중국

중국 허난성 쑹산산에 위치한 소림사는 쑹산산 숲의 절이라는 의미를 가지고 있다. 497년경 황제의 명으로 중국에 소승 불교를 전파한 인도 승려 불타발타라를 기리는 이 절이 세워졌다. 최초의 스투파를 세운 이는 불타발타라이지만 소림사의 역사에서 가장 중요한 인물은 역시 인도에서 온 보디다르마, 즉 보리달마이다. 보리달마는 대승 불교의 지도자이며 선정禪定에도 큰 영향을 미쳤다. 내려오는 이야기에 따르면 보리달마는 승려들의 신체를 강건하게 만들기 위해 나한 18수를 창안해 가르쳤고, 이는 소림 권법의 시조가 되었다. 북주의 우문옹 황제가 불교를 금지하자 소림사는 문을 닫았다가 6년 후 다시 문을 열었다. 이때부터 소림사는 전성기를 맞게 된다. 도처에서 기부 물품이 쏟아져 들어왔고 경작지는 10배로 늘어났으며, 탑과 법당 등 1000개가 넘는 각종 건축물이 들어섰다. 소림사의 명성은 중국에서 비길 곳이 없었고, 권법에 능한 승려들 덕분에 무술 훈련소로도 이름을 날렸다. 17세기 만주족이 쳐들어온 후 300여 년 동안 소림사는 끊임없이 청나라에 저항했다. 그러나 결국 소림사는 화재로 소실되었고 승려들은 뿔뿔이 흩어졌다고 한다. 이렇게 대륙 곳곳으로 흩어진 승려들을 통해 400여 종의 권법이 탄생했다. 소림사는 19세기에 재건되나 1928년 국민당의 장군이 또다시 소림사를 불태우라는 명령을 내렸다. 나흘 동안 이어진 불길에 문서고는 물론이고 소림사의 모든 기밀이 전부 재가 되어 사라졌다. 이후 1957년에 다시 지은 소림사는 예전의 영광과 인기를 금세 되찾았고 1980년대부터는 승려들도 머물고 있다.

소림 무술

소림 무술은 6세기경에 형성되기 시작했으며 흔히 달마 대사라고 부르는 인도 승려 보리달마를 그 창시자로 꼽는다. 인도 불교의 28대 조사祖師인 달마 대사는 남인도 팔라바스 제국의 왕족에 속하며 크샤트리아 계급 출신으로 전해진다. 527년 중국 난징에 도착해 불교의 교리를 전파하며 황제를 알현하고자 했으나 성사되지 않자 소림사에 은거하며 9개월 동안 면벽 수행에 들어갔다. 다른 승려들에게 자신이 깨달은 불법과 호흡법, 체력 단련을 위한 수련법을 가르쳤으며, 『역근경易筋經』과 『세수경洗隨經』 등이 그의 저술로 알려져 있다. 앞서 언급되었듯이 소림사의 문서고는 불타 없어졌기 때문에 달마 대사가 무술을 가르쳤다는 이야기는 소림사가 그 무술의 발원지라는 것과 마찬가지로 추측일 뿐이다. 그러나 달마 대사가 소림사에 간 시점이 호랑이, 표범, 용, 뱀, 학, 다섯 동물의 동작을 본떠 창안된 소림오권은 물론이고 나한 18수가 창시된 시점과 일치한다. 나한 18수와 소림오권은 쿵후의 모태가 된 무술이다. 승려들은 계속되는 외세의 침입에 대비해 방어술을 익혀야 했고 그 결과 소림사에는 진정한 무사의 전통이 만들어졌다.

신비의 저택 이탈리아 폼페이

나폴리에서 20여 킬로미터 떨어진 곳, 베수비오산의 자락에 위치한 폼페이 유적은 고대 로마에 세워진 중간 규모의 도시에 대해 알려주는 매우 중요한 기록이다. 79년 베수비오 화산의 분화는 폼페이와 헤르쿨라네움과 같은 도시들을 파괴했지만 동시에 그리스·로마 시대의 삶을 잘 보여주는 박물관이 세워진 계기가 되기도 했다. 폼페이가 처음으로 기록에서 언급된 것은 기원전 310년이다. 제2차 삼니움 전쟁 때 로마 함대가 폼페이의 사르누스 항구로 진격해 들어왔다. 인접한 도시 누체리아를 노린 것이다. 그러나 공격은 실패했다. 이어진 제3차 삼니움 전쟁에서는 캄파니아가 로마 연방에 가담하면서 로마의 승리로 끝났다. 폼페이는 동맹시 전쟁 동안 로마에 저항하는 삼나움인들과 연합했으나 루키우스 코르넬리우스 술라 장군에게 점령당했다. 술라 장군은 폼페이의 원주민을 몰아내고 이곳을 로마의 식민지로 만들었으며 로마의 제도, 건축, 문화 등을 들여와 로마화했다. 16세기 건축가 도메니코 폰타나가 처음으로 폼페이 유적을 발견했고, 헤르쿨라네움의 유적은 1709년에 발견되었다. 그러나 진정한 발굴 작업은 1860년이 되어서야 시작된다. 폼페이에서 조금 떨어진 곳에 위치한 '신비의 저택Villa dei Misteri'은 매우 잘 보존되어온 유적으로 이스타치디아 가문이 살던 저택이다. 이 빌라가 신비의 저택이라는 이름을 갖게 된 연유는 트리클리니움의 대형 벽화에서 찾을 수 있다. 벽화의 내용을 확실히 알기는 어렵지만 디오니소스교 입문 의식을 보여준다는 설이 가장 유력하다.

용암 속으로

62년 발생한 지진으로 주변 도시들이 큰 피해를 입었고 폼페이의 멸망도 그렇게 시작되었다. 가이우스 플리니우스 세쿤두스는 타키투스에게 보낸 편지에서 79년 8월 24일 오후에 시작된 베수비오 화산의 분출을 다음과 같이 묘사한 바 있다. 화산 분출물이 폼페이로 떨어져 내려와 큰 피해를 입었고 화산재가 3미터 높이로 쌓여 도시를 뒤덮었다. 지붕은 화산재의 무게를 견디지 못하고 내려앉았다. 다음 날 아침 열운이 도시를 덮치면서 남아 있던 사람들은 숨을 쉴 수조차 없었다. 화산 쇄설물이 끝없이 흘러내렸고 화산재가 쌓인 높이는 7미터에 달했다. 집 안에 피신했던 사람들

이나 해안으로 도망친 사람들 모두 용암 속으로 사라졌다.

이후 도시 전체가 1700년 동안 거대한 무덤이 되었다. 아이러니하게도 폼페이를 파괴한 그 용암이 시간의 풍파와 약탈에서 폼페이를 지켜준 셈이었다.

2015년에 복원된 신비의 저택, B.C. 70년~B.C. 60년, 폼페이.

신비의 저택에는 비밀이 있을까

이 저택의 식당인 트리클리니움의 벽화는 수많은 해석과 논쟁을 낳았다. 10개의 장면을 그린 길이 17미터, 높이 3미터의 벽화에는 29명의 인물이 등장한다. 이 벽화가 디오니소스교의 입문 의식을 그린 것이라면 처음 두 장면은 입문 의식을 준비하는 여성을 묘사한 것으로 보인다. 세 번째 장면에서는 거대한 여사제와 제식서를 읽고 있는 어린 디오니소스가 나온다. 다음 장면은 의식 자체를 묘사하고 있는데, 여사제 옆에 2명의 사제보와 실레노스가 보인다. 바람에 부풀어 오른 망토를 머리 위로 들고 있는 여인 옆에서 사티로스가 피리를 불고 있다. 실레노스가 청년에게 포도주를 주는 장면이 나오고, 이어서 크게 훼손된 그림에는 디오니소스와 아리아드네가 보인다. 그 옆으로 이 신비의 종교에 입문한 젊은 여인이 무릎을 꿇고 신을 숭배하는 장면이 나온다. 뒤에 나오는 장면들은 입문자가 채찍질을 당하고 춤을 추는 모습을 보여준다. 그러나 이 벽화가 디오니소스교의 입문 의식을 묘사한다는 해석에 반대한 폴 벤느Paul Veyne는 결혼 예식 준비와 연회를 보여주는 그림이라고 주장하며 다음과 같이 말했다. "이 벽화가 디오니소스 제의에 관한 것이라고 믿는 사람들은 남근 노출 장면에 과도한 집착을 보인다. 사실 벽화의 몇몇 장면은 신비스러운 의식과는 거리가 먼 기록들과 일맥상통한다. (…) 입문 의식이라는 과도한 해석이 나온 것은 무엇보다 술 항아리에 그려진 디오니소스 때문이다. 신이 등장한 것을 보고 제의에 관한, 아니면 최소한 종교적 그림으로 해석한 것이다. 그러나 이는 전혀 사실이 아니다. 디오니소스는 메르쿠리우스와 함께 가장 인간적인 신으로 여겨진다. 기쁨을 주면서도 결코 어떤 명령도 내리지 않는 신이기 때문이다. 벽화 속의 디오니소스는 결혼이 매우 신성하면서도 즐거운 인간사임을 말해주고 있을 뿐이다"(폴 벤느 외, 『규방의 비밀*Les Mystères du gynécée*』, 갈리마르 출판사, 1998).

아부심벨 이집트

이집트 남부 누비아와 나세르호 인근에 위치한 아부심벨Abu Simbel 유적지에는 두 신전이 있다. 람세스 2세의 명으로 세워진 이 신전들은 여러 토착신을 기리던 2개의 암굴 속에 자리 잡고 있다. 대신전과 소신전으로 이루어진 아부심벨 신전은 람세스 2세와 그의 왕비 네페르타리를 기리고, 히타이트 제국과 맞섰던 카데시 전투의 승리를 기념하기 위해 건축되었다. 암벽을 깎아 만든 이 신전은 1813년 스위스의 동양학자 요한 루트비히 부르크하르트에 의해 세상에 드러났고, 4년 후 이탈리아 출신의 고대 이집트 학자 조반니 바티스타 벨조니에 의해 자세히 알려지게 되었다. 1960년대 아부심벨 유적지는 위기를 맞게 된다. 나세르 대통령이 발전량과 경작지를 늘리기 위해 아스완 댐 건설을 추진한 것이다. 500킬로미터에 달하는 인공 호수 조성 계획으로 누비아의 유적지가 수몰될 운명에 처하자 필라이섬의 신전들은 물론 칼랍샤 신전과 아부심벨 신전을 해체한 뒤 다른 곳으로 옮겼다. 세계 최초의 대규모 유적 보존 사업에는 프랑스의 이집트 학자 크리스티안 데로슈 노블쿠르도 참여했다.

아부심벨 신전

대신전

너비 35미터, 높이 30미터의 대신전 정면에는 20여 미터의 높이에 달하는 람세스 2세의 좌상 4개가 있다. 각 석상은 상·하 이집트 왕국을 상징하는 이중 왕관을 쓰고 있다. 파라오보다는 작지만 이세트노프레트와 네페르타리, 두 왕비의 조각상도 보인다. 테라스 남쪽 끝에는 람세스 2세와 히타이트 공주의 결혼식 장면을 표현한 부조물이 있으며, 복종의 표시로 무릎을 꿇고 있는 적의 군사들이 신전으로 가는 길을 장식하고 있다. 태양 원반으로 장식한 매 머리 모양의 태양신이 문 위에서 방문객을 맞이한다. 해가 떠오르면 성소 앞에 위치한 전실, 프로나오스pronaos로 이어지는 통로가 환히 빛난다. 안으로 들어가면 저승의 왕 오시리스의 조각 기둥이 있고 벽에는 람세스 2세의 위대한 카데시 전투를 그린 기념비적 저부조물이 길게 이어진다. 성소인 나오스naos에 이르면 4개의 기둥이 받치고 있는 작은 다주실 안쪽으로 3개의 제실이 있으며 그 중앙이 지성소이다.

오 태양이시여

대신전은 1년에 두 번, 즉 1월 10일~3월 30일, 9월 10일~11월 30일 동안 태양이 지성소를 환하게 비추도록 설계되었다. 그 결과 태양신 아몬라와 라호라크티가 신격화된 람세스 2세와 함께 어둠 속에서 밝게 빛난다. 그 옆에는 영원을 관장하는 신 프타가 어둠을 지키고 있다.

소신전

대신전에서 150미터 정도 떨어진 곳에 세워진 소신전도 암굴 신전이다. 두 신전 사이에는 정확한 제작 연대를 알 수 없는 비문이 가득 새겨져 있다. 소신전의 주인공인 네페르타리 왕비는 하토르 여신 같은 모습이다. 신전 입구 양쪽에 만들어진 6개의 벽감 안에는 2개의 왕비 입상과 그 좌우로 거대한 파라오 입상이 있다. 내부로 들어가면 람세스 2세와 네페르타리 왕비가 하토르 여신에게 예물을 바치는 장면이 저부조물로 재현되어 있다. 환조 기법으로 표현한 하토르 여신의 입상이 성소를 굽어보고 있다.

히타이트 제국

흑해를 건너온 것으로 알려진 히타이트인들은 기원전 18세기 초에 소아시아의 다른 이름인 아나톨리아 중부를 차지했다. 이미 이곳에 터전을 잡고 있던 하티인들과 공존하며 두 유산을 지닌 하나의 민족을 형성했다. 서로 다른 두 민족이 하나로 융합된 일은 보기 드문 포용력의 결과였다. 일상어로는 히타이트어를 사용했고, 히타이트인들이 설형 문자로 정리한 하티어는 제의용 언어가 되었다. 히타이트인들이 주도권을 갖게 된 것은 라바르나 1세 때부터이다. 라바르나 1세의 아들 혹은 손자인 하투실리 1세는 수도를 쿠사라에서 하투샤로 옮기고 정복 전쟁을 시작해 현재의 시리아인 타우르스까지 점령했다. 하투실리 1세가 죽자 그의 양자 혹은 양손자로 추정되는 무르실리 1세가 왕위에 올랐고, 기원전 1594년경 알레포와 바빌론을 정복하면서 가장 넓은 제국을 지배했다. 수필룰리우마 1세 치하의 히타이트 제국이 최고의 전성기를 누렸음은 이론의 여지가 없다. 무와탈리 2세가 집권한 기원전 1274년 무렵 오론테스강 유역에서는 고대에서 가장 큰 전투로 알려진 카데시 전투가 벌어졌다. 세티 1세와 람세스 2세의 통치하에 새로운 부흥기를 맞이할 준비를 하던 이집트에게 히타이트는 커다란 도전이었다. 람세스 2세는 서둘러 압도적 승리를 선포하고자 했으나 16년이 지난 뒤 하투실리 3세 때에 와서야 이집트와 히타이트의 평화 조약이 체결되었고 두 나라는 정략결혼을 통해 동맹국이 되었다. 기원전 1200년경 히타이트 제국이 갑작스럽게 멸망한 것은 '바다의 민족들'이 대규모로 유입되었기 때문일 것이다. 설형 문자로 적힌 히타이트어, 아카드어, 후르리어 등 히타이트 제국에서 사용된 여러 언어가 새겨진 3만여 개의 점토판은 히타이트 제국의 법률과 외교, 종교를 설명해준다.

안토니누스 방벽 스코틀랜드

안토니누스 방벽Antonine Wall은 서쪽으로는 글래스고가 있는 클라이드만, 동쪽으로는 에든버러가 위치한 포스만까지 60킬로미터가 넘게 펼쳐지는 요새 성벽이다. 로마 제국의 경계였던 브리타니아(영국의 옛 이름)의 하드리아누스 방벽보다 북쪽에 위치하는 안토니누스 방벽은 칼레도니아(스코틀랜드의 옛 이름)의 야만족을 감시하고 이들의 공격에 대비하기 위한 것이었다. 142년 안토니누스 피우스 황제의 명령으로 퀸투스 롤리우스 우르비쿠스 총독이 세운 이 방벽은 하드리아누스 방벽을 이중으로 감싸고 있다. 3세기 초 셉티미우스 세베루스 황제의 군대가 주둔한 적이 있으나 그 이후 완전히 버려졌다. 하드리아누스 방벽에 이어 2008년 안토니누스 방벽도 유네스코 세계 유산에 등재되었다.

하드리아누스 방벽

하드리아누스 황제는 선임 황제였던 트라야누스의 팽창 정책을 계승하지 않고 거대한 로마 제국의 국경을 굳건히 지키는 것을 최우선 과제로 삼았다. 전례 없는 규모의 하드리아누스 방벽은 칼레도니아의 침략을 막기 위해 축조되었다. 잔디, 자갈, 석회암 등 다양한 자재를 사용해서 길이 120킬로미터, 두께 3미터, 최대 높이 5미터로 쌓은 방벽은 3세기 동안 제국 최대의 국경이었다. 하드리아누스 방벽과 안토니누스 방벽 모두 돌로 쌓은 구릉, 구덩이, 요새, 망루 등 적의 공격을 막을 수 있는 온갖 장애물을 설치했다. 방벽의 잔해와 유물 등을 통해서 하드리아누스 방벽 근처에 많은 사람들이 살았고 서신을 주고받았음을 알 수 있다. 성벽을 이루는 돌 중에는 아우구스투스 제2군단, 빅트릭스 제6군단, 발레리아 제20군단이 칼레도니아인과의 전쟁에서 거둔 승리와 북진 장면이 조각된 것들이 있는데, 이 돌들은 현재 에든버러 박물관에 소장되어 있다.

리메스

원래 라틴어 '리메스limes'는 토지 간의 경계를 가리키는 말이다. 로마 공화정 시기에는 공공 구역에 이 개념을 적용하지 않았으나 얼마 후 로마 제국의 변경 지대를 리메스 임페리limes imperii라고 불렀다. 리메스는 두 가지 의미로 사용된다. 첫 번째는 카이사르가 국경의 요새들을 가리켜 부른 말로, 하드리아누스 방벽이나 안토니누스 방벽 같은 인공 요새는 물론이고 숲이나 강 등 자연이 만든 요새도 여기에 속한다. 두 번째로 리메스는 변경 지역에 있는 길을 가리킨다. 군대의 이동이나 주민의 통제를 용이하게 하는 이런 길들은 인접국이나 적국끼리 앞다투어 손에 넣으려 했으며, 대개는 라인강과 다뉴브강에 인접한 길처럼 요새화되었다. 5000킬로미터에 이르는 리메스는 로마 제국의 방어선 역할을 했으며, 라틴어도 그리스어도 사용하지 않는 다른 세계, 즉 야만족의 나라와 로마 제국을 구분하는 경계선이 되었다.

알렉산드로스 모자이크 이탈리아 폼페이

마케도니아 왕국의 알렉산드로스 3세와 페르시아의 다리우스 3세의 전투를 그린 유명한 모자이크 작품은 1831년 폼페이 '목신의 집'에서 발견되었다. 3000제곱미터에 달하는 목신의 집은 대표적인 '도무스domus', 즉 로마 시대 상류층의 호화로운 저택이었다. 작은 목신 조각상이 있어 목신의 집이라고 불리게 되었으며, 이 목신상은 현재 나폴리 국립 고고학 박물관에 보관되어 있다. 삼니움 시대에 세워진 목신의 집은 기원전 1세기 말에 복원되어 폼페이 예술의 제1양식을 잘 보여준다. 아트리움과 타블리눔을 따라 배치된 반원형의 대화실은 거실 및 응접실 역할을 한 공간으로 이곳을 장식하고 있는 알렉산드로스 모자이크에는 알렉산드로스 대왕과 다리우스왕의 이소스 전투 장면이 묘사되어 있다. 알렉산드로스 대왕은 그라니코스 전투에서 승리한 후 1년이 지난 기원전 333년 터키 남부 킬리키아에서 페르시아군을 또 격파했다. 이 모자이크 작품은 카산드로스왕의 명으로 에레트리아의 필록세노스가 제작한 헬레니즘 시대의 그림을 복제한 것으로 보인다. 지금 이 그림은 남아 있지 않아서 관련 기록을 통해 알 수 있을 뿐이니, 모자이크는 그림의 중요한 증거가 되는 셈이다. 이 그림의 두 번째 복제품은 알렉산드리아 부근에서 발견되었다.

알렉산드로스 모자이크의 의의

알렉산드로스 모자이크의 크기는 틀을 제외하면 가로 5.4미터, 세로 2.8미터이다. 이소스 전투의 가장 장엄한 순간을 보여주는 이 작품에서 전사 26명과 군마 15필은 알렉산드로스가 최후의 일격을 가하는 장면의 주인공들이다. 애마 부케팔로스에 올라탄 알렉산드로스가 모자이크 작품의 4분의 3을 차지하는 페르시아 군대를 향해 전속력으로 돌진하고 있다. 검은 말 4필이 마부의 채찍질을 받으며 끄는 전차에는 도망치는 다리우스왕도 보인다. 작품의 중앙에는 두 왕 사이로 창에 찔린 페르시아 군인이 목숨을 걸고 다리우스왕을 지키는 모습이 묘사되어 있다. 마케도니아 군사들을 표현한 모자이크 각석들은 대부분 소실되었으나 페르시아 군대가 묘사된 부분은 잘 보존되었다. 다리우스왕의 군사들은 고대 소아시아의 프리기아인들이 쓰던 모자와 유사한 노란색 모자를 쓰고 있다. 원근법을 사용해 하늘을 향해서 창을 쳐든 군사들의 수가 헤아릴 수 없이 많아 보이며, 색과 빛의 음영을 이용해 전투 장면이 더욱 밝게 보인다. 전투 장면 아래 세 부분으로 나뉜 프리즈는 수생 식물들 사이로 연꽃과 함께 따오기, 오리, 거위, 하마, 악어 등 주로 이집트에 사는 동물들이 조각된 것으로 보아 나일강을 나타낸 것이라고 추정된다.

알렉산드로스 대왕의 초상

알렉산드로스 대왕의 초상화 및 조각상 등은 화가 아펠레스, 조각가 리시포스와 피르고텔레스가 제작했다. 아펠레스의 그림 중 지금까지 남아 있는 것은 없다. 그러나 그를 훌륭한 화가로 소개하고 있는 세쿤두스의 『박물지』 덕분에 그의 명성은 르네상스 화가들에게까지 전해졌다. 에페소스의 아르테미스 신전에 있는 알렉산드로스 대왕의 그림은 그의 작품으로 추정된다. 창을 들고 왕좌에 앉아 있는 알렉산드로스 대왕의 모습은 제우스를 연상시킨다. 리시포스는 고대 그리스의 조각가 폴리클레이토스가 만든 기준을 적용하면서 인체 비례를 7등신에서 8등신으로 바꿔 더욱 늘씬한 조각상을 만들었다. 리시포스의 작품은 1500점에 달한다. 루브르 박물관에는 그 중 알렉산드로스 대왕의 흉상과 파르네세 헤라클레스의 조각상이 소장되어 있다. 보석 조각은 헬레니즘 시대의 주요 공예였지만 음각 장식이건 양각 장식이건 피르고텔레스라는 이름으로 제작된 보석은 발견된 바가 없다. 알렉산드로스 대왕이 자신의 모습을 재현하는 것, 이른바 개인숭배를 중요시했던 것으로 보아 그는 3세기 무렵 로마인들의 마음에 깊이 각인되어 있었을 것이다.

이시스 신전 이집트 필라이

필라이Philae는 누비아의 아스완 로우 댐과 아스완 하이 댐 사이, 나일강의 첫 번째 폭포가 있는 지역에 위치한 작은 섬이다. 1970년 하이 댐이 가동되면서 섬의 일부가 물에 잠기자 프랑스의 이집트 학자 크리스티안 데로슈 노블쿠르와 유네스코가 수몰될 위기에 처한 유적들을 구해냈다. 필라이 신전, 즉 이시스 신전도 아부심벨 신전과 마찬가지로 조각조각 해체되어 아스완 남쪽에 있는 아질키아섬으로 이전되었다.

이시스를 위한 섬

필라이는 그리스어에서 유래된 이름으로 섬의 원래 이름은 피렉, 또는 콥트어로 필락이었고 '누비아의 끝'을 의미했다. 남편 오시리스가 죽은 후 이시스 여신이 아들 호루스를 낳은 곳이 필라이라고 믿었던 사제들은 이 사막 지대를 이시스의 성전으로 삼았다. 이시스 숭배는 로마에 의해 점령당하기 전까지 이 지역을 지배하는 힘이었다. 이곳의 가장 오래된 유적은 이집트 제25왕조 타하르카왕 때 만들어졌으며, 프톨레마이오스 왕조는 그 위에 다른 건축물을 세워 올렸다. 이곳에는 아흐모세 1세에게 바친 성소가 있었고 그 자리에 이시스 신전을 세웠다. 제30왕조의 넥타네보 1세는 부두 근처에 정자와 유적으로 들어가는 문을 세웠다. 이시스 신전의 건축은 프톨레마이오스 2세 필라델포스가 시작해 그의 뒤를 이은 프톨레마이오스 3세 에우에르게테스 시대까지 계속되었다. 넥타네보 1세가 세운 문과 신전 사이에 있는 첫 번째 탑문과 맘미시mammisi는 프톨레마이오스 4세 필로파토르 시대에 세워졌다. 로마가 지배하는 동안 부두와 첫 번째 탑문 사이에 다른 건축물들이 축조되었다. 라틴어, 그리스어, 민중 문자로 쓰인 낙서들을 보면 순례지가 된 필라이섬은 이시스는 물론 아몬 오노프리스와 호루스를 모시는 성지가 되었음을 알 수 있다. 필라이섬은 536년 유스티니아누스 1세에 의해 폐쇄되었으나 1799년 프랑스 고고학자 도미니크 비방 드농이 이끈 발굴단에 의해 다시 세상에 알려졌다. 하지만 그 후 30년이 흐른 뒤에야 장 프랑수아 샹폴리옹이 이끈 프랑스 발굴단에 의해 저부조물과 유물이 발굴되었다.

이시스 신전의 의의

필라이섬 중앙에 위치해 있던 이시스 신전은 가장 중요한 건축물이라고 할 수 있다. 배에서 내려 넥타네보 1세의 정자와 우아한 주랑 현관을 지나면 신전이 나온다. 신전의 구조와 양식은 그리스 테베의 신전들과 크게 다르지 않아 첫 번째 탑문, 두 번째 탑문으로 이어지는 '탄생의 집' 맘미시, 대열주실, 그리고 신전의 내실 등으로 구성되었다. 그러나 테베의 신전들보다는 구조가 복잡해 보이는데 이는 하드리아누스 황제의 웅장한 문, 호루스 신전, 아우구스투스 신전, 하토르 신전, 트라야누스의 작은 정자 등 다른 건축물들이 주위에 있기 때문일 것이다. 이시스 조각상은 정기적으로 신전을 떠나곤 했다. 남편 오시리스를 만나기 위해 성스러운 배에 실려 필라이섬에서 약 300미터 떨어진 비게섬으로 보내졌다.

프톨레마이오스 왕조의 이집트(B.C. 323~B.C. 30)

알렉산드로스 대왕이 죽은 후 클레오파트라 7세의 치세가 끝날 때까지 이집트는 프톨레마이오스 왕가가 지배했다. 알렉산드로스 대왕의 사후 왕좌를 둘러싼 갈등 끝에 마케도니아의 태수 라고스의 아들이 왕위에 올랐고 왕국은 부강해졌다. 프톨레마이오스 왕국의 정치, 경제, 문화는 그리스에 지대한 영향을 미쳤다. 라고스의 자손이 세운 이 왕조가 300여 년 동안 유지될 수 있었던 이유이기도 하다. 프톨레마이오스 1세는 왕조를 창건하고 수도를 알렉산드리아로 정했다. 많은 기록물과 고고학적 증거에서 알 수 있듯이 프톨레마이오스 2세 때부터 왕국의 정치, 경제가 대대적으로 재조직되었다. 프톨레마이오스 왕조가 시작되고 이어진 160년간의 시기를 최고의 번성기로 여긴다.

프톨레마이오스 1세 소테르(재위 B.C. 305~B.C. 283): 원주민의 전통과 그리스 문화가 어우러진 이집트를 세운 왕이다. '소테르Soter'는 '구세주'를 의미한다. 그는 관용과 개방을 기본 정책으로 삼았으며 신전을 복원하고 성직자 제도를 바꾸는 한편 문학과 과학의 중흥을 꾀했다.

프톨레마이오스 2세 필라델포스(재위 B.C. 283~B.C. 246): '형제를 사랑한다'는 뜻의 이름을 가진 프톨레마이오스 2세는 형제보다는 자신의 누이이자 두 번째 부인인 아르시노에 2세를 더 사랑했다. 아버지 프톨레마이오스 1세가 자력으로 왕좌에 올랐다면 그는 최초로 왕위를 승계한 왕이다.

프톨레마이오스 3세 에우에르게테스(재위 B.C. 246~B.C. 222): '자선가'라는 별명을 가진 프톨레마이오스 3세는 살해당한 누이의 원수를 갚기 위해 전쟁을 일으켰다. 기원전 241년 맺은 평화 조약으로 소아시아, 시리아, 트라키아, 그리고 에게해에 있는 영토를 손에 넣었다.

프톨레마이오스 4세 필로파토르(재위 B.C. 222~B.C. 204): '아버지를 사랑한다'는 의미의 '필로파토르'라는 호칭은 프톨레마이오스 4세와 그다지 어울리지 않는다. 아버지를 제거했다는 혐의를 받는데다가 권력에 위협이 될까 봐 가족들을 암살했기 때문이다. 그는 프톨레마이오스 왕조의 쇠락을 유발한 요인 중 하나이다.

이집트 말기 왕조

고대 이집트 말기 왕조라고 하면 기원전 750년 통일 이후 이어진 왕조들을 일컫는다. 대개 오래가지 못했던 이 왕조들 중에는 페르시아나 그리스 같은 이방의 왕조들도 있었다. 이집트 출신의 마지막 왕인 넥타네보 2세 때 이집트는 또다시 페르시아의 속주가 되었고, 알렉산드로스 대왕에게 점령당했다가 프톨레마이오스 왕조가 지배했다. 기원전 30년 클레오파트라 7세와 그의 아들 프톨레마이오스 15세 카이사리온의 죽음으로 이집트는 로마의 속주가 되었다. 그러나 이집트의 전통은 사라지지 않았다. 이방에서 온 왕들은 스스로를 파라오라고 칭했고 이집트의 문학과 예술을 칭송했다. 종교적으로는 아몬의 영향력이 쇠퇴하고 새로운 신들이 등장했는데, 고양이의 얼굴을 한 풍요의 여신 바스테트가 새의 모습으로 변한 것처럼 과거의 신이 다른 형상으로 진화한 경우도 있었다. 그리스 신과 이집트 신을 섞은 새로운 신들이 나타나기도 했는데, 아피스와 오시리스, 하데스를 결합한 습합신習合神 세라피스가 그 예이다.

카잔루크의 트라키아인 무덤 불가리아

카잔루크의 트라키아인 무덤은 트라키아의 도시 국가 중 유일하게 전체가 발굴된 세우토폴리스 인근에 위치한다. 1944년 불가리아 카잔루크에서 5킬로미터 떨어진 곳, 발칸반도 아래쪽으로 소피아와 흑해 중간 지대에서 매우 인상적인 무덤이 하나 발견되었다. 500개 이상의 봉분이 있는 방대한 공동묘지에서 발견된 이 무덤은 세우테스 3세의 손자인 로이고스의 것으로 추정된다. 묘실과 묘실로 이어진 좁은 회랑, 그리고 무덤을 장식하는 벽화는 세계적으로 가장 잘 보존된 고대 예술로 손꼽힌다. 오르페우스와 디오니소스의 고향이라고 할 수 있는 트라키아의 풍요로운 문화유산이 조금씩 모습을 드러내고 있다.

트라키아의 흔적

인도·유럽족에 속하는 트라키아인들은 기원전 2세기경 불가리아에 정착해 청동을 사용하고 봉분을 만들었다. 트라키아인들은 베시족, 트리발리족, 게타이족 등 여러 부족으로 나뉘어 있었으나 기원전 5세기 무렵 오드뤼사이족이 부족들을 통합했다. 트라키아의 왕들은 상업과 무역에 주력했는데 지리적 강점 덕분에 크게 발전했다. 트라키아 왕국은 필리포스 2세와 알렉산드로스 대왕이 이끈 마케도니아 군대에 점령당했다. 트라키아인들이 살았던 지역은 분열되는 마케도니아 왕국의 권력 다툼에서 매우 중요한 지역이었다. 반란은 빈번해졌고 세우테스 3세 시대에 마케도니아의 지배에서 벗어났다. 기원전 325년 그리스의 영향을 받은 세우토폴리스의 건설이 시작되었고 마케도니아 양식의 분묘 등이 만들어졌다.

카잔루크 무덤의 의의

최근 고고학적 발굴을 통해 부장품이 많이 발견되면서 트라키아 귀족의 생활이 더욱 자세하게 알려졌다. 무덤 속에서 발견된 부장품은 장신구, 화장품, 연회 용품, 무기 등으로 선물이나 전리품, 혹은 지역 공예품이다. 가장 유명한 봉분은 높이 7미터에 지름이 40미터에 달한다. 무덤은 3개의 방으로 구성되어 있는데 망자가 내세로 가는 길을 함께할 마차와 노예를 위한 방, 망자에게 필요한 물건을 위한 방, 시신을 안치할 방이 그것이다. 벽화로 장식된 전실도 인상적이지만 묘실은 더더욱 놀랍다. 잎맥 문양으로 장식된, 대리석 느낌이 나는 단이 네 부분으로 나뉘어 있으며 원형 묘실의 벽을 등지고 있다. 묘실의 높이는 3미터로 천장은 왕관 형태의 벽화로 장식되었다. 벽화에는 다홍색 안료, 어두운 갈색인 시에나 및 옅은 갈색인 옐로 오커 안료 등을 이용해 그린 연회와 경마 경주 등 망자의 일상과 장례 장면이 보인다. 벽화에 남겨진 가는 선을 볼 때 밑그림을 먼저 그린 뒤 색을 입혔다는 것을 알 수 있다. 이는 모든 작업을 세심하게 준비했음을 보여준다.

크노소스 궁전 그리스 크레타

크노소스 유적지는 카이라토스강 좌안으로, 크레타섬의 북쪽 해안에서 4킬로미터 떨어진 곳에 위치한다. 1900년 아서 에번스의 발굴 작업으로 헬레니즘 시대 이전의 그리스 역사와 미노스 문명이 알려지기 시작했다. 에번스는 크레타섬의 전설적인 왕이었던 미노스의 이름을 따서 이 시대의 문명을 미노스 문명이라고 불렀으며, 발굴 작업은 오늘날까지 계속되고 있다. 크노소스 유적지가 있는 곳에 처음 사람들이 살기 시작한 것은 기원전 8000년경이다. 이들이 남긴 놀라운 문명은 겹쳐 쌓아 올린 두 궁전에서 찾을 수 있다. 첫 번째 궁전이 기원전 1700년경에 파괴되자 좀 더 큰 규모의 두 번째 궁전을 건립했다. 미노스 문명, 즉 크레타 문명에 대해서는 이탈리아로 들여와 유럽 곳곳에 보관된 유물 외에는 알 수 있는 것이 없었다. 그러다가 1829년 로마에 고고학 연구 학회가 설립되었고, 이후 프로이센 기금의 지원을 받아 베를린으로 이전되었다. 유럽 열강은 모두 이와 유사한 고고학 연구소를 세우고자 했는데, 1830년 독립을 쟁취한 그리스도 예외는 아니었다. 크레타섬을 오랫동안 오스만 제국에게 빼앗겼다가 되찾게 된 상황에서 아테네에 설립된 그리스 고고학 연구소의 역할은 더욱 중요할 수밖에 없었다. 이런 배경에서 20세기 초기에 놀라운 발견들이 이루어졌다. 1000년 이상 바다를 지배했던 크레타 문명은 지중해 연안의 국가들에 큰 영향을 미쳤다. 주요 정착지와 주거지 유적은 대부분 바닷가 부근 고지대에서 발견되었다. 크노소스 궁전과 파이스토스 궁전은 현재 남아 있는 크레타 건축물 중 가장 큰 규모로 당시의 발전된 기술과 경제적 풍요를 전해준다.

미노스 문명의 단계적 발전

1905년부터 영국의 고고학자 아서 에번스는 크노소스 유적지에서 발견한 것들을 토대로, 신화(미노스, 테시우스, 다이달로스, 미노타우로스 신화)를 바탕으로 발전한 미노스 문명을 시대별로 구분했다. 이 지역은 테라코타 유물이 발견된 유일한 곳으로 이를 통해 에번스는 미노스 문명을 다음의 세 시대로 구분했다.

초기 미노스 문명(B.C. 3000): 이 당시에 키클라데스 제도는 소아시아와 에게해 지역을 이어주는 가교 역할을 했다. 이 시기에 속하는 중요한 발굴 구역은 대부분 동쪽에 위치한다. 모클로스의 무덤에서는 금박과 핀으로 꾸민 소박한 모양의 왕관과 띠 장식들이 발견되었다.

중기 미노스 문명(B.C. 2000~B.C. 1550): 궁전 건축과 야금술, 보석 공예가 발달한 시기이다. 말리아 궁전, 크노소스 궁전과 미로, 파이스토스 궁전, 자크로스 궁전 등은 에게해 지역의 원사 시대를 대표하는 문명의 역사라고 할 수 있다. 이 궁전들은 기원전 1700년경에 파괴되었으나 곧 재건되었다. 인도·유럽계 민족의 침략, 이집트에서 온 힉소스인들의 침입, 산토리니섬 화산의 분출에 따른 지진 등이 파괴의 원인으로 추정된다.

말기 미노스 문명(B.C. 1550~B.C. 1100): 이 시기의 궁전은 중기의 궁전보다 더 웅장하며 거주 공간과 접견 공간 등이 발전한 형태를 보이는 등 이전보다 개선된 구조를 가지고 있다. 궁전의 벽화는 미노스 문명의 대표적인 유적으로, 동식물의 세계와 함께 특권층의 삶을 잘 보여주는 투우 장면과 줄타기 곡예 모습 등이 묘사되어 있다.

크노소스 궁전의 의의

크노소스 궁전과 파이스토스 궁전의 도면을 살펴보면 크레타인들은 정확한 구획을 정해 도시를 구성하는 데는 별로 관심이 없었던 것으로 보인다. 돌을 정교하게 절단해 만든 궁전은 성벽이 없으며 거주 구역과 섞여 있다. 정사각형에 가까운 구조의 궁전 중앙에 50미터 길이의 중정이 있으며, 건물의 면적은 2만 제곱미터가 넘는다. 중정이 내다보이는 수많은 방과 수직 통로는 남향으로 자리를 잡아 훌륭한 자연 채광을 선사한다. 궁전의 입구는 북서쪽에만 있으며 서로 뒤얽힌 통로와 매우 복잡한 건물 구조는 신화에 나오는 라비린토스labyrinthos를 연상시킨다. 중정을 향해 있는 옥좌의 방에는 장엄한 석조 왕좌가 있으며 벽에는 그리핀과 갈대가 그려져 있다. 복잡한 복도를 따라가면 왕비의 방이 나오며 가까이에 욕실이 있다. 궁전의 동쪽과 서쪽 복도를 따라 저장고들이 있으며 동쪽 계단을 통해 2층으로 올라가면 내실이 이어진다. 지금까지 남아 있는 계단과 기둥으로 보아 궁전은 총 3층으로 이루어졌던 듯하다.

정교한 벽화와 다양한 조각 장식

크노소스 궁전의 주요 공간을 장식하고 있는 벽화는 기원전 1600년경에 제작되었는데, 위험천만한 투우 장면을 그린 벽화가 가장 유명하다. 일격의 순간, 투우사가 달려오는 소의 등 위에서 공중제비를 돌며 몸을 피하는 장면이다. 미노스인들의 예술 작품 속에는 남성보다 여성이 더 많이 등장한다. 우아한 여인의 자태를 보이는 「파리지엔」, 「가슴을 드러낸 여신과 뱀」 등의 조각상은 「백합을 든 왕자」 벽화와 마찬가지로 예술사에 한 획을 긋는 작품이다. 이 시기에는 항아리에 그림을 새기거나 프레스코 기법을 사용해 벽화를 그리는 기술 외에도, 벽화에도 보였던 동물의 모티브를 보석에 새기는 기술이 발전했다.

선 문자의 발명

호메로스 이전에도 문자가 존재했음을 몰랐던 19세기 역사가와 고고학자들은 에번스의 끈질긴 노력 덕분에 페니키아 문자보다 수 세기 전에 이미 미노스 문명에서 사용한 문자가 있다는 사실을 알게 되었다. 에번스는 이 문자를 세 가지 체계로 분류했다. 에번스가 '상형 문자'라고 명명한 신궁전 시대Neopalatial period의 그림 문자는 표의 문자를 단순화한 것이다. 그림 문자는 선線 문자 A와 선 문자 B로 발전한다. 선 문자 A로 쓰인 최초의 문서는 행정 서류이다. 미노스인들이 상업적 확장을 이루면서 선 문자 A는 에게해의 다른 섬들과 그리스의 많은 지역으로 전파되었다. 선 문자 B는 크노소스, 필로스, 티린스, 미케네 등지에서 발견된 수많은 기록물에서 볼 수 있다. 기원전 1200년경 청동기 시대의 그리스가 멸망하면서 선 문자도 사라졌다. 그나마 중앙 권력과의 관계가 느슨했던 키프로스섬에서 그 흔적을 찾을 수 있다. 어쨌든 선 문자는 더 이상 사용되지 않았고, 페니키아 문명에서 시작된 새로운 문자 체계는 미노스의 선 문자와는 완전히 다른 것이었다.

키르쿠스 막시무스 이탈리아 로마

이탈리아 로마의 팔라티노 언덕과 아벤티노 언덕 사이에 위치한 키르쿠스 막시무스는 고대 에트루리아 초기에 만들어진 로마 '최대의 전차 경기장'이다. 다른 전차 경기장과 마찬가지로 키르쿠스 막시무스에서도 달리기를 포함한 여타의 육상 경기 등이 열렸다. 64년 네로 황제 때 일어난 대화재를 비롯해 수차례 화재가 나기도 했으며 이러한 과정을 거치면서 건립 후 여러 번 재건되었다. 키르쿠스 막시무스가 완성된 형태를 갖추게 된 것은 율리우스 카이사르 때로 거슬러 올라간다. 당시 이 경기장은 이미 2만 5000명을 수용할 수 있었다. 처음에는 목재 건축물이었으나 이후 건축 기술이 거듭 발전하면서 대략 길이 600미터, 너비 200미터, 면적 12만 제곱미터에 달하는 규모로 확장되었다. 고대 그리스 경마장을 모델로 한 키르쿠스 막시무스는 전차와 말을 세워두던 쪽을 제외하고는 계단식 관중석으로 둘러싸여 있었다. 경기장 안에는 '스피나spina'라는 중앙 분리대가 길게 자리 잡고 있었으며 그 둘레에는 기저가 넓은 경계석이 있어 전차의 회전을 더욱 위험하게 만들었다. 계단식 관중석은 경기장의 양쪽 끝인 승리의 문, 그리고 출발 지점인 카르케레스carceres에서 합쳐졌다.

로마 대제전

키르쿠스 막시무스를 건립하게 된 계기는 에트루리아 출신의 루키우스 타르퀴니우스 프리스쿠스왕이 추진했던 운동 경기 진흥 정책에서 찾을 수 있다. 타르퀴니우스는 매년 경기 일정을 직접 계획했다. 고대 로마의 경기들은 종교적 성격이 농후했는데, 로마인들이 사비니 여인들을 납치한 사건을 이용해 풍요의 여신이자 농업의 여신인 콘수스에게 바치는 경기를 만들었다. 콘수스를 위한 제단은 이미 기원전 3세기부터 대경기장 트랙 남쪽 끝에 세워졌다. 끔찍한 역병이 창궐하자 로마인들은 신의 분노를 잠재우고자 연극제를 개최했고 곧이어 로마 대제전ludi romani을 만들었다. 공화정 말기에 로마 대제전의 개최 기간은 약 2주로 늘어나 매년 9월 4일에서 19일까지 열렸다. 유피테르 신에게 헌정된 로마 대제전은 포룸 로마눔에서 시작된 행렬로 막이 열렸으며, 여기에는 군인, 전차 경주 선수, 정무관 등이 참여했다.

전차를 멈춰라!

전차 경주는 매우 오래된 전통이다. 호메로스의 『일리아드』에 나오는 파트로클로스의 장례식 때 치른 경주가 최초로 언급된 전차 경주로, 전차 4~6대가 키르쿠스 막시무스 경기장을 일곱 번 돌아오는 경기였다. 그 당시의 전차는 가볍고 약했으며 서로 부딪쳐 부서지기 일쑤였다. 제정 시대에는 팀별 경기가 생겼고, 팀들은 일정 단체의 후원을 받았다. 각 팀은 빨강, 하양, 파랑, 초록, 네 가지 색으로 구분되었는데 이 색들은 향후 정치 성향을 나타내는 것은 물론이고 종교 분쟁에서도 사용되었다. 예를 들어 유스티니아누스 황제 시대에 파랑은 동방 정교회를, 초록은 단성론을 상징했다.

키르쿠스 막시무스 연대기

기원전 600년	타르퀴니우스가 목조 건축물로 건립.
기원전 1세기	계단식 관중석이 의자로 바뀜.
	목조 관중석에서 화재 발발.
기원전 55년	집정관 폼페이우스가 코끼리 20마리와 인간의 대결을 명한 후 관중을 보호하기 위해 난간을 세움.
기원전 10년경	아우구스투스 황제가 이집트에서 가져온 람세스 2세의 오벨리스크를 경기장 중앙에 세움.
357년	콘스탄티우스 2세가 이집트 파라오 투트모세 3세의 오벨리스크를 경기장에 세움.
549년	동고트의 토틸라왕 시대에 마지막 전차 경주가 열림.
1587년	교황 식스토 5세 때 발굴 작업을 시작함. 2개의 오벨리스크가 발굴됨.

타르퀴니아의 공동묘지 이탈리아

타르퀴니아의 몬테로치 공동묘지는 이탈리아 중부, 치비타베키아 북쪽 티레니아 해안가에서 7킬로미터 떨어진 곳에 위치한다. 이곳에는 바위를 깎아 만든 약 6000개의 묘가 있으며 이 중에는 기원전 7세기에 만들어진 것도 있다. 채색 묘 200여 개에 장식된 아름다운 벽화는 에트루리아인들의 풍요로운 일상을 묘사하고 있으며, 네크로폴리스의 구조는 에트루리아인들의 주거 형태와 공통점을 보인다. 공동묘지를 가로지르는 큰길 주변으로 유지들의 무덤이 있다. 2004년 반디타차 공동묘지와 함께 유네스코 세계유산에 등재된 타르퀴니아의 공동묘지는 에트루리아 문명을 가장 잘 보여주는 유적으로 손꼽힌다.

에트루리아인이 최초의 로마인인가

무척이나 화려했던 에트루리아 문명은 불과 몇 세기 동안 존재했다. 기원전 8세기경 타르퀴니아와 베툴로니아, 두 도시를 건설하며 출현한 에트루리아는 기원전 7세기

여인의 반신상, 테라코타, B.C. 3세기, 타르퀴니아.

에서 기원전 5세기에 이르는 동안 가장 발전했으며 그 후 로마의 속주가 되었다. 에트루리아인들은 스스로를 라스나라고 불렀고 로마인들은 이들을 에트루스키 또는 현재 토스카나 지방의 이름이 된 투스키라고 불렀다. 그리스인들은 에트루리아 사람들을 티레니아인으로, 이탈리아 서부 해안의 바다는 티레니아해로 불렀다. 헤로도토스와 티투스 리비우스는 에트루리아인을 그리스에 의해 멸망한 트로이인의 후손 리디아인으로 설명했다. 그렇지만 토착 원주민이라는 것이 좀 더 설득력 있는 가설이다. 에트루리아 문명이 만든 여러 도시 국가는 종교적 동질성을 통해, 혹은 연합 세력을 만들기 위한 목적으로 서로 밀접한 관계를 유지했다. 에트루리아 문명이 쇠락한 이유는 내부적으로는 평민층인 플레브스plebs의 반란 때문이고, 외부적으로는 로마를 위시한 주변 세력의 압박 때문이었다. 결국 로마와의 전쟁이 이어지면서 에트루리아는 멸망하게 된다. 에트루리아어로 타르구나라고 부르던 지역은 기원전 181년 로마의 속주 타르퀴니아가 되었고 주민들은 로마 시민이 되었다.

무덤처럼 조용한

타르퀴니아 공동묘지의 벽화가 잘 보존된 것은 환경 덕분인데, 대부분의 묘가 타르퀴니아의 남서쪽 능선에 자리 잡고 있으며 바위를 깎아 만들었기 때문이다. 채색 벽화의 경우 흰색, 검은색, 붉은색, 노란색에는 식물성 안료가 사용되었고 파란색, 초록색, 분홍색, 자주색에는 광물성 안료가 쓰였다. 그림의 주제는 조금씩 달라졌는데 초기에는 흥겨운 연회나 놀이 장면을, 후기에는 신화나 망자의 세계를 묘사했다. 곡예사의 묘, 표범의 묘, 점성가의 묘, 암사자의 묘, 황소의 묘, 올림포스의 묘 등 유명한 무덤들의 이름 및 명성은 생생함과 화려함이 가득한 다양한 벽화와 장식물에서 온 것이다.

작자 미상의 작품들

에트루리아는 수많은 예술 작품을 남겼지만 작가를 알 수 있는 것은 거의 없다. 이 시대 작가들은 예술을 창작 행위로 여기지 않았기에 자신의 이름을 남기지 않았다. 이들은 개인 고객을 위해 작업했으며 그렇게 제작된 작품은 일종의 공예품으로 여겨졌다. 만약 도시를 위한 공공 작업이었다면 예술가의 이름이 알려졌을 수도 있다. 에트루리아 무덤의 그림 중 가장 오래된 것은 베이Veii에 있는 '새끼 오리들' 그림이다. 그 후 고전기 그림들은 한정된 주제와 연회 장면, 무용 장면 등을 위주로 제작되었다. 기원전 4세기에는 그리스 예술의 영향을 크게 받아 헬레니즘 시대 에트루리아의 그림들은 '오르쿠스의 무덤'에서 볼 수 있듯이 주로 망자의 삶을 묘사하고 있다. 에트루리아 문명에 관한 기록은 주로 장례와 관련된 예술을 보여주고 있으나, 가이우스 플리니우스 세쿤두스는 자신의 저서 『박물지』에서 신화를 주제로 한 에트루리아인들의 그림을 언급했다.

통곡의 벽 이스라엘 예루살렘

'코텔 하마아라비Kotel HaMa'aravi'라는 히브리어를 번역한 '통곡의 벽'은 예루살렘에 세워졌던 헤로데 성전의 일부로 기원후 70년 성전이 파괴될 당시 부서지지 않은 서쪽 벽을 가리킨다. 통곡의 벽은 순례자들의 성지로 꼽히기도 하는데, 성전산에 있는 지성소 가까이에 위치해 많은 사람이 이곳을 순례하기 때문이다. 다윗왕이 언약궤와 돌판을 옮겨놓은 지성소는 유대 전통에서 가장 성스러운 곳으로 여겨진다. 통곡의 벽 일부는 다른 건축물들로 덮였고, 사람들이 볼 수 있는 나머지 부분은 이슬람 성지인 '바위의 돔'과 알아크사 모스크가 있는 광장과 연결되어 있다. 통곡의 벽은 성전이 무너진 후 유대교의 성지로 여겨지고 있으나 종교 의식이 이루어졌다는 기록은 찾을 수 없다가, 1173년 예루살렘을 여행한 에스파냐 투델라의 랍비 베냐민이 이를 확인해주었다. 1517년 오스만 제국이 침입하기 전 유대교의 성지는 감람산이었고 통곡의 벽이 중요한 성지가 된 것은 1492년 유대인 추방령에 따라 에스파냐의 유대인들이 이스라엘로 이주하면서부터였다. 1929년 통곡의 벽을 두고 유대교와 이슬람교 사이의 갈등이 고조되었고 분쟁이 발발했다. 유대교인들은 이곳에서 탈릿을 쓰고 팔과 머리에 테필린을 두른 채 하루 세 번 기도한다. 남녀가 따로 기도하도록 통곡의 벽은 두 곳으로 나뉘어 있다.

성령이 깃든 벽

성전의 폐허에서 발견한 이 벽은 길이 57미터, 높이 18미터이며, 아랍 구역까지 이어졌던 길이 495미터의 옹벽의 일부이다. 수 톤에 달하는 거대한 돌을 층층이 쌓아 만든 덕분에 그 어떤 역사의 부침도 견뎌냈다. 구전되는 유대 전통과 율법 토라의 주석을 담은 책 『미드라시*Midrash*』에 의하면, 통곡의 벽이 완전히 파괴되지 않은 것은 그 안에 깃든 성령 때문이라고 한다.

세 민족을 위한 도시 예루살렘

3000년 전부터 예루살렘은 주요 분쟁 지역이었다. 유대교, 기독교, 이슬람교가 저마다 예루살렘을 성지로 여기며 이곳을 차지하려고 했다. 다윗과 이스라엘 민족은 이 도시를 예루샬라임이라고 불렀다. 이슬람에서는 알쿠드스라고 하며, 무함마드의

'밤의 여행', 즉 메카에서 시작된 '이스라'가 끝나는 곳을 말한다. 기독교에서 예루살렘은 예수의 삶과 고난의 장소이다. 19세기부터 고고학자들은 로마, 비잔티움, 페르시아, 터키, 파티마 왕조 등 예루살렘을 빚어낸 다양한 문명을 연구해왔다. 예루살렘이 도시의 형태를 갖추기 시작한 것은 다윗왕 이전 청동기 시대 중기로 거슬러 올라간다. 성전산에 신전이 건립된 것은 솔로몬왕 때이다. 예루살렘은 기원전 586년 네부카드네자르왕에게 정복당하기 전까지 막강한 도시였다. 그 후로 200여 년 동안 중요한 종교적 상징이었다는 것 외에는 이 도시에 대해 알려진 바가 거의 없다. 헤로데 대왕 시절에 과거의 영광을 잠시 되찾았으나 그리 오래가지는 않았다. 티투스의 로마 군단이 쳐들어왔고 약탈이 자행된 것이다. 130년 하드리아누스 황제는 폐허가 된 예루살렘의 잔해 위에 아일리아 카피톨리나를 세웠고 324년 콘스탄티누스 황제 때 예루살렘은 원래 이름을 되찾았다. 파티마 왕조 시대에 버려진 도시였던 예루살렘은 1099년 제1차 십자군 원정 때 고드프루아 드 부용이 입성하면서 기독교 왕국의 수도가 되었다. 16세기 오스만 제국의 술탄 쉴레이만 1세는 예루살렘 구시가지 성벽을 복원하고 새로운 요새를 축조했다.

파르테논 그리스 아테네

파르테논은 처녀신 아테나에게 바치는 신전으로 이오니아 양식과 함께 도리아 양식의 절정을 보여주는 건축물이다. 기원전 447년~기원전 438년 페리클레스 장군이 아테네를 다스리던 시기에 아크로폴리스에 세워졌다. 조각가 페이디아스의 총감독 아래 건축가 칼리크라테스와 익티노스가 설계와 공사를 관장했다. 신전 안에 있던 금과 상아로 만든 아테나 여신의 조각상도 페이디아스의 작품이다. 라우리움 광산에서 채굴한 은으로는 신전의 건축 자금을 충당할 수 없었기에 기원전 454년 페르시아인들의 손에 들어가지 않도록 아테네로 옮겨놓은 델로스 동맹의 금고 속 기금을 유용했다. 페리클레스는 아테네를 기리는 대공사에 동맹의 기금을 거리낌 없이 사용했다. 파르테논 신전은 고고학자들이 '옛 파르테논'이라고 부르는 건물의 폐허 위에 세워졌는데, 옛 건물 또한 신전을 세우기 위해 준비했던 100피트에 달하는 구조 '헤카톰페돈hekatompedon' 위에 지어진 것이었다. 최초의 신전 건축 계획은 무산되었고 마라톤 전투에서 승리한 후 옛 파르테논을 세웠으나 기원전 480년 페르시아 군대가 아크로폴리스를 약탈할 때 파괴되었다. 이후 약 30년간 파괴된 신전의 모습으로 남아 있었다. 파르테논은 수 세기 동안 건재했으나 5세기경 페이디아스가 만든 거대한 조각상이 제거되고 가톨릭교회로 바뀌었다. 1456년 아테네를 점령한 오스만 제국은 파르테논을 모스크로 만들었다. 마지막 변화는 1687년에 일어났다. 베네치아가 아테네를 침공하면서 화약고로 사용되던 파르테논이 폭파된 것이다. 파르테논 신전은 이토록 수많은 파란을 겪고 전화를 입었지만 하얀 대리석 구조는 그대로 보존되었다. 대부분의 조각 장식물은 파괴되고 약탈당했으나 일부는 루브르 박물관과 대영 박물관에 보관되어 있다.

파르테논의 의의

파르테논 신전은 너비 30미터, 길이 70미터, 높이 10미터에 달하는 세계 최대 규모의 신전 중 하나이다. 너비 대 길이, 높이 대 너비, 기둥 지름 대 기둥 간격 등 대부분의 건축 구조와 배열에 4:9 비율을 적용했다. 또 다른 특징은 시각 효과를 고려해 직선을 전혀 사용하지 않았다는 것이다. 수평으로 보이는 바닥도 실은 미세하게 볼록한 면이며 기둥이나 건물 외벽도 약간 볼록하고 안으로 기울어졌다. 하지만 바로 그 덕분에 파르테논 신전은 가로와 세로가 모두 완벽한 직선으로 보이는 착시 효과를 갖는다. 총 46개의 기둥이 배치되어 있으며, 측면으로는 17개가, 정면으로는 8개가 보인다. 그리스 신전의 정면 기둥은 대개 6개이다. 파르테논 신전의 기둥 수를 늘린 것은 건물 전체의 날렵한 형태를 유지하면서도 거대한 조각상을 넣기 위한 공간을 최대한 마련하기 위해서인 것으로 보인다.

숫자로 본 파르테논

	파르테논 신전 건축에 필요한 요소
17	대리석의 보고인 펜텔리쿠스산까지 거리(킬로미터).
13400	건축에 사용된 대리석 덩어리의 수.
8480	대리석 기와의 수.
92	트리글리프 사이의 사각형 패널 메토프의 수.
160/1	이오니아 양식의 프리즈 길이/높이(미터).
370/200	신전을 장식하고 있는 사람/말의 수.
2000	2000달란트, 즉 1200만 드라크마. 신전과 아테나 여신상, 아크로폴리스의 정문인 프로필레아 건축에 사용된 비용.

아크로폴리스

'높은 도시'를 의미하는 아크로폴리스는 일반적으로 곶 위에 건축물이 모여 있는 공간을 의미한다. 높은 곳에 도시를 세운다는 것은 적의 침략과 불확실한 기상 사태에 대비할 수 있는 방법이었다. 가장 유명한 예는 미케네 문명에서 도시보다 150미터 위에 만들어진 아테네의 아크로폴리스이다. 시간이 흐르면서 아크로폴리스는 파르테논, 프로필레아, 디오니소스 극장, 헤로데스 아티쿠스 음악당, 에레크테이온 신전, 아테나 신전 등이 세워지며 일종의 큰 성소가 되었다.

프로필레아: 신전들이 모여 있는 아크로폴리스로 들어가는 '정문 신전'으로 기원전 437년 건축가 므네시클레스의 감독 아래 공사가 시작되었으나 5년 후 중단되었다. 현재 남아 있는 것은 6개의 기둥으로 구성되어 현관 복도로 연결되는 파사드와 좌우

에 만들어진 2개의 주랑 현관뿐이다. 프로필레아는 아크로폴리스의 서쪽 경계선이 된다.

에레크테이온 신전: 아테네인의 전설적인 조상인 에레크테우스에게 봉헌된 신전이다. 기원전 5세기 말에 세워진 에레크테이온 신전은 여인상 기둥으로 장식된 포치가 독특하다. 가장 오래된 아테나 여신상인 팔라디온이 이 신전에 있었던 것으로 보인다.

니케 신전: 페르시아와의 전투로 파괴된 건물들 잔해 위에 승리의 여신 니케를 기리며 세운 신전이다. 펠로폰네소스 전쟁 전반기의 종지부를 찍은 니키아스 평화 조약을 기념해 세운 신전이라고 보는 역사학자들도 있다. 확실한 것은 아테네를 승리로 이끄는 것은 수호신의 전통적인 역할 중 하나라는 점이다.

훼손되고 사라진 프리즈

역사의 부침을 견뎌냈던 메토프와 박공의 장식 조각물들은 19세기 오스만 제국 정부의 묵인 아래 대부분 벽에서 뜯겨 해체되었고, 영국 대사가 이것들을 매입해 대영박물관에 되팔았다. 이러한 과정에서 머리가 보존된 조각상은 거의 없었다. 그나마 지리학자 파우사니아스의 기록 덕분에 신전 정면 서쪽 부분에 있던 조각물이 서로 아테네의 수호신이 되려고 싸우는 아테나 여신과 포세이돈이었음을 알 수 있다. 동쪽의 조각물들은 아테나 여신의 탄생을 그리고 있으며, 신전 전체를 둘러싼 프리즈에서 주랑 현관 아래쪽 장식은 아테나 여신을 기리기 위해 4년마다 열린 파나텐 축제의 거리 행렬을 묘사하고 있다. 정면 중앙에는 축제에 참여한 올림피아 열두 신의 모습이 보인다. 이는 페이디아스의 작품이며, 다른 조각가들도 그의 지도를 받아 제작에 참여했으리라 추정된다. 다행히 1436년 이탈리아의 인문학자 시리아코 데 피지콜리Ciriaco de' Pizzicolli가 심하게 훼손된 이 위대한 조각 작품들의 크로키를 남겼다.

파이윰 미라 초상화 이집트

19세기 말 영국의 고고학자 플린더스 피트리와 그가 이끈 발굴단은 이집트의 파이윰에서 초상화들을 발견했다. 이 초상화들은 1세기에서 4세기 사이 이집트가 로마의 속주였을 때 제작된 것으로 중요한 문화적 변이 과정을 보여준다. 이집트나 그리스, 혹은 로마의 상류층 사람들은 살아생전 자신의 얼굴을 나무판이나 아마포에 그리게 한 후 죽고 나면 이 그림을 미라의 얼굴 부분에 고정하도록 했다. 초상화 중에는 벽에 걸어놓은 것도 있다. 건조한 기후 덕분에 지금까지 보존된 가장 오래된 인류의 그림인 이 초상화들은 장례용 가면이 어떻게 변화했는지를 잘 보여준다. 그뿐만 아니라 프톨레마이오스 왕조와 고대 로마의 회화 기법은 물론 콥트 문명까지 이어지는 회화의 발전을 단계별로 알려준다. 후기 파이윰 초상화에 콥트 회화의 특성이 나타나 있는 것이다.

두 눈을 크게 뜨고

기교를 중시하는 궁정의 초상화가가 이상적인 인물을 표현하려 했다면 파이윰의 화가들은 신체적인 결점을 숨기지 않고 오히려 각 인물이 가진 특징을 부각했다. 초상화 속의 인물들은 남자건 여자건 대부분 스물다섯에서 서른 사이의 젊은 나이이며 의복 등의 요소로 망자의 직업을 추정할 수 있다. 그림 속 인물들은 눈을 크게 뜨고 있어 오히려 그림을 보는 사람을 주시하는 듯한 느낌을 준다. 그리고 죽음 앞에서도 의연하고 평정한 모습을 보이고 있다. 루브르 박물관에 있는 초상화는 무화과나무로 만든 판에 그린 것이며, 오른쪽으로 살짝 돌린 얼굴 위로 희미한 미소가 보인다. 목에는 금박을 입혔고 뒤로 넘긴 머리에는 금제 장신구가 둘러져 있다.

예술의 정수

파이윰 초상화들이 탁월한 상태로 보존될 수 있었던 것은 유기성이 아닌 광물성 안료 덕분이다. 색을 만들기 위해 달걀노른자나 풀에 안료를 섞는 템페라 기법과 밀랍을 고착제로 이용하는 납화 기법을 사용했다. 납화 기법은 나무나 아마포에 잘 발리는 이상적인 점도의 물감과 더불어 더욱 빛나는 색을 만들어냈다. 2세기 말까지는 템페라 기법을 더 많이 사용했으나 3세기부터는 템페라 기법으로 그린 그림에 덧칠하기 위해 밀랍을 사용하기 시작했다. 아래로 흘러내린 물감 자국으로 보아 파이윰 초상화들은 화판을 수직으로 놓고 그린 것으로 보인다. 파이윰의 화가들은 매끈하게 다듬은 나무판 위에 인물의 윤곽을 빠르게 그려나갔다. 일반적으로 그림을 그릴 표면에는 황산 칼슘을 섞은 백색 유약을 입혔지만, 나무판에 직접 그린 경우도 눈에 띈다. 주로 흰색, 검은색, 노란색, 붉은색을 사용했다. 이 초상화들 안에는 이집트의 장례 문화, 그리스인들이 즐겨 그린 납화 기법의 그림, 그리고 고대 로마의 초상 조각들이 담고 있는 사실주의가 절묘하게 어우러져 있다.

판테온 이탈리아 로마

로마의 로톤다 광장에 위치한 판테온은 벽돌로 덮인 원형 콘크리트 건물이다. 건물 위에는 역시 콘크리트로 만든 거대한 둥근 지붕이 있다. 판테온의 입구에는 삼각형의 박공지붕을 떠받치는 코린토스식 기둥들이 서 있으며, 이 주랑 현관에는 고대로부터 내려온 7미터 높이의 청동 문이 2개 있다. 둥근 지붕 돔의 지름은 43미터로 현재까지도 최대 규모를 자랑한다. 이 거대한 지붕은 콘크리트를 섞은 벽돌로 쌓아 올린 아치와 이를 받쳐주는 리브rib로 이루어졌다. 지붕 꼭대기에는 지름 9미터의 개구부가 있어서 빛이 내리비치며 둥근 내부 공간의 대리석 바닥을 환하게 비춰준다.
판테온은 르네상스 시대 건축가들에게 큰 영향을 미쳤다. 브루넬레스키는 근대 건축 최초로 거대한 돔을 올린 피렌체의 산타 마리아 델 피오레 대성당을 만들었고, 건축가이자 화가인 라파엘로는 판테온 신전을 모델로 많은 그림을 남겼다. 판테온이 중요한 예술적 영감이 된 것은 혁신적인 내부 공간을 보여주기 때문이다.

계속되는 변화

판테온의 축조는 기원전 27년 아그리파의 명으로 시작되었다. 최초의 모습은 양쪽 기둥 위로 박공지붕이 올라간 사각형의 고전적 형태의 신전이었다. 그러나 로마 대화재로 파괴되자 125년경 하드리아누스 황제가 건물 전체를 재건하면서 완전히 다른 건축물이 탄생했다. 우리가 현재 알고 있는 판테온은 구조적 측면에서 전형적인 로마식 제의용 건축물을 보여준다. 3세기 초 셉티미우스 세베루스 황제와 카라칼라 황제의 복원 공사로 판테온은 또다시 변화를 겪었다. 609년 성당으로 바뀌었을 때는 측면의 벽감이 제대祭臺로 사용되었다.

판테온이 그토록 오랜 시간을 견뎌낼 수 있었던 비결은 콘크리트에 사용된 우수한 품질의 회반죽에 있다. 다양한 석재를 적절하게 사용한 것도 내구성을 높였다. 가장 무거운 현무암은 건물의 기초에 사용했고, 벽돌을 사용해 돔의 압력을 견뎌내게 했다. 원래 청동 문은 도금 작업을 하고 주랑 현관의 부조물은 색을 입혔던 듯하다. 천장을 장식했던 장미 문양의 청동 장식과 격자에 바른 미장용 회반죽 스투코

등은 시간이 지나면서 사라졌다. 르네상스 후기에 스투코를 바른 프리즈를 돔 내벽에 부착했다.

판테온의 의의

판테온은 로마 건축과 그리스 건축의 문화적 차이점을 이해하게 해준다. 종교 의식을 건물 외부에서 거행했던 그리스인들은 제단을 신전 앞에 설치했다. 반면에 판테온에서는 신자들이 외부와 단절된 채 건물 내부에서 영성체에 임할 수 있었다. 여기서 기독교 고유의 종교적 감수성을 엿볼 수 있다. 로마 건축이 독특한 내부 공간을 만들었다면 그리스 건축의 아름다움은 외부에서 볼 수 있다. 판테온은 그리스 건축의 특징인 선의 구조가 로마 건축의 전통인 둥근 천장과 조화를 이루고 있다. 특히 돔 장식을 보면 아래에서 위로 갈수록 점점 작아지는 격자 천장을 통해 독특한 원근 효과가 나타난다. 이러한 원근 효과를 살려 판테온 내부의 모습을 훌륭하게 재현한 화가가 조반니 파올로 판니니이다.

페트라 요르단

'새로운 세계 7대 불가사의' 중 하나로 꼽히는 페트라Petra는 분명 가장 귀중한 요르단의 보물이다. 페트라는 '바위'를 의미하는데 실제로 협곡에 위치한 이 도시의 건축물은 대부분 암벽을 파내거나 깎아서 만들었다. 페트라는 '레켐Rekem'이라고도 하는데 셈족 언어로 다양한 색을 띠고 있다는 뜻이다. 페트라에 쓰인 사암과 산화물은 주황에서 보라로, 노랑에서 초록으로 다채롭게 빛난다. 이 도시를 '장밋빛 도시'라고 부르는 이유이다. 페트라는 기원전 8세기경 에돔족이 요르단의 수도 암만에서 남쪽으로 200킬로미터 떨어진 곳에 세운 도시이다. 약 200년 뒤 나바테아인들이 이곳에 정착하면서 상업을 발달시켰다. 페트라가 세상에 다시 알려지게 된 것은 1812년 스위스의 탐험가 요한 루트비히 부르크하르트에 의해서이다. 그로부터 15년 뒤에야 영국 고고학자들에 의해 발굴 작업이 시작되었으며, 1858년 영국 고고학 연구소가 페트라 도심에서 본격적으로 발굴 작업을 했다. 페트라는 그리스나 라틴 문명권의 도시들과는 달리 기하학적 구조가 아닌 전혀 색다른 건축적 특성을 가지고 있다. 내부가 드러나는 가옥 형태나 공적 공간이 명확하게 분리되지 않은 구조는 나바테아인의 고유한 주거 형태이다. 나바테아 후대의 왕들은 헬레니즘 시대의 그리스 건축물을 모방해 사암을 깎아 만든 극장이나 무덤, 카스르 알빈트 같은 성소를 만들었다. 아랍에서는 유대 민족이 이집트를 탈출할 때 모세가 지팡이로 샘물이 솟아나게 한 곳이 페트라라고 전해진다.

디오도로스 시켈로스의 가설

그리스의 역사가 디오도로스 시켈로스는 페트라를 피난처로 사용하기 위해 건설했을 것이라고 주장했다. 페트라로 들어가는 길이 무척 험난해서 일단 들어가고 나면 매우 안전한 곳이라는 설명이었다. 게다가 입구를 지키는 데 몇 명의 보초만으로도 충분한 지형이었다. 주변이 대부분 사막이라서 페트라로 오려면 시크Siq, 즉 폭이 2미터도 안 되는 좁은 길을 1.5킬로미터 정도 지나와야 했다. 이 불모지에서 살아남으려면 식수 공급이 가장 큰 문제였다. 나바테아인들은 물이 새나가지 않는 바위에 구멍을 파서 일종의 지하 저수조를 만들었고, 이러한 저수조 200여 개로 연결되는 물길을 조성했다. 이런 점들로 볼 때 페트라는 도시를 건설하기에 전략적으로 유리

왕의 무덤들, 페트라, 요르단.

한 곳이었다. 얼마 후 상업이 발달하면서 이곳은 단지 생존만이 아닌 풍요와 번영이 가능한 도시로 변했다. 페트라는 대상들이 값비싼 상품을 실어 나르던 길목에 위치했던 것이다.

나바테아인들은 어디서 왔을까

나바테아인들이 어디서 왔는지는 여전히 수수께끼로 남아 있다. 이들은 알우짜나 두샤라 같은 아랍의 신들을 섬겼고 아람어에서 파생된 문자를 사용했다. 인도와 아라비아반도를 왕복하며 향과 향신료, 몰약을 거래한 대상들 덕분에 나바테아인들은 빠르게 부를 축적했다. 이들이 얼마나 부유했는지는 페트라의 유적은 물론이고 시리아, 사우디아라비아(헤그라), 네게브 사막(아브다트) 등의 유적을 보아도 쉽게 알 수 있다. 디오도로스 시켈로스에 따르면 기원전 312년 알렉산드로스 대왕의 부하이자 후계자였던 안티고노스 1세 모노프탈모스가 페트라를 점령해 재물을 약탈해가려 했으나 실패했다고 한다. 이 사건 이전에 나바테아인들이 어떻게 살았는지에 대해 알려주는 기록은 없다. 기원전 259년에 만들어진 파피루스에는 '라벨Rabbel' 가문의 사람들에게 밀을 전해주었다는 기록이 있는데 '라벨'은 나바테아의 여러 장수의 이름이었다. 다른 파피루스에서는 아레타스 1세의 이름이 나오는데, 지금까지 알려진 나바테아의 왕 중에서 가장 오래전의 왕이다. 아레타스 4세 때 나바테아 왕국은 전성기를 맞았다.

신전과 성소

페트라의 가장 대표적인 유산은 '파라오의 보물'이라는 뜻의 알카즈네 신전과 '수도원'이라는 뜻의 알데이르, 그리고 이 건물들을 장식하고 있는 30미터 너비, 40미터 높이의 거대한 정면 외벽이다. 카스르 알빈트 신전은 알우짜 신과 두샤라 신을 섬기는 주요 성소로, 희귀하게도 절벽 측면에 세운 신전이다. 알카즈네나 알데이르와 마찬가지로 카스르 알빈트 역시 1세기 무렵에 세워졌다. 신전의 건축 형태와 다양한 장식을 볼 때 페트라가 동방의 도시나 그리스 문명을 받아들였을 가능성도 있다. 나바테아인들 특유의 뿔로 만든 기둥머리 외에, 기둥의 윗부분을 구성하는 이집트식 코니스와 돌출된 석조 벽에서는 동방의 영향을, 덩굴무늬 장식에서는 그리스의 영향을 발견할 수 있기 때문이다. 여러 양식이 혼재하는 페트라 유적은 다양한 문명의 조우가 만들어낸 놀라운 작품이다.

포르타 니그라 독일 트리어

독일의 서쪽 국경에 위치한 트리어는 1세기부터 로마의 식민지였다. 그 후 200여 년이 지났을 때 이곳은 정치, 경제, 문화적으로 발전을 거듭하며 '제2의 로마'로 불렸다. 수많은 건축물, 7킬로미터나 이어진 성벽, 모젤강의 다리, 이겔 영묘, 바바라 목욕장, 대형 원형 극장, 그리고 포르타 니그라Porta Nigra 등이 트리어가 누렸던 영화를 보여준다. 이 중에서 포르타 니그라는 요새와 궁전을 아우르는 다양한 건축 요소를 품고 있어 로마의 다른 지역에서는 볼 수 없는 독특한 건축물로 평가된다. 노란색의 사암이 검게 변해서 포르타 니그라, 즉 '검은 문'이라는 이름을 갖게 되었다.

아우구스투스의 도시

기원전 16년에 조성된 트리어는 '아우구스타 트레베로룸Augusta Treverorum', 즉 아우구스투스의 도시로 불렸다. 모젤강 서안의 전략적 요충지에 위치한 이 도시는 높은 충적토 단구段丘에 세워져 모젤강의 범람을 피할 수 있었다. 게다가 로마의 라인강 국경에서 멀지 않고, 여러 길이 만나는 교차점에 위치한다는 이점을 가지고 있었다. 정치적 이유로 수도가 된 트리어는 상업과 공예가 발달했다. 팍스 로마나 시대에 절대적인 번영을 구가한 트리어는 면적이 최대 81헥타르에 달했고 인구는 3만 명이었다. 최고 절정기였던 4세기에는 8만 명이 거주했다. 270년경에는 갈리아 제국의 수도였고, 콘스탄티누스 황제는 콘스탄티노폴리스를 건설하기 전 이곳에 궁을 지어 제국의 거대 도시이자 기독교 전파의 중심지로 만들었다. 그러나 5세기 무렵 야만족의 침입으로 트리어는 정치적 수도로서의 역할을 상실했고 이를 시작으로 10세기에는 신성 로마 제국의 지배를 받게 되는 등 18세기까지 쇠락을 거듭하다가 1815년 프로이센 왕국에 병합되고 말았다.

포르타 니그라의 의의

트리어의 북쪽 입구에 있는 포르타 니그라는 가로 36미터, 세로 22미터의 면적 위에 30미터 높이로 세워진 거대한 문이다. 좌우에 육중한 4층 탑이 있으며 안으로 들어가면 넓은 정원이 펼쳐진다. 양쪽에 난 출입문에는 내리닫이 쇠창살을 설치해 안으로 들어온 적을 쉽게 가둘 수 있었다. 11세기부터는 교회로 쓰였으나 1802년 나폴레옹 보나파르트는 교회적 요소를 없애고 원래의 모습으로 복원했다. 포르타 니그라를 만드는 데 사용한 사암 덩어리들은 킬강의 계곡에서 가져왔으며, 모르타르 없이 쇠 꺾쇠를 납땜해서 고정했다.

퐁뒤가르 수도교 프랑스

2000년 전부터 가르동강으로 물을 흘려보내고 있는 퐁뒤가르 수도교는 매우 아름다운 로마 시대의 유적으로 현재까지도 잘 보존되어왔다. 수도교를 뜻하는 프랑스어 'aqueduc'은 '물'을 의미하는 'aqua'와 '인도하다'를 의미하는 'ductus'를 조합한 라틴어에서 유래했다. 수도교는 물이 부족해 주민이 생활하기 힘든 곳에 안정적으로 물을 공급할 수 있도록 인류가 아주 오래전에 개발한 기술이다. 경작지에 물을 대고 안락한 일상을 영위하기 위한 수자원 관리는 오래전부터 인류 발전의 동력원이었다. 최초의 수도교는 로마 시대 이전에 만들어진 것으로, 땅 위에 짧은 터널 모양의 길을 만들어 물을 흘려보냈다. 수도교의 전신이라고 할 수 있는 이러한 터널들은 도시의 형성과 동시에 만들어졌으며, 기원전 2000년경 인도, 페르시아, 이집트, 크노소스 등에서 최초로 건조되었다. 기원전 700년 무렵 고대 아시리아의 왕 센나케립의 명으로 수도 니네베에 280미터 길이의 수도교가 건립되었다. 수도교의 일종인 알제리와 모로코의 카나트는 지하수를 지상으로 길어 올리는 방식으로, 이 또한 물길을 만드는 매우 혁신적인 발명이다. 우리가 알고 있는 형태의 수도교는 100만 명에 이르는 로마 시민에게 깨끗한 물을 공급해준 매우 놀라운 기술이다. 우아한 곡선의 아치들 아래 연결된 수많은 도관을 통해 5억 세제곱미터의 식수를 도시로 공급한 이 놀라운 수도교는 로마에서 처음 건립된 후 곧 다른 도시로 전파되었다.

로마인의 역사役事

고대 역사에서 로마는 가장 많은 건축물을 만든 제국으로, 로마 시대에 건설된 수도교를 현재까지도 볼 수 있다. 로마인들의 건축물은 로마와 이탈리아뿐만 아니라 그리스, 프랑스, 에스파냐, 북아프리카, 소아시아 등 로마 제국 전체에 세워졌다. 기원전 3세기에서 기원후 2세기 사이에 11개의 수도교가 건립되었다. 집정관 마르키우스 렉스가 건립한 아쿠아 마르키아Aqua Marcia는 92킬로미터에 달한다. 아치를 여러 층으로 쌓아 올리는 건축 기법은 50미터 높이의 퐁뒤가르 수도교를 비롯해 에스파냐의 타라고나와 세고비아에 높이가 30미터가 넘는 전설적인 수도교의 축조를 가능하게 했다.

알고 있나요

마르쿠스 비트루비우스 폴리오는 고대 로마의 건축가이다. 그가 쓴 『건축술에 대하여』를 통해 고전 고대의 건축은 물론 수도교에 대한 건축 기술을 자세히 알 수 있다. 비트루비우스는 수압이나 역사이펀 원리 등을 연구했다. 네르바 황제와 트라야누스 황제 치하에서 상수도 관리관 직책을 맡은 섹스투스 율리우스 프론티누스는 수도교의 역사와 기능에 대한 책 『로마의 수도교』를 저술했다.

물을 길어볼까요

물은 수도교에 이르기까지 여러 유역을 거치며 침전 과정을 겪는다. 유속이 떨어질 때 불순물이 아래로 쌓이는 것이다. 수도교는 아치를 이용한 건축 기술로 적절한 기울기를 유지할 수 있게 되었다. 수많은 시도를 통해 안전성을 담보하는 아치의 높이는 20미터로 정해졌다. 대신 아치 위에 다른 아치를 겹쳐 올릴 수 있었다. 로마까지 흘러온 물은 3개의 저수조에 저장되었다. 수도교 양쪽 끝에 역사이펀 원리를 이용한 저수통이 있어 물이 스스로의 무게를 이용해 반대편 경사로 위로 흘러갈 수 있었다.

유팔리노스의 위업

고대 그리스 메가라 출신의 기술자 유팔리노스는 기원전 6세기 중반 고대에서 가장 긴 터널을 완성해 수원지의 물을 도시로 끌어올 수 있었다. 그는 산의 양쪽에서 동시에 터널을 뚫어나갔다. 프랑스의 문인 폴 발레리가 1921년 출간한 산문집 『건축물』의 서문에는 다음과 같은 내용이 있다. 망자들의 왕국에서 건축가 유팔리노스와 파이드로스를 만난 소크라테스가 완벽한 작품을 만들기 위해 디테일 하나에도 심혈을 기울였던 유팔리노스의 건축물을 찬양하는 장면이다. "이 위대한 건축물을 만들기 위해 그가 기울인 세심한 노력도 후대에 이를 감상할 자의 영혼을 울린 감동과 전율에 비하면 대단한 것이 아니었다."

프톨레마이오스의 칸타로스 프랑스 파리

미트리다테의 술잔이라고도 불리는 프톨레마이오스의 칸타로스는 붉은 줄무늬 마노를 깎아 만든 술잔으로 양쪽에 손잡이가 달려 있으며, 기원전 1세기~1세기 무렵 알렉산드리아에서 만들어진 것으로 추정된다. 9세기에 샤를 3세가 파리 생드니 수도원에 바친 이 술잔은 수도원 보물 중 백미로 꼽힌다. 수도원장 쉬제가 금속 띠와 받침대를 첨가해 가톨릭 성배로 만들었다. 1804년 도난당했다가 얼마 뒤 되찾았을 때는 메로빙거 왕조 시대의 장식 부분이 사라져 있었다. 그나마 미셸 펠리비앙Michel Félibien의 작업 덕분에 잃어버린 보석 상감 장식들이 어떠했을지 상상해볼 수 있게 되었다. 술잔의 아랫부분에는 "주여, 프랑크 왕조의 샤를 3세가 이 잔을 주님께 바칩니다"라는 문구가 라틴어로 새겨져 있다. 프톨레마이오스의 칸타로스는 현재 프랑스 국립 도서관 주화·메달실에 보관되어 있다. 표면의 저부조 장식은 가면과 화환을 쓴 인물과 동물 등이 나오는 디오니소스 축제를 묘사한다. 좀 더 자세히 보면, 잔의 전면에는 두 마리의 스핑크스가 받치고 있는 테이블과 불꽃이 타오르는 삼각대가 있고 뒷면에는 뿔잔의 포도주를 따르고 있는 프리아포스 조각상이 있다. 오른쪽에는 성물 상자에서 기어 나오는 뱀과 술잔에 남은 포도주를 핥는 표범이 보인다. 양쪽의 손잡이는 두 겹으로 올라가는 포도나무 형상이며, 잔의 크기는 높이 8.5센티미터, 지름 12.5센티미터이다.

생드니 수도원의 보물

중세 서구 유럽에서 최고의 부와 권력을 누렸던 생드니 수도원은 다고베르트왕 시대부터 대혁명 때까지 끊임없이 보물을 모아들였다. 카롤루스 심플렉스로도 불리는 단순왕 샤를 3세는 프톨레마이오스의 칸타로스와 현재 루브르 박물관에 보관되어 있는 '사문석성반蛇紋石聖盤' 외에도 상아 재질의 체스판이나 프랑스 왕의 대관식용 검 등 샤를마뉴 대제와 관련된 역사적 유물을 비롯해 가장 많은 보물을 기증했다. 그중 음각 세공 보석 장식인 '에스크랭 드 샤를마뉴Escrain de Charlemagne'가 가장 귀한 보물이라고 할 수 있다. 진주와 여러 보석이 화려하게 장식된 가리개 모양의 황금 장식물로 너비는 80센티미터, 높이는 1미터이다. 후에 성유물함을 만들어 이 장식물을 올려놓았다. 이 보물의 꼭대기에는 도금 틀로 감싼 진주와 사파이어로 장식된 아콰마린 세공의 '줄리아의 보석'이 빛난다. 1794년 이 장식물은 성유물함에서 분리되었다. 샤를 3세는 보유한 도서 중 일부를 생드니 수도원에 기증하기도 했다. 이집트 파티마 왕조 때 만든 물병도 눈길을 끈다. 커다란 수정 하나를 통째로 깎아 만든 이 물병은 꽃과 새 문양으로 장식되어 있다. 반암班岩으로 만든 '독수리 물병'도 유명하다. 쉬제 수도원장의 의뢰로 제작된 이 병의 윗부분은 독수리 머리이고 양 손잡이는 날개를 펼친 모습이다.

피라미드 이집트

피라미드는 고왕국 시대, 즉 조세르왕, 카프레왕, 멘카우레왕 등이 지배한 시기부터 프톨레마이오스 왕조 시기까지 세워진 이집트의 대표적인 건축물이다. 그러나 다른 문명, 다른 시대에서도 피라미드는 만들어졌다. 그렇다면 이집트인이 피라미드를 발명했다고 할 수 있을까? 지구라트를 피라미드의 시초로 본다면 피라미드는 이집트에서 처음 만들어진 것이 아니다. 지구라트는 기원전 6000년경 메소포타미아 에리두에 세워진 기단이 있는 피라미드이다. 이집트에서 만들어진 이후 그리스와 로마도 피라미드를 건설했다. '피라미드pyramid'라는 이름의 유래에 대해서는 여러 가지 설이 있다. 이집트의 기록에 의하면 고왕국 시대에 피라미드는 '메르mr'라고 불렸고, 신왕국 시대에는 관사를 앞에 붙여 '포메르pa-mr'라고 했다. 그리스어로 '파라미스paramis'는 원뿔 모양의 빵을 가리켰다. 피라미드는 파라오가 태양신 라Ra를 향해 하늘로 오르는 것을 상징한다. 현재 나일강 서안으로 80여 개의 피라미드가 있다.

다양한 피라미드

피라미드 형태의 구조물은 아즈텍 문명, 잉카 문명, 마야 문명, 크메르 문명에서도 만들어졌다. 캄보디아 문명은 여러 층의 기단 위에 계단식 성탑을 만들었다. 이집트와 가까운 수단과 쿠시 왕국에서는 350년 무렵까지 수백 년 동안 피라미드가 건설되었다. 에티오피아, 그리스, 이탈리아에서도 피라미드를 볼 수 있다. 대표적인 현대 건축가들도 피라미드 형태를 차용했다. 이오 밍 페이Ieoh Ming Pei의 루브르 박물관 유리 피라미드나 라 그랑드모트에 세워진 장 발라뒤르Jean Balladur의 건축물은 콜럼버스가 신대륙을 발견하기 이전 시대의 피라미드를 연상시킨다. 샌프란시스코에 있는 260미터 높이의 초고층 빌딩 트랜스아메리카 피라미드도 피라미드를 현대적으로 해석한 것이라고 할 수 있다.

소박한 이집트 재산 목록

이집트 제3왕조까지 대부분의 분묘 건축물은 아랍어로 긴 의자를 의미하는 마스타바mastaba였다. 마스타바는 잘게 부순 쇄석으로 가득한 수직 갱도 위를 벽돌로 덮은 직사각형 모양이며, 직각으로 이어지는 통로를 통해 묘실로 연결되었다. 제3왕조부터 마스타바 대신에 피라미드가 세워지기 시작했으며 이후 제6왕조까지 왕의 무덤으로 쓰였다. 피라미드는 파라오와 그 가족, 혹은 고급 관리의 주검을 보관하기 위한 것이었다. 미로처럼 구성된 피라미드에는 장례식을 위한 신전과 장례 행렬이 들어가는 신전이 있다. 내부 공간은 '태양의 돛단배'로 연결해 죽은 파라오가 내세로의 여행 끝에 영생을 얻고, 태양신 라가 상징하듯 끊임없이 되살아나는 태양의 순환을 따라가도록 했다. 제5왕조가 되면 데이르 엘메디나에 있는 무덤에서 볼 수 있듯이 피라미드의 규모는 작아졌으나 여전히 내세의 부활을 암시하는 구조를 가지고 있다. 조세르왕 시대에는 계단 피라미드가 처음으로 만들어졌다. 사카라에 있는 이 피라미드는 웅장한 장례용 건축물들로 둘러싸여 있다. 제4왕조의 스네프루왕은 세일

기자의 스핑크스와 대피라미드, 1900년.

라의 피라미드를 비롯해 여러 곳에 계단 피라미드를 만들었다. 또한 처음으로 석회암을 부착해 표면을 매끄럽게 한 피라미드를 만들었다. 그러나 이 외장석은 현재 사라지고 없다. 실험가의 기질이 강했던 스네프루왕은 다슈르에 붉은 피라미드를 세웠고, 그 옆으로는 굴절 피라미드를 만들기도 했다. 이집트 피라미드 중 가장 크고 유명한 피라미드는 이집트 기자에 있는 대피라미드로 세계 7대 불가사의 중 하나로 꼽힌다. 표면이 매끈한 이 피라미드 옆에는 스네프루왕의 네 왕비 중 두 왕비의 피라미드와 2개의 신전, 지하 분묘로 이어지는 상여 길과 스핑크스가 위치하고 있다. 스네프루왕 이후 카프레왕과 멘카우레왕도 이곳에 피라미드를 세웠다. 후대의 파라오들도 피라미드를 세웠지만 그 규모는 많이 작아졌다.

피라미드는 어떻게 만들어졌을까

피라미드의 제작 기법은 여전히 비밀에 싸여 있다. 2.5톤이 넘는 거대한 돌들을 어떻게 그 높은 곳까지 옮길 수 있었을까? 헤로도토스는 나일강을 이용해 배로 운반했다고 설명했다. 일단 옮겨진 돌은 목재로 만든 복잡한 도구를 이용해 한 층씩 쌓아 올렸다. 장필립 로에는 기단을 쌓아 그 위로 돌을 올려보냈다는 디오도로스 시켈로스의 주장을 바탕으로 '경사로 가설'을 주장했다. 피라미드에 경사로를 만들어 돌을 위로 운반했다는 것이다. 1976년 장피에르 아당은 이집트인들이 물을 길어 올릴 때 사용한 두레박틀 원리를 이용해 좌우로 움직이며 물건을 들어 올리는 기계를 만들었다고 설명했다. 이 중에서 경사로 가설이 가장 많은 지지를 받고 있다.

해골 성지 프랑스 리브몽쉬르앙크르, 구르네쉬르아롱드

1963년 비행 탐색 중 리브몽쉬르앙크르에서 갈리아·로마 유적지가 발견되었다. 1966년 발굴이 시작되었는데 이때 땅속에 묻혀 있던 다른 유적들도 세상에 모습을 드러냈다. 이 지역은 기원전 3세기부터 4세기 말까지 고대 문명이 매우 발달했던 곳이다. 갈리아 유적은 예배소였던 곳이고 목욕장, 극장, 신전을 포함한 다른 유적군은 더 나중에 만들어졌다. 구르네쉬르아롱드에서 발견된 유적은 갈리아의 제의 건축물 중 가장 오래된 것에 속한다. 사방으로 구덩이를 파고 40미터 높이의 울타리로 둘러싼 구조이며 입구는 동쪽을 향하고 있다. 희생제에 사용된 도구들도 함께 발견되었다. 리브몽쉬르앙크르와 구르네쉬르아롱드의 유적은 주거 지역에 세워졌든, 들판에 세워졌든 모두 정교한 구조를 가지고 있으며 이를 통해 갈리아인들의 새로운 면모를 볼 수 있다.

해골이 알려주는 이야기

갈리아 유적의 특징 중 하나가 유골이 많이 발견되었다는 점이다. 보통 인골보다는 동물의 뼈가 더 많이 나왔는데 리브몽쉬르앙크르에서는 성인 1000여 명의 유골이 발견되었다. 구르네쉬르아롱드에서는 남녀 합해 대략 60명에 해당하는 것으로 보이는 유골이 나왔다. 이러한 매장 풍습은 화장이 관례였던 당시의 장례 문화와는 거리가 있다. 화장하지 않은 동물 중에는 대체로 늙은 수소나 수말이 발견되었다.

주랑 현관에 걸어놓은 해골

리브몽쉬르앙크르 성지: 아미앵 인근에 위치한 이 유적지는 800미터 길이에 복잡한 구조를 가진 최대 규모의 갈리아·로마 성지라고 할 수 있다. 이곳에서 수백 명의 유해가 안치된 묘지와 말의 유골이 발견되었다. 말의 머리는 주랑 현관을 장식했던 것으로 보인다. 엄청난 수의 유골로 보아 오랫동안 시체를 방치해 살은 짐승이 파먹게 하고 뼈만 남기는 일종의 조장鳥葬이 이루어졌음을 짐작할 수 있다. 발굴 작업을 통해 기원전 260년경 아르모리카인과 벨기에인 사이에 전투가 있었고 벨기에가 승리했음을 알 수 있다.

구르네쉬르아롱드 성지: 일종의 요새처럼 세워진 이 정착지는 벨로바키족이 살았던 갈리아 북쪽에 위치한다. 면적은 3헥타르이며 3세기에는 버려진 곳이었다. 중앙에는 가로 3미터, 세로 4미터, 깊이 2미터의 V자형 도랑이 나무 울타리로 둘러쳐져 있다. 고고학자들은 그 안에서 100여 개의 칼날과 동물의 뼈를 발견했다. 소를 죽이고 사체를 구덩이에 던진 것이다. 동물과 인간의 머리뼈는 성지의 입구 역할을 하는 주랑 현관에 걸어놓았다. 고대 그리스의 지리학자 스트라본의 『지리학』에는 갈리아의 전사들이 성문 입구에 적의 머리를 걸어놓곤 했다고 적혀 있다.

켈트족은 우리 친구

기원전 2000년에서 기원전 1세기 사이에 켈트족은 브리튼 제도와 에스파냐는 물론 동으로 트란실바니아, 흑해 해변, 그리고 아나톨리아의 갈라티아까지 영토를 확장했다. 켈트족에 대해서는 고고학적 연구와 여러 기록 등을 통해 알려졌다. 그리스 역사가로는 폴리비오스와 스트라본이, 로마 역사가로는 율리우스 카이사르와 가이우스 플리니우스 세쿤두스가 켈트족을 야만족으로 묘사했다. 켈트족은 문헌에 따라 갈리아족이나 갈라티아족으로도 불린다.

켈트족의 역사

B.C. 700년	철기 사용으로 패권 차지.
B.C. 500년	철기 문명인 라텐 문화와 상업의 발전.
B.C. 390년	로마 약탈.
B.C. 335년	알렉산드로스 대왕이 켈트족 사신을 만남.
B.C. 279년	델포이 신전 약탈.
B.C. 2~B.C. 1세기	정착 생활 시작. 대농장과 요새화된 대규모 정착지 오피둠oppidum 건설.

사상·유적

중세는 476년 서로마 제국의 멸망을 의미하는 로마의 함락으로 시작해 1453년 동로마 제국의 최후를 가져온 콘스탄티노폴리스의 멸망으로 끝나기까지 약 천 년 동안 지속되었다. 르네상스의 인문주의자들은 이 시기를 그들이 이상으로 삼았던 고대와 르네상스 시대 사이의 공백기로 보았다. 중세라는 용어 자체에 지난 천 년이 지적으로 암흑기였다고 폄하하는 이들 인문주의자의 사고방식이 내포되어 있다. 그러나 오늘날 중세에 대한 평가는 완전히 달라졌다. 장차 유럽의 발전에 기반이 될 지적, 정치적, 사회적 가치가 태동한 역동적 시기였다는 것이다.

물론 모든 시대 구분은 자의적이며 콘스탄티누스 황제가 밀라노 칙령을 반포한 313년을 중세의 시작으로 보는 사람들도 있다. 또한 1492년 아메리카 대륙의 발견과 함께 중세가 막을 내렸다고 여기는 이들도 있다. 그러나 중세는 무엇보다 가톨릭 신학자들이 그려낸 세계였다는 점에는 대부분이 동의한다. 이 신학자들은 신앙을 가진 이들에게 천국을 제시하는 동시에 '보편성'이라는 것에 대한 전문적인 논쟁을 벌이기도 했다. 샤를마뉴가 지배한 제국과 함께 새로운 문화적 통일성이 확립되었는데, 이러한 통일된 문화는 라틴어, 기독교 세계, 세속과 영성이라는 양날의 검과 함께 발전했다. 문화와 교육은 신앙과 교회를 위해 봉사했다. 세계의 중심이 된 인간은 전능한 신이 지배하는 보이지 않는 세계와 지식의 경계를 확대함으로써 점점 더 알게 되는 보이는 세계 사이에서 자신의 자리를 찾고자 했다.

중세

사상

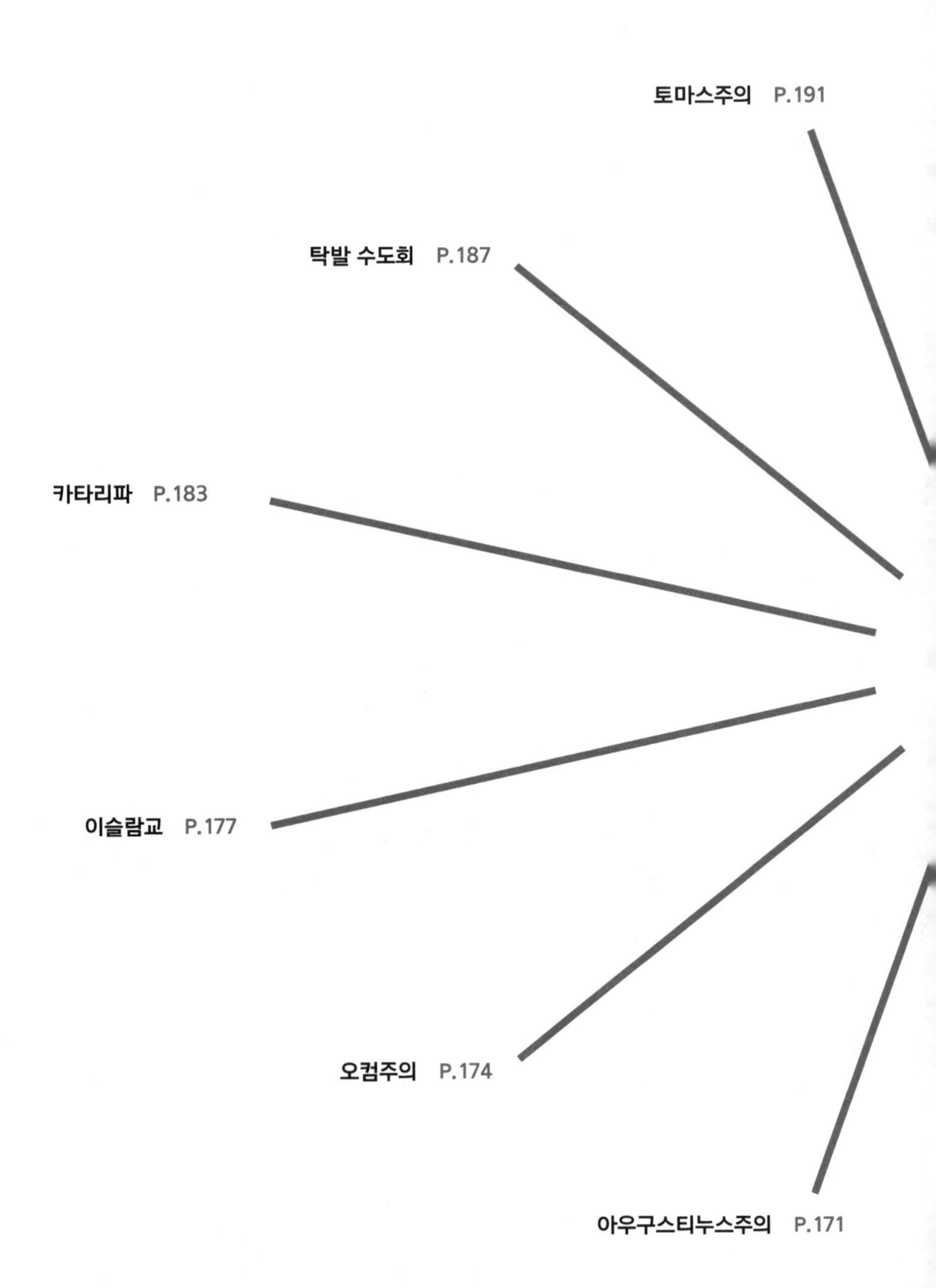
토마스주의 P.191
탁발 수도회 P.187
카타리파 P.183
이슬람교 P.177
오컴주의 P.174
아우구스티누스주의 P.171

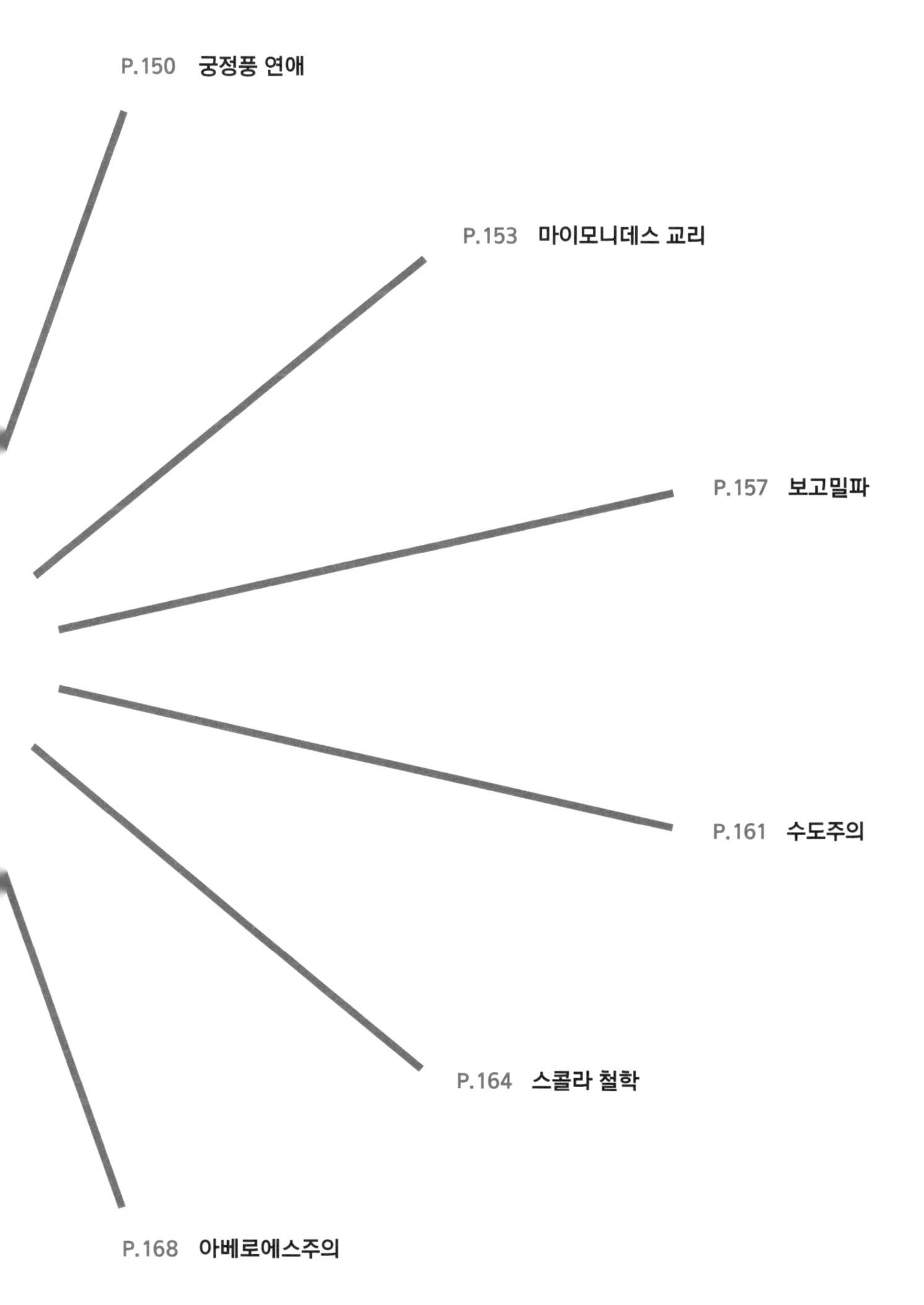
P.150 궁정풍 연애
P.153 마이모니데스 교리
P.157 보고밀파
P.161 수도주의
P.164 스콜라 철학
P.168 아베로에스주의

궁정풍 연애

12세기경 이른바 궁정풍 연애amour courtois라는 새로운 연애 양식을 표현한 문학이 나타났다. 궁정풍 연애는 당시 트루바두르(프랑스 남부의 음유 시인)의 작품에 자주 등장했고 근원지인 오크어 지방, 즉 프랑스 남부를 넘어 오일어 지방, 즉 프랑스 북부까지 번져 트루베르(프랑스 북부의 음유 시인)의 작품에도 등장했다. 이 작품들은 궁정의 오락거리로 크게 인기를 끌었다. 11세기 말 유럽은 비잔티움 문화와 이슬람 문화를 접하면서 더욱 세련된 궁정 문화를 이룩해갔다. 이 무렵 새로운 사회적 가치 체계가 만들어지는데, 구체적으로는 1137년 알리에노르 다키텐이 루이 7세의 왕비로 프랑스 궁에 입성하면서부터이다. 그리고 이 새로운 가치들은 알리에노르 왕비의 딸 마리 드 샹파뉴의 보호 아래 샹파뉴의 궁정에 가장 뚜렷한 자취를 남겼다.

'궁정풍 연애'라는 명칭은 19세기 가스통 파리Gaston Paris의 창조물이다. 이전에는 순수한 사랑을 의미하는 '핀아모르'로 불렀다. 이름이야 무엇이든 궁정풍 연애를 소재로 한 작품들은 각 지역의 언어로 쓰여 귀족을 대상으로 선풍적인 인기를 끌었다. 대개 높은 신분인 구애받는 여성과 기사인 남성 간 사랑의 욕망은 일련의 시련을 겪는다. 기사는 사랑을 증명하기 위해 수훈을 세우고 교묘하게 짜 맞춘 여러 의례적인 관문을 통과해야 한다. 사랑하는 여성에 대한 숭배는 선망, 고통, 욕망, 충성 등 단계적으로 표현된다. 궁정풍 연애 문학의 시조라고 할 수 있는 크레티앵 드 트루아는 『죄수 마차를 탄 기사』에서 기사 란슬롯과 왕비 귀네비어의 사랑, 그것도 둘 사이에 딱 한 번 있었던 부적절한 관계에 대한 이야기를 지어냈다.

정중한 사랑

궁정풍 연애는 무훈시에 나타난 기사도 정신과는 대척점에 위치한다. 궁정풍 연애에서 여성은 새로운 지위를 얻었다. 과거에 여성은 아버지나 남편에게 순종하는 존재로 그려졌다. 궁정풍 연애에서는 기사도 정신과 사교상의 예절은 그대로 유지되었으나 여성상은 달라졌다. 기사는 마치 주군을 대하듯 사랑하는 여성 앞에서 무릎을 꿇었다. 이는 단순한 예절의 차원을 넘어 여성을 중심으로 살아가는 기사들의 새로운 생활 방식으로 자리 잡았다. 12세기 말 안드레아스 카펠라누스는 『명예로운 사랑의 기술』에서 궁정풍 연애의 21가지 원칙을 설명했다. 사랑하는 여인과 육체적 관계를 맺고 싶으나 높은 지위의 고결한 여인이라 쉽게 다가갈 수 없다는 심적 상황이 궁정풍 연애의 시작이라는 것이 그 요지이다.

「궁정풍 연애의 모습」, 이탈리아 노래 모음집 속의 미세화, 13세기.

이상을 구현한 노래

중세 음유 시인을 이야기하지 않고서는 궁정풍 연애를 설명하기 힘들다. '트루바두르troubadour'는 '찾다'라는 뜻의 오크어 '트로바르trobar'에서 온 것으로, 음악과 언어의 완벽한 조화를 찾고 단어의 음색을 최대한 살리는 시인들을 말한다. 11세기부터 13세기까지가 전성기로 트루바두르는 아키텐 지방에서 시작해 프랑스 북부 지방까지 두루 퍼져 있었다. 영주의 성과 저택을 이리저리 떠돌며 마구간에서 잠을 청하는 낭만적 음유 시인의 모습을 떠올린다면 오산이다. 이 시대의 음유 시인은 영주이거나 세력가였다. 생전에 이미 유명 시인으로 알려졌던 아키텐 공작 기욤 9세나 그의 수많은 사생아 중 하나인 베르나르 드 방타두르가 대표적인 트루바두르라고 할 수 있다. 음유 시인의 작품은 주로 '칸소canso'라고 부르는 연애시였다. '시르벤테스sirventes'라는 풍자시도 썼으나 여인을 위해 헌신하는 기사도적 가치를 풍부한 비유와 화려한 문체로 엮어낸 것은 칸소를 통해서였다. 연애시에 곡을 입히고 노래한 예술가들은 궁정풍 연애가 요구하는 사항을 준수했고 사랑하는 여인에게 헌신했으며 자신의 정염을 정중한 찬사로 승화시켰다. 칸소보다 좀 더 대중적인 장르로 지방어로 쓰인 전원시와 발라드 형식의 작품들도 볼 수 있다.

크레티앵 드 트루아가 남긴 것

크레티앵 드 트루아는 『클리제스』의 첫 부분에서 그의 초기 작품들은 고대 소설을 추종하고 오비디우스의 작품들을 각색한 것이었다고 설명한다. 실제로 그는 『에렉과 에니드』, 『죄수 마차를 탄 기사』, 『사자의 기사 이뱅』, 『페르스발 혹은 그라알 이야기』 등 네 편의 로망을 쓴 바 있다. 여기서 크레티앵은 '방랑하는 기사'의 캐릭터를 창조했다. 방랑의 궁극적 목표는 자기 자신을 찾는 것이었다. 궁정과 기사 계급을 위해 만들어진 중세의 통속 소설이라고 할 이 로망들에서는 기사의 무용담 속 사랑 이야기가 큰 부분을 차지했다. 크레티앵의 작품들이 13세기까지 영향을 줄 수 있었던 것은 놀라운 창작력으로 그럴듯한 이야기와 가능한 문학적 형식을 끝없이 만들어냈으며 상상의 세계에 현실적 구체성을 부여했기 때문이다.

마이모니데스 교리

마이모니데스 교리는 흔히 마이모니데스Maimonides라고 불리는 모세 벤 마이몬의 사상에 입각한 교리를 말한다. 유대 철학자이자 법률가, 의사였던 마이모니데스는 중세 유대교를 대표하는 지식인이다. 중세 유대교는 영향을 받은 사상에 따라 두 가지 분파로 나뉘어 발전했다. 솔로몬 이븐 가비롤로 대표되는 신플라톤주의적 유대교와 마이모니데스가 주창한 아리스토텔레스주의적 유대교가 그것이다. 유대 공동체의 지도자와 랍비는 마이모니데스의 사상에 반발했고, 12세기에 마이모니데스를 따르는 자들과 반대하는 자들이 서로 격렬하게 대립했다. 마이모니데스는 '시나고그의 독수리'라고 불리기도 했다.

종교보다는 철학으로

마이모니데스는 중세 유대교 교리를 종합해 아리스토텔레스의 철학과 훌륭하게 접목한 사상가이다. 그는 모세가 하느님으로부터 받은 계시의 진정한 의미를 유지하면서도 유대교를 철학적으로 설명하려고 했다. 이성을 바탕으로 한 그의 비판적 주장은 당시로서는 받아들이기 힘들었고 많은 논란을 불러일으켰다. 철학과 이성을 통해 유대교의 전통적인 요소들을 이해시키고자 했기 때문이다. 그리스 철학과 모세의 신앙은 서로 모순되지 않고 보완적임을 증명하고자 한 것이다. 신앙에 이성적 사유를 도입한다는 것은 유대 공동체를 충격에 빠트리기에 충분했다.

마이모니데스는 불과 스물세 살의 나이에 『미슈나*Mishnah*』의 주해서를 썼다. 『미슈나』는 결혼, 희생제, 형법 등 다양한 문제에 대한 유대의 율법을 모은 책으로 총 63편의 소논문으로 구성되어 있다. 마이모니데스의 중요한 저술은 1176년에 시작해 15년 동안 집필한 『방황하는 사람들을 위한 안내서』이다. 이 책은 철학에 입각한 합리적 유대주의의 변론서로 과학, 철학, 종교학을 연결하는 데 크게 기여했다. 아랍어로 작성된 이 책은 중세 스콜라 철학 대가들의 영향으로 히브리어와 라틴어로 번역되었으며, 후대에 와서는 스피노자와 라이프니츠 같은 사상가들에게 큰 영감을 주었다. 마이모니데스는 종교 사상, 특히 토마스 아퀴나스의 사상에 지대한 영향을 미쳤다.

마이모니데스

마이모니데스는 1138년에 코르도바에서, 그러니까 당시 신도들에게 종교의 자유가 허용되었던 에스파냐의 이슬람 왕국에서 태어났다. 그러나 무와히드 왕조가 코르도바를 점령하면서 유대인들은 이슬람으로 개종하거나 아니면 망명길을 떠나야 했다. 당시 스물세 살이었던 마이모니데스는 이미 『논리에 대한 논고』와 『미슈나 주해서』의 대부분을 쓴 상태였다. 하지만 박해가 계속되자 그는 가족과 함께 예루살렘으로 떠났다. 예루살렘에서도 오래 머물 수가 없었다. 이미 이곳을 점령한 십자군이 유대인의 거주를 금했기 때문이다. 결국 마이모니데스는 이집트의 카이로로 향했고, 그곳에서 배워둔 의술을 행할 수 있었다. 마이모니데스의 명성은 날로 높아졌으며, 그는 살라딘왕의 궁정 의사가 되었다. 일흔 살에 세상을 떠난 마이모니데스는 여러 분야에 걸쳐 많은 저술을 남겼다.

세 가지 연구 주제

마이모니데스는 아리스토텔레스가 관심을 가지고 탐구했던 세 가지 학문인 형이상학, 윤리학, 물리학을 연구했다. 인간에게 율법이란 출발점이자 도착점이고, 따라서 가르침을 받은 이들에게 율법은 율법에서 벗어나지 않고도 율법 너머에 있는 세상에 대한 전망을 열어줄 수 있다. 그러나 이는 말처럼 쉬운 것이 아니다. 이런 이유로 마이모니데스는 아리스토텔레스가 설명했던 우주의 영원성과 『성경』의 천지 창조를 어떻게 조화시킬 것인지의 문제에 대해 확신이 없는 이들을 위한 안내서를 쓴 것이다.

미국의 유대계 정치 철학자 레오 스트라우스는 토라Torah의 사변적 성격과 논점, 철학의 역할 등을 날카롭게 지적했다. 그러나 율법을 사변적 지혜의 원천으로 보지 않는 다른 가설들도 제기되었다. 사실 마이모니데스는 율법을 최고 진리의 계시로 이해했지만 율법이 과학 명제와 모순될 경우에는 율법을 글자 그대로 해석하지 않고 비유적 의미로 받아들였다. 그는 아리스토텔레스와 마찬가지로 신의 본질이 갖는 절대적 단순성을 인정했다. 그러나 천지 창조의 성경적 전통에 충실했던 마이모니데스는 신이 무無에 형태를 가져다주었을 뿐만 아니라 세상의 물질성을 부여했다고 믿었다.

마이모니데스가 남긴 것

마이모니데스는 히브리어, 아랍어, 고대 시리아어로 글을 썼다. 다양한 주제를 다룬 그는 법의 원리는 물론 논리학에 관한 책도 집필했다. 그가 쓴 『미슈나 주해서』는 프로방스의 유대인들에게 모욕감을 불러일으켰고, 이들은 13세기 도미니코회의 종교 재판을 통해 이 책을 불태워버렸다. 마이모니데스가 『방황하는 사람들을 위한 안내서』에서도 서술했듯이 주해자로서 그의 역할은 위험한 것이었다. 따라서 그는 『미슈나』를 제대로 해석하지 못해 율법을 준수하지 않을 수 있는 사람들에게는 어떻게든 이 책의 진정한 의미를 감추고자 했다.

유명론과 보편 논쟁

유명론은 일반적인 개념이나 사상이 그것을 지칭하는 언어에만 존재한다고 믿는 중세 스콜라 철학의 한 이론이다. 따라서 개체에만 관심을 두고 종種이나 유類는 그저 개념이자 호칭에 불과하다고 생각하는 사람들과 보편적인 것의 실재만을 인정하는 사람들이 서로 대립했다. 논쟁의 핵심은 보편적인 것, 즉 일반 관념이 실재를 갖느냐는 것이었다. 우리가 '장미'라고 말할 때 이 개념이 지칭하는 어떤 특별한 대상이 존재하는가? 어떤 특별한 꽃이 아닌 일반적인 장미를 말한다면 이는 개념의 실재성을 믿는 것이며 이런 사람들을 '실재론자'라고 한다. 반면에 개념이란 구체적인 실재를 표현하지 않는 단어일 뿐이라고 믿는 자들은 '유명론자'라고 한다. 아리스토텔레스 사상의 요점 중 하나가 이 보편 논쟁을 통해 다시 눈길을 끈 셈이다.

3세기경 포르피리오스가 아리스토텔레스의 논지에 맞서 제기했던 바로 그 문제가 12세기에 다시 수면 위로 떠오른 것이다. 로스켈리누스는 보편이란 단순히 이름일 뿐이며 현실에 어떤 대상이 있는 것이 아니라고 보았다. 반면에 그와 동시대를 살았던 샹포의 기욤에게 보편은 어떤 동일한 실재를 지칭하는 것이었다. 요컨대 장과 피에르는 물론 동일 인물은 아니지만 서로 유사성을 갖는다는 것이다. 보편 논쟁은 고대 그리스 철학과 중세 스콜라 철학의 주요 주제였고, 17~19세기 유럽 근대 철학에서도 중요하게 다루어졌다. 유명론은 법의 실행, 특히 자연법의 실행에 영향을 미쳤다. 법을 논하는 데 있어 어떤 주어진 사회의 일원으로서의 인간이 아니라 개별체로 간주된 인간을 고려하게 된 것이다. 요컨대 우리 모두가 공유하는 인간성에 맞춰진, 그리고 인간성 외부에 있는 기준들에 따라 유동적인 이상적 법이 탄생한 것이다.

보고밀파

보고밀파는 10세기에서 15세기에 발칸반도에서 크게 성행했던 이단 종파로 그 창시자인 보고밀Bogomil 사제에게서 이름을 딴 것이다. 불가리아에서 탄생한 보고밀파는 한편으로 아르메니아와 소아시아에 퍼져 있던 또 다른 이단 종파인 바오로파에서 유입된 이원론적이고 신마니교적인 교리와 다른 한편으로 불가리아 정교를 개혁하려 했던 현지 슬라브인들의 운동이 혼합되어 생긴 결과물이다. 아후라 마즈다를 따르는 분파, 마니를 따르는 분파, 영지주의 분파 등 수많은 분파의 교리가 보고밀파 교리의 밑거름이 되었다.

이 종교 분파들은 한결같이 세상을 이원론적으로 해석한다. 물질적이고 일상적인 것은 악하고 불완전한 신의 소행이고 보이지 않는 부분만이 선한 신의 영역이라는 것이다. 이미 단일화의 길로 들어선 세상에서 보고밀파는 독특한 교리를 선포한다. 영혼의 자유와 육체의 자유, 그리고 이를 향유할 수 있는 권리 등은 오늘날 우리에게 익숙한 내용이지만, 죄를 부추기는 존재인 인간이 사는 세상에서는 도저히 받아들일 수 없는 생각이었다.

보고밀파는 어떤 종파인가

보고밀파에 대해서는 아주 기본적인 사실을 빼고는 알려진 것이 거의 없다. 테오필로스Theophilos('신의 사랑을 받는 자')라는 이름의 불가리아어 단어에 해당하는 것이 '보고밀'이다. 보고밀 사제는 페테르 1세(927~968)가 통치하던 시기에 살았던 것으로 전해진다. 보고밀파는 트라키아에서 시작해 불가리아와 세르비아를 거쳐 비잔티움, 프랑스 남부, 이탈리아 북부로 뻗어나갔다. 이들의 교리에는 도덕적 순결과 사회 정의가 구현되는 세상에 대한 이상적이고 혼란스러우며 지속적인 소망이 담겨 있었다. 1389년 오스만 제국이 코소보 전투에서 세르비아군을 꺾고 중앙 유럽을 완전히 정복하게 되자 보고밀파는 대부분의 신도들이 이슬람교로 개종하면서 거의 소멸되었다. 다른 지역에서도 가혹한 종교 재판으로 인해 보고밀파는 거의 사라졌다. 요약해서 말하자면, 악이 지배하는 세상이라는 관념을 거부한 이 인본주의의 빛은 가톨릭교회와 세속 군주들의 공격에도 400여 년간 이어졌다.

보고밀파가 남긴 것

보고밀파의 교리는 대부분의 역사적 기록이 그렇듯이 반대파들이 남긴 자료에 의해 알려졌다. 비잔티움 제국의 대표적 학자인 미카엘 프셀로스의 『악마의 행위에 대하여』는 보고밀파의 트라키아 공동체에 대해 자세하게 설명했다. 10세기 말에 사제 코스마는 『보고밀파에 맞선 설교집』을 썼으며, 우고 에테리아누스는 『파타리파에 대한 공격』에서 비잔티움의 보고밀파에게 '파타리'라는 이상한 이름을 붙였다. 보고밀파도 자신들의 신앙을 한 권의 책으로 엮었으나 그 원본은 사라졌다. 그러나 프랑스 남부 알비의 이단 카타리파가 라틴어로 번역한 내용이 외경의 형태로 남아 있다.

『천지 창조와 그 기원, 그리고 아담에 관한 사도 요한의 질문』이라는 제목의 이 책은 보고밀파에게는 '비밀의 책'으로 알려져 있다. 여기서 사도 요한이 예수에게 질문하고 예수가 답을 하는데 그 과정에서 보고밀파의 기본 원리가 드러난다. 즉 『구약』을 인정하지 않고, 「요한복음」과 그 이원론적 경향을 중시하며, 영적인 삶의 중요성이나 영혼과 육체의 대립 관계를 설명하기 위해 사도 바울로의 서신을 충실하게 따른다는 것이다. 선이란 미래에 대한 약속을 품고 있는 만큼 시작하는 것만으로도 존재의 가치를 지닌다. 그리고 결국에는 모든 것이 선한 결말을 맺는다. 예수가 재림해서 사탄을 영원히 쫓아버릴 것이기 때문이다. 문제는 그 전에 무슨 일이 일어나는지, 행복한 결말이 오기 전 우리는 어떻게 되는지이다. 우리는 누구인가? 우리는 어디로 가는가? 이러한 의문이 끊임없이 제기된다. 보고밀파는 이 고통스러운 질문에 대한 답에 단초를 제공했다.

이원론

보고밀파 교리의 핵심은 이원론이다. 신이 우주를 창조했고 그 아들 사탄에게 채무에 매어 있는 하늘의 천사들을 관리하도록 했다. 신에게는 사탄과 예수, 두 아들이 있었다. 형인 사탄은 천사들에게 반란을 일으키라고 사주하고 하늘의 채무를 줄여주겠다고 약속했다. 사탄은 결국 지상으로 쫓겨났다. 지상에서의 단조로운 생활에 싫증이 난 사탄은 진흙으로 사람을 빚었는데, 흙덩이에 불과했다. 이를 보고 신이 인간의 몸속에 영혼을 불어넣어 주었다. 창조의 능력을 갖지 못한 것에 불만을 품은 사탄은 반란을 일으켰다. 이때부터 선과 악이 확연히 구분되었다. 눈에 보이지 않는 것과 선한 것은 신의 속성이 되었고, 눈에 보이는 세계와 악한 것은 사탄의 속성이 되었다. 이렇게 썩어 없어질 살덩이일 뿐인 인간의 몸은 사탄에게 속한 것이었고 사라지지 않는 영혼은 신에게 속한 것이었다. 물질적인 세계를 구성하는 모든 것은 사탄의 작품이 된 것이다.

이리하여 우리 인간은 악의 세계 속에서 매일 악의 실체를 느끼며 살아갈 운명을 갖게 되었다. 그리고 이를 견뎌내야 했다. 죽음이 영혼을 악에서 해방시키면, 영혼은 보이지 않는 선의 세계로 돌아간다. 그때까지 매일 영혼을 다듬고 정화하며 온갖 형태로 엄습하는 악을 물리쳐야만 우리는 '완전자'라는 이상에 다가갈 수 있다. 이렇게 악을 이해하고 악을 설명하는 것이 가능하다. 물론 모든 희망을 죽음 이후의 삶으로 유보한다는 것이 무척 어려운 일이기는 하지만 말이다. 이것이 비록 확실한 진리는 아니지만 보고밀파가 사람들에게 제시한 삶의 방식이다.

보고밀파가 융성했던 이유

이와 같이 사회적 항거의 성격을 지닌 운동이 나타난 것은 어떻게 설명할 수 있을까? 보고밀파는 역사적 현실에 뿌리를 두고 있다. 863년 불가리아의 통치자 보리스 1세가 그리스 정교회로 개종했다. 그가 다스리는 불가르족과 슬라브족을 하나의 종교로 통합시키고자 한 것이다. 그런데 일반 백성에게 정교회는 너무 어려운 종교였고 미묘한 교리를 이해할 수 있는 교양 있는 엘리트층과의 괴리는 커져만 갔다. 게다가 귀족은 농민 대중을 억압했다. 결국 이러한 몰이해와 사회적 갈등이 보고밀파 운동으로 표출되었다. 보고밀파에게 교회는 '헤로데 대왕'이었고 사제는 우상 숭배자였다. 그렇다면 보고밀파의 특별한 점은 무엇일까? 보고밀파는 신과 인간은 직접적인 관계를 맺을 수 있으며 중재자는 필요 없다고 주장했다. "누구든 혼자 복음서를 읽고 기독교의 진리를 깨달을 수 있다. 사제가 왜 필요한가. 무용지물일 뿐이다."

더 나아가 여성에게 부여된 부수적 지위를 폐기하고, 여자든 남자든 모두 '기독교인'이며 누구나 설교할 권리가 있다고 주장했다. 게다가 보고밀파는 어떤 정해진 역할에만 머물지 않았다. 보고밀파를 이끄는 주교는 공동체 성원들에 의해 선출되었으며 제한된 기간 동안만 직위를 맡을 수 있었다.

보고밀파의 종교적 삶은 그리스도의 초기 생애처럼 단순함 그 자체였다. 타락한 사제로부터 영세를 받을 필요도 없었고, 영세를 받는 것도 신자의 선택 사항일 뿐이었다. 투명성이 미덕이 되어 고해 성사와 보속은 공개적으로 이루어졌다. 또한 생명에 대한 존중은 동물에게도 적용되어 육류와 유제품은 먹지 않았다. 완전한 평등을 실현하기 위해 물질의 소유나 계급 제도는 금지되었고, 다만 평신도와 '완전자'만이 있을 뿐이었다. '완전자'란 사탄이 지배하는 지상의 물질세계에서 벗어나기 위해 더 열심히 고행하고 수련하는 자를 뜻했다. 그러나 모두에게 본보기가 될 인물, 뒤를 따를 만한 그런 인물이 필요했다. 그가 바로 예수였다. 예수는 보이지 않는 세계에 속했고 따라서 육체를 가지고 있지 않았으며 마리아가 수태하고 해산한 것이 아니라 그냥 마리아에게서 나온 영혼이었다. '완전자'는 예수를 따라 육체에서 벗어나고자 했다. 그들의 육체는 물론 실재하는 것이었고, 그들에게 큰 짐이었다. 마찬가지로 보고밀파는 십자가도 경배하지 않았다. 아들을 고문하고 죽인 도구를 숭배하는 것을 어느 아버지가 보길 원하겠느냐는 것이었다.

정치적으로 말한다면, 보고밀파 운동은 자유로운 인간들 사이의 자유로운 계약을 추구했던 운동, 어쩌면 아나키의 숭고한 형태라고 할 수 있을 것이다. 영성적으로 말한다면, 보고밀파 운동은 선의 완고함이라는 문제, 즉 마지막 순간에 개선장군처럼 나타나기는 하겠지만 순식간이라 붙들기 어려운 것이 바로 선이라는 문제를 제기한다.

수도주의

수도주의의 기본 규율은 세상을 등지고 독신으로 사는 것이다. 수도주의를 뜻하는 'monasticism'의 어원인 그리스어 'monachôs'는 '독신'을 의미한다. 따라서 수도주의는 어떤 하나의 종교나 철학에서 나온 것이 아니다. 사막의 은둔자나 공동 생활을 하는 수도자, 은둔 수사 등이 모두 수도주의자이다. 수도주의의 여러 분파는 복장, 장발이나 삭발 등의 두발 형태, 명상이나 묵상의 방식 등 세상을 등지려는 의지를 드러내는 규율들의 차이에서 생겨났다. 정신과 육체는 통제와 훈련의 대상이었고 이를 위해 수도사는 정신 생리학적 기술을 연구하거나 금욕 생활을 추구했다. 그러나 동일한 삶의 방식을 택했음에도 불구하고 영적 헌신의 현실은 제각각이었다. 수도주의라는 용어는 애초에 기독교 공동체에만 적용되었으나 오늘날에는 불교, 힌두교, 도교, 자이나교 등 다른 종교의 수도 공동체에서도 사용된다. 수도사는 순결, 순명, 청빈이라는 세 가지 원칙을 지키며 살아간다.

수도회마다 행동 양식이 다양하고 차이가 나므로 수도주의를 한마디로 정의하기는 어렵다. 비록 대다수의 수도사가 이미 1500년 전부터 세속화의 길을 걸어왔지만 수도주의는 오랫동안 세속 교육과 종교 교육을 유지하고 강화하는 데 중요한 역할을 수행했다.

기독교 수도주의의 기원

테베의 바울이나 테바이드의 파코미우스처럼 이집트 사막에서 은거한 최초의 기독교 은둔자들은 선지자 엘리야의 금욕 생활을 따르고자 했다. 그러나 이들이 가장 중요하게 생각한 것은 예수의 40일 광야 생활이다. 여기에서 군대식 구조의 공동체 생활이라는 기본 원칙이 정립되었다. 히에로니무스 보스, 마티아스 그뤼네발트, 피터르 브뤼헐의 그림에서 표현된 사탄의 세력이나 유혹의 힘에 맞서 싸우는 조직이 수도원이 된 것이다. 은둔자들은 공동의 규율이 필요한 공동체를 형성했다. 성 파코미우스가 제시한 이 공동의 규율은 수도주의의 시초가 되었다. 주거 형태는 공동체마다 차이가 났다. 은둔자들은 모여서 예배드렸지만 그 외의 시간은 홀로 지낼 수 있

「밀가루를 많이 얻어 수도사들에게 식사를 제공하는 베네딕토」, 프레스코화, 조반니 안토니오 바치, 1503~1508년, 몬테 올리베토 마지오레 수도원, 피렌체.

었다. 모든 은둔자에게 적용되는 규율이 정립되면서 기독교 은둔자들은 수도사가 되었다. 그리고 더 이상 따로 살지 않고 한 수도원에 모여 살게 되었다.

초기 기독교 수도주의는 이집트를 넘어 전파되었고 기둥 위에서 40년을 보낸 시리아의 성인 시메온과 같은 놀라운 은수자들도 볼 수 있었다. 기독교 수도사들은 정통 유대교의 진정한 계승자라는 에세네파에 속한 쿰란 유대 공동체로부터도 영향을 받았다. 동방 최초의 기독교도 은자인 성 안토니우스는 오늘날 기독교 수도주의의 창시자로 통한다. 사막에서의 생활과 사탄과의 싸움을 기록했던 알렉산드리아의 아타나시우스 주교의 삶은 기독교 신자가 추구해야 할 삶의 표본으로 여겨진다. 성 파코미우스는 테베 북쪽, 현재의 이집트 룩소르에 40여 명의 수도사와 상급자로 구성된 최초의 수도원을 설립한 것으로 알려져 있다. 아타나시우스는 독일의 트리어로 추방당하면서 파코미우스의 수도원 규율을 전파했다. 4세기 카파도키아의 신부 카이사레아의 바실리오는 동방 수도주의의 기본 규율을 만들었고 이는 오늘날에도 적용되고 있다.

서방의 수도주의

수도원 규율의 단일성은 서방 수도주의의 특징 중 하나이다. 이 원칙이 정착되는 데에는 상당한 시간이 걸렸는데, 베네딕토 교단의 계율이 단일 계율로 인정되고 전체적으로 적용된 것은 7~8세기 무렵이었기 때문이다. 갈리아 지역에서 가장 오래된 수도원은 프랑스 손강에 위치한 바르브섬에 세워졌다. 100여 년 후 로마에도 수도주의가 전파되었는데, 서방에 수도주의가 퍼진 것은 성 아타나시우스 덕분이었다.

누르시아의 성 베네딕토는 베네딕토 교단에 속한 몬테카시노 수도원을 세웠다. 몬테카시노 수도원은 베네딕토회에서 세운 첫 번째 수도원이다. 베네딕토의 업적은 두 가지로 말할 수 있다. 하나는 파코미우스가 금지했던 수도사의 성직화를 확립했다는 점이다. 이를 통해 수도사들은 평신도의 지위를 벗어날 수 있었다. 다른 하나는 수도원 구조에 봉건적이고 귀족적인 특성을 부여했다는 점이다. 1119년 시토 교단이 채택한 계율, 그리고 1129년 성당 기사단이 받아들인 계율은 본질적으로 베네딕토가 주창한 계율에서 영감을 얻은 것이다. 베네딕토가 인간이 견딜 수 있는 이상적인 금욕 생활로 규정한 계율은 1210년부터 프란치스코회에서 다시 찾아볼 수 있다. 잉글랜드가 가톨릭으로 개종하고 8세기에 게르만 국가들의 복음을 받아들인 이후부터 수도원은 끊임없이 늘어났다.

스콜라 철학

스콜라 철학은 12세기에서 15세기까지 유럽에서 널리 유행한 철학 체계이다. 또한 연구에 전념할 '여유'(그리스어로는 '스콜레')를 포괄하는 사유의 방법론을 말하기도 한다. 스콜라 철학은 대학들이 탄생하는 계기가 되었다. 라틴어로 '스콜라schola'는 '학교'를 의미한다. 스콜라 철학은 다음의 세 가지 특징을 갖는다. 즉 하느님의 존재를 의심하지 않는다, 아리스토텔레스의 논리학을 존중하고 아리스토텔레스의 삼단 논법을 구사한다, 새로 창립된 대학에서 철학을 심도 있게 연구한다 등이다. 최초의 스콜라 철학자는 아리스토텔레스 논리학 저작의 총체인 '오르가논'을 번역하고 해제를 단 보이티우스라고 할 수 있다. 12세기까지 아리스토텔레스에 대한 모든 지식은 보이티우스를 통해서 알려졌다.

스콜라 철학은 문법, 논리학, 수사학 등 세 과목인 트리비움trivium과 산술, 기하학, 천문학, 음악 등 네 과목인 콰드리비움quadrivium, 이렇게 모두 일곱 과목으로 구성된 이른바 '자유 학예'를 채택했는데, 논증의 학문인 논리학을 강조했다. 강독, 특히 『성경』 강독의 전통은 계속되었으나 여기에 합리적 질문과 토론이 추가되었다. 선생은 학생들의 개인적 결론을 종합하고 여기서 새로운 지식을 도출해냈다.

스콜라 철학의 탄생 배경

스콜라 철학은 11세기에 시작된 것으로 보며 여러 사조의 발전을 통해 15세기까지 이어졌다. 7세기 말부터 서구 유럽이 정치적으로 어느 정도 안정된 것도 스콜라 철학이 형성되는 데 기여했다. 피피누스 2세는 아우스트라시아와 네우스트리아를 병합해 통치했다. 이탈리아에서는 680년 롬바르드족과 비잔티움 제국이 평화 조약을 체결했다. 아퀼레이아 분쟁도 698년에 막을 내렸다. 실제로 스콜라 철학은 공통적인 대상을 연구하는 사조였고, 학문의 발전을 위해서는 성직자들의 교류가 활발하게 이루어지도록 정치적 분란이나 군주들의 반목이 없는 평화로운 사회가 필요했다. 8세기 중엽 카롤링거 왕조가 들어서면서 프랑크족을 통합하고 예식을 통일했다. 이 과정에서 카롤링거 왕조의 예술과 학문 또한 확산되었다. 학교가 설립되었고, 교황 바오로 1세는 피피누스 3세에게 문법, 철자, 기하학에 관한 책자를 보냈다. 수도원도 잇달아 세워졌고 그 안에 훌륭한 도서관도 만들어졌다. 스위스 생갈 수도원의 도서관은 전 세계에서 가져온 장서로 가득 찼다. 그러나 샤를마뉴 대제가 제시한 문화는 제한적이었고 백성을 기독교로 개종시키고 고대의 문화유산을 창달하는 데 그 목적이 있었다.

잉글랜드의 요크에서 수학한 후 샤를마뉴의 엄명을 받아 액스라샤펠의 학술원 원장이 된 앨퀸을 중심으로 그가 '아카데미'라고 이름 붙인 학자들의 모임이 만들어졌다. 아카데미의 회원은 9명으로 이들은 이 모임에서 왕이나 시인, 혹은 『구약』이나 고대 그리스·로마 문헌에 나오는 이름으로 불렸다. 예컨대 샤를마뉴는 다비드, 안길베르트는 호메로스, 앨퀸은 호라티우스, 테오둘프는 핀다로스로 불렀다. 샤를마뉴의 손자인 대머리 왕 카롤루스 2세는 아일랜드의 철학자 요하네스 스코투스 에리우게나를 프랑스로 불렀다. 에리우게나는 비록 교황으로부터 이단이라는 정죄를 받았으나 철학적이면서도 신학적인 그의 저술은 스콜라 철학에 지대한 영향을 미쳤다.

스콜라 철학의 발전

12세기까지 초기 스콜라 철학에는 여러 사상이 공존했다. 콩피에뉴 성당의 참사회원 로스켈리누스로 대표되는 유명론과 샹포의 기욤으로 대표되는 실재론, 그리고 기독교 교리의 논리를 아리스토텔레스의 삼단 논법으로 검토한 아벨라르로 대표되는 개념론이 그것이다. 신학 교육은 『성경』을 주해하며 강독하는 것으로 이루어졌다. 보편 논쟁으로 얼룩진 이 시기에 『성경』 강독은 논제들의 대립을 통해 논증하는 변증법을 발전시켰다.

중기 스콜라 철학은 기술 혁신과 비약적인 도시 성장이 가져온 경제적 번영기에 발전했다. 주교의 통제에서 벗어난 새로운 학교들이 문을 열었고 교조적인 굴레에서 벗어나 새로운 신학을 도모할 수 있는 학자들을 양성했다. 1079년에 출생해 1142년에 사망한 아벨라르는 스콜라 철학이 초기에서 중기로 전환되는 시기에 살았고 '신앙을 어떻게 생각할 것인가'라는 질문에 답하고자 했던 대표적 인물이다.

「대학에서 수업을 듣는 학생들」, 부조, 자코벨로 달레 마세네, 14세기 말.

후기 스콜라 철학은 지적 열기가 뜨거웠던 13세기에 만개했다. 도시에 부속된 학교가 많이 세워졌고 수도원 학교도 여전히 건재했다. 잉글랜드와 이탈리아의 경우 수도원 학교는 대학이 그 뒤를 잇기 전까지 큰 역할을 했다. 학교와 교회 조직 사이의 관계는 조금씩 느슨해졌다. 13세기부터 파리의 라틴 구역에 있는 생제르맹데프레 수도원과 생트준비에브 수도원에서는 해당 교구의 통제를 받지 않고 수사들의 교육이 이루어졌다. 이곳에서는 알베르투스 마그누스와 토마스 아퀴나스뿐만 아니라 솔즈베리의 존, 로저 베이컨, 둔스 스코투스, 오컴의 윌리엄과 같은 잉글랜드인을 포함해 유럽 각지에서 온 학자들이 강론을 펼쳤다. 대학의 울타리 안에는 유럽 각지에서 온 다양한 계층의 사람들이 모여들었다. 대학에서는 아리스토텔레스는 물론이고 유대 학자와 아랍 사상가의 글도 접할 수 있었다. 여기에서 프란치스코회와 도미니코회 수도사들은 자신들의 수도원 장벽을 벗어나 교회의 통제 없이 자유롭게 이러한 문헌을 보곤 했다.

13세기에는 갓 설립된 탁발 수도회에서 훌륭한 신학자들이 배출되었다. 스콜라 철학의 황금기였던 이 시기에 아베로에스나 아비센나 등 아랍 철학자들이 전해준

아리스토텔레스 사상이 되살아났다. 15세기에 스콜라 철학은 그 빛을 잃기 시작했으며, 신비주의의 영향력이 점점 커졌다. 이 시기에 그리스·로마 문화에서 자양분을 얻은 르네상스와 인본주의가 움트고 있었다.

중세 대학

중세 대학은 당시의 동업 조합과 마찬가지로 주교와 교황의 감독 아래 운영되었다. 원래 중세 대학은 학생과 교수가 함께 구성하는 협회였다. 학생들은 가능한 한 많은 것을 교수들에게 배우면서 교육비를 냈다. 대학을 의미하는 단어인 'university'는 '전체'나 '종합'을 의미하는 라틴어 'universitas'에서 유래한다. 궁정의 유력가들 사이에서 빠르게 인기를 얻게 된 대학은 특별한 건물 없이 스승이 자비로 장소를 빌리고 학생들은 주로 긴 의자에 앉거나 때로 바닥에 짚을 깔고 앉은 채 수업을 들었다. 평신도들의 후원을 통해 칼리지가 세워졌으며 가난한 학생들을 위한 기숙 학교도 건립되었다. 성왕 루이의 전속 사제였던 로베르 드 소르봉이 기숙 학교를 세웠는데 이는 우리가 익히 알고 있는 소르본 대학교로 발전했다. 교육 내용은 트리비움과 콰드리비움, 두 단계로 이루어진 일곱 과목의 자유 학예였다. 대학의 교과 과정은 문법에 대한 깊이 있는 지식을 바탕으로 이루어졌다.

파리, 볼로냐, 옥스퍼드 등 주요 대학들은 이른바 교수 자격증인 '어디에서나 가르칠 자격증licentia ubique docendi'을 발부했다. 대학은 자유 학예, 교회법, 의학, 신학 등 4개의 단과 대학으로 구성되었다. 각 단과 대학은 학장과 그 아래 전임 교수들이 운영을 맡았다. 대학 과정의 정점인 신학 과정에는 25세부터 35세까지의 학생들이 갈 수 있었다. 박사 학위는 35세까지 받을 수 있었으므로 신학 박사 학위를 취득하려면 학생들은 14세에서 35세 사이에 학업을 마쳐야 했다.

아베로에스주의

아베로에스주의는 아베로에스Averroës, 즉 코르도바의 이븐 루시드(1126~1198)에게서 영감을 얻은 사상을 뜻한다. 아랍의 위대한 철학자이자 아리스토텔레스 연구의 대가인 아베로에스가 훗날까지 유럽에 끼친 영향을 실로 대단했다. 1866년 『아베로에스와 아베로에스주의』를 출간한 에르네스트 르낭은 아베로에스의 사상을 처음으로 조명해 그를 유럽 문화의 중심인물로 소개했다. 르낭은 아베로에스주의를 "아랍권 아리스토텔레스학파 공통 사상들의 집대성"으로 보았다. 아베로에스는 흔히 아리스토텔레스의 발견자로 간주된다. 물론 아리스토텔레스의 저술은 이미 8세기부터 알려졌으나 그는 아리스토텔레스에 대해 이전의 주석자들과는 다른 독특한 자신만의 관점을 피력했다. 아베로에스는 그리스 주석자들과 아랍 철학자들의 해석은 일단 보류한 채 진정한 아리스토텔레스 철학 자체를 되살리고자 했다. 플라톤의 『국가』에 대한 그의 작업도 마찬가지였다. 아베로에스는 비록 신학적 접근을 원용할 수밖에 없었지만 철학 담론의 자율성을 정당화한 사상가라고 할 수 있다. 그는 또한 의사이자 법학자이기도 하다.

아베로에스

아부 알왈리드 무함마드 이븐 아흐마드 이븐 무함마드 이븐 루시드는 그의 책이 라틴어로 번역되면서 유럽에서는 아베로에스로 알려졌다. 아베로에스는 1126년 코르도바의 법학자 집안에서 태어났다. 오늘날 인문학이라고 부르는 기초 학문을 배웠고 『쿠란』과 이슬람 율법을 공부하면서 종교 교육 또한 받았다. 과학에 대한 관심은 탁월한 연구 업적으로 이어졌고 그는 의사가 되었다. 술탄이 군림하던 코르도바의 궁전에 들어간 것도 의사 자격으로서였다. 에스파냐와 마그레브 지방에서 정치적 긴장이 야기됨에 따라 그의 입지가 약화되었다. 철학이 종교적 실천과 양립할 수 없다고 판단되면서 금지되었고 아베로에스는 코르도바에서 추방되었다. 모든 명예를 잃은 아베로에스는 1198년 북아프리카에 위치한 무와히드 왕조의 수도 마라케시에서 생을 마감했다.

아베로에스 사상의 전파와 보급

필리프 르 샹슬리에Philippe le Chancelier와 기욤 도베르뉴Guillaume d'Auvergne는 13세기 파리에서 처음으로 아베로에스를 언급한 신학자이다. 그러나 철학적 사유의 역사에 그를 제대로 자리매김하게 해준 이는 토마스 아퀴나스이다. 중세 스코틀랜드 출신의 사상가 마이클 스코트는 톨레도에서 아베로에스의 글을 번역해 철학자이자 사상 전달자로서 그의 명성을 확립해주었다. 토마스 아퀴나스의 스승인 알베르투스 마그누스도 아베로에스의 글을 많이 인용했다. 라이프니츠를 비롯해 많은 사상가가 아베로에스주의의 한 부분인 '지성단일성론'에 특히 주목하곤 했다. 그러나 아베로에스주의는 매우 복합적인 철학이며, 아베로에스주의를 전체적으로 조망한 연구가 드문 것도 바로 이런 이유에서이다.

아베로에스가 남긴 것

아베로에스는 아리스토텔레스에 대한 짧지 않은 글들을 많이 썼고, 플라톤에 대해서도 남긴 글들이 있다. 그의 '주해서'는 특히 유명하다. 그는 『결정적 논고』에서 삶의 해결책으로서의 철학의 실행을 정당화했으며, 『방법론 설명』에서는 종교 담론이 합리적 방법론을 택해야 할 필요성을 역설했다. 아베로에스의 중심 학설은 『영혼론 주해』에 나타나 있다. 인간이 생각할 수 있도록 해주는 것은 두 본유 지성, 즉 수동 지성(가능 지성)과 능동 지성(활동 지성)이다. 우리가 감각을 통해 받아들이는 이미지는 '잠재 지성 요소들'을 만들어낸다. 여기서 아베로에스는 인류 전체가 만드는 유일한 능동 지성과 개개의 인간에게서 찾아볼 수 있는 수동 지성을 구별한다. 능동 지성은 영원불멸하며 개개인의 차원을 넘어 존재하는데, 바로 이 능동 지성에 의해서만 우리는 계시의 빛을 알아볼 수 있다는 것이다. 그는 이렇게 신앙과 이성을 분리하고 인간이 가진 의식의 역할을 최소화했다. 인간이 자신의 행동의 주체가 아니라면 어떻게 인간에게 자신의 행동에 대한 책임을 지라고 할 수 있겠는가? 그의 사상은 생각하는 주체와 행동하는 주체에 대한 성찰 등 오늘날에도 유효한 철학적 문제를 우리에게 던져준다.

철학과 신학의 양립 가능성을 추구했던 아베로에스는 진실이 진실을 거역할 수는 없다고, 따라서 이성적 진실과 현시된 진실 사이에는 모순이 있을 수 없다고 주장했다. 종교적 전통이 철학적 탐구로 이어진다는 확신을 가진 그는 철학적 담론으로 『쿠란』의 담론을 세웠다. 아베로에스에 따르면 무릇 현자란 계시의 중요성을 깨닫고 평가하면서도 이성적이고 철학적인 방식으로 계시를 초월하고자 하는 사람이다.

아우구스티누스주의

아우구스티누스주의란 성 아우렐리우스 아우구스티누스 히포넨시스의 사상과 그로부터 형성되어 16세기 동안 인정된 교리를 말한다. 354년 지금의 알제리 북부에 속하는 누미디아의 타가스테에서 태어난 아우구스티누스는 위대한 교부 중 하나로 꼽힌다. 사도 바울로 이후의 대표적인 기독교 사상가이기 때문이다. 그는 395년부터 430년에 생을 마감할 때까지 히포의 주교로 봉직했다. 그가 사망할 당시 히포는 반달족에게 포위당한 상태였다. 아우구스티누스는 로마 시대 기독교에 가장 큰 영향을 준 플라톤의 이데아론을 받아들였다. 4세기에 기독교가 공인되고 로마 제국은 기독교 국가가 되었다. 아우구스티누스를 통해 플라톤의 영향력이 지속되었고 플라톤의 사상 중에서 예정설, 정치론, 세계관 등과 관련된 부분은 새로운 연구 대상으로 떠올랐다.

시대를 넘어선 존재감

프란치스코회 총회장 보나벤투라로 더 잘 알려진 토스카나 지방의 조반니 디 피단자를 비롯한 몇몇 철학자들은 아리스토텔레스의 명제를 비판하기 위해 아우구스티누스의 주장을 지지했다. 16세기에는 루터가, 17세기에는 코르넬리우스 얀센이 아우구스티누스의 사상을 중시했다. 17세기에 페늘롱, 보쉬에, 파스칼, 데카르트 등도 그의 철학에, 특히 신의 전지전능함과 인간의 자유 의지가 어떻게 양립할 수 있는지의 문제에 집중했다. 아우구스티누스가 고대 철학자들을 연구하고, 스스로 경험한 인간의 나약함에 대해 끝없이 질문하고, 신이라는 신비로운 존재 앞에서 무력감을 느끼고 간접적으로라도 신의 존재에 다가가고자 하는 열망을 가졌던 것에 후대 사상가들은 주목했다. 19세기 기독교 운동도 그의 교리를 바탕으로 이루어졌다. 그러나 아우구스티누스가 고대가 끝나고 중세가 시작되는 전환기에 살았다는 점에서 그의 사상은 더욱 중요한 의미를 갖는다. 아우구스티누스의 명성은 갈리아, 에스파냐, 이탈리아 등을 넘어 중동에까지 알려졌고 그의 저서는 지중해 지역 전체로 널리 전해졌다.

성 아우구스티누스

아우구스티누스는 아프리카 해안에 위치한 로마 제국 식민지의 가난한 집안에서 태어났다. 어머니 모니카는 기독교인이었고 아버지 파트리키우스는 임종 직전에 영세를 받았다. 아우구스티누스는 고향에서 교육을 받은 뒤 인근의 마다우라에서 수학했고, 아프리카에서 가장 큰 도시였던 카르타고에서 학업을 계속했다. 모범생과는 거리가 멀었던 그는 열일곱 살에 이미 아버지가 되었다.

383년 아우구스티누스는 아프리카를 떠나 로마로 진출했다. 로마에서 잠시 강의를 한 후 로마 황제의 거주지 중 하나였던 밀라노에서 수사학 교수직을 얻었다. 387년 밀라노 주교 암브로시우스에게서 세례를 받음으로써 이제 그의 사유는 고대 철학자들의 엄격함 대신 기독교 신앙이 지배하게 되었다. 391년 히포에 정착한 그는 395년 청년 시절 한때 몸담았던 마니교를 공격했다. 그 후 20여 년 동안 기독교 사상을 발전시켰고 인간의 자율성을 지나치게 주장하는 이단, 도나투스파와 펠라기우스파를 비판했다. 411년 로마 황제는 300여 년간 아프리카를 분열시키고 있는 도나투스파 논쟁을 해결하기 위해 카르타고로 특사를 보냈다. 도나투스는 가톨릭의 성사가 의미가 있으려면 성직자들이 성덕이 있어야 한다고 주장했다. 도나투스파를 찬성 또는 반대하는 성직자 수백 명이 세 차례에 걸쳐 공개 토론을 벌였고, 가톨릭 교회의 승리로 일단락되었다. 콘스탄티노폴리스의 후원 아래 6세기에 이루어졌던 그리스 정교회의 부흥은 한 세기가 지난 후 이슬람의 침입으로 막을 내리게 된다.

성 아우구스티누스가 남긴 것

아우구스티누스는 많은 저술을 남겼다. 500편의 설교문, 113편의 논설, 218편의 서한이 있다. 『고백론』과 『신국론』은 중세 및 근대 기독교 사상의 초석이 되었다. 두 저서 모두 지속적인 영향력을 발휘했다. 다만 『신국론』은 그의 생전에는 물론 중세를 거치는 동안에도 널리 알려진 반면에 『고백론』은 12세기가 되어서야 전능한 신에 맞서는 인간의 투쟁으로 해석되면서 관심을 끌기 시작했다.

아우구스티누스는 『고백론』을 통해 『성경』, 키케로, 에우세비우스는 물론 플라톤, 포르피리오스, 플로티노스까지 섭렵하며 자신의 사상을 구축했다. 또한 동시대의 학자들을 위해 많은 글을 썼으며 당시에는 남에게 말하지 않아야 하는 것으로 여겼던 감정을 처음으로 사람들에게 드러낸 내밀한 기록도 발표했다. 그뿐만 아니라 410년 알라리크가 이끄는 서고트족이 로마를 약탈한 사건에 대해 이교도들이 기독교에 책임을 돌리자 이를 반박했다. 대립 관계인 지상의 나라와 신의 나라 중 오직 신의 나라만이 세계의 역사를 결정하며, 지금은 두 세계가 혼재하나 최후의 심판 이후 완전히 분리되리라는 것이었다. 신의 섭리, 자유 의지, 신의 뜻이 갖는 영원성과 불가해성 등에 대한 그의 명제들을 비롯해 그의 기본 철학과 사상은 중세 기독교 철학의 기초가 되었다.

오컴주의

오컴주의는 오컴의 윌리엄(1285?~1349?)의 사상에서 유래한 학풍이다. 오컴의 윌리엄은 '존경할 만한 초학자'로 불리지만 신학 학위를 받은 적은 없다. 신학 학위를 받기 위해 연구를 계속했을 뿐이다. 오컴주의는 신학과 철학을 분리하며, 신의 주권과 인간의 자유에 대해 사색하기보다는 그 개념을 분석한다. 유명론이 제대로 표현된 것은 오컴주의를 통해서이다. 유명론은 개별적 사물만이 존재하며, 우리가 편의상 단어를 사용하지만 이 단어들이 개별적 사물 전체를 나타낼 수는 없다고 주장한다. 윌리엄은 유명론의 명제들을 논리학과 철학, 신학, 형이상학에 적용했다. 또한 교황이 행사하는 세속의 권위를 신랄하게 비판하는 소책자를 썼으며 이로 인해 곤경에 처했다. 교황 요한 22세는 그의 최고 적수였다. 오컴주의는 교회로부터 여러 차례 단죄되었으나 당시에 오히려 큰 인기를 끌었다. 1309년경 윌리엄은 프란치스코회에 입회했다. 1328년 아비뇽에 머물던 교황의 소환을 받은 그는 교황에 맞서서 황제의 권리를 옹호했다. 그가 남긴 저술 중 가장 중요한 것은 『논리학 대전』이다. 요한 22세와 베네딕토 12세의 이단 박해와 탄압을 목도한 뒤에는 『스승과 제자의 대화』, 『전제 권력에 대한 논고』 등 온갖 위험한 주제를 다룬 책을 썼다. 아비뇽을 떠나 바이에른으로 피신한 그는 1349년경 세상을 떠날 때까지 그곳에서 머물렀다. '오컴의 면도날'이라는 원칙은 잘 알려져 있다. 소크라테스의 면도날로 플라톤의 수염을 깎을 필요가 없다. 즉 필요 없이 많은 것을 가정하지 말라는 뜻이다.

오컴의 윌리엄이 남긴 것

오컴의 윌리엄은 보편 개념들이 인식 가능한 실재라는 주장과 감각 세계 안에서 인지된다는 주장 모두를 배제하면서 보편 논쟁에 대한 해결책을 제시하고자 했다. 유명론은 개념의 실재를 부정하며 그 개념이 어떤 이미지나 단어로 환원될 수 있다는 사실을 인정하지 않는다. 윌리엄은 이러한 유명론에 실재론을 대립시켰다. 그러나 자연적이고 필수적인 불변의 질서라는 원리는 프란치스코회로서는 충격이었고 신학적으로 받아들일 수 없는 것이었다. 왜냐하면 이러한 원리는 각 개인에 대한 신의 직접적인 개입을 무력화하기 때문이었다. 윌리엄은 아리스토텔레스의 논리학을 지지했고 대상과 이를 가리키는 기호를 분리했다. 그런데 개개의 대상이 본래 단순하고 개별적이며 다른 대상들과 분리되어 있다면 단어란 대상을 가리키는 기호에 지나지 않는다. '장미'라는 말에 실질적으로든 형식적으로든 장미 외에 다른 것이 포함될 수 없다. 윌리엄은 보편보다 개체에 가치를 두었는데 이는 아리스토텔레스가 플라톤을 비판한 지점과 맞닿는다. 개체만이 존재하고 실질적이며, 개체만이 실체를 구성한다고 본 것이다.

윌리엄이 든 예를 따른다면, 예컨대 '프란치스코회'라는 것은 존재하지 않으며 단지 프란치스코회 수도사들만이 존재할 뿐이다. 마찬가지로 부자 관계라는 것은 없으며 아버지와 아들만이 있을 뿐이다. 요컨대 이러한 것들은 모두 개별적인 여러 현상을 지칭하는 이름, 기호일 따름이다. 일반적인 용어는 개별적인 것을 모호하고 부분적으로만 인식하게 해줄 뿐이며 고유의 의미를 가지고 있지 않다. 토마스 아퀴나스의 철학을 따르는 이들이 볼 때 '존재'의 세계 속에 나타나는 것이 윌리엄의 형이상학에 따르면 언어와 관념의 세계에 속하는 것이다.

오컴주의를 이어받은 루터

루터는 오컴학파의 교육을 받았다. 아리스토텔레스와 스콜라 철학에 대한 반발심, 형이상학적 사유의 거부, 영혼과 하느님 사이에 중개자가 없다는 생각 등은 루터가 오컴주의로부터 영향을 받은 것이다. 예를 들어 화체설에 대한 루터의 해석은 오컴주의를 그대로 따른 것이다. 루터는 영성체를 그리스도의 존재를 상징적으로가 아니라 실질적으로 우리 안에 받아들이는 행위로 보았다.

오컴주의가 미친 영향

오컴주의의 신학적 파장은 대단했다. 삼위일체설이나 하느님의 본질적 속성에 대해 제한적 의미를 부여했기 때문이다. 우리가 선한 것으로 생각하는 의지, 이성, 정의, 자비는 하느님을 가리키는 이름에 불과하며 하느님의 결정에 달린 것으로 신의 도덕적 차원에 속한다고 본 것이다. 하느님은 우리가 경험할 수 없으므로 알 수 없는 존재였다. 그 결과 철학과 신앙의 완전한 단절이 이루어졌다. 우주의 질서를 바탕으로 토마스 아퀴나스가 하느님의 존재를 증명한 것은 의미가 없다. 단지 믿음만이 하나님을 알 수 있는 유일한 방법이 된 것이다. 직접적인 경험은 대상들의 존재를 포착하고 그 대상들 간의 관계를 이해할 수 있게 해준다. 신을 연구하는 데 있어서 이러한 원칙이 낳을 결과를 새삼 주장할 필요는 없을 것이다. 다만 오컴의 윌리엄이 '실증적인 것res positivae'이라는 표현을 사용했다는 점, 따라서 그를 19세기에 오귀스트 콩트가 정립한 실증주의의 선구자 중 하나로 간주할 수도 있을 것이라는 점을 기억하자.

이슬람교

이슬람교는 알라를 창조주이자 세상을 보호하고 되살리는 유일신으로 섬기는 일신교이다. 알라의 말씀을 모아 놓은 책이 『쿠란』이다. '이슬람Islam'은 아랍어로 '신의 뜻에 완전히 복종함'을 의미하며 '신에게 내맡김'을 뜻하기도 한다. 알라의 예언자 무함마드는 7세기에 아라비아에서 살았으며 아담, 노아, 아브라함, 모세, 그리고 예수에 이어 마지막으로 세상에 보내진 예언자로 여겨진다. 622년 무함마드가 메카를 떠나 메디나로 피신했을 때 이미 그의 포교는 큰 반향을 일으켰다. 이 시기에 이슬람교는 영적인 삶과 세속적인 삶을 조화시키고 신과 인간의 관계는 물론 인간 사이의 관계를 정립한 종교로 부상했다.

이슬람교의 확산

632년 무함마드가 세상을 떠나고 100여 년이 지난 후 아랍 군대는 아랍 세계를 넘어 세계로 뻗어나갔는데, 갈리아는 물론이고 인도와 중국령 동투르키스탄 국경까지 진출했다. 북인도는 11~14세기에, 인도네시아는 14~16세기에, 사하라 이남의 아프리카는 11세기부터 이슬람교가 전파되었다. 이슬람교가 확산된 데에는 여러 가지 이유가 있다. 먼저 유대인과 기독교인, 즉 '경전의 백성들Ahl al-Kitāb'이 이슬람 왕국에서 사는 경우 나라의 보호를 받는 대가로 세금 '지즈야'를 내거나 이슬람교로 개종해야 했다. 수피즘도 12세기 이후 터키, 인도, 중앙아시아, 사하라 이남의 아프리카로 이슬람교가 퍼져나가는 데 큰 역할을 했다. 수피즘은 이슬람교도에게 가장 근본이 되는 『쿠란』의 이해를 중요시했다. 또한 신과의 개인적이고 영적인 합일을 추구했는데, 이는 이슬람교를 믿게 될 부족들에게 이미 친숙한 신비주의에 가까웠다. 이슬람 상인들은 중국, 말레이시아, 인도네시아 등지로 이슬람교가 전파되는 데 크게 기여했다.

「콘스탄티노폴리스의 시장 풍경」,
17세기에 제작된 원본의 미세화, 1828년.

무함마드

무함마드의 일생을 말해주는 자료는 많은데, 책 이름 자체가 '강독'과 '암송'을 의미하는 『쿠란』, 무함마드의 언행을 기록한 『하디스』, 무함마드가 가르친 관행과 규범을 담은 『순나』에서 대부분 찾을 수 있다. 무함마드가 죽고 수십 년이 지난 후 역사학자 알와키디가 『무하마드의 생애*Kitab al-Maghazi*』를 쓰는 등 여러 편의 전기가 집필되었다. '마호메트'는 영광을 받는 자를 의미하는 무함마드의 잘못된 표기이며 서구에서는 '모하메드'로 알려져 있다.

코끼리의 해

전해오는 이야기에 따르면 무함마드는 570년 코끼리의 해에 태어났다. 이 해에 자칭 예멘의 왕 아브라하 장군이 메카를 공격했는데 이때 강력한 코끼리 부대가 동원되었다고 해서 코끼리의 해라는 이름이 붙었다. 그러나 아브라하의 공격은 구름 같이 몰려온 새들이 코끼리를 향해 뜨거운 돌들을 떨어뜨리면서 실패로 끝났다. 무함마드는 쿠라이시 부족의 바누 하심 가문에서 태어났다. 그의 일생에서 일어난 중요한 몇 가지 사건에 대해서는 모두가 인정하고 있다. 그는 마흔 살이 되던 610년에 이슬람교 신자가 되었고, 622년에 헤지라, 즉 메디나로 이주했으며, 632년에 사망했다. 무함마드가 사망했을 당시 그의 나이는 예순 살 남짓 되었다. 여섯 살에 고아가 되어 삼촌들 손에서 자란 그는 아부 탈리브 삼촌을 따라 시리아로 갔다. 이 여정 중에 무함마드가 바히라라는 수도사를 만났다고 한다. 바히라는 어린 무함마드에게서 예언자의 권능을 알아보았다고 전해진다. 대상들이 지나는 길에서 멀지 않은 곳에 살고 있던 바히라는 무함마드를 보았다. 구름이 그를 위해 그늘을 만들어주고 있었다. 카라반이 멈추면 구름은 어린 무함마드에게 가지를 드리운 나무 위로 가서 멈추었다. 경이로운 현상에 놀라 무함마드를 찬찬히 살펴보던 바히라는 그의 등에서 예언자의 표시를 발견했다. 5년 뒤 다시 시리아로 떠난 무함마드는 또 다른 수도사 네스토르를 만났다. 네스토르도 역시 무함마드의 예언 능력을 확인했다.

계시

무함마드가 부유한 과부 카디자와 혼인했을 때 그는 스물다섯 살, 신부는 마흔 살이었다. 무함마드에게 행운을 가져다준 이 결혼에서 딸 넷과 아들 둘이 태어났는데, 아들들은 모두 어린 나이에 사망했다. 605년에 무함마드는 화재로 훼손된 메카의 신전, 마스지드 알하람에 있는 정방형의 석조물 카바를 관리해야 했다. 그는 신전을 복원할 때 카바의 벽에 검은 돌을 박아 넣었다. 무함마드는 명상과 사색에 전념했다. 히라산에서 명상 중이던 그는 계시를 경험한다. 가브리엘 대천사가 나타나 신의 말을 전한 것이다. 이슬람에서는 이 사건이 있었던 밤을 기리는 날을 만들어 '권능의 밤Laylat al-Qadr'이라고 부른다. 신의 메시지를 전파하라는 명을 받은 무함마드는 쿠라이시족의 반감을 불러일으켰다. 쿠라이시족에게 무함마드는 한낱 평범한 인간에 불과했기 때문이다. 그러나 무함마드를 향한 신의 계시는 그가 세상을 떠날 때까지 계속되었다.

헤지라와 변화

메카인들은 알라를 알고 있었지만 그들이 경배하는 여러 신 중 하나일 뿐이었다. 유일신을 믿게 하고 계시받은 교리를 전해야 할 무함마드에게 헤지라는 대전환을 이룬 사건이었다. 쿠라이시족은 무함마드를 살해하려 했다고 전해진다. 622년 무함마드는 추종자들과 함께 후에 메디나로 불리게 되는 야트리브로 갔다. 이를 헤지라라고 부르며 이때를 이슬람력의 시작으로 삼는다. 메디나에 도착한 예언자와 그 일행은 도시를 일구고 최초의 이슬람 사원을 세웠다. 무함마드는 종교 의례를 제정하고 예배의 방향을 가리키는 키블라를 설정했다. 이제 신도들은 기도할 때 예루살렘이 아닌 메카를 향해 머리를 숙이게 된 것이다.

헤지라 6년(628), 후다이비야 조약에 따라 무함마드는 국가 지도자로서의 자격을 인정받았다. 그 후 세상을 떠나기까지 몇 해 동안 무함마드는 이슬람교의 발전을 바탕으로 정치적·사회적 조직의 기반을 다져나갔으며, 이 새로운 종교는 지도자로서 무함마드의 지위를 더욱 공고히 해주었다. 죽음이 임박했음을 느낀 무함마드는 메카를 떠나 메디나에 은거하다가 632년 6월 8일 타계했다. 그러나 후계자 선정이나 이슬람 공동체의 미래를 위해 준비된 것은 아무것도 없었다. 메디나와 메카 사이에 격렬한 대립이 발발했다. 메디나는 무함마드가 헤지라를 이룬 곳일 뿐만 아니라 죽음을 준비한 곳이라는 이유로 메카에서 후계자가 나오는 것을 받아들일 수 없었다.

그러나 무함마드가 부인들 중에서 가장 아꼈던 부인의 아버지인 메카의 아부 바크르가 칼리파, 즉 '계승자'가 되었다.

이슬람교의 다섯 기둥

제1기둥인 샤하다Shahadah는 "알라 이외에 다른 신은 없으며 무함마드는 알라의 예언자"라는 신앙 고백이다. 이슬람교도는 샤하다의 뜻을 완전히 이해하고, 적어도 일생에 한 번은 큰 소리로 낭송해야 한다.

제2기둥인 살라트Salat는 기도를 말한다. 새벽과 일출 사이, 정오, 오후, 일몰 후, 밤, 하루에 다섯 번 이슬람식 목욕재계 방법인 우두로 몸을 정갈하게 한 뒤 기도한다.

제3기둥인 자카트Zakat는 이슬람교도들이 의무적으로 내야 하는 일종의 구빈세를 말한다. 가난한 사람들을 위해 칼리파는 곡물, 가축, 금은, 상업 자산 등 몇 가지 품목에 대해 자카트를 거둔다.

제4기둥인 사움Sawm은 이슬람력으로 9월인 라마단 기간 동안 일출부터 일몰까지 행하는 금식을 의미한다. 이슬람교도는 '권능의 밤'에 무함마드가 알라로부터 『쿠란』의 첫 번째 경구를 계시받았다고 믿는다. 이들에게 라마단은 자기를 성찰하고 함께 기도하며 알라로부터 받은 계시가 기록된 『쿠란』을 읽는 기간이다. 이 성스러운 금식 기간을 지키며 알라로부터 죄를 용서받고자 한다.

제5기둥인 핫즈Hajj는 이슬람교도라면 일생에 한 번은 실천해야 하는 메카 순례를 말한다. 이를 위해 이슬람력 12월 7~12일에 사우디아라비아에 있는 메카를 방문한다.

나중에 여섯 번째 기둥으로 지하드Jihad가 추가되었다. 지하드는 대개 신을 향해 나아가는 헌신적인 노력을 의미하는데 마음, 말, 손, 칼 등 네 가지 방법으로 행할 수 있다. 마음의 영적 정화는 사탄과 싸우고 유혹을 이겨내야 이룰 수 있다. 말과 손을 통한 포교는 옳은 것을 지지하고 잘못된 것을 고침으로써 이루어진다. 칼을 통한 노력은 이슬람교의 적인 이교도들을 상대로 한 전쟁을 의미한다.

무함마드 사후의 이슬람

632년 메디나에서 무함마드가 후계자에 대한 언급을 하지 않고 타계하자 칼리파를 정하기가 어려워졌다. 혈통을 따라야 한다는 사람들과 능력으로 정해야 한다는 사람들로 양분되었다. 전자는 시아파로 발전한다. 결국 무함마드가 여러 부인들 중에서 가장 아꼈던 아이샤의 아버지 아부 바크르가 '알라를 대리하는 자'를 의미하는 '칼리파 라술 알라'로 선출되었다. 이슬람은 페르시아와 메소포타미아로 빠르게 세력을 넓혀갔다. 아부 바크르의 후계자는 우마르였다. '신자들의 사령관', 즉 아미르 알무미닌이라는 칭호를 가진 우마르는 아라비아반도에 신정 국가를 세우고 팔레스타인, 시리아, 페르시아, 이집트를 정복했으며 635년에는 다마스쿠스를, 638년에는 예루살렘을 손에 넣었다. 비잔티움 제국과의 전쟁에서도 여러 번 승리했다. 우마이야 왕조를 세운 쿠라이시족인 우스만이 그다음 칼리파가 되었다. 우스만 역시 이슬람 세력을 확산해나가 아르메니아와 트리폴리까지 진출했다. 이집트에 정박한 함대를 보유했던 그는 아랍 국가가 지중해 패권을 장악하게 되는 기반을 만든 셈이다. 우스만이 거느린 함대는 키프로스를 정복하고 655년 비잔티움 제국의 해군을 무찔렀으며 동지중해를 제패했다. 그러나 우스만의 족벌주의는 이라크와 이집트의 총독들을 자극했고 656년, 그가 암살되면서 '메디나 진군'은 막을 내렸다.

우스만을 계승한 무함마드의 사촌이자 사위인 알리 이븐 아비 탈리브는 최초의 시아파 칼리파이다. 이런 이유로 여러 세력이 반기를 들었으나 알리는 656년 바스라 부근에서 벌어진 '낙타 전투'에서 이들을 무찔렀다. 그는 수도를 이라크의 쿠파로 옮겼다. 그러나 평화는 오래가지 않았다. 시리아 총독 무아위야가 우스만의 살해자들을 벌하지 않은 칼리파는 인정할 수 없다며 반란을 일으킨 것이다. 657년 7월 시핀 전투가 벌어졌고 무아위야는 군사들의 창끝마다 『쿠란』을 매달아 패배를 면할 수 있었다. 알리의 지지자들도 전투를 중단했다. 협상은 알리에게 불리하게 이루어졌다. 661년 1월 알리가 살해당하자 그의 아들 하산은 돈을 받고 모든 권리를 무아위야에게 넘겨버렸다. 이렇게 해서 우마이야 왕조(661~750)가 세워졌고 최초의 칼리파 세습 왕조가 되었다.

카타리파

카타리파Cathari는 '순수'를 뜻하는 그리스어 '카타로스katharos'에서 그 이름이 유래한 기독교 이단 종파로, 100여 년 동안 유럽에서 융성했다가 1270년 무렵부터 쇠퇴하기 시작했다. 카타리라는 이름이 처음으로 등장한 것은 성 아우구스티누스가 순수하다고 자처한 고대의 이단 종파들을 반박한 글에서이다. 1163년 라인란트의 성직자 에크베르트 데 쇠나우는 재판을 통해 처벌된 이단들을 '카타르들'이라고 불렀다. 카타리파의 첫 공동체는 라인란트에서 형성되었으며, 1150년 이후 샹파뉴, 부르고뉴, 발 드 루아르, 플랑드르, 북이탈리아 등지로 퍼져나갔다. 사회적, 정치적, 종교적 분위기로 볼 때 카타리파의 중심지는 단연 랑그도크 지방이었다. 카타리파는 프랑스 남부, 정확하게는 랑그도크 지방에 위치한 알비에 뿌리를 내렸다. 그래서 카타리파는 알비파라고도 불리게 된 것이다.

카타리파의 생활 원칙은 현세의 쾌락과 재물을 멀리하는 것이었는데, 이런 까닭에 보고밀파가 카타리파로 발전한 것이라는 소문이 돌았다. 그러나 카타리파의 교리는 기독교와 영지주의의 영향을 받았다는 것이 오늘날의 일반적인 해석이다. 1208년 교황 인노첸시오 3세는 카타리파를 제거하기 위해 이른바 알비 십자군을 결성할 것을 제창했다. 20년간 이어진 전쟁에서 십자군의 선봉에 선 시몽 드 몽포르는 베지에, 카르카손, 랑그도크, 툴루즈를 점령했고, 1215년 라테란 공의회는 이들 점령지에 대한 그의 소유권을 승인해주었다. 전쟁에서 붙잡힌 카타리파 신도들은 화형에 처해졌다. 1231년부터 이단을 처단하는 역할을 맡은 것은 종교 재판이었다. 마지막 남은 카타리파 신도들은 몽세귀르가 함락된 후 14세기 초에 모두 체포되었고 그중 200명이 화형에 처해졌다.

카타리파는 어떤 종파인가

카타리파는 바오로파나 보고밀파와 마찬가지로 이원론을 주장했고 영혼과 육체의 순결함을 추구했다. 영혼은 온갖 유혹적인 형태로 다가오는 악을 물리쳐야 하고, 육체도 욕망을 극복해야 한다. 이 이상적 순결함에 이르기까지 그들이 말하는 '완전자', '선한 자'가 되기 위해 끊임없이 새로 태어나야 한다. 섭식과 금식에 대한 규율은 매우 엄격했고, 성생활도 금했다. 카타리파에게 이 세상은 악신이 만든 것이고

「1209년 카르카손에서 추방되는 알비의 카타리파」,
『프랑스 연대기』에 수록된 미세화, 1415년경.

선신은 그 어떤 관련도 없었다. 인간은 사악한 지체인 자신의 육신을 길들이게 되면 선한 신에게 돌아갈 수 있다. 따라서 카타리파가 믿는 종말론은 다음과 같다. 악신이 승리해 모든 육체를 손에 넣는 순간이 바로 악신이 패배하는 때이다. 모든 영혼은 선신에게 돌아가기 때문이다. 숭고한 영과 비천한 육이 분리되고 썩게 될 몸만을 손에 넣은 악신은 무로 돌아간다.

환생을 믿었던 카타리파는 유아 세례를 인정하지 않았다. 세례는 그 의미를 이해할 수 있는 나이가 되었을 때 받아야 한다는 것이다. 또한 화체설과 성찬식은 물론 성인이나 성유물 숭배, 혼인 성사 등도 거부했다. 『구약 성서』는 악신의 역사로 여겨 『신약 성서』만을 인정했다. 카타리파의 유일한 기도는 주기도문이었다. 카타리파는 일반 신도들이 신과 직접 교감하는 것을 막는 교회의 권위에서 벗어나고자 한 운동으로 해석되기도 한다.

새로운 '완전자'

'선한 자'들은 세 부류로 나뉜다. 먼저 '듣는 자'와 '믿는 자'가 있는데, 이 두 부류는 혼인할 수 있다. 그리고 '완전자'가 있는데, 이들이 공동체를 인도한다. 완전자가 되기 위해서는 3년의 수련 기간을 거친 후 '위령안수예식consolamentum'이라는 영적 세례를 받았다. 세례 절차는 기존의 완전자가 세례를 받을 자의 머리 위로 『신약 성서』를 펼친 채 주기도문을 반복해 읊으며 안수하는 것으로 이루어진다. 보고밀파와 마찬가지로 카타리파의 완전자도 세상을 등지지는 않았다. 세상을 등지고 사는 것은 너무 쉬운 일일 것이다. 그들은 오히려 보통 사람들과 섞여 살며 생계를 위해 공동체 속에서 일하고 카타리파의 교리를 설파했다. 이러한 삶의 모습이 완전자를 더욱 위대하게 만들었다. 세상을 떠나 혼자만의 구원에만 집중하는 것이 아니라 다른 사람들과 함께, 그리고 그들의 도움으로 구원을 얻는 것이다.

신이 자신의 어린 양들을 알아볼 것이니

중세 후반 가톨릭교회가 근본적인 자기 개혁이 불가능한 상황에서 초대 교회 시절의 순수한 기독교로 되돌아가기 위한 개혁의 필요성이 제기되었다. 밀라노의 파타리아 운동이나 리옹의 발도파 운동을 전개한 자들이든 랑그도크 및 토스카나의 프라티첼리파 이단이든, 이들 광신자 또는 신의 은총을 받았다는 사람들은 교회의 기존 질서를 뒤흔들고 개개인에게 다음과 같은 질문을 던졌다. 종말이 다가오는데 아무 문제도 제기하지 않고 살아갈 수 있을까? 아니다. 자기 자신을 바꿔야 한다.

파타리아파: 파타리아 운동은 니콜라오스파 성직자(혼인 또는 동거가 가능한 성직자)나 돈을 받고 성사를 남발하는 사제들에 대해 반발로 11세기 중반 밀라노에서 탄생했다. '파타리아pataria'는 밀라노 방언으로 '넝마주이'를 의미한다. 파타리아파는 사회적 평등을 요구했다. 1199년 보스니아 왕 반 쿨린이 파타리아파를 믿으며 이 종파를 국교로 선포했다. 1463년 투르크족이 침입하면서 보스니아인들은 이슬람교를 믿게 되었고 파타리아파는 국교의 지위를 잃었다. 사실 파타리아파와 이슬람교는 모두 간소한 종교 의식과 인간과 신과의 직접적인 관계를 중시한다는 공통점이 있다. 이탈리아에서 파타리아파는 13세기에 대대적인 박해로 사라졌다.
발도파: 발도파의 이름은 생니지에 교구에 속한 피터 발도(또는 피에르 발데스)에서 유래했다. 리옹의 부유한 상인이었던 그는 1170년경 재산을 다 버리고 집을 떠나 그리스도의 청빈한 삶으로 돌아가자고 설파했다. 또한 카타리파에 반대했고 『구약 성서』를 인정했다. 프로방스의 뤼베롱 지역에 세워진 발도파 공동체는 현재까지도 이어지고 있다. 프랑스와 이탈리아의 피에몬테 지역에 수만 명의 발도파 신도들이 살고 있다.
프라티첼리파: 프라티첼리파는 프란치스코회에서 유래한 분리주의 분파로 교황은 물론 교회의 규율에 복종하기를 거부했다. 세속의 지배자들에게 맞섰던 이들은 물질적 부를 쌓는 것을 철저히 경멸했다. 13세기에 프랑스 남부 랑그도크, 이탈리아 중부 토스카나, 프랑스 동남부 레마르슈 지역에서 활동했던 프라티첼리파는 도미니코 수도회가 주재한 종교 재판의 핍박 속에 사라졌다.

탁발 수도회

탁발 수도회는 도미니코 수도회, 프란치스코 수도회, 카르멜 수도회, 성 아우구스티누스의 은수자회 등 네 분파를 일컫는다. 걸식 생활의 의무화와 고정 수입의 거부가 공통 원칙이며 당시 한창 성장하던 도시 공동체 한복판에서 청빈 서원을 했다. 탁발 수도회는 주교, 대주교, 추기경 등 고위 성직자가 세속의 영주처럼 사치와 악행을 답습하는 타락한 교회에 맞서기 위해 만들어졌다. 프란치스코회와 도미니코회는 다른 탁발 수도회와 마찬가지로 복음을 설교하기도 했지만, 특히 이단 카타리파를 교회의 품으로 돌아오게 하는 데 전념했다. 평화가 오고 경제가 발전하며 사상이 전파되고 상품이 유통됨으로써 도시의 모습이 바뀌었다. 사람들은 유복한 생활을 했으나 정신적인 풍요로움까지 누리지는 못했다. 물질적 부를 포기하고 가난한 자들에게 자선을 베풀라고 권고하는 것이 필요한 시대였다. 물론 탁발 수도회보다 훨씬 오래전에 형성된 베네딕토회, 카르투시오회, 시토회 등 다른 수도회들도 이미 청빈을 서원하고 모범을 보이신 그리스도를 따르고자 했다. 그러나 이들 수도회의 수도사는 속세와 떨어진 수도원에 은둔해 살아갔다. 이와는 달리 탁발 수도회의 수도사는 도시에 살면서 마치 최초의 사도들처럼 동냥을 하고 사람들과 섞여 살았다. 가장 중요한 수도회는 '작은 형제회'와 '설교자들의 수도회'로, 각각 창립자의 이름을 따서 프란치스코 수도회와 도미니코 수도회로 불린다. 두 수도회 모두 교육을 영성의 중심으로 보았다.

수도주의와 최초의 수도원

교회가 발전하면서 탁발 수도회가 형성되기 이전에도 수도원들이 설립되기 시작했다. 갈리아의 경우 누르시아의 베네딕토(480~547)가 손강의 바르브섬에 최초의 수도원을 세웠다. 수도주의가 서방으로 퍼져나간 것은 성 아타나시우스 덕분이다. 물론 그가 수도회의 규율을 처음으로 만든 것은 아니었다. 그는 이집트의 은수자 성 파코미우스가 만든 규율, 북아프리카의 성 아우구스티누스가 만든 규율, 갈리아 남부의 레랭 수도원이 정한 규율을 종합했는데 그 결과물이 바로 『스승의 규칙서』이다. 수도회 본부가 설립됨에 따라 수도회는 처음으로 정주 형태를 갖게 되었으며 자선에 의존하지 않고 생활을 꾸려나갈 수 있었다. 수도사들은 열성과 근면으로 학문에 정진하고 농사일에 임했으며, 이 모든 것은 오직 주님에 대한 봉사였다.

10세기에 클뤼니 수도회는 누르시아의 베네딕토가 만든 규율을 따르면서 아니아네의 베네딕토(747~821)가 세운 규율을 추가했다. 클뤼니 수도회는 기도, 육체노동, 『성경』 연구로 이어지는 엄격한 규율을 유지했다. 복장과 행동, 그리고 노동과 연구 외의 성무 일과도 모두 규율로 정해져 있었다.

가톨릭의 최고 수장인 교황만이 새로운 수도회 규율을 승인할 수 있었다. 물론 이를 위해 교황은 보좌 신부들이나 추기경회의 의견을 참고했다. 교황의 승인을 받은 수도회의 규칙서는 밀랍 도장으로 봉인된 대칙서나 교황 서한의 형식으로 공포되었다. 이렇게 발표된 수도회 규칙서는 '에클레시아ecclesia', 즉 교회 공동체 전체에 배포되었다. 그리스어로 '시민 총회'를 의미하는 '에클레시아'는 기독교 회중을 가리키는 말로 쓰였다. 기존의 수도회든 앞으로 설립될 수도회든 교회 공동체는 저마다 조금은 다른 규율을 정할 수 있었다. 수도회마다 육체노동, 기도, 연구 등의 비중이나 요구되는 금욕과 청빈의 정도는 약간씩 차이가 났지만 순결과 순명의 서원은 모든 수도회가 지켜야 할 규율이었다.

1115년에 설립된 클레르보 수도원의 창립자 베르나르(1090~1153)는 클뤼니 수도회와는 다른 입장을 취했다. 그는 또한 시토 수도회를 재건해 60여 개의 수도원을 세웠다. 12세기 말에는 수도원의 수가 무려 500여 개에 달했다. 성 베르나르는 수도원의 일상생활의 세세한 부분까지 신경을 썼는데, 이런 이유에서 건축에 남다른 관심을 기울였다. 하느님을 경배하고 기도하기 위한 시토 수도회 성당에는 과도한 장식을 하지 않았고 탑을 세우지 않았으며 기하학적 형태를 널리 활용하는 등 단순한 구조를 택했다. 내부 장식에도 규칙성과 검소함이 배어 있다.

탁발 수도회

그리스도의 인성에 대한 관심과 초대 사도들의 삶을 본받으려는 열망이 12세기 수도회에 영향을 주었다. 프레몽트레회의 창설자인 독일 크산텐의 노르베르트는 그리스도의 삶을 본받고자 1120년 엔 지역 프레몽트레의 생고뱅 숲속에 수도회를 세웠다. 사도적 삶과 명상적 삶을 하나로 합친 프레몽트레 수도회는 이후 유럽으로 전파되었다. 같은 시기 시토회, 카르투시오회, 카말돌리회가 통합되었다. 발도파는 복음적 청빈의 삶을 선택한 은수자들이었지만 교회의 권위를 부정하고 교회의 타락과 사치를 비난해 이단으로 선포되었다.

프란치스코회: '작은 형제회'

프란치스코회는 13세기 초 아시시의 성인 프란치스코(1181/1182~1226)가 이탈리아에 설립한 수도회로, 다음 세 가지 유형의 수도회로 구성된다. 첫째는 기도와 전교, 보속의 삶을 살기로 서원한 사제들과 수도사들로 이루어진 수도회이다. 둘째는 은거 수녀들로 구성된 '성 클라라 수녀회'이다. 셋째는 교육과 자선을 행함으로써 성인 프란치스코의 삶을 따르고자 하는 수도사들과 남녀 평신도들로 구성된 수도회이다. 1207년 무렵 성 프란치스코는 전교, 보속, 완전한 청빈의 삶을 시작했고 곧 그를 따르는 무리가 생겨났다.

1210년 교황 인노첸시오 3세는 성 프란치스코의 첫 번째 수도회 규율을 승인했다. 규율에 따르면 개인적 소유는 물론 공동의 소유도 완전히 금지되었다. 프란치스코회 수도사들은 전교하고 가난한 자와 병든 자를 도와야 하지만 이에 대한 어떤 보상도 받아서는 안 된다. 1212년 아시시의 클라라가 프란치스코회의 정신에 따라 성 클라라 수녀회, 즉 '가난한 자매회'를 설립했다. 1222년 성 프란치스코는 세 번째 수도회를 만들어 평신도도 속세의 삶 속에서 청빈의 이상을 실천할 수 있도록 했다. 1224년 성 프란치스코는 고난의 성흔을 받았다고 전해지며, 「태양의 찬가」를 쓰고 2년 후에 선종했다. 보나벤투라로 알려진 '천사의 박사' 조반니 디 피단자, 폭넓은 학식 덕에 '경이의 박사'로 불렸던 로저 베이컨, 신학자이며 '영민한 박사'로 일컬어졌던 둔스 스코투스, '무적의 박사' 오컴의 윌리엄 등 이 위대한 중세 사상가들은 모두 프란치스코회 운동과 연결되어 있다.

도미니코회: '설교자들의 수도회'

도미니코회는 에스파냐 오스마 교구의 사제인 구스만의 도미니코(1170~1221)가 1215년에 설립한 수도회이다. 1206년 이단 알비파를 교회로 돌아오게 하기 위해 주교를 따라 프랑스 남부로 떠난 그는 알비파에서 다시 가톨릭교회로 돌아온 자들을 받아들일 목적으로 프루유에 수도원을 설립했다. 성 아우구스티누스의 수도 규율과 도미니코가 제정한 회헌constitutions을 따르는 도미니코회는 인노첸시오 3세의 승인을 받았다. 수도회의 사명 중 하나가 기독교 교리를 전파하는 것이었는데, 당시

설교는 주로 주교나 주교의 위임을 받은 자들의 전유물이었다는 점에서 수도사에게 설교가 허용되었다는 것은 매우 혁신적인 일이었다. 도미니코회는 설교를 통해 그리스도가 보여준 청빈한 삶을 되찾고 신도 속으로 들어가 복음을 전파해야 한다고 역설했다. '설교사들의 수도회', 즉 도미니코회 설립 후 가진 두 번의 총회는 성 도미니코의 주재 아래 각각 1220년과 1221년에 볼로냐에서 열렸다. 두 번째 총회를 마친 후 성 도미니코는 선종했다. 선교와 명상이 수도사의 사명으로 정해진 것은 바로 이 두 번째 총회에서였다.

중세의 철학과 신학에 새로운 바람을 불어넣은 유명한 신학자 토마스 아퀴나스(1224?~1274), 독일 라인란트 지방에서 신비주의 운동을 일으킨 신학자이자 '마이스터 에크하르트'라고 불린 철학자 에크하르트 폰 호흐하임(1260~1327) 등이 도미니코회 수도사들이다.

카르멜회

카르멜 수도회의 뿌리는 팔레스타인의 카르멜산이다. 십자군 전사였거나 순례자였던 신앙심 깊은 이들이 1155년경 『구약』에 나오는 엘리야 선지자의 샘 근처에 모여 살기 시작했다. 1206년에서 1214년에 예루살렘의 라틴 총대주교 알베르토가 만든 카르멜회 규율은 1226년 교황 호노리우스 3세의 승인을 받았다. 카르멜회 수도사들은 기독교 수도주의의 창시자라고 일컬어지는 엘리야처럼 카르멜산에서 계속 살고자 했다. 1209년 카르멜회는 기도를 중심으로 구성된 첫 번째 규율을 받았다. 그러나 서방 교회의 은수자들에게 있어서 십자군 원정이 실패한 이후에도 팔레스타인에 남아 있는 것은 위험한 일이었다. 이들은 1240년 무렵 키프로스, 시칠리아, 프랑스, 잉글랜드 등지로 망명했다.

카르멜회의 역사에서 가장 중요한 인물은 아빌라의 성녀 테레사(1515~1582)이다. 카르멜 수녀원에서 30년을 보낸 그녀는 1562년 아빌라에 작은 수녀원을 세웠다. 그리고 초기 카르멜회의 금욕과 명상 생활을 회복하기 위해서 더욱 엄격한 생활 방식을 적용했다.

토마스주의

토마스주의는 13세기 가장 뛰어난 도미니코회 수사인 토마스 아퀴나스(1224?~1274)의 사상을 토대로 한 철학적·신학적 사상을 말한다. 그는 르네상스의 전조가 된 서구 세계의 놀라운 발전을 직접 목도한 인물이기도 하다. 토마스주의는 아리스토텔레스 철학의 주요 원리를 받아들였다. 여러 면에서 토마스 아퀴나스는 가톨릭교회에 아리스토텔레스 철학, 성서, 초대 교부들이라는 세 부분의 조화를 시도했다. 그의 저술은 존재와 그 속성에 대한 연구인 존재론뿐만 아니라 궁극성에 대한 연구인 목적론도 포괄한다. 기독교의 계시는 이 두 극단 사이에 어떤 단절도 존재하지 않는다고 가정한다. 신의 본질을 이해할 수 있으면 지상의 현실도 더 잘 이해하게 된다는 것이다. 토마스 아퀴나스는 특히 인성, 천지 창조, 섭리 등에 대한 형이상학적 추론에서 아리스토텔레스의 전제들로부터 자신의 결론을 발전시켰다. 그는 『신학 대전』과 『대對이교도 대전』 등 두 걸작을 남겼다. 또한 20여 년 동안 많은 문학 작품을 집필했으며 교회의 성사에서, 특히 성찬식에서 부르는 아름다운 찬송가 가사도 여러 편 썼다.

토마스 아퀴나스

토마스 아퀴나스는 이탈리아 롬바르디아 출신의 아버지와 프랑스 노르망디 출신의 어머니 사이에서 태어났다. 그는 이탈리아 남부의 작은 도시 아퀴노Aquino 인근의 로카세카 성에서 태어났는데, 그의 이름에서 '아퀴나스'는 '아퀴노'에서 온 것이다. 토마스는 몬테카시노 수도원에서 9년을 보낸 후 1239년에 집으로 돌아왔다. 교황에게 지나치게 충성한다는 이유로 황제 프리드리히 2세가 수도사들을 몰아냈기 때문이다. 토마스는 황제가 건립한 나폴리 대학교에서 학업을 계속하며 그리스와 아랍의 과학 및 철학을 접했다. 1244년에는 가족의 반대를 무릅쓰고 도미니코회에 입회했다. 당시 30년의 역사를 가진 도미니코회는 청빈과 걸식, 기도, 육체노동으로 이루어진 수도 생활을 기본 원칙으로 하는 공동체였다. 그는 도미니코회를 대표하는 교육 기관인 파리의 생자크 수도원에서 알베르투스 마그누스의 지도 아래 아리스토텔레스를 연구했다. 1248년 여름, 토마스는 스승 알베르투스가 쾰른에 새로 설립한 도미니코회 학교의 감독직을 맡게 되자 함께 파리를 떠났다. 1252년까지 쾰른에 머물다가 파리로 돌아와 4년 후 신학 교수가 되었다. 교수 자격증이 있어서 이탈리아의 여러 도시에서 강의했다. 그는 1268년 교리 논쟁에 휩싸여 탁발 수도회를 향한 공격에 맞서야 했다. 도마스 이퀴나스는 1274년 리옹에서 열리는 공의회에 전문 위원 자격으로 초청받아 가던 중 사망했다. 이후 1323년 성인품에 올랐고 1567년 교회 박사로 추대되었다.

그가 남긴 글들은 세 가지 범주로 나눌 수 있다. 첫 번째는『신약』과『구약』, 아리스토텔레스의 저서, 중세 대학에서 교과서로 쓰이던 피에르 롱바르의『명제들』등에 대한 주해집이다. 두 번째는 여러 편의 토론집이며, 세 번째는 초심자용 입문서인『대對이교도 대전』과『신학 대전』이다.

토마스 아퀴나스가 남긴 것

토마스 아퀴나스 사상의 중심에는 아리스토텔레스 철학과 기독교를 화합시키고자 하는 노력이 있다. 자연과 이성에 대한 확고한 신뢰를 바탕으로 신앙과 이성을 통합하려고 한 것이다. 그에게 이 두 가지는 대립하지 않는다. 따라서 신의 존재는 이성으로 증명할 수 있는데, 믿음이라는 조건하에서만 이해가 가능한 것이다. 이를 위해 그는 경험에 의거해 신의 존재를 증명하는 다섯 가지 길을 제시했다. 즉 운동에 의한 길(모든 것은 움직이며, 움직임의 근원은 신이다), 능동 원인에 의한 길(원인을 계속 따라 올라가다 보면 제1원인은 신이다), 우연성에 의한 길(필요한 사물들은 존재한다. 그러나 그 존재를 정당화해주는 것은 그것들을 원한 필연성이며, 이는 곧 신이다), 존재의 등급에 의한 길(예컨대 사랑에는 완전성의 등급이 존재한다. 그러나 완전성의 모델은 신에 의해서만 제시될 수 있다), 세상의 목적론에 의한 길(예컨대 보기 위해서 눈이 존재하듯이 세상에는 목적이 존재하며 이는 신의 의지에 달려 있다) 등이다. 모든 원인의 연쇄 고리를 따라 올라가다 보면, 결국 신이라는 제1원인에 이르게 된다.

인간의 영혼에 대해서 말하자면, 그것은 비물질적인 것이며 동물의 영혼보다 훨씬 더 복잡하다. 동물의 영혼은 감각, 상상, 기억, 추정 등 네 가지 능력으로 제한되나 인간의 영혼은 감각, 상상, 기억, 그리고 이성의 능력을 가진다. 이성은 생각하는 능력뿐만 아니라 생각들 사이에 관계를 맺고 보편적 생각을 구상하는 능력도 포함한다. 플라톤이나 아우구스티누스가 주장한 것과는 달리 토마스 아퀴나스는 감각적 인식이 모든 인식의 출발점이며, 인간에게는 그 어떤 내재적 인식도 존재하지 않는다고 논증했다.

토마스 아퀴나스 이후의 토마스주의

토마스주의는 스콜라 철학에서 비주류에 속하며, 발전하는 과정에서 창시자인 토마스 아퀴나스의 사상을 반드시 그대로 따르지만은 않았다. 하지만 그의 철학은 계속 이어졌고 때로는 논쟁과 비판의 대상이 되기도 했다. 주요 비판자들은 다음과 같다.

둔스 스코투스 Duns Scotus(1266~1308)는 그의 비판 정신으로 인해 '영민한 박사'라고 불린다. 심리학자이자 형이상학자인 스코투스는 아리스토텔레스에 대한 토마스 아퀴나스의 해석을 비판했다. 그는 이성을 우위에 두지 않았으며 의지 및 자유 의지를 우선시했다.

라몬 유이 Ramon Llull(1232~1316)는 열성적인 스콜라 철학자로 카탈루냐 사람들은 그를 카탈루냐어의 시조로 여긴다. 카탈루냐의 귀족 가문 출신이며 서른 살 무렵에 프란치스코회에 들어간 것으로 알려져 있다. 그는 모든 관념이 서로 연역될 수 있는 일종의 추론 기계인 '아르스 게네랄리스Ars generalis'('일반 기술')를 개발했다. 또한 그는 선교사들이 동양의 언어를 배워야 한다고 역설했다. 1273년경에 나온 첫 작품 『신에 대한 관조의 책』은 일종의 방대한 백과사전으로 앞으로 그의 업적이 될 모든 것이 이미 그 안에 담겨 있다. 라몬 유이는 스스로 '아르스 마그나Ars magna'('위대한 기술')라고 칭한 탐구 방식을 고안하고 줄곧 다듬어나갔다. 또한 다양한 주제를 다룬 많은 저작을 남겼다. 산문 저술도 기념비적인 책에서 소책자에 이르기까지 다양하다. 사상가로서 그는 아우구스티누스와 프란치스코회의 영향을 많이 받았으며, 아리스토텔레스의 철학을 널리 알리고 전했다. 그에게 '아르스 마그나'는 높은 수준의 인식을 위한 도구이자 이성에 기초한 지식 습득의 도구였다.

중세

유적

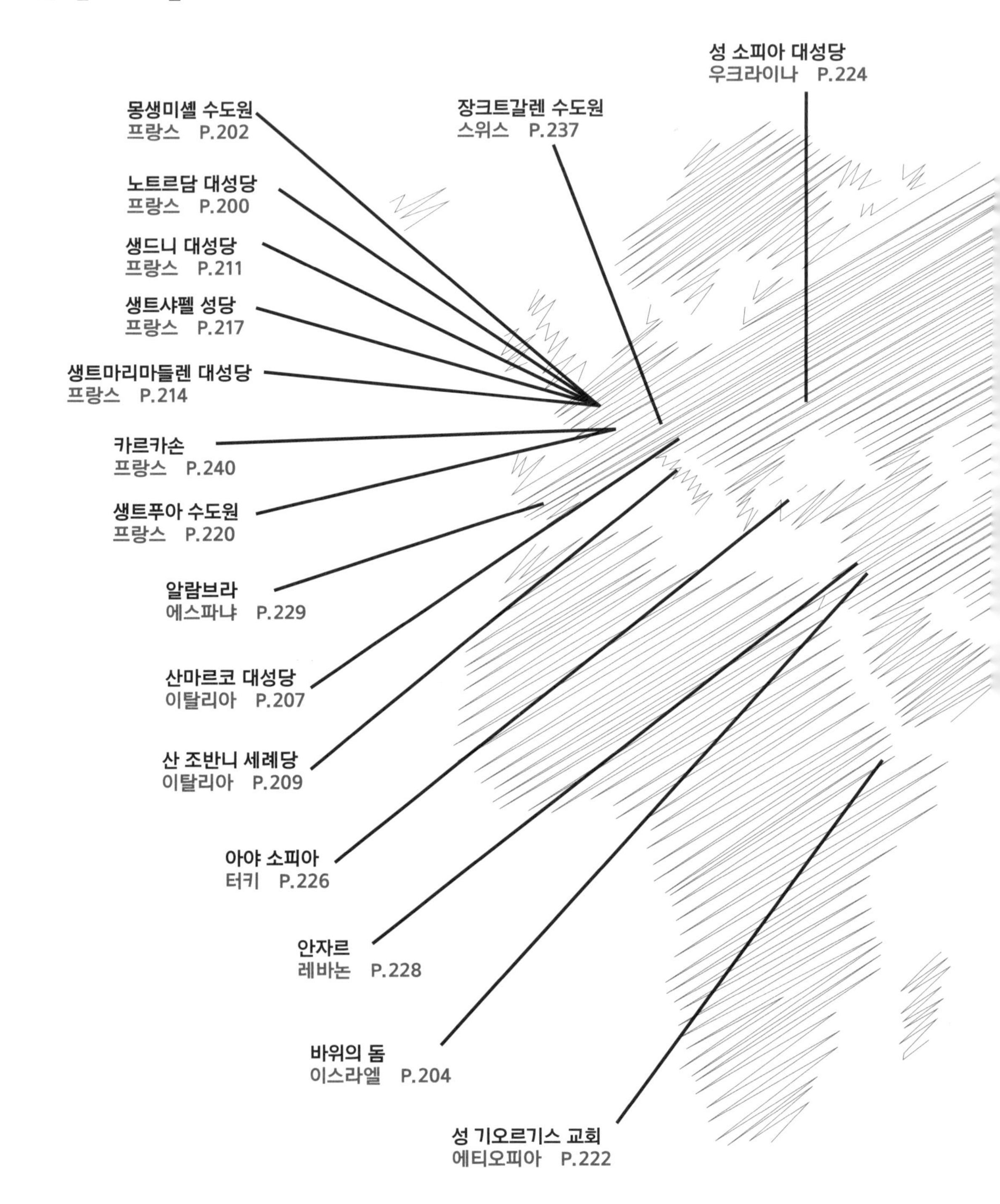
성 소피아 대성당
우크라이나 P.224
몽생미셸 수도원
프랑스 P.202
장크트갈렌 수도원
스위스 P.237
노트르담 대성당
프랑스 P.200
생드니 대성당
프랑스 P.211
생트샤펠 성당
프랑스 P.217
생트마리마들렌 대성당
프랑스 P.214
카르카손
프랑스 P.240
생트푸아 수도원
프랑스 P.220
알람브라
에스파냐 P.229
산마르코 대성당
이탈리아 P.207
산 조반니 세례당
이탈리아 P.209
아야 소피아
터키 P.226
안자르
레바논 P.228
바위의 돔
이스라엘 P.204
성 기오르기스 교회
에티오피아 P.222

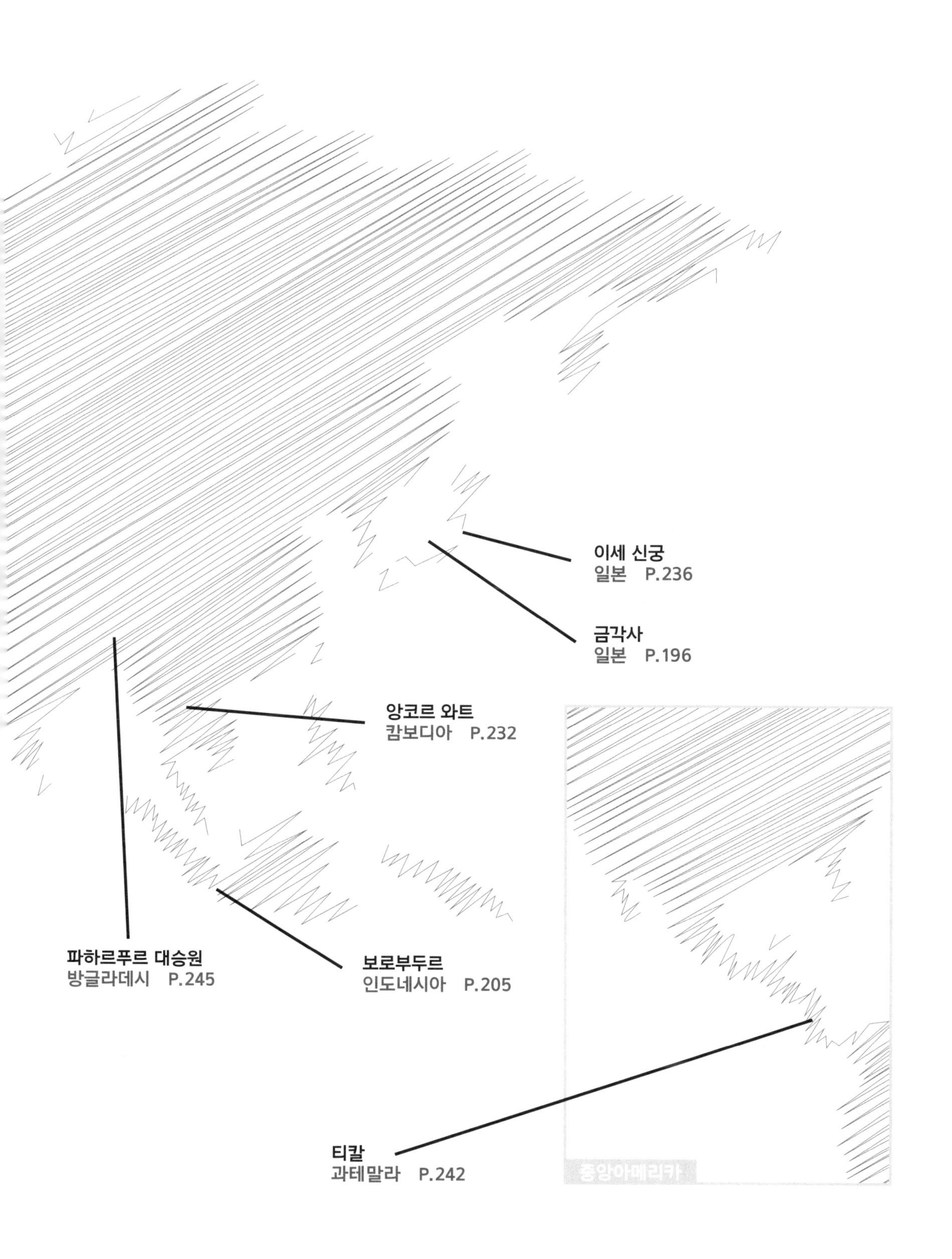

이세 신궁
일본 P.236
금각사
일본 P.196
앙코르 와트
캄보디아 P.232
파하르푸르 대승원
방글라데시 P.245
보로부두르
인도네시아 P.205
티칼
과테말라 P.242
중앙아메리카

금각사 일본 교토

교토의 금각사金閣寺는 일본이 근대로 진입한 무로마치 시대(1336~1573)에 세워진 아름다운 사찰이다. 처음 이곳에는 1397년 무로마치 막부 제3대 장군인 아시카가 요시미츠가 여생을 보내기 위해 지은 별장과 절이 있었다. 그 후 이 두 건물은 선원禪院이 되었다. 금각사는 부처의 사리를 보관하는 사리전이었다. 1950년 정신 질환이 있던 한 승려의 방화로 훼손된 금각사는 원래의 모습 그대로 재건되었는데, 미시마 유키오의 『금각사』는 이 실제 사건을 소재로 한 소설이다. 현재 교토의 녹원사에서 볼 수 있는 금각사는 이렇게 다시 세운 것이다. 사원의 지붕에는 지혜를 상징하는 황금 불사조가 있다. 2층과 3층은 옻칠과 금박으로 장식했다. 법수원이라고 부르는 1층은 헤이안 시대의 우아한 궁정 건축 양식을, 조음동이라고 부르는 2층은 무사의 집과 유사한 형태를, 그리고 구경정이라는 이름의 3층은 선원을 연상시킨다.

무로마치 시대

새로운 권력자로 부상한 아시카가 장군이 막부 시대를 연 곳이 교토의 무로마치 지역이다. 이후로 아시카가 가문은 중앙 권력을 유지했으나 그 힘은 점차 쇠약해졌다. 심지어 일본에 대한 명나라의 지배력도 인정했다. 아시카가 막부는 쌀 거래로 부를 쌓은 시골 영주(다이묘)들과 대립하게 되었다. 1543년경 유럽에서 온 배가 처음으로 일본에 상륙했고, 중국 문화의 영향력도 예수회 수사들을 통해 배가되었다. 실제로 프란치스코 하비에르 신부가 이끄는 예수회가 1549년부터 1551년까지 교토에 머물렀으며 이 시기에 기독교가 전파되기 시작했다. 그러나 반복되는 골육상잔으로 아시카가 가문의 세력은 약화되었고 1573년 아시카가 가문의 마지막 장군이 추방되었다.

아시카가 가문

아시카가 가문은 일본의 북동 지방에 위치한 시모쓰케 출신으로 호조 가문과 연합

금각사, 교토

해 세력을 키웠다. 그러나 호조 가문을 배신하고 고다이고 천황을 제거했다. 겐무 신정 당시 고다이고 천황은 실권을 되찾기 위해 새로운 천황을 세우려고 했으나 모두 허사였다. 무로마치 막부의 초대 장군인 아시카가 다카우지는 가마쿠라 막부와 같은 권력을 원했으나 그와 같은 권력을 차지하는 데는 실패했다. 경제적 여건이나 정치적 상황이 달라졌기 때문이었다. 게다가 내부 분열에도 시달렸다. 그러나 아시카가 요시미츠 장군이 권력을 잡고 있던 시기인 1368년에서 1394년에 경제 부흥이 일어나면서 명나라와의 무역이 활발해졌다. 이 시기에 가면 악극인 노, 이케바나(꽃꽂이), 다도, 정원 가꾸기 등 선종의 영향을 받은 다양한 형태의 예술이 발전했다.

노? 예스!

노能는 농민들이 풍년을 기원하며 곡예, 줄타기, 무언극, 농무 등을 섞어 신에게 올리던 일본의 가무극이다. 무로마치 시대 초기에 아시카가 가문의 장군들이 즐겼던 섬세하고도 종합적인 예술로 배우의 연기와 무대 연출, 그리고 종교적 요소가 가미된 형태였다. 아시카가 가문의 후원 아래 1406년 제아미 모토키요가 쓴 『풍자화전風姿花傳』에 노의 예술론이 잘 나와 있다. 전통적으로 노 공연은 노래와 연주가 가미된 5개의 극으로 구성되며 반나절 동안 이어진다. 극 하나마다 짧게는 30분, 길게는 2시간 정도 걸린다. 대본과 발성, 배우의 자세, 가면 등은 대개 정형화되어 있어서 정해진 규범에 따른다. 무대 위에는 여러 인물, 신, 악귀가 나오지만 배우가 연기하는 것은 오로지 인간뿐이다. 여인의 역할은 가면을 쓴 남자 배우가 맡는다.

노에는 두 종류의 예술가가 반드시 나온다. 음악과 무용에 소질이 뛰어난 '시테'와 시테의 조력자이며 시테와 관객을 연결해주는 '와키'가 그들이다. 2001년 노는 유네스코 인류 무형 문화유산에 등재되었다.

무로마치 시대의 건축

이 시기에 다도가 유행하면서 그 영향으로 건축 형태도 단순함을 추구하는 등 변화를 겪었다. 15세기 초에 사용하기 시작한 다다미는 곧 집 전체에 적용되었다. 부유한 귀족은 대나무 발이나 장막 대신 미닫이식 칸막이를 설치했다. 일반적으로 서재나 응접실 역할을 하는 쇼인즈쿠리와 내실 안쪽으로 마루를 높인 곳에 예술품이나 분재를 진열한 도코노마가 있었다. 이러한 건축 미학이 새로이 정착되면서 세월의 무상함과 단순성을 결합한 와비사비 풍조가 형성되었다. 중국풍의 장식도 이 시기에 흔히 쓰인 양식이다.

노트르담 대성당 프랑스

파리 중심부 시테섬에 위치한 노트르담 대성당은 중세 교회의 위상을 잘 보여준다. 이 섬의 절반을 차지하는 대성당의 맞은편에는 생트샤펠 성당과 왕궁이 나머지 절반을 차지하고 있는데, 이는 마치 교권에 맞섰던 왕권을 상징하는 듯하다. 생트샤펠 성당은 성왕 루이가 그리스도의 가시 면류관을 보관하기 위해 만든 작은 예배당이다. 서로 마주하고 있는 노트르담 대성당과 왕궁은 시대에 따라 교권과 왕권이 대립하거나 상보했던 역사를 증명한다. 오랜 시간을 지나온 노트르담 대성당은 노후로 인해 손상되고 인위적인 훼손에 시달려왔다. 특히 대혁명 때는 공격 대상이 되어 많은 손상을 입었다. 다행히 나폴레옹 덕분에 파괴되지 않고 보존되었으며 1804년 나폴레옹의 황제 즉위식이 이곳에서 거행되었다.

노트르담 대성당은 빅토르 위고의 1831년 작품『노트르담의 꼽추』의 배경으로도 유명하며, 규모는 물론 문화적 가치에 있어서 타의 추종을 불허하는 고딕 성당이다. 노트르담 대성당이 있는 곳에는 원래 2개의 성당이 있었고, 그 이전에는 유피테르를 기리던 갈리아·로마 양식의 신전이 있었다. 1159년 모리스 드 쉴리가 파리 주교 자리에 오르면서 노트르담 대성당의 축성을 공포했다. 6세기에 지어진 생테티엔 대성당을 허물고 새로운 고딕 양식의 성당을 짓기로 한 것이다. 새로운 건축 양식인 버팀도리가 사용되어 건물 외부가 더욱 화려해지고 내부 기둥도 높이 올릴 수 있었다. 1163년 교황 알렉산데르 3세가 대성당의 초석을 놓았다. 서쪽 면과 중랑中廊은 1250년에 지어졌으며 현관과 기도실, 그리고 내부 장식은 14세기에 완성되었다. 대성당 공사는 1345년까지 이어졌다.

노트르담 대성당의 구조

노트르담 대성당은 존엄왕 필리프 2세 때 유행했던 창끝 모양이 특징인 랑세올레 양식과 성왕 루이 시기의 방사상 양식이라는 두 가지 고딕 양식을 따르고 있다. 성당 앞 광장에서 현관을 통해 안으로 들어가면 이중 측랑과 14개의 사각형 기도실이 위치한 중랑이 있다. 십자가 가로대를 상징하는 익랑을 거쳐 내진을 지나면 성당의 가장 깊숙한 곳에 위치한 반원형의 후진에 이른다. 성당 내부의 크기는 길이 130미터,

너비 48미터이며, 높이는 중랑 지붕을 기준으로 40미터가 넘는다. 1210년에서 1250년에 세워진 고딕 양식의 두 탑은 서쪽 외벽 위로 솟아 있고 중앙 첨탑은 19세기 보수 공사 때 추가되었다. 성당 문은 섬세한 고딕 양식의 조각물로 장식되어 있고 문 위로는 『구약 성경』에 나오는 28명의 왕들의 조각상이 늘어서 있다. 동쪽 끝 후진에는 대형 채광창 클리어스토리들이 있으며 버팀도리 하나가 이들을 지지하고 있다. 3개의 커다란 장미창은 유럽 최대 규모를 자랑한다.

노트르담 대성당의 왕들

노트르담 대성당의 서쪽 현관은 28명의 왕을 나타낸 조각상들로 장식되어 있는데, 이 조각상들은 대혁명 때 훼손되었다가 외젠 비올레르뒤크에 의해 복원되었다. 1200~1220년 필리프 2세 때 만들어진 것으로 보이는 이 조각상들은 1977년까지 자취를 감췄다가 그중 21개가 파리 9구의 한 저택을 수리하던 중에 발견되었다. 사람 평균 신장의 3배에 달하며 힐데베르트에서 필리프 2세까지 프랑스 왕국을 지켜 온 왕들을 기리고 있다. 조각상들 뒤에 건물 정면으로 갈 수 있는 통로가 있는 것으로 보아 이들은 실용적인 목적으로도 제작되었음을 알 수 있다. 28개의 벽감을 커다란 돌을 깎아 만든 기둥으로 분리해 그 안에 조각상을 하나씩 넣었다. 지금까지 남아 있는 채색 흔적으로 보아 입술에는 붉은색을, 금발 머리에는 노란색을 입히는 등 세부적으로 표현되었던 것으로 보인다. 선대왕들의 조각상을 만든 것은 필리프 2세와 그 후계자들이 가진 권력을 정당화하는 방법이었을 것이다.

인상적인 석루조

19세기 중반 비올레르뒤크는 노트르담 대성당을 대대적으로 복원하는 공사를 진행했다. 괴물 형상을 한 석루조 가르구이유gargouille를 보수한 것도 이때이다. 돌과 납을 이용해 인간이나 동물의 모습을 기괴하게 표현한 이 석상들은 빗물을 벽에서 가능한 한 멀리 흘려보내기 위한 도구이다. 석루조 옆으로 그리스 신화 속 괴물 키메라도 보이는데, 이는 오로지 장식 기능만을 가지고 있다. 가장 유명한 키메라 조각상은 날개와 뿔이 달린 악귀로, 두 손으로 떠받친 얼굴은 커다란 눈을 가진 반인반수의 형상이다. 괴물은 생각에 잠긴 듯한 모습으로 파리를 굽어보고 있다.

몽생미셸 수도원 프랑스

몽생미셸 수도원의 역사는 신화에서 시작된다. 708년 아브랑슈의 오베르 주교는 묵상의 장소로 이용하던 통브산 위에 교회를 세우라는 성 미카엘 대천사의 계시를 받았다고 한다. 710년 통브산은 '바다의 위험에 맞선 생미셸산'을 의미하는 '몽생미셸 오페릴 드라메르'라는 새로운 이름을 갖게 된다. 오베르 주교가 이탈리아 가르가노산의 예배당을 모델로 기도실을 짓기 시작한 참이었다. '서구의 경이'로 불리는 몽생미셸 수도원은 브르타뉴와 노르망디 지방이 만나는 곳에 위치한다. 소수의 수도사들이 머물며 성 미카엘 대천사를 기리는 예배를 드렸는데, 몽생미셸산이 바닷물에 잠겨 섬이 된 것도 이 무렵으로 추정된다. 이곳에 카롤링거 왕조 시대 양식의 몽생미셸 수도원이 세워졌으며, 중랑 아래에는 노트르담수테르 기도실이 마련되었다. 10세기에는 베네딕토회 수도사들이 모여들었고 섬 아래쪽에는 마을이 형성되기 시작해 14세기까지 발전을 거듭했다.

12세기에는 수도원의 재산이 크게 늘어나 기존의 수도원 체계로는 감당할 수 없게 되었다. 몽생미셸 수도원에서 이루어진 학문적 성과가 최고조에 달한 시기도 바로 이 무렵이다. 아리스토텔레스의 작품을 비롯해 유수한 고전 번역 작업이 이곳에서 이루어진 것이다. 또한 14세기에서 15세기에 쌓은 견고한 수도원 벽은 백년 전쟁을 치르는 동안 적의 공격을 철통같이 막아내며 훌륭한 요새 역할도 해냈다. 루이 11세 때와 대혁명 시기에는 감옥으로 변신해 범법자들을 수용했다. 몽생미셸 수도원은 1979년에 유네스코 세계 유산으로 등재되었다.

몽생미셸 수도원의 구조

몽생미셸 수도원은 화강암 바위산 위에 피라미드 형태로 쌓아 올린 매우 독특한 수도원이다. 수도원 성당은 정상에 위치한다. 건축물의 형태와 구조에는 여러 수도회의 규율이 반영되어 있다. 11세기 초에는 클뤼니 수도회 회칙이 강하게 반영되었다. 1022년에 시작된 성당의 건축은 1084년에 완성되었고, '경이'라고 불리는 고딕 양식의 수도원은 13세기에 완공되었다. 수도원에는 대식당, 사제관, 기도실 등이 서로 연결된 두 동의 3층 건물에 자리 잡고 있다. 수도원 성당은 로마네스크 양식의 중랑이 가로지르며, 1421년 파괴되어 다시 세운 내진의 길고 높은 창문들은 고딕 양식을 그대로 보여준다. 석재 버팀대 위에 세운 익랑은 돌출된 형태이다. 작은 오각기둥들을 비롯해 훌륭한 건축 양식을 보여주는 열주 회랑은 일반적인 경우와 달리 수도원 밖에 만들어졌다.

바위의 돔 이스라엘 예루살렘

바위의 돔은 현존하는 가장 오래된 이슬람 건축물로 메디나, 메카와 함께 이슬람 3대 성지로 불린다. 691년 칼리파 아브드 알말리크가 이슬람의 권능을 보여주기 위해 세웠다. 전해지는 이야기에 따르면 시리아를 정복한 칼리파 오마르가 솔로몬 성전이 있는 예루살렘의 성전산 하람 알샤리프에 올라 바위의 돔이 세워질 위치를 정했다고 한다. 『성경』에 따르면 하느님이 아브라함에게 아들 이삭을 제물로 바치라고 명한 모리아산에 위치한다. 돔 아래에는 동굴이 있다. 이슬람교도들에게 바위의 돔은 무함마드가 밤의 여행을 마친 신성한 곳이다.

황금 돔

바위의 돔은 둥근 지붕에 금박을 입혀 멀리서도 쉽게 눈에 들어오며 어느 각도에서도 동일한 모습으로 보인다. 또한 예루살렘의 모리아산 정상에 위치하기 때문에 주변에 시야를 가리는 것이 전혀 없다. 16개의 창이 난 높은 원기둥형 구조물 위에 가로장을 쌓고 그 위에 두 겹의 지붕을 얹었다. 바위의 돔은 주춧돌 격인 '근원의 바위'를 중심으로 팔각형의 구조를 이루고 있으며, 20여 미터의 원기둥형 골조가 돔을 떠받치고 있다. 이 골조는 4개의 대형 기둥과 12개의 반암斑巖 기둥이 지지해준다. 1층에는 내부 회랑과 외부 회랑이 8개의 오각형 기둥과 16개의 원기둥형 기둥이 받치는 팔각형 아케이드로 분리되어 이중으로 펼쳐진다. 돔의 네 방위에 맞춰 4개의 현관이 있다.

교회당을 닮은 이슬람 유적

바위의 돔과 알아크사 모스크 모두 아나스타시스의 콘스탄티누스 왕조의 교회당을 연상시킨다. 이슬람에 속하지 않는 건축 특성을 가지고 있는 것이다. 팔각형의 형태는 그리스도를 상징하는 세례대를 연상시킨다. 이슬람의 특성은 기둥과 기둥머리의 화려한 대리석 장식, 기둥에서 볼 수 있는 구리 합금 등에서 찾을 수 있다. 최고의 장식은 금장 바탕에 꽃문양을 넣은 유리 공예 모자이크이다.

보로부두르 인도네시아 자와

보로부두르 사원은 778년에 짓기 시작해 완공되기까지 70여 년이 소요되었는데, 이 시기는 자와섬에서 정복자를 의미하는 다섯 지나jina 혹은 명상 중인 부처를 경배하던 때였다. 792년에 작성된 기록을 보면 이 사원이 불교를 숭상했던 사일렌드라 왕국의 영향 아래 어떻게 변화했는지 알 수 있다. 1000년경 화산재에 뒤덮인 후 그 위로 무성하게 자란 식물에 가려져 있던 이 사원을 1814년 영국의 토머스 스탬퍼드 래플스 부총독이 발견해 복원을 계획했다. 네덜란드 고고학 발굴단이 1907년에서 1911년까지 복원 작업을 맡았다. 복원이 완료된 것은 1983년에 이르러서이다. 욕야카르타 북서쪽에 위치한 보로부두르 사원은 스투파와 메루산, 그리고 만다라를 연상시키는 형태를 가지고 있다. 스투파란 부처의 사리를 봉안한 후 그 위에 흙을 높이 쌓은 것이고, 메루산은 신들이 사는 세계이자 힌두교도들에게는 그리스의 올림포스산과 같은 성지이다. 만다라는 우주의 삼라만상을 나타내는 불교의 상징이다. 보로부두르는 인류가 만든 보기 드문 유산으로 사원인 동시에 건축물로 나타낸 경전이라고 할 수 있다. 인도의 굽타 양식의 영향을 받았으며 1991년 유네스코 세계 유산으로 등재되었다.

산 위 저 높은 곳을 향해

총 5만 6000세제곱미터가 넘는 규모의 잿빛 화산암으로 지어진 보로부두르 사원은 5층의 사각 기단 위로 3층의 원형 단을 쌓고 꼭대기에 스투파를 올린 9층 건축물이다. 불교에서 아홉은 신비한 숫자로 여겨진다. 바닥에서 35미터 높이에 있는 중앙에 거대한 스투파가 있다. 사원을 구성하는 세 부분은 각각 보살이 각성하고 부처가 되기 위해 가는 고행의 길을 단계별로 상징한다. 순례자는 마치 영적 고행을 행하듯 동쪽 계단을 통해 들어가 9층 사원을 층마다 시계 방향으로 돌며 정상에 오르게 된다.

사원의 구조는 불교에서 말하는 마음의 준비 단계를 의미하는 세 부분으로 나뉜다. 아래층은 대승 불교에서 말하는 가장 낮은 세계인 욕계를 나타내며, 중간층은 색계를 나타내는데 석가모니의 삶과 전생의 모습을 표현한 부조물이 펼쳐진다. 위

보로부두르 사원, 판화, 1820년경.

층은 무색계로 물질의 세계를 벗어난 차원을 의미한다. 5층으로 이루어진 기단에는 위로 갈수록 크기가 점점 작아지는 3개의 원형 단이 있으며 각 단에는 여러 개의 작은 스투파가 있다. 그 위로 종 모양의 대형 스투파가 보인다. 수많은 부조물과 불상으로 장식된 사각형의 단 주위로 높은 벽을 둘러 위에 얹은 다른 층들을 볼 수 없게 했다. 사원의 동쪽과 서쪽에는 칸디candi, 즉 장례 사원이 자리하고 있다.

매년 음력 5월 보름이 되면 수천 명의 승려가 사원에 모여 부처의 탄생과 열반, 깨달음 등을 기린다.

산마르코 대성당 이탈리아 베네치아

성 마르코를 위한 최초의 성당인 산마르코 대성당은 알렉산드리아에서 옮겨온 성 마르코의 유해를 안치하기 위해 베네치아 11대 도제doge의 명으로 828년에서 832년에 건립되었다. 이후 성 테오도로스 대신에 성 마르코가 베네치아의 수호성인이 되었고, 그를 상징하는 사자는 베네치아 공화국의 공식 문장이 되었다. 산마르코 대성당은 976년에 화재로 인해 피해를 입었으나 재건되어 도제들의 개인 예배당으로 사용되었다. 도메니코 콘타리니 도제는 비잔티움 건축가들에게 대성당을 증축하도록 명했고 이들은 콘스탄티노폴리스의 성 사도 대성당을 모델로 삼았다. 산마르코 대성당은 비잔티움 양식의 그리스 십자가형 건축물로 5개의 돔으로 이루어져 있다. 대리석 바닥과 매끈한 돌기둥, 황금빛 모자이크화 위로 반사된 빛이 성당 내부를 은은하게 비춘다. 시간이 흐르면서 추가된 조각품과 장식물로 성당은 더욱 화려해졌으며 1807년에 베네치아 총대주교구의 주교좌성당이 되었다.

산마르코 대성당의 모자이크화, 12~13세기, 베네치아.

산마르코 대성당의 구조

비잔티움 건축가들은 가로와 세로의 길이가 모두 76미터인 그리스 십자가 형태의 대성당을 만들었다. 정면으로는 300개에 달하는 다양한 대리석 기둥이 떠받치고 있는 5개의 대형 궁륭이 보인다. 궁륭 안쪽의 모자이크화는 풍요로웠던 12세기 베네치아의 모습을 잘 보여준다. 동방 교회의 나르텍스narthex와 유사한 주랑 현관 위로 8개의 둥근 천장이 있다. 중앙 돔의 높이는 14미터에 이른다. 대성당으로 들어섰을 때 가장 아름답게 다가오는 것은 바로 어렴풋한 빛을 받아 다채롭게 빛나는 모자이크화이다. 황금빛 바탕에 유리 조각들은 그리스도와 성 마르코를 비롯한 사도들의 삶을 그린 모자이크화 속의 이야기들을 더욱 빛나게 한다. 상감 기법이 사용된 바닥의 대리석 주변으로는 2600개의 기둥이 대성당을 장식하고 있는데, 이 기둥들은 1204년 콘스탄티노폴리스 침략 때 약탈해온 것이다.

코튼 성경

주랑 현관의 모자이크화는 비잔티움 양식이나 그 내용은 '코튼 성경'에서 가져왔다. '코튼 성경'은 고대 후기의 필사본으로 1731년 코튼 도서관의 화재로 인해 훼손되어 현재는 18개의 삽화만이 남아 있다. '코튼 창세기' 필사본을 모델로 한 산마르코 대성당 중앙 정원의 110개의 삽화는 초기 기독교 도상과 매우 유사하다. '코튼 창세기'는 1204년 제4차 십자군 원정 때 콘스탄티노폴리스에서 약탈해 가져온 것이며 17세기 영국의 수집가 로버트 코튼에게 팔렸다.

산마르코 대성당의 말 조각상

산마르코 대성당의 서쪽 파사드 위를 장식하고 있는 유명한 4마리의 청동 말 조각상 또한 콘스탄티노폴리스에서 약탈해온 것이다. 원래는 개선 마차를 끌고 있었는데 말 조각상만 지금까지 남아 있다. 나폴레옹의 승리 후 파리에 잠시 전시된 적이 있으나 1815년 다시 이탈리아로 옮겨왔다. 원래의 조각상은 손상되지 않도록 산마르코 대성당 내부의 박물관에 보관되어 있으며 현재 방문객들이 보는 것은 복제품이다.

산 조반니 세례당 이탈리아 피렌체

피렌체 두오모 광장에 위치한 산 조반니 세례당이 지금의 모습을 갖추게 된 것은 1059년이며 '세례당'으로 축성된 것은 1128년이다. 산 조반니 세례당은 11~14세기 토스카나 지방에서 발전한 로마네스크 양식을 잘 보여준다. 고대 로마 건축물의 잔재 위에 세워진 팔각형의 세례당을 단장하기 위한 작업은 끊임없이 이루어졌다. 건물만큼이나 탄성을 자아내는 것은 조각 장식이 있는 청동 문이다.

가장 오래된 남문은 1330년에서 1336년에 안드레아 피사노가 주조공들과 함께 만든 것이다. 그는 세례자 요한의 일생을 나타내는 20개의 청동 판을 제작해 문을 장식했는데, 그중 6개는 세례자 요한의 탄생과 청년기를, 4개는 전도 활동을, 10개는 순교를 그리고 있다. 북문은 로렌초 기베르티의 작품으로 1403년에서 1424년에 제작되었다. 이 문은 20여 개의 부분으로 나뉘어 그리스도의 삶과 수난을 그리고 있는데, 남문과 달리 이야기의 순서대로 배치되었다. 기베르티는 미켈란젤로가 그 아름다움을 찬미하며 '천국의 문'이라고 불렀던 문도 제작했다. 이 문은 『구약 성서』를 다루고 있다. 세례당의 문들은 피렌체의 고딕 양식에서 르네상스 양식까지 1300년대에서 1400년대로 이어진 예술 사조의 변화를 그대로 보여준다. 단테도 『신곡』에서 산 조반니 세례당의 예술적 아름다움에 대해 기술했다.

건축 경연

산 조반니 세례당 건축을 담당했던 피렌체의 양모 상인 길드가 청동 문의 제작을 위해 주최한 경연에서 당선된 기베르티는 당시 스물세 살에 불과했다. 그가 세례당의 문에 『신약 성서』의 이야기를 표현한 방식에서 사실주의적 조각술과 세밀한 공간의 구조화를 엿볼 수 있다. 기베르티가 만든 문에 찬사를 아끼지 않았던 피렌체 사람들은 세 번째 문의 제작도 그에게 맡겼다. 기베르티는 고딕 양식에서 벗어나 의뢰인의 요구에 너무 얽매이지 않고 자신이 가진 금은 세공 기술을 십분 발휘했다. 의뢰받은 것은 28개의 판이었으나 천지 창조와 이스라엘의 역사를 재현한 10개만을 제작했다. 그리고 27년에 걸쳐 세례당의 저부조 장식을 새롭게 만들었다.

세 번째 문은 자연 풍경과 누드를 표현하고 주름 잡힌 형태를 만드는 것이 난제였다. 다시 말해 능숙한 부조 기술은 물론 반부조와 저부조 장식에서도 뛰어난 솜씨가 요구되었다. 1452년에 문이 완성되었으니 결국 문을 제작하는 데 20년이 넘게 걸린 셈이었다. 기베르티는 브루넬레스키가 고안한 원근법의 '소실점'을 이용할 때 공간의 기하학적 효과는 물론 형태를 점점 희미하게 만드는 기술 또한 정교하게 표현했다.

산 조반니 세례당의 내부

팔각형 건물 외관은 흰색과 초록색 대리석으로 덮여 있다. 어두운 내부는 각각 하나의 돌로 만든 기둥들이 늘어선 2층 구조이며, 2층은 외부로 창을 낸 회랑이다. 비잔티움 양식의 모자이크가 궁륭과 벽을 장식하고 있다. 궁륭의 모자이크는 최후의 심판을 비롯한 「창세기」 내용, 천사들의 위계, 그리스도와 세례자 요한, 요셉과 마리아의 삶 등을 보여준다. 전능하신 그리스도의 아이콘인 판토크라토르, 즉 후광에 싸인 그리스도는 다른 인물들보다 크게 그려져 있다. 부활한 그리스도가 천국을 의미하는 무지개 위에 앉아 팔을 벌려 상처를 보여준다. 전신상으로 그려진 그리스도는 보석에 둘러싸여 있는 모습이다. 피렌체 르네상스의 초기 작품으로 알려진 도나텔로의 대립 교황 요한 23세의 무덤도 보인다. 도나텔로는 기베르티에게 조각을 가르친 스승이며 횡와상을 고안한 예술가이다.

생드니 대성당 프랑스

생드니 대성당 또는 생드니 수도원의 이름은 파리의 기원이 된 로마 시대의 도시 루테티아의 초대 주교 성 드니Saint Denis에서 유래했다. 성 드니는 참수를 당하고 6킬로미터를 걸어간 뒤 순교했다고 전해진다. 이후 성 준비에브가 순교자 드니의 무덤이 있는 곳에 그의 이름을 딴 성당을 건립했다고 한다. 프랑크 왕국의 카롤루스 마르텔루스가 생드니 대성당에 묻혔고 이곳에서 도유식을 거행한 그의 아들 피피누스 3세도 여기에 잠들었다. 생드니 대성당은 부와 토지를 축적했으며 권력의 상징으로 부상했다. 웅장한 대성당을 짓겠다는 쉬제Suger 수도원장의 결정에 샤를마뉴 대제의 명으로 축조되었던 메로빙거 왕조의 옛 성당은 500년의 역사를 뒤로하고 사라졌다. 1122년경 고딕 양식이 프랑스에 도입된 것도 생드니 대성당 건축을 통해서이다. 왕의 무덤들이 안치된 곳이기도 한 생드니 대성당의 건립은 12세기 전반기 내내 진행되었다. 명실상부한 프랑스의 대표적 '기억의 장소'인 생드니 대성당에는 42명의 왕, 32명의 왕비, 63명의 공주와 왕자가 잠들어 있다. 18세기에 여러 건물이 증축되었고 나폴레옹 때는 레지옹 도뇌르 훈장을 받은 이들의 딸을 위한 학교로도 사용되었다.

발전하는 건축 기술

1130년 쉬제는 옛 성당을 허물고 새로운 성당을 짓기 시작했다. 새로 축조된 생드니 대성당의 서쪽 파사드에는 조각과 모자이크로 장식된 팀파눔이 얹힌 커다란 출입문 3개가 배치되었다. 조각상으로 된 기둥들이 새로운 건축 요소로 등장했다. 『구약 성경』의 인물들이 기둥에 기댄 모습이었다. 샤르트르 대성당도 건축과 조각의 긴밀한 조화를 잘 보여주는 예이다. 1144년에 완성된 이중 회랑 형태의 내진에는 7개의 기도실이 둥근 천장 아래 방사상으로 펼쳐져 있다. 기도실에는 2개의 창문을 만들어 하나의 창문을 이용하던 기존의 건축 방식과 차별을 두었다. 외드 클레망 수도원장은 쉬제가 만든 내진의 기둥 정판頂板까지 모두 해체해 하중을 더 잘 견딜 수 있는 견고하고 두터운 기둥으로 교체했다. 무엇보다 건축물을 수직으로 높이 올릴 수 있는 기법이 중요했다. 건물을 지탱하는 건축 요소와 궁륭 사이의 긴밀한 관계를 이용한 것도 새로운 축조 기법이었다.

앙리 2세와 카테리나 데 메디치 무덤의 횡와상,
제르맹 필롱, 16세기, 생드니 대성당.

쉬제는 어떤 인물인가

농부의 아들로 태어난 쉬제가 수도원장이 되고 왕의 측근인 대신의 자리까지 올라간 것은 의외의 일이다. 1108년 쉬제는 루이 6세의 측근으로 생드니 수도원 원장인 아담의 비서가 되었다. 당시 생드니 수도원은 갈리아 지역에 기독교를 전파한 성인의 유해가 안장되어 있어 사람들의 추앙을 받던 곳이었다. 1122년 생드니 수도원 원장이 된 쉬제는 카페 왕조와 생드니 수도원의 관계를 돈독히 할 필요를 느꼈다. 그는 성직자로서의 의무와 교회 공동체의 관리에 힘쓰는 동시에 왕을 보좌하고 왕의 부재 시 왕을 대리해야 하는 직무에도 충실했다. 1124년 신성 로마 제국의 황제 하인리히 5세가 프랑스를 침공하자 루이 6세는 전장에서 생드니의 깃발을 휘날리며 봉건 영주들을 하나로 규합했고, 하인리히 5세는 제대로 싸워보지도 못한 채 후퇴했다. 루이 6세의 최측근이었던 쉬제는 후계자인 루이 7세와도 긴밀한 관계를 유지했다. 실제로 루이 7세가 제2차 십자군 전쟁을 치르는 동안 쉬제가 섭정을 했다. 신중한 성격의 쉬제는 훌륭한 보좌관이었으며 지도자의 능력도 부족함이 없었다. 그는 생드니 수도원의 개혁을 단행했고 극단적인 금욕을 주장하는 베르나르 드 클레르보의 수도회 규율에 반대했다. 1137년 모든 관직을 내려놓은 쉬제는 루이 7세의 곁을 떠나 폐허가 된 대성당을 재건하는 데 여생을 바쳤다.

프랑스의 대표적인 고딕 성당 목록

1134~1155년	샤르트르 대성당의 북쪽 탑, 서쪽 문, 창문
1137~1140년	생드니 대성당의 서쪽 외벽과 내진
1140~1164년	상스 대성당
1150년	누아용 성당
1153~1191년	상리스 대성당
1160년~13세기 초	퐁티니의 시토회 성당, 푸아티에 대성당
1163~1182년	파리 노트르담 대성당
1170~1190년	랑 대성당. 회중석 서쪽 베이(네 기둥으로 구획되는 공간-역주) 및 내진 증축이 1210년까지 이어짐
1172~1218년	부르주 대성당
1180~1200년	수아송 대성당
1190년	파리 노트르담 대성당의 중랑 증축
1190~1200년	낭트 대성당의 내진
1195~1220년	샤르트르 대성당의 중랑과 내진
1200년	캉의 생테티엔 대성당의 내진
1200~1216년	생티베드 드 브렌 대성당의 내진과 익랑
1200~1300년	바이외 노트르담 대성당
1210~1241년	랭스 대성당의 내진과 익랑
1217~1254년	르망 대성당
1220년	샤르트르 대성당의 익랑 쪽 외벽
1220~1236년	아미앵 대성당의 서쪽 외벽과 중랑
1225~1240년	디종의 노트르담 대성당
1230년	샤르트르 대성당의 출입구
1231~1281년	생드니 대성당의 중랑
1243~1248년	장 드 셸과 피에르 드 몽트뢰유가 파리 생트샤펠 성당 축조
1247~1275년	보베 대성당의 내진(1284년 붕괴에 따른 기둥 보강)
1250년	아미앵 대성당의 남쪽 익랑, 트루아 성당(1506년 완공)
1255~1290년	랭스 대성당의 정면 외벽(장미창은 1285년에 만듦)
1258~1269년	아미앵 대성당의 내진
1282년~14세기 말	알비 성당
1290~1330년	파리 노트르담 대성당의 내진 기도실
1292년	툴루즈의 자코뱅 수도원
1311년	랭스 대성당의 중랑과 팀파눔
1318년	루앙의 생캉탱 성당
1334~1342년	아비뇽 교황청

생트마리마들렌 대성당 프랑스

부르고뉴 지방의 베즐레에 세워졌던 웅장한 베네딕토회 수도원은 퀴르강 좌안에 위치하고 있었다. 클뤼니 수도원과 연관이 있는 이 수도원은 9세기에 축조되었으며 막달라 마리아, 즉 성녀 마들렌의 성해가 보관되어 있던 것으로 알려져 있다. 사도 바울로와 베드로, 성모 마리아를 섬기는 수도원이기도 했다. 1050년 순례자가 늘어나자 좀 더 넓은 공간이 필요했고, 아르토 수도원장이 부임하면서 카롤링거 양식의 이 수도원 자리에 더 큰 규모의 성당을 짓기로 결정했다. 먼저 내진을 짓고 난 뒤 이어서 신랑과 나르텍스를 만들어 붙였다. 나르텍스에는 3개의 베이가 있고 천장에는 교차 궁륭과 첨두아치들이 보인다. 3개의 신랑 위에는 신자석이 마련되었다. 내진은 12세기 말에 파괴되었고 이후 현재 남아 있는 고딕 양식이 가미된 동방풍의 내진으로 재건축되었다.
1146년 제2차 십자군 원정 전에 성 베르나르 드 클레르보가 이 대성당에서 설교를 했다고 전해진다. 길이 120미터, 너비 23미터인 생트마리마들렌 대성당은 거대한 기독교 건축물 중 하나로 꼽힌다. 15세기 이후로는 순례자가 줄어들었고 그 명성도 미미해졌다. 이 대성당은 오툉의 대성당과 함께 훌륭한 로마네스크 양식의 조각품이 보존된 건축물이다. 19세기 비올레르뒤크가 생트마리마들렌 대성당을 복원했으며 대성당은 유네스코 세계 유산으로 등재되었다.

생트마리마들렌 대성당의 의의

생트마리마들렌 대성당을 지은 건축가들은 로마네스크 양식의 특징인 반원형 아치를 유지하면서도 중앙의 중랑과 측랑 위로 교차 궁륭을 얹는 혁신적인 건축 기술을 적용했다. 두 단계에 걸쳐 완성된 나르텍스는 궁륭 형태의 천장을 가지며 상층에는 신자석을 갖추는 등 진화한 구조를 보여준다. 고딕 양식의 익랑과 내진은 로마네스크 양식을 따른 나머지 공간과 조화를 이룬다.

생트마리마들렌 대성당의 중앙 현관을 장식하고 있는 「사도들에게 사명을 내리는 그리스도」를 비롯해 수많은 아름다운 조각물은 12세기에 제작되었다. 성당의 정면 파사드는 훼손되었다가 복원되었으나 아래층 3개의 문에 새겨져 있던 조각 장식은 사라졌다. 중간층의 현관에는 19세기 비올레르뒤크의 감독 아래 미셸 파스칼이 제작한 최후의 심판 조각 작품을 볼 수 있다. 측면으로 난 두 문의 팀파눔에는 조각 장식이 없다.

로마네스크 양식의 조각물

12세기 이전에는 많은 조형물을 모아놓은 형태의 장식이 없었다. 이 시기의 조각물은 주로 띠 모양이나 나뭇잎 혹은 종려잎 문양으로 만들었으며 장식이 주 기능이었다. 조각물의 크기가 커진 것은 11세기 말로 교회 파사드, 수도원 회랑, 기둥머리 등에 이를 설치하기 시작했다. 잘 알려진 조각가로는 프랑스 카베스타니의 장인, 베르나르 질뒤앵, 질르베르튀, 이탈리아의 윌리젤모, 니콜로, 안텔라미 등이 있다. 기독교가 성상의 제작을 허용한 것은 교육을 위해서였다. 『성경』의 내용을 숭고하게 재현한 성상은 글을 읽지 못하는 신도들을 영적으로 고양시키고 그들에게 『성경』의 내용을 전해줄 수 있었다. 따라서 무아사크에 위치한 생피에르 수도원의 팀파눔에서 볼 수 있듯이 『구약 성경』 속 이야기와 예수의 삶, 「요한계시록」의 내용 등을 표현한 조각 장식이 만들어지기 시작했다.

로마네스크 양식은 빈 공간을 허용하지 않는다. 그 결과 생트마리마들렌 대성당이나 생피에르 수도원 전면에 조각된 인물들의 비율은 정확하지 않고 손발도 강조되어 있다. 정해진 공간을 인물들로 가득 채워야 했기 때문이다. 툴루즈의 생세르냉 성당처럼 누워 있는 인물들이 삼각형을 이루는 경우도 있다. 11세기가 되면서 성당 정면의 장식은 더욱 화려해졌다. 악령을 막겠다는 의지를 성당 건축에 반영한 오툉의 생라자르 대성당처럼 사탄, 괴물, 악마적 존재가 건물 정면과 문에 가득 장식되기 시작했다. 사탄은 하느님의 집 안으로는 절대 들어갈 수 없음을 표현한 것이다. 이 시기에는 원근법 대신 평면적 재현이 우선시되었다. 형태들이 도식화되면서 그리스도나 성모 마리아를 정확하게 조각하기보다는 믿음의 상징들을 돌에 새겨놓고자 했던 것으로 보인다.

로마네스크 건축

1000년 무렵에 세워진 파리의 생제르맹데프레 수도원이 로마네스크풍 건축의 시작이다. 클뤼니 수도원을 위시한 대부분의 베네딕토회 수도원들은 내진을 둘러싼 측랑이 특징적이다. 로마네스크 양식의 건축은 신성한 성당 건물을 각각의 공간이 갖는 기능에 따라 분리하는 복합적인 구조를 갖는다. 시간이 지나면서 단일 중랑을 가진 성당들이 세워졌고 이를 위해서 궁륭을 지탱할 새로운 기술이 필요했다. 실제로 늘어난 측면 추력을 해결하기 위해 부벽을 만들었다. 그러나 산티아고 데 콤포스텔라 순례길을 가는 동안 콩크의 생트푸아 수도원, 베즐레의 생트마리마들렌 대성당, 산티아고 데 콤포스텔라 대성당 등 묵직하고 단단해 보이는 성당들도 여전히 볼 수 있다.

같은 시기에 노르만 왕조는 커다란 성들을 축조했는데, 이때 주변을 감시할 수 있는 거대한 사각기둥 모양의 탑이 등장했다. 이러한 탑은 방어와 주거라는 이중의 기능을 가지고 있다. 지금까지 남아 있는 가장 오래된 탑은 1070년에서 1090년에 걸쳐 축조된 런던탑이다.

생트샤펠 성당 프랑스 파리

생트샤펠 성당은 성왕 루이 9세가 그리스도의 가시 면류관을 보관하기 위해 파리 시테 섬의 성 니콜라우스 교회가 있던 곳에 세운 성당이다. 성 니콜라우스 교회는 루이 9세가 콘스탄티노폴리스의 라틴 제국 마지막 왕인 보두앵 2세에게 13만 5000리브르라는 막대한 금액에 산 후 허물었다. 생트샤펠 성당에는 그리스도를 매달았던 십자가 조각을 비롯한 성물이 보관될 예정이었다. 이에 따라 성당은 성궤 형태로 설계되었다. 건축 공사는 4~6년이 걸렸고 건축비는 4만 리브르에 달했다. 생트샤펠 성당은 아헨 대성당에 샤를마뉴 유골을 보관하고 있던 신성 로마 제국에 맞설 수 있는 방법이었다.
생트샤펠 성당이 언제 착공되었는지 정확하게 알 수는 없으나 1241년경, 즉 성유물이 파리에 도착한 때로 추정된다. 1244년 교황의 칙서에 성당이 건축되기 시작했다는 언급이 나온다. 생트샤펠 성당은 1248년에 축성되었다. 당시 파리는 예술의 도시로 명성이 높았다. 필리프 2세는 왕정을 펼칠 기구를 성당에 설치했고 소르본 대학교와 학문의 융합을 꾀했다. 대혁명 이후에 성물은 생트샤펠 성당에서 노트르담 대성당으로 옮겨졌다. 생트샤펠 성당은 감옥으로 쓰였던 콩시에르주리와 함께 프랑스에서 가장 오래된 왕실 건축물이다. 『베리공의 매우 호화로운 기도서』에 실린 추수하는 농부들을 그린 삽화에는 생트샤펠 성당의 정면이 배경으로 등장한다.

생트샤펠 성당의 의의

생트샤펠 성당은 2개의 성당을 위로 쌓은 형태이다. 방문객들은 루이 9세 때 예배를 드리던 아래층 성당을 통해 내부로 들어갈 수 있다. 견고한 토대 위에 세워진 아래층 성당의 측랑의 폭은 2미터 남짓이며 신랑의 길이는 6미터, 높이는 6.6미터이다. 문양 장식이 있는 16개의 지주와 28개의 기둥이 건물을 떠받치고 있다. 성물은 위층 성당에 보관되어 있다. 왕의 내실도 같은 층에 있다. 위층 성당을 받쳐주는 것은 아래층 성당의 거대한 궁륭으로, 궁륭은 벽기둥이, 또 이 벽기둥은 아치형 버팀벽이 차례로 받쳐주고 있다. 이러한 설계를 통해 위층 성당의 무게감을 덜어내고 두 층 사이의 버팀 공간 또한 줄이는 효과를 얻을 수 있다.

단순한 구조의 생트샤펠 성당에는 길이 30여 미터, 폭 10여 미터의 공간이 훤하게 뚫려 있다. 중앙 공간은 4등분이 되어 있으며 7면으로 된 후진으로 이어진다. 성당의 상부에는 750제곱미터에 달하는 스테인드글라스가 펼쳐진다. 샤를 6세 때인 1383년 여러 차례에 걸쳐 제작된 첨탑은 1460년에 또다시 만들어졌으나 1630년에 아예 불타 없어졌다. 아래층 성당의 천장에는 백합 문양이, 위층 성당의 천장에는 별 문양이 그려져 있다. 이 외에도 궁륭을 받치는 벽기둥을 따라서 열두 사도의 조각상이 세워져 있다.

장미창과 스테인드글라스

새로운 채색 기법을 이용해 1235년에서 1245년에 걸쳐 제작된 생트샤펠 성당의 스테인드글라스는 이전에 세워진 성당들의 스테인드글라스와는 차이를 보인다. 붉은

생트샤펠 성당의 장미창과 스테인드글라스, 13세기, 파리.

색과 파란색이 주조를 이루는 이 성당의 스테인드글라스는 성물들의 역사와 『성경』 속 이야기를 보여준다. 중랑에 있는 스테인드글라스는 인류의 역사에서부터 성물이 파리에 오기까지 『성경』의 사건을 보여주는 1113개의 장면으로 구성되었다. 후진의 스테인드글라스는 그리스도의 삶을 표현한다. 1490년에서 1495년에 위층 성당 서쪽 파사드에 「요한계시록」의 내용을 담은 장미창이 새로 제작되었는데 여기에는 플랑부아양 양식이 적용되었다. 13세기에 제작된 아래층 성당의 스테인드글라스는 1690년에 발생했던 홍수로 사라졌다. 스테인드글라스 제작은 세심한 작업과 긴 시간이 필요하다. 먼저 스테인드글라스 장인이 유리판에 들어갈 밑그림을 백토 판에 목탄으로 그린다. 그리고 불에 달군 쇠로 유리를 자른다. 유리 성분이 함유된 회색조의 짙은 갈색 안료를 이용해 옷이나 얼굴의 주름 등을 표현한 후 섭씨 600도의 가마에서 구워 색을 고정한다.

생트푸아 수도원 프랑스

프랑스 아베롱주 콩크에 위치한 생트푸아 수도원은 로마네스크 양식의 걸작으로 일컬어지며, 카롤링거풍의 장식과 팀파눔으로 유명하다. 11세기의 기록에 따르면 이 수도원은 790년에서 795년에 수도사 다동이 샤를마뉴의 후원 아래 세웠다고 전해진다. 그리고 콩크의 어느 수도사가 사라고사의 성 빈센트 성물을 얻지 못하자 그보다는 덜 유명했던 어린 성녀 푸아Foy의 성물을 가져왔다고 한다. 독실한 수사의 절도 행위로 300여 년에 걸친 수많은 순례 여행이 시작되었고 콩크는 산티아고 데 콤포스텔라로 가는 길에 쉬어 가기 좋은 마을이 되었다. 실제로 콩크는 이 최고의 순례지로 갈 수 있는 네 길 중 두 번째 길에 위치한다. 오돌릭 2세가 현재의 수도원 건물을 세우고 베공 3세가 회랑을 건축한 11세기가 생트푸아 수도원의 전성기였다. 회랑이 있던 곳에는 현재 2개의 아케이드만 남아 있다.

라틴 십자가 형태에 방사형 제실을 갖춘 새 수도원은 후진에 보관된 성녀 푸아의 성물을 경배하기 위해 줄을 서서 기다리는 신자들을 위한 건축물이었다. 13세기에 시작된 생트푸아 수도원의 쇠락은 14세기에 흑사병이 돌면서 걷잡을 수 없게 되었다. 프랑스 대혁명 시기에 회랑을 중심으로 크게 부서지자 콩크 주민들은 수도원에 보관되어 있던 보물을 구해냈다. 1987년에서 1994년에 피에르 술라주가 제작한 104개의 스테인드글라스가 설치되었다. 채색하지 않은 반투명 유리 작품들은 생트푸아 수도원의 소박함을 더욱 빛내고 있다.

생트푸아 수도원의 보물

생트푸아 수도원에 보관되어 있는 보물은 8세기에서 18세기에 이르는 금은 세공술을 보여준다. 대표적인 보물은 성녀 푸아의 조각상으로 목재로 만든 틀 위에 금과 은으로 도금했다. 의자에 앉아 있는 모습의 성녀상은 투박해 보인다. 발은 지나치게 크고 팔은 짧고 뭉툭하다. 고대 조각에서 사용되었던 보석과 카메오로 장식했다. 나무 조각에 은으로 도금해 만든 샤를마뉴의 'A' 자 장식도 유명하다. 'A' 자 장식은 수도원의 가치를 인정한다는 의미에서 수도원장에게 부여된 것이다. 이 외에도 칠보와 도금한 은으로 장식한 피피누스의 성골함, 고대 무덤 모양으로 된 베공의 랜턴, 팔 모양의 성 게오르기우스의 성유물함 등이 오랜 시간이 흐른 지금까지도 남아 있는 보물이다.

생트푸아 수도원의 구조

생트푸아 수도원의 내부는 소박하다. 제기실을 장식하는 15세기 프레스코화는 성녀 푸아의 순교를 그리고 있으며 내진에는 12세기에 설치한 쇠창살이 있다. 높은 아치형의 회랑들은 22미터 높이의 중랑과 측랑들을 연결해준다. 중랑의 폭은 6미터가 넘지 않아 공간의 수직성이 더욱 강조되었다. 중앙 내부의 채광은 측랑과 위층 신자석을 통해 간접적으로 이루어진다.

생트푸아 수도원은 툴루즈의 생세르냉 성당이나 산티아고 데 콤포스텔라 대성당, 혹은 투르의 성 마르티노 대성당과 동일한 특성을 가진다. 세 교회 모두 성유물을 경배하기 위해 많은 신자가 찾아온다는 공통점이 있기 때문이다. 생트푸아 수도원에는 수많은 조각 장식이 있는데, 최후의 심판과 그리스도의 승리를 재현한 수도원 정면 팀파눔의 조각물이 특히 유명하다. 총 124명의 인물이 세 층으로 나뉘어 등장하는데, 정중앙의 그리스도를 중심으로 오른쪽에는 천국에 갈 수 있는 선택받은 자들이, 왼쪽에는 저주받은 자들이 보인다.

「영광의 그리스도와 최후의 심판」, 생트푸아 수도원의 팀파눔, 11~12세기, 콩크

성 기오르기스 교회 에티오피아 랄리벨라

약 300년 동안 자그웨 왕조의 수도였던 로하는 왕조 최고 전성기를 이룬 군주 제브라 마스칼 랄리벨라Gebra Maskal Lalibela(12세기 말~13세기 초)의 통치하에서 랄리벨라로 불리기 시작했다. 랄리벨라왕은 해발 2600미터의 광활한 고원에 암굴 교회 11개를 세웠다. 기독교로 개종한 왕은 이곳을 에티오피아 제국의 중심지인 악숨을 대신할 성지로, 즉 또 하나의 예루살렘으로 만들고자 한 것이다. 이 교회들은 고대 에티오피아 건축 양식을 따르고 있으며 에티오피아 북부와 중부 지역에서 이와 유사한 건축물들이 발견되었다. 랄리벨라왕이 세운 교회들 중 일부는 요새나 왕족의 빌라로 사용되었던 것으로 보인다. 그중 가장 눈길을 끄는 웅장한 성 기오르기스 교회는 가로와 세로 길이가 동일한 그리스 십자가 형태이다. 가로 22미터, 세로 23미터의 사각형 형태로 땅을 판 후 그 위에 세운 이 교회의 높이는 11미터이다. 현재 에티오피아에는 20여 개의 암굴 교회가 남아 있으며 에티오피아 정교회의 사제와 수사들이 머물고 있다. 에티오피아의 훌륭한 건축물인 이 암굴 교회군은 1978년 유네스코 세계 유산으로 등재되었다.

땅과 하늘의 예루살렘

랄리벨라 유적지는 1520년 탐험가 프란시스코 알바레스가 그림과 함께 상세하게 묘사한 바 있다. 실제로 이 포르투갈인 선교사는 “암석을 이처럼 정교하게 깎아 만든 교회는 세상 어디에도 없을 것이다”라고 하며 경의를 표했다. 건물과 창문, 입구, 기둥은 모두 암석을 깎아서 만든 것이다. 성 기오르기스 교회만 분리되어 있고 나머지 교회들은 통로나 지하 연결로를 통해 서로 이어진다. 요단강이라고 부르는 작은 강이 교회들 사이를 흐르며 지상의 예루살렘과 천상의 예루살렘을 나누고 있다. 건물 내부는 칠을 하지 않았으며 지붕은 땅의 높이까지 올라온다. 주변은 구덩이로 둘러싸여 있다.

오로지 사제만이 언약궤의 율법판을 상징하는 타보트가 보관된 방 막다스로 들어갈 수 있다. 암석을 깎아 만든 교회들은 12년 동안 6만여 명의 인부가 땀 흘린 결과이다. 천사가 내려와 하룻밤 만에 지었다는 전설도 전해진다. 11개의 교회는 각각

성 기오르기스 교회의 순례자들, 에티오피아 랄리벨라.

하나의 거대한 붉은 암석을 깎아 만들었다. 5개의 신랑이 있는 메드하네 알렘 교회는 세계 최대의 암굴 교회로 알려져 있다.

성 소피아 대성당 우크라이나

10~11세기 무렵 복음화가 시작된 키예프의 대공들은 콘스탄티노폴리스와 같은 도시를 만들고자 했다. 그러기 위해서 아야 소피아 같은 성당을 짓는 것보다 더 좋은 방법은 없었다. 야로슬라프 현공이 추진해 수도 키예프의 대대적인 도시화가 시작되었다. 키예프에 세워진 성 소피아 대성당은 군주들의 지하 분묘로 이용되었다. 1240년 타타르족에게 약탈당한 이후 1633년이 되어서야 우크라이나의 바로크 양식으로 재건되기 시작했고 1740년에 완성되었다. 13개에 이르는 돔을 자랑하는 거대한 규모의 신축 성당은 러시아 건축 예술을 상징하는 웅장하고도 아름다운 유산이다. 1917년의 러시아 혁명도 굳건히 이겨냈고 1920년의 종교 박해에도 살아남은 성 소피아 성당은 1980년에 기독교 박물관으로 탈바꿈했다. 시간이 흐르면서 겉모습은 변했으나 11세기 비잔티움의 장인들이 만든 수많은 모자이크 장식은 그대로 남아 있다. 성 소피아 대성당은 유네스코 세계 유산으로 등재되었다.

성 소피아 대성당의 구조

오늘날까지 전해오는 설계 도면 원본과 당시의 기록을 살펴보면 현재 바로크 양식의 건물만 남아 있는 성 소피아 대성당이 원래 어떤 모습이었을지 짐작할 수 있다. 이를 바탕으로 이스탄불의 아야 소피아와 비교해보면 몇 가지 다른 점이 발견된다. 우선 키예프의 성 소피아 대성당은 대리석이 아닌 붉은 벽돌을 사용했고 길이와 너비가 각각 39미터, 30미터에 달하는 규모의 건물을 지지하느라 건축의 역동성보다는 돔과 중랑, 기둥을 더 중시했다. 그렇지만 5개의 중랑과 5개의 후진을 가진 그리스 십자가 구조에서 비잔티움 양식을 엿볼 수 있다. 성 소피아 대성당은 작은 돔 8개와 중간 크기의 돔 4개, 그리고 대형 돔 하나를 세우고 건물을 세 층으로 나눈 구조이다. 많은 창문을 통해 들어오는 빛이 건물 안을 환하게 비춰준다. 이 대성당의 백미는 큰 규모의 모자이크화와 프레스코화이다. 모자이크화는 260제곱미터, 프레스코화는 3000제곱미터의 면적 위로 펼쳐진다. 계단곬을 장식하는 세속적 주제의 그림들은 1037년에 비잔티움의 화가들이 제작한 것으로 황제와 황후가 참관하고 있는 경마 등의 경주를 재현한다. 『구약 성경』과 『신약 성경』의 내용을 표현한 프레스코화도 볼 수 있다. 황금빛 배경에 도상들이 또렷이 나타나는 모자이크화 속에는 천사와 사도들에게 둘러싸인 영광의 그리스도가 중앙 돔으로부터 방문객을 굽어보고 있다. 후진에는 기도하는 성모를 표현한 모자이크화가 있다.

키예프, 블라디미르, 야로슬라프

연이은 내전과 유목민의 침략을 겪은 블라디미르 황제는 키예프를 찬란한 대공국으로 만들었다. 그는 요새를 쌓고 복음을 전파하는 데 힘썼으며 988년 비잔티움 제국에서 유래한 기독교를 국교로 정했다. 블라디미르 황제의 아들 야로슬라프 황제는 키예프의 전성기를 이끌었다. 그는 러시아 관습법을 성문화해서 법전으로 만들었고 그리스 고전의 번역을 장려했다. 성 소피아 대성당뿐만 아니라 1037년에는 황금의 문을, 1062년에는 동굴 수도원을 세웠다. 페체네그인들과의 전쟁에서 승리를 거두면서 25년 동안 키예프에 평화가 정착되었다. 야로슬라프가 사망하자 세력가들은 앞다투어 키예프를 손에 넣으려고 했다.

아야 소피아 터키 이스탄불

유스티니아누스 황제가 다스리던 시기의 동로마 제국은 최고의 번영기를 누렸고, 아야 소피아는 이를 가장 잘 증명해주는 건축물이다. 유스티니아누스는 자신의 치적을 길이 남기고자 많은 건축물을 세웠다. 526년과 528년 두 차례에 걸친 지진으로 무너진 안티오케이아를 재건했고 로마를 모방한 도시에 불과했던 콘스탄티노폴리스를 부흥시켰다. 황제가 세웠던 건축물 중 가장 뛰어나다고 할 수 있는 아야 소피아는 15세기 메흐메트 2세 때 이슬람 사원이 된다. 유스티니아누스는 이 성당을 짓기 위해 제국의 곳곳에서 건축 자재를 가져오게 했고 만 명이 넘는 인부를 동원했다. 하느님의 지혜를 기리는 아야 소피아가 세워진 자리에는 원래 두 성당이 있었다. 하나는 360년 콘스탄티우스 2세 때, 다른 하나는 415년 테오도시우스 2세 때 세워진 것이다. 532년 니카 반란으로 이 성당들이 불타버리자 유스티니아누스는 건축가이자 수학자인 트랄레스의 안테미오스와 기하학자인 밀레투스의 이시도루스에게 새로운 성당을 건축할 것을 명했다. 유스티니아누스의 건축 업적을 찬양한 프로코피우스의 『건축론』과 시인 파울루스 실렌티아리우스의 「아야 소피아의 묘사」를 통해 당시 건축물의 화려한 아름다움을 짐작할 수 있다. 아야 소피아 성당을 모스크로 만든 터키인들은 성당의 아름다운 장식물과 모자이크를 모두 없앴다. 그나마 없애지 않은 것도 석고 반죽이나 회반죽으로 덮어버렸다. 알라, 무함마드와 그의 제자들의 이름을 금으로 새긴 4개의 검은 원판이 아직도 건물 내부에 높이 걸려 있다. 서로마 제국의 성 베드로 대성당처럼 아야 소피아는 비잔티움 제국을 대표하는 가장 큰 성당이었다.

세계 제국에 걸맞은 성당으로

아야 소피아의 건축 공사는 532년에 시작되어 5년 동안 계속되었다. 성당의 벽은 다양한 색의 대리석으로 덮였고 궁륭과 아치 또한 다채로운 색의 모자이크로 장식되었다. 화려한 권좌에 앉은 권능의 그리스도가 한 손으로는 축복을 내리고 한 손으로는 책을 들고 있다. 아기 예수를 안고 있는 성모 마리아의 양 옆에는 콘스탄티누스와 유스티니아누스가 있다. 원래 모자이크가 덮인 면적은 640제곱미터였다. 아야 소피아는 콘스탄티누스 황제 때 세워진 십자가 모양의 고대 바실리카 구조와는 달리 거대한 돔 아래 중앙으로 응축된 건축 형태를 갖게 되었다. 유스티니아누스는 언젠가 지배하게 될 것이라고 믿었던 세계 제국에 걸맞은 웅장한 규모의 성당을 원했다. 이에 따라 성당의 돌 하나하나가 지름 32미터인 거대한 돔을 지지하도록 설계되었다. 성당 내부로 들어가면 육중한 벽이 중요한 역할을 했던 고대 건물과는 달리 훤하게 트인 내부 공간이 눈에 들어온다. 벽감, 기둥, 장식 벽 등 그 어떤 조형물도 없다. 비잔티움 양식에서 기둥과 내벽, 궁륭은 모자이크 장식을 통해 구분되지 않고 서로 연결되어 있다. 건물의 파사드에도 장식은 보이지 않는다. 557년 지진으로 무너진 돔을 이시도루스가 재건하기 시작해 유스티니아누스 시대가 끝날 무렵인 563년에 완성했다. 새로운 돔의 혁신적인 면은 기둥 위에 세운 펜던티브pendentive, 즉 삼각 궁륭 4개가 기초 구실을 하며 돔을 받치고 있다는 것이다. 돔의 무게를 최소화하기 위해 로도스섬의 점토와 화산재 등을 섞어 만든 백토 타일을 사용했다.

6세기 이전의 콘스탄티노폴리스

324년 로마를 계승하게 될 **콘스탄티노폴리스의 초석**이 놓임. 유스티니아누스 황제 시대에 최전성기를 누린 콘스탄티노폴리스는 1453년 오스만 제국이 정복하고 수도로 삼으면서 이스탄불로 이름이 바뀜. 1923년 터키는 수도를 앙카라로 정함.

330년 그리스의 식민 도시 비잔티움 위에 건설됨.

381년 콘스탄티노폴리스 제1차 공의회에서 성령 또한 성부 및 성자와 동일한 신성을 가진 것으로 규정함.

395년 **테오도시우스 황제의 죽음**으로 로마 제국은 그의 두 아들에 의해 분할됨. 형 아르카디우스는 콘스탄티노폴리스를 수도로 하는 동로마 제국을, 아우 호노리우스는 서로마 제국을 소유함.

532년 **니카 반란.** 귀족이 후원하는 청색당과 민주주의를 원하는 녹색당 모두가 황제의 정치를 비판해왔고 전차 경주 도중 카파도키아의 요한네스 총독에게 반기를 듦.

537년 트랄레스의 안테미오스와 밀레투스의 이시도루스가 설계 및 건축을 담당한 **아야 소피아**가 축성됨.

542년 페스트로 뒤덮임. 589년에는 로마까지 퍼짐.

557년 지진으로 큰 피해를 입음.

안자르 레바논

안자르Anjar는 이슬람 문명 초기의 도시화 사례를 보여주는 매우 독특한 유적이다. 실제로 안자르는 8세기 초 우마이야 왕조의 칼리파 왈리드 이븐 아브드 알말리크가 재위하던 시기에 건설된 도시로, 레바논의 다른 고고학 유적지와는 달리 몇십 년 동안만 존재한 것으로 보인다. 안자르는 744년 아바스 부족에게 점령당한 후 일부가 파괴된 채 버려진 도시였다. 중요한 상업 중심지였던 이 도시는 베이루트에서 다마스쿠스로 가는 길과 홈스에서 티베리아스까지 이어지는 길이 만나는 곳이었다. 안자르는 1940년대에 발견되어 우마이야 왕조 도시의 특성을 그대로 보여주는 중요한 유적으로 자리매김했다. 고대 시리아어가 벽에 새겨진 것으로 보아 도시를 건설한 노동자들의 출신은 다양했으리라 짐작된다. 실제로 이라크 북부의 네스토리우스파 기독교인이나 전쟁 포로였던 비잔티움의 노동자 등도 공사에 참여했다.

안자르의 옛 모습

1953년에 이루어진 발굴 작업을 통해 성벽으로 둘러싸인 요새 도시가 발견되었다. 남북으로 385미터, 동서로 350미터에 달하는 장방형 도시는 고대 로마 도시의 구조를 가지고 있으며 40개의 탑이 솟아 있다. 기둥이 세워진 문을 통해 유적지로 들어가면 남북으로 난 축과 그보다는 약간 짧게 동서로 난 축이 펼쳐지는데, 그 아래로 폐수 집수조가 설치되었다. 도시를 정확히 4등분 한 뒤 공공건물과 주거건물을 체계적으로 배치했다. 모스크와 왕궁은 가장 높은 지대인 남쪽에, 하렘과 공중목욕탕은 북동쪽에, 상점과 기타 생활 공간은 북서쪽과 남서쪽에 배치한 것이다. 안자르 유적지에는 4개의 출입구가 있는 건물과 4개의 원기둥으로 세운 테트라필론, 우마이야 조 왕궁의 벽과 열주의 잔해가 남아 있다. 로마 시대의 건축적 요소와 내부 장식의 특징을 가지고 있으면서도 고유한 장식 기술을 보여준다. 안자르는 셀레우코스 왕조가 세운 도시 칼키스 수브 리바눔이라는 주장도 있지만 확실한 것은 아니다.

알람브라 에스파냐 그라나다

알람브라에는 나스르 왕조의 예술, 즉 무데하르 예술의 극치를 보여주는 곳이 있다. 시간이 멈춘 듯 하늘의 에너지와 땅의 힘이 조화를 이루는 곳이다. 사색과 몽상, 영혼의 안식을 위해 이보다 더 훌륭한 곳은 없을 것이다. 바로 알람브라 궁전의 '사자의 중정'이다. 마치 요새처럼 우뚝 솟은 드넓은 성곽과 궁전은 프랑스 시인이자 소설가인 루이 아라공이 『엘자를 너무도 사랑한 남자*Le Fou d'Elsa*』에서 적었듯이 "죄악에 빠진 산호색 몸의 여인"이자 "1030개의 탑이 있는 유대인의 도시"이다. 그 어떤 장식물도 없이 붉은 벽돌의 성벽으로 둘러싸인 채 사비카 언덕 위 깊숙이 자리 잡은 건축물 밖에서는 결코 안에 펼쳐진 화려한 내부 구조나 벌집 모양의 무카르나스 장식이 있는 둥근 지붕들을 상상할 수 없다. 무카르나스는 중첩된 작은 벽감들, 조각 장식을 넣은 스투코, 쪽매붙임을 한 천장 등을 특징으로 하는 건축 장식 기법이다.

왕국의 저항

나스르 왕조(1237~1492)의 역사를 이해하려면 그 존재 이유와 특징, 그리고 에스파냐의 기독교 왕국과의 전쟁과 평화의 순간을 되짚어 보아야 한다. 나스르 왕조는 에스파냐의 다른 아랍 국가들이 기독교 왕국의 국토 회복 운동인 레콩키스타(1031~1260)로 인해 사라져갈 때 그라나다를 중심으로 세워진 왕조이다. 1212년 라스 나바스 데 톨로사 전투에서 승리한 페르난도 3세가 1236년 코르도바를 함락하면서 그라나다의 무와히드 왕국은 막을 내렸다. 1232년 왕좌에 오른 무함마드 이븐 나스르는 1238년 그라나다를 수도로 정했다. 나스르 왕조는 카스티야와 아라곤, 두 왕국의 속주임을 인정하면서 이베리아반도의 마지막 아랍 왕국인 그라나다 왕국을 세웠다. 그 후 레콩키스타는 그라나다가 카스티야와 아라곤과 대결하는 형태로 이어졌다.

기독교 왕국에 점령당한 아랍 왕국을 떠나온 피난민들까지 섞여 인구가 많고 부유했던 그라나다 왕국은 무함마드 5세 때 최고의 번성기를 누렸다. 1338년 무함마드 5세는 유수프 1세 때 짓기 시작한 알람브라 궁전을 완공했다. 코마레스 궁전과 사자의 중정, 화려한 천장으로 유명한 '두 자매의 방', 아벤세라헤스의 방이 그의 치세 때 세워진 것이다. 15세기 말 아라곤 왕국의 페르난도 2세와 카스티야 왕국의 이사벨 1세가 연합한 '가톨릭 왕들'의 군대가 그라나다를 포위했다. 그로부터 4개월 후 무함마드 12세가 항복하면서 알안달루스에 세워졌던 마지막 무어 왕국은 1492년 기독교 왕국의 손에 넘어갔고 레콩키스타도 완성되었다.

꿈속의 황금 궁전

궁전 외부로 보이는 성곽과는 달리 궁전 안으로 들어가면 아름답고 화려한 풍경이 펼쳐진다. 알람브라 궁전도 다른 이슬람 궁전과 같이 왕이 판결을 내리던 메수아르궁, 왕좌실이 있는 곳으로 접견이 이루어지던 디완궁, 왕비가 거처하던 하렘 등 세 구역으로 나뉜다. 모든 장식에는 여러 색이 사용되었으며, 도자기 타일인 아줄레주, 쪽매붙임, 석고 부조 등이 주요 장식 요소이다.

궁의 생활은 주로 사각 분수 앞의 아라야네스 정원과 디완궁, 사자의 중정 사이에서 이루어졌다. 언덕의 굴곡과 조화를 이루는 궁전을 거닐다 보면 대리석과 돌, 하얀 스투코 위에 새겨진 『쿠란』의 구절들로 인해 마치 책 속을 걷고 있는 것만 같다. 빅토르 위고도 『동방시집』에서 "마침 꿈속인 듯 정령들이 / 황금빛으로 물들이고 조화로 가득 채운 궁전"이라고 하지 않았던가.

천상의 정원

시에라네바다산맥에서 끌어오는 물은 정원의 분수는 물론 건물 내부에 판 도랑을 거쳐 궁전 곳곳에 흐른다. 바그다드나 사마르칸트, 모로코의 궁전 등에서도 볼 수 있듯이 아랍·이슬람 세계에서 정원은 인간이 행복과 평화를 느낄 수 있는 신화적 공간이다. 이른바 천국이며 『쿠란』에 나오는 '영원의 정원'이라고 할 수 있다. 그라나다의 이슬람 건축은 동양식 정원 형태를 응용해 수직으로 나뉘는 사각 공간을 만들었다. 이보다 더 눈길을 끄는 것은 빛과 그늘이 건물 안과 밖을 넘나들며 끝없는 경관으로 이어진다는 점이다. 채광 천장을 통해 내려왔다가 다시 솟아올라 황금색

종유석과 스투코 장식, 일종의 채광 칸막이인 마슈라비야mashrabiya, 그리고 여러 개의 꽃 줄로 장식한 아치 모양의 구조들 위로 반사되는 은은한 빛이 내부 공간을 우아하게 비춰준다.

사자들이 지키는 정원

사자의 중정은 원래 파란색과 흰색 유약을 바른 벽돌이 깔려 있었던 것으로 보인다. 현재는 4개의 물줄기가 12개의 사자상이 받치고 있는 석재 수반 주위로 모인다. 돌로 조각한 사자상들은 1066년 그라나다 유대인 대학살 당시 십자가에 못 박혀 죽은 고위 대신 요셉 이븐 나그렐라의 집에서 가져온 것이다. 철학자 이븐 가비롤은 사자상들이 있던 분수에 대해 상세하게 묘사한 글을 남겼고, 안달루시아의 대표적 시인 이븐 자므라크는 '두 자매의 방'을 장식한 시와 사자의 중정에 있는 석재 수반에 대한 시를 쓴 것으로 알려져 있다. 밑동이 가는 125개의 하얀 대리석 기둥이 늘어서 있는 너비 3~4미터의 커다란 회랑은 다른 방들로 이어지는 연결 통로이다. 마치 자수를 놓듯 섬세하게 장식한 아치형 통로와 천장이 없다면, 그리고 끝없이 반복되는 다양한 문양으로 장식된 기둥머리가 없다면 아마도 수도원이라고 생각될 것이다. 사막에 세운 천막을 연상시키는 건축물 자체도 새롭지만 알람브라 궁전의 새로운 매력은 특히 내부 장식 기술에서 찾을 수 있다.

앙코르 와트 캄보디아

동남아시아의 최대 유적지인 앙코르는 9세기에서 15세기에 건재했던 크메르 제국의 수도와 대도시의 흔적을 품고 있다. 수리야바르만 2세의 명으로 건축된 앙코르 와트 사원은 세계 8대 불가사의의 하나로 꼽힌다. 이 사원은 연이어 네 왕의 신임을 얻었던 비슈누파 승려 디바카라 판디타Divakara Pandita(1040~1120)의 의지로 탄생했다. 1931년 파리에서 열린 국제 식민 박람회에서 실물 크기로 재현되면서 앙코르 와트의 아름다운 자태가 세상에 드러났다. 9세기에서 13세기에 앙코르 제국은 인도차이나에서 가장 강력한 국가였다. 앙코르 와트 사원은 캄보디아 북동부에 있는 옛 수도 시엠리아프와 톤레사프 호수 근처에 위치한다. 장방형 사원 터의 전체 크기는 길이 1000미터, 너비 850미터에 달한다. 육중한 사원을 둘러싼 여러 개의 정원이 서로 포개지듯 펼쳐지며, 건물 상단부에는 5개의 연꽃 모양 탑이 우뚝 솟아 있다.

사원의 역사

자야바르만 2세 때부터 제국의 중심이었던 앙코르는 889년 야소바르만이 왕좌에 오르고 나서야 수도가 되었다. 900년경 세계의 중심을 상징하는 언덕 위에 세워진 프놈바켕 사원 주위로 도시가 건설되었다. 야소바르만왕이 앙코르에 정착한 890년대부터 13세기 초까지, 윈난성 북쪽 인도차이나반도의 한 곳에서부터 서로는 현재의 베트남까지, 동으로는 벵골만까지 펼쳐진 땅이 모두 크메르 제국의 영토였다. 최고의 영화를 누리던 크메르인들은 풍부한 노동력과 부를 바탕으로 자신들은 물론, 자신들이 살던 수도와 신을 기리기 위해 놀라운 건축물들을 만들었다. 1218년 자야바르만 7세의 치세가 끝나갈 즈음 제국의 힘과 영향력은 쇠퇴하기 시작했고, 1431년 아유타야 왕조의 타이 군사들이 앙코르를 점령하고 약탈을 자행했다. 그 후 앙코르 일부 지역은 버려진 도시로 세상에서 잊혔다. 그러나 1992년 유네스코 세계 유산으로 등재되면서 수많은 관광객이 찾아가는 주요 관광지가 되었다.

아발로키테스바라, 12~13세기, 바이욘 사원, 앙코르 톰.

남근 숭배

앙코르 문명은 802년 즉위한 후 라오스, 참파 왕국, 태국 몽족의 자치국들을 정복하며 크메르 제국의 최전성기를 구가한 자야바르만 2세 때 탄생했다. 그는 비슈누 신에게 바치는 사원을 건립하게 하는 등 유수한 건축물을 많이 세운 왕이기도 했다. 인도네시아를 모델로 삼은 크메르 왕조는 신성한 메루산을 지배하는 신들의 왕 인드라와 시바 신과 일체가 되기를 원했고, 왕의 창조적 힘과 다산의 상징인 남근상 링가linga를 경배했다. 앙코르 문명의 독특함은 마하야나 불교, 힌두교, 비슈누교, 시바교의 완벽한 융합에서 나온다.

불멸의 세계를 위한 앙코르 와트

우주론적 주제와 인도 신화를 보여주는 앙코르의 사원들 중에서 앙코르 와트는 보존이 잘된 편에 속한다. 앙코르의 사원들은 모두 왕과 왕족이 시바를 비롯한 신들을 경배하고 이들과 하나가 되어 불멸의 세계에 닿고자 하는 목적에서 세운 것이다. 이 사원들 중에서 가장 크고 유명한 앙코르 와트 역시 수리야바르만 2세가 비슈누와의 영원한 합일을 상징하는 사원이자 자신의 유해가 묻힐 웅장한 장례 신전으로 세운 것이다. 앙코르 와트를 둘러싼 세 번째 회랑 벽은 수백 미터에 달하는 부조로 장식되었다. 부조 장식은 고대 인도의 대서사시 『마하바라타*Mahabharata*』와 『라마야나*Ramayana*』 속 장면과 수리야바르만의 일생을 표현한다. 동쪽 회랑 벽에는 '물 위를 다니는' 요정이자 천계의 무녀 압사라들을 탄생시킨 '우유 바다 휘젓기'가 조각되어 있다. 정사각형 모양의 중앙 신전은 각각 땅, 물, 바람을 상징하는 3개의 단 위에 서 있으며 위로 올라갈수록 좁아지는 형태이다. 중앙 탑과 이를 둘러싼 네 방위의 탑은 힌두교에서 우주의 중심으로 섬기는 메루산을 상징한다.

반테이 스레이 사원: 여인들의 성채

앙코르 와트에서 20여 킬로미터 떨어진 도시 이스바라푸라에 '여인들의 성채'라는 의미의 사원 반테이 스레이가 있다. 시바 신에게 바친 이 사원은 다른 사원들과는 달리 왕이 아니라 왕의 대신이자 스승이었던 인물이 세운 것이다. 비록 증축 공사는 14세기에 중단되었으나 크메르 예술의 진수를 보여주는 사원이다. 특히 성곽과 회랑을 장식하는 수백 미터의 프리즈가 돋보인다. 서쪽 박공벽에는 불교의 만신전과 무려 8만 1936개 구절에 달하는 대서사시 『마하바라타』 속 장면이 조각되어 있다.

롤루오스의 사원들

앙코르 와트에서 15킬로미터 정도 떨어진 곳에 있는 3개의 붉은 벽돌 사원은 9세기에 세워진 오래된 크메르 양식의 건축물이다. 그중에서 가장 오래된 피라미드형 5층 사원은 881년에 축조되기 시작한 바콩 사원으로 메루산을 상징한다. 인도네시아의 보로부두르 사원을 단순화시킨 형태로 볼 수 있는 이 사원 안에는 시바 신의 링가가 있다. 놀라울 정도로 잘 보존된 이 사원의 또 다른 특징은 사암으로 된 조각상들이다. 롤레이 사원은 길이 4000미터, 너비 700미터의 광대한 인공 저수지 중앙에 세워진 최초의 수상 사원이다.

이세 신궁 일본

일본인들에게 이세 신궁은 '이세 대신궁'이라고도 불리는 가장 중요한 신사이다. 이세 신궁은 미에현 이세시(옛 이름은 이세현 우지야마다시)에 위치하며 이세시마 국립 공원에 속해 있다. 20년마다 재건축되는 이 신전은 일본의 많은 유적이 오랜 시간이 흘러도 잘 보존되고 있는 이유를 설명해준다. 8세기부터 시작된 정기적인 재건축으로 신전은 새 건축물처럼 보인다. 10세기의 기록이 전해지면서 세대가 바뀌어도 기술자들은 정확한 지침에 따라 작업할 수 있었다. 이세 신궁은 시작도 끝도 없이 순환하는 시간의 무상함을 상징한다. 『일본서기』와 『고사기』에 따르면 이세 신궁은 11대 스이닌 천황 때 세워졌다고 한다. 그러나 690년경에 짓기 시작했다는 설이 좀 더 신빙성이 있어 보인다. 두 여신에게 봉헌된 이 신전을 처음 참배한 사람은 황족 중에서 결혼하지 않은 공주들이었다. 이세 신궁은 일본 제일의 신사로 개인적으로 참배하러 오는 정부 요인과 고위 공무원의 발길이 잦은 곳이다.

크고 복잡한 신사

거대한 규모의 이세 신궁에는 120여 개의 건물이 모여 있다. 태양신 아마테라스를 위한 내궁에는 신성한 거울이 있다. 청동으로 만든 이 거울은 천황 가문의 보물로 여겨지며 지식과 지혜를 상징한다. 외궁은 의식주를 관장하는 신 도요우케를 위한 것이다. 이세 신궁의 건물들은 야요이 시대의 곡창과 유사한 건축 양식을 보인다. 각 건축물은 모두 북쪽을 향하며 껍질을 벗긴 편백나무를 자재로 사용했는데, 건물의 기초와 지붕에는 하얀 목재를 그대로 사용했다. 신궁을 품고 있는 네 겹의 울타리에는 신의 영역과 속세를 구분하는 도리이와 입구가, 그리고 그 안에는 여러 건물이 있다. 이 건축물들은 다른 신궁들과는 달리 극도로 단순한 구조를 가지고 있으며, 이러한 양식은 각 장소를 관장하는 신령들을 위한 것이다. 앙드레 말로는 『변경의 거울』에서 이세 신궁을 다음과 같이 묘사했다. "칼로 그린 듯 간결한 모습에 지붕 아래 들보는 투박한 형상이나 이세 신궁은 그저 단순한 신사가 아니다. 나무들과 분리되는 순간 생명력을 잃어버릴 신궁은 거대한 소나무로 된 신전의 제단이다."

장크트갈렌 수도원 스위스

장크트갈렌 수도원은 스위스 북동부에 있는 보덴호 남쪽에 위치한다. 613년 수도사 갈루스Gallus가 세운 것으로 전해지는데, 갈루스는 아일랜드 사람으로 646년 이곳에서 사망했다. 10여 명의 제자들이 그를 따라 복음을 전파했다. 709년에서 712년에 수도원은 약탈을 당했고 10여 년이 지난 후 피피누스 3세의 명을 받은 오트마르 수사가 베네딕토회 수도원으로 만들었다. 11세기까지 이곳은 가장 유명하고 활발한 교육의 중심지이자 저명한 필경사들이 모여들던 곳이었다. 최고의 영화를 누린 시기는 830년에서 920년까지이다. 11세기부터 쇠락하기 시작한 수도원은 수입이 줄고 규율도 느슨해졌다. 설상가상으로 헝가리인들의 방화 사건까지 벌어졌다. 황제와 한편이었던 수도원장들은 제후가 되어 장크트갈렌 도시는 물론 퀴르슈텐을란트 지역도 지배했다. 1648년 이후에는 토게르부르크까지 그 지배력이 확산되었다. 사실상 종교 개혁의 영향으로 1524년 더 이상 교회는 속세의 정치에 관여하지 않았다. 장크트갈렌은 1803년 새로 탄생한 주의 주도가 되었다. 1805년 5월 8일 주의회는 수도원의 재산을 몰수했고, 수도원은 1836년 대성당으로 축성되었다.

기발한 설계

1626년까지 유지된 초기 구조물 주변으로 대규모 거주 공간이 조성되었다. 아헨 공의회 직후인 820년에 작성된 장크트갈렌 수도원의 설계도는 성 베네딕토의 가르침을 따르는 이상적인 수도원의 모습을 완벽하게 재현하고 있다. 양피지 5장을 연결해 그린 도면의 크기는 가로 77센티미터, 세로 112센티미터로, 그 당시로서는 최대 크기의 양피지라고 할 수 있다. 설계도는 수도 공동체가 자율적 생활을 영위하는 데 필요한 모든 것을 매우 조화롭게 배치하고 있다. 목재 성전은 오트마르 수도원장 때 석조로 바뀌었고, 나병 환자 수용소와 호스피스 병동이 추가로 건립되었다. 수도원의 생활은 주로 교회와 열주 회랑을 중심으로 이루어졌다. 수사들의 방과 식당이 열주 회랑을 둘러싸고 있는 구조이다. 의무실, 견습 수사들의 수련원은 교회 동쪽에 위치한다. 도면을 보면 수사들은 물론 일반 신자들도 수도원에 접근할 수 있었다.

지체 높은 방문객이나 가난한 여행자 모두 맞이할 수 있는 숙소도 마련되었다. 수도원에서는 모두가 육체노동을 통해 생산 활동에 참여했으므로 농작을 위한 건물과 작업실, 축사 등도 설계되었다. 교회를 포함해 모든 공간은 칸막이를 만들어 분리했고 곳곳에 제단을 설치했다.

카롤링거 건축의 의의

카롤링거 양식은 무엇보다 성당 건축에서 찾을 수 있다. 고대 로마의 건축을 모델로 했으며 아헨 대성당의 기도실처럼 중앙 건물을 중심으로 설계되는 건축 양식을 적용했다. 카롤링거 양식의 교회는 중앙 건물 주위로 궁륭 회랑을 배치했다. 7~8세기 무렵 주 제단 위에 성물을 진열하기 시작했고, 내진과 나머지 공간은 주랑으로 분리되었다. 고대 로마의 지하 묘소를 본떠 지하 납골당을 만든 것도 이 시기이다. 8세기에 탄생한 스테인드글라스는 초기에는 어두운 색으로 제작되었으나 점점 화사하고 다채로운 색이 입혀졌다. 설계도를 보면 장크트갈렌 수도원은 가로와 세로의 길이가 130미터에 이르는 정사각형의 완벽한 기하학적 구조임을 알 수 있다.

장크트갈렌 수도원의 보물: 도서관

장크트갈렌 수도원의 도서관은 중세 시대에 가장 많은 장서를 보유하고 있었으며, 특히 아름다운 필사본을 다수 소장하고 있었다. 실제로 궁전뿐만 아니라 수도원에도 채색 삽화가를 양성하는 학교가 있었다. 문학과 예술이 발전하고 널리 보급되면서 채색 장식과 세련된 제본 기술이 들어간 서적의 제작이 활발해졌다. 가장 유명한 작품으로는 9세기 말 장크트갈렌 수도원에서 제작한 폴하르트Folchard 「시편」과 금장 「시편」이 있다. 금장 「시편」에는 장식 문자와 두 장의 미세화가 들어 있다. 이곳에 보관된 필사본들은 글자체와 표기법의 변화를 보여준다. 800년경 독일어의 일종인 알레만어가 주로 쓰였고, 샤를마뉴 대제는 왕궁 학교의 학자들과 함께 카롤링거 소문자를 개발했다.

수도주의

수도주의자는 은수자(독거 은수자, 공주共住 은수자), 수사 등을 가리킨다. 속세를 떠나 오로지 기도 생활과 하느님에 대한 헌신에만 전념하는 사람들을 뜻한다. 베네딕토 수도회의 창시자 누르시아의 성 베네딕토는 처음으로 서구에 수도주의 체계를 세운 인물이다. 그가 몬테카시노에서 작성한 수도회 규칙서는 지금까지 전해 내려온다. 수도회의 본부가 세워지면서 수사들은 더 이상 동냥을 하지 않고 한곳에 정주하며 자급자족의 생활을 영위해나갈 수 있었다.

카롤링거 소문자

8세기 프랑스에서 고안된 카롤링거 소문자는 고대 문화를 연구한 카롤링거 르네상스의 결과물이다. 이 문자로 작성된 최초의 글은 781년에 제작된 고데스칼크의 미사용 복음서이다. 샤를마뉴의 적극적인 권장하에 카롤링거 소문자는 널리 사용되었다. 나라 전체가 공동으로 사용할 수 있고 쉽게 해독되는 글자를 만들고자 한 샤를마뉴의 업적이다. 단어와 단어 사이에 공백을 두기 시작한 것도 카롤링거 소문자이다. 이 문자는 프랑스뿐만 아니라 이탈리아, 스위스, 오스트리아 등 유럽의 다른 기록원에까지 신속히 퍼져나갔다. 789년 카롤링거 소문자는 샤를마뉴에 의해 프랑크 왕국의 공식 문자가 되었다. 새로운 문자를 도입하면서 필사 시간은 물론 양피지 사용도 줄일 수 있었고, 결과적으로 더 많은 필사본을 제작할 수 있었다.

카르카손 프랑스

2500년의 역사를 가진 카르카손 성채 도시는 1997년 유네스코 세계 유산으로 등재되었다. 툴루즈에서 80킬로미터 떨어진 곳, 오드강이 내려다보이는 언덕 위에 건설된 카르카손이 유명해진 것은 19세기에 진행된 비올레르뒤크의 복원 작업 때문이 아니라 3킬로미터에 달하는 이중 성벽과 52개의 탑 때문이다. 갈리아·로마 제국과 이베리아인들이 차례로 이곳을 점령했다. 507년 프랑크족에게 패하고 아키텐에서 쫓겨난 서고트의 왕 에우리크가 카르카손의 내부 성곽을 축조했다. 이듬해 클로비스왕이 이곳을 공격했으나 함락하지 못했다. 759년 피피누스 3세가 나르본의 셉티메니아 대공국을 점령하면서 카르카손에서 아랍의 지배도 끝이 났다. 중세에는 도시와 요새가 확장되고 성벽 밖으로도 도시가 발전했다. 카르카손의 백작들과 트랑카벨 가문이 프랑스 남부 지역에서 중요한 역할을 했다. 당시에 카타리파가 랑그도크에서 번창했고, 생나제르 성당이 트랑카벨 가문의 영향력을 등에 업고 대성당으로 축성되었다. 서고트인들이 축조한 성벽 안으로 백작의 성을 의미하는 샤토 콩탈이 세워졌다. 그러나 알비파와의 전쟁 이후 카르카손은 프랑스 왕의 소유가 되었다.

도시의 탄생

1248년부터 오드강 좌안 평지에 새로운 도시가 건설되었다. 성을 요새화하는 작업은 20년 전에 이미 시작된 상태였다. 빈번한 외적의 침입을 막기 위해 두 번째 성벽과 해자가 건설되었고, 13세기 후반 필리프 3세가 재위하는 동안에는 망루와 검문탑, 성채로 들어가는 유일한 입구인 나르보네즈 문 등이 축조되었다. 1659년 루시옹 지역이 프랑스 왕국에 병합되면서 카르카손이 맡았던 요새의 역할은 끝이 났다. 1844년 프랑스 건축가 비올레르뒤크가 시작한 대성당과 성벽의 복원 공사는 1960년대까지 이어졌다.

생나제르 대성당

성 나자리우스와 성 켈수스에게 봉헌된 생나제르 대성당은 성벽 가까이 위치하며, 참사회가 사용한 부속 건물 등과 함께 카르카손의 중심을 이루었다. 참사회 건물이 있던 자리에는 현재 정원과 극장이 들어서 있다. 사암으로 지은 로마네스크 양식의 생나제르 대성당은 스테인드글라스도 유명하다. 12세기경 로마네스크 양식의 성가대석은 고딕 양식으로 교체되었다. 웅장한 익랑 동쪽에는 6면으로 이루어진 후진이 자리 잡고 있다. 프랑스 남부의 고딕 양식 교회들은 외부에 버팀도리, 즉 공중 부벽을 세우지 않고 오로지 내부 궁륭 구조로만 건축물을 안전하게 떠받치도록 지어진 것이 특징이다.

티칼 과테말라

마야어로 '목소리의 장소', '메아리의 장소'를 의미하는 티칼Tikal은 과테말라 페텐주에 위치한 유적지를 가리킨다. 3세기에서 10세기까지 매우 중요한 마야의 도시 국가 중 하나였던 티칼은 주민들에 의해 버려졌다. 734년 '하늘을 어둡게 하는 크아윌'이라는 의미의 이름을 가진 이크인 찬 크아윌이 왕위에 오르면서 티칼의 최고 전성기도 시작되었다. 그는 736년 티칼의 적수였던 도시 칼라크물을 정복했고 743년에서 744년에 동맹 도시들을 해체했다. 그리고 라카마(팔렝케의 옛 이름)의 귀족 출신인 '벽에 앉은 푸른 어치' 샤나킨 약스첼 파칼과 혼인했다. 8세기 말 티칼은 승전과 연합을 통해 대부분의 마야 세계를 장악했다. 1848년 모데스토 멘데스와 암브로시오 투트가 티칼 유적지를 발견했을 때 이곳은 숲으로 덮여 있었다. 전체 유적지 중 지금까지 발굴 작업이 이루어진 곳은 피라미드와 신전, 왕궁이다. 일반적으로 메소아메리카의 유적지들이 주로 제식을 위한 공간이었던 것과는 달리 티칼은 6만~10만 명의 주민들이 거주하던 도시 국가였다. 중심 구역만 15제곱킬로미터에 달하며 주변으로 많은 위성 도시들이 형성되어 있었다. 발굴 결과 3000여 개의 건물이 존재했다는 것이 알려졌는데, 실제로는 더 많은 건축물이 있었을 것으로 추정된다. 유적지에서 발견된 부조물, 비석, 제단, 조각물, 프레스코화 등은 티칼의 훌륭한 예술을 보여준다.

티칼, 도시, 잃어버린 세계

티칼의 구조는 마야 문명의 다른 도시들과 크게 다르지 않아 중심부에 저수지와 저수조가 있다. 박쥐의 성, 잃어버린 세계의 피라미드, 머리가 둘 달린 뱀의 신전, 다섯 창의 궁전, 왕궁 북쪽의 신전 1, 신전 2 등 건물에 붙여진 기발한 이름이나 숫자는 처음 이곳을 발견한 고고학자들의 작품이다. 티칼의 피라미드 신전은 크기와 높이 면에서 독보적이다. 예를 들어 서쪽의 머리가 둘 달린 뱀의 신전의 높이는 70미터에 달한다. 신들의 얼굴 조각으로 장식한 가파른 계단을 통해 톱니 모양의 지붕 위로 올라갈 수 있다. 북으로 100여 개의 무덤이 늘어선 아크로폴리스가 왕들의 마지막 거처인 셈이다. 남쪽에는 '잃어버린 세계'가 같은 이름의 피라미드를 중심으로 펼쳐진다. 이곳을 처음 발견한 탐험가들은 밀림으로 뒤덮인 유적지를 보면서 코넌 도일의 『잃어버린 세계』를 떠올렸던 것이다.

마야 문명, 희대의 수수께끼

마야 문명은 멕시코 남동부에서 시작해 유카탄반도, 그리고 지금의 과테말라, 엘살바도르, 온두라스까지 포함하는 매우 넓은 지역에 걸쳐 형성되었던 문명이다. 기원전 3000년경에서 에스파냐의 침략을 받는 16세기까지 이어지는 유구한 역사를 가진 문명인 것이다. 그러나 마야 문명이 유카탄반도의 거대한 도시 국가들에서 번성했던 것은 10세기까지였다. 초기 마야 문명을 올멕 문화와 구분하기는 쉽지 않다. 통상적으로 마야 문명의 역사는 선고전기(150년까지), 고전기(900년까지), 후고전기(1521년까지) 등 세 시기로 구분한다. 공동체가 정착하게 되는 선고전기가 끝나고 고전기에 이르러 마야 왕국은 티칼, 칼라크물, 치첸이트사, 욱스말 등의 도시 국가를 중심으로 전성기를 맞았다. 독립적인 각각의 도시 국가는 귀족과 사제 계급 모두와 연합한 신성한 왕의 지배를 받았다. 군인도 정해진 지위가 있었고 그 아래로 장인과 상인 계급이 있었다. 자유농민 혹은 땅에 예속된 농민이 가장 낮은 계급에 속했다. 마야가 마이스mays, 즉 옥수수를 재배하는 사람들을 의미했던 것으로 보아 마야 문명은 농경 사회였음을 알 수 있다. 마야 문명은 여전히 수수께끼로 남아 있다. 8세기 말 주민들이 유카탄반도의 북쪽으로 이주해가면서 남쪽의 도시 국가들은 빈 도시로 변해버렸다.

피라미드 위의 재규어

티칼은 뛰어난 전쟁 기술은 물론 주변 도시들과의 영리한 연합을 통해 힘을 키워갔고, 동맹 도시들은 결국 티칼에 예속되었다. 이에 따라 '폭풍우가 치는 하늘', '재규어의 다리', '이중의 새' 혹은 '초콜릿의 제후' 같은 상징적인 이름을 가진 훌륭한 전사이자 신과 같은 왕의 존재가 중요했다. 이러한 왕들의 무덤이 피라미드 신전 내부에서 발견되었다. 왕이 살아 있었을 때는 신전을 궁으로도 사용한 것으로 보인다.

재규어의 신전은 여러 층의 기단, 풍부한 장식물, 정상으로 이어지는 계단 등 전통적인 마야 신전의 특성을 고스란히 보여준다. 도시 중심에 위치한 이 신전의 9개 기단을 오르면 다른 건축물들이 눈앞에 펼쳐진다. 신전 꼭대기는 재규어를 숭배하기 위한 공간이다. 왕의 묘실은 지하 6미터 아래 마련되었다. 제일 높은 기단 위에는 3개의 방이 이어진 엄밀한 의미의 신전이 있다. 신전의 지붕에는 무게를 줄이기 위해 고안한 속이 빈 아치형 공간을 중심으로 둘로 분리된 조형물이 꼭대기를 장식하고 있다. 그 위에는 왕좌에 앉은 군주의 위엄 있는 모습이 표현된 거대한 조각물이 있다.

다기능 문자

마야 문자는 오랫동안 세상에 알려지지 않다가 19세기 중엽 『놀라운 마야 여행』에서 최초로 소개되었다. 이 책은 두 미국인 탐험가들이 팔렝케와 코판 유적지를 발견한 놀라운 경험을 적은 여행기로 당시 베스트셀러였다. 드레스덴, 마드리드, 파리의 도서관에 보관된 코덱스는 오랫동안 잊힌 상태였다. 마야 문자는 물병, 비석, 상인방上引枋에도 쓰여 있다. 또한 마야 문자는 3~9세기 건축물에 사용되었고, 에스파냐인들이 중앙아메리카에 진출한 16세기까지는 코덱스에 사용되었다. 마야어에서는 하나의 단어가 여러 가지 방식으로 발음되며, 그 발음마다 다양한 뜻을 갖는다. 마야어는 그림에서 유래한 기호를 사용해 뜻을 알리는 표어문자에서 표어문자에 음절 단위의 음성이 가미된 혼성 표어문자로 발전했다. 따라서 단어는 더 작은 단위들로 나뉠 수 있다. 대부분의 단어는 단음절이지만 다음절인 경우는 단음절 단어로 다시 나뉜다. 마야 문자는 이집트의 카르투슈와 같은 타원형이나 정사각형 안에 여러 개가 모여 의미를 형성한다. 현재 800여 개의 마야 문자가 알려져 있다.

파하르푸르 대승원 방글라데시

방글라데시 북서쪽에 위치한 파하르푸르 대승원 또는 소마푸라 마하비하라 대승원 유적은 세계 최대의 불교 유적이다. 파하르푸르 대승원은 신실한 불자였던 다르마팔라 비크람쉴라왕(770~810)이 축조했다. 장관을 이루는 이 사원을 건축함으로써 비크람쉴라왕의 이름은 널리 퍼졌고 그의 영향력 또한 멀리 캄보디아까지 미칠 정도였다. 파하르푸르 대승원을 시작으로 이와 유사한 건축 양식의 불사들이 세워졌다. 177개에 달하는 승려의 방은 정방형의 정원 주위로 배치되었다. 힌두교 여신들을 표현한 부조물 등 수많은 장식 조각물도 보는 이의 감탄을 자아낸다. 8세기부터 사용하기 시작한 테라코타 기술은 삼각주 전역으로 전파되었다. 12세기까지 대승 불교의 아성이었던 이곳은 학문의 중심지가 되었다.

파하르푸르 대승원의 구조

13세기 이슬람의 침략이 있은 후 파하르푸르 대승원은 사람들의 기억에서 사라졌다가 1812년 어느 스코틀랜드 의사가 무화과나무의 일종인 반얀나무로 덮여 있던 이 수도원을 발견하면서 다시 세상에 알려지게 되었다. 1934년에 끝난 발굴 작업은 300여 미터의 벽으로 둘러싸인 11헥타르의 사각형 부지를 대상으로 이루어졌다. 벽의 두께는 수 미터에 달하며, 정원을 향해 있는 승려들의 숙소가 벽 안쪽에 자리한다. 십자가 형태의 중앙 사원은 세 층으로 구성되어 있으며 높이가 20여 미터에 달한다. 건축물의 꼭대기가 어떤 형태였는지는 알 수 없으나 스투파 모양이었을 것으로 추정된다. 중간층에는 영내를 둘러볼 수 있도록 길을 냈고, 네 방위마다 기도실을 만들었다. 1층은 힌두교 여신들을 부조로 표현한 점토판 63개가 기단부를 장식하고 있으며, 그 위로 석가모니의 일생, 음악가 등 당대 인물들의 일상의 삶을 표현한 2300여 개의 점토판을 볼 수 있다.

사상·유적

근대는 중세 말에서 계몽 시대의 종말을 알린 프랑스 대혁명 때까지 펼쳐진다. 그 300여 년 동안 르네상스, 새로운 신앙, 고전주의, 그리고 이성, 개방, 혁명이 꽃피는 시기가 이어진다. 근대 국가의 발전은 같은 속도로 이루어지지 않았고 그 결과도 달랐다. 발전을 주도한 국가는 프랑스였다. 13세기 이후 왕은 영주들의 중재자 역할을 했고, 그 역할을 가장 잘 소화한 인물이 루이 9세였다. 필리프 4세의 법학자들은 왕이 '왕국의 황제'라는 아이디어를 확립했다. 그러다가 샤를 5세 때부터는 대관식이 왕에게 후광을 입히는 효과를 냈다. 샤를 7세와 루이 11세는 군대와 세제를 정비했다. 1469년 페르난도 2세와 이사벨 1세가 결혼하면서 통일된 에스파냐는 카를 5세와 특히 포르투갈까지 다스린 펠리페 2세 치하에서 최고 권세를 누렸다. 영국에서는 장미 전쟁으로 많은 귀족이 몰락하자 튜더가가 그 틈을 노려 권력을 잡았다. 에스파냐보다 조금 더 늦게 통일이 이루어져서 잉글랜드와 스코틀랜드가 한 국왕의 통치를 받기 시작했다. 1648년 베스트팔렌 조약이 체결된 뒤 독일은 선출된 황제가 다스리는 봉건제를 유지했다. 황제는 전통적으로 합스부르크 가문에서 선출되었고 의회는 무력했다. 이탈리아에서는 에스파냐의 고객이기도 했던 많은 군주가 영토를 나눠 다스렸다. 귀족들이 다스렸던 공화국들 중에서 제노바 공화국과 베네치아 공화국만 살아남았다. 북해 연안에서는 새로운 공화국이 형성되었다. 펠리페 2세 시절에 독립한 네덜란드 공화국은 홀란트의 부유한 상인 부르주아 계층을 낳았다.

근대

LE MONDE MODERNE

근대

사상

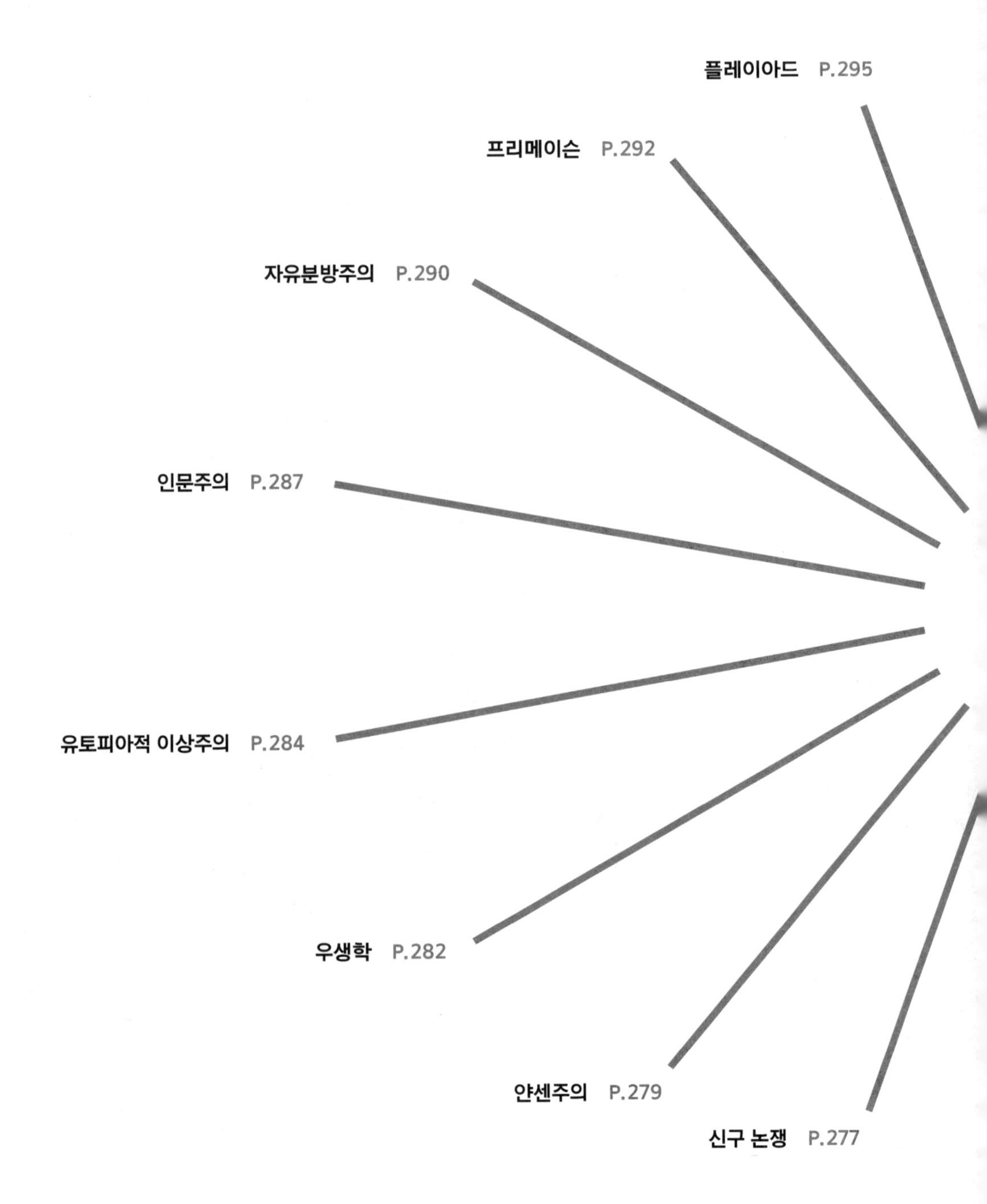
플레이아드 P.295
프리메이슨 P.292
자유분방주의 P.290
인문주의 P.287
유토피아적 이상주의 P.284
우생학 P.282
얀센주의 P.279
신구 논쟁 P.277

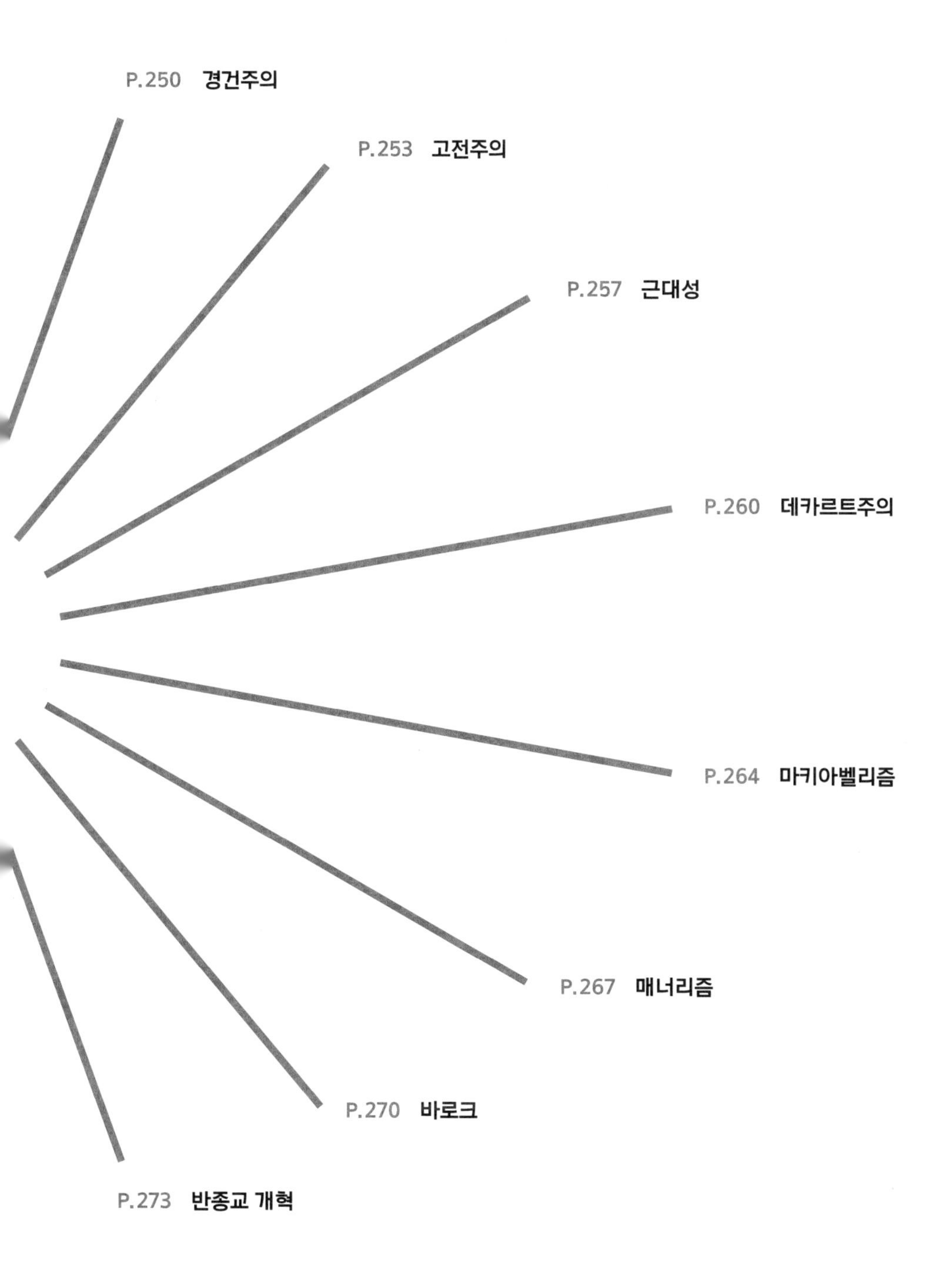
P.250 경건주의
P.253 고전주의
P.257 근대성
P.260 데카르트주의
P.264 마키아벨리즘
P.267 매너리즘
P.270 바로크
P.273 반종교 개혁

경건주의

교회는 시대를 막론하고 종교 의식의 준수와 개인의 수행 사이에서 주저해왔다. 경건주의는 그 사이의 벌어진 틈으로 들어가 17세기 말 루터교를 믿던 독일에서 나타났다가 1750년경에 사라졌다. 경건주의는 의식의 준수보다 개인의 신앙이 더 중요하다고 강조했다. 그러다 보니 기존의 서열에 이의를 제기하게 되었다. 경건주의자들이 보기에는 개신교 목사가 교리를 논하는 데 있어 독점권을 가지지 않기 때문이다. 그들은 각각의 신도가 저마다 기여할 부분이 있다고 믿었다. 필리프 야코프 슈페너는 1675년 경건주의에 관한 가장 중요한 책이라고 할 수 있는 『경건한 소원*Pia Desideria*』을 출간했다. 슈페너는 이 책에서 자선 활동에 바탕을 둔 개인의 능동적 신앙심에서 얻을 수 있는 장점과 헌신의 순수성에 대해 설명했다. 그렇게 해서 신성한 말씀과 『성경』으로 돌아갈 것, 모든 신도가 성직자가 될 수 있을 것, 종교적 수행과 기독교인들 사이의 자선을 중시할 것, 누구나 이해할 수 있는 설교를 하기 위한 목사들의 교육을 개선할 것 등 경건주의의 원칙을 만들었다. 슈페너가 베를린에 정착해 할레 대학교를 설립하는 데 참여하면서 초기 형태의 경건주의도 발전했다. 할레 대학교는 그의 후임자인 아우구스트 헤르만 프랑케가 운영하게 되는데, 프랑케는 할레 대학교 내에 고아원과 출판사, 극빈자를 돌보는 병원을 세워서 경건주의가 단순한 교리가 아니라 행동으로 나타나는 수행임을 증명했다.

경건주의는 보헤미아, 모라비아, 우크라이나로 확산되었고 북유럽 국가에도 전파되었으며, 프랑스에도 정적주의라는 이름으로 들어갔고 영국까지 전달되었다. 일부 경건주의자들은 인간이 창조주를 외면하게 하는 연극, 음악, 무용 등의 활동을 비난했지만 전반적으로 경건주의는 매우 관용적이었다. 경건주의는 개신교 공동체에만 퍼진 것이 아니었다. 가톨릭교도들은 정적주의로 경건주의를 접했고, 유대교 신자들은 아슈케나지 하시딤의 중세 경건주의의 영향을 받았다. 신앙 수행법을 쇄신한 경건주의는 1750년경 교권에 대한 낭만주의적 해석과 합리주의에 자리를 내주었다.

정적주의, 프랑스식 경건주의

정적주의란 신과의 관계에 있어 신자가 평온을 얻는다는 것을 뜻한다. 신과의 신비로운 결합으로 편안한 믿음을 얻는다는 정적주의는 경건주의와 같은 시기에 출현했다. 에스파냐의 신부 미겔 데 몰리노스는 1675년 로마에서 출간한 『감각적인 물건으로부터 영혼을 구하고 완벽한 관조와 내면의 평화로 이끌기 위한 영적 안내』라는 책에서 최초로 정적주의를 정의했다. 그러나 성직자의 서열을 무시하고 신에 도달할 수 있다는 논리를 폈기 때문에 정적주의는 교황 인노첸시오 11세의 교서 「천상의 목자」를 통해 규탄받았다. 보쉬에와 말브랑슈는 비난했지만 페늘롱과 마담 귀용의 옹호를 받은 정적주의는 순수한 사랑, 그리고 개인의 의지를 버리고 신에게 평온하게 자신을 내맡길 것을 주장했다. 신에게 기도로 무언가를 구할 것이 아니라 신과 하나가 될 수 있는 수동적인 관조에 힘쓰라는 것이다. 따라서 칭송받을 만한 행동은 신도에게 더 이상 필요하지 않다. 신의 관조를 얻기만 하면 영원히 그 상태가 유지될 수 있기 때문이다.

경건주의란 무엇인가

경건주의가 탄생한 이유를 이해하려면 17세기 후반 루터교 교회의 상황과 독일 사회를 다시 살펴보아야 한다. 당시 종교 개혁은 종교적 독단으로 흘렀고, '지배자가 자기 영내의 종교를 결정한다'라는 말처럼 신앙의 부흥보다는 군주의 권위를 따를 것을 강요했다. 게다가 독일은 가톨릭과 개신교가 충돌했던 30년 전쟁을 막 끝낸 때여서 사람들은 삶의 기쁨과 풍요를 누리고 싶어 했고, 바로크 회화와 연극으로 그 갈증을 풀어내는 중이었다. 이러한 상황에서 나타난 경건주의는 군주를 섬기는 종교, 그리고 신과 멀어지게 하는 쾌락의 추구에 대한 반발이었다. 따라서 경건주의는 엄격한 기준이자 신도 자신에 대한 끊임없는 채찍질이었을 뿐만 아니라 정치와 종교 권력자들에게는 위협이기도 했다. 그러나 경건주의자가 수행으로 창조자와 독대한다고 믿는다면 오산이다. 슈페너는 경건한 모임을 만들어 일주일에 두 번, 수요일과 일요일에 모여서 기도하고 지난주의 설교를 설명하고 『성경』에 대한 지식을 넓힐 것을 권했다.

신비주의자 마담 귀용

정적주의에 관한 연구는 매력적인 마담 귀용을 빼놓고는 불가능하다. 부유한 부르주아 가문에서 잔 마리 부비에 드 라 모트로 태어난 그녀는 열여섯 살에 결혼했는데, 스물여덟 살에 남편을 잃고 큰 재산을 상속받았다. 마담 귀용은 그 재산을 새로운 형태의 신앙에 바치기로 결심했다. 은총을 받은 그녀는 신과의 신비로운 결합으로 신앙심이 깊어졌다. 그리고 유럽을 여행하다가 『짧고 쉬운 묵상 기도법』과 『성경 주해』를 썼다. 1686년 프랑스에 돌아온 뒤에는 신도들의 모임도 주관했다. 그녀가 정적주의를 추구한 일은 체포 영장이 발부되기에 충분한 사유였다. 결국 마담 귀용은 재판도 받지 않고 투옥되었다. 1688년에는 짧게, 1695년과 1703년에는 길게 감옥에 갇혀 지냈다. 감옥에서 정적주의를 포기하라는 명령을 받았고 보쉬에의 신랄한 공격도 받았다. 그러나 그녀의 의지와 신앙은 꺾이지 않았다. 마담 귀용은 가톨릭과 개신교 신도를 가리지 않고 제자를 양성하는 일에 생을 바쳤다.

경건주의자

여느 종교 개혁가들과 마찬가지로 슈페너는 교회에 위협적인 존재였다. 경건주의자들과 나머지 신도들 사이를 갈라놓을 수 있고, 신도들이 경건주의자의 생활 방식을 따르지 않는 목사들에게서 돌아설 수 있기 때문이다. 그러나 경건주의를 반대하는 세력이 주기적으로 위협을 가해도 분열은 일어나지 않았다. 오히려 경건주의는 많은 지역에서 흔들리던 신앙을 쇄신하는 계기를 마련했다. 그것은 특히 슈페너의 제자인 니콜라우스 폰 친첸도르프 백작 덕분이었다. 그는 모라비아에 정착한 독일 공동체를 맡고 있었는데 모라비아 형제회의 주교가 되었고, 전 세계 개신교도와 가톨릭교도들이 경건주의에 참여할 수 있도록 선교 활동을 장려했다.

18세기에는 경건주의와 계몽 시대의 정신이 수렴되는 지점을 찾으려고 했다. 둘 다 개인주의를 장려했다고 비난받았기 때문이다. 이 두 사상은 한 번도 만나지 못하고 평행선을 그린 것 같다. 경건주의가 독일의 계몽주의 아우프클레룽Aufklärung에 미친 영향은 계몽주의가 완전히 발전하지 못했던 18세기 중반에 경건주의가 사라지면서 그리 크지 않았을 것이다. 그러나 경건주의가 개인적 감정의 낭만주의적 표현에서 다시 부활했다고 보지 않기는 어렵다.

고전주의

어떤 작품이 고전적이라고 말하는 것은 가치 판단을 하는 것이다. 즉 그것이 매우 엄선된 작품이며 미래의 인재를 키우기 위해 가르쳐야 할 만큼 뛰어난 작품이라는 말이다. 고전주의classicism는 '일류 시민'을 뜻하는 라틴어 '클라시쿠스classicus'에서 비롯되었다. 그러나 프랑스 고전주의 예술 작품이나 문학 작품을 언급할 때에는 '루이 14세의 시대'인 17세기 특유의 미학을 의미한다. 보다 정확히 설명하자면, 고전주의는 1660년경 발달하기 시작했고 루이 14세의 재위 초반에 25년간 존재하다가 베르사유 시절에 전성기를 누렸다. 이후 18세기 초인 1715년까지 왕성했다가 18세기 후반에 신고전주의로 부활했다. 이 시기는 군주제의 번영과 루이 15세라는 전제 군주의 상으로 점철된다. 이 시기의 특징으로는 합리주의에 대한 열망이 커졌다는 점과 프랑스가 예술, 정치, 문화 분야에서 전성기를 누렸다는 점을 들 수 있다. 고전주의가 전달하는 가치와 기준은 완벽함과 이성에 자신의 미의식을 모두 쏟는 올바른 인간상으로 구현된다. 19세기에 스탕달은 『라신과 셰익스피어』에서 고전주의와 자신이 추구하는 낭만주의를 비교했다. 바로크와 매너리즘의 뒤를 이어 나타난 고전주의는 자연스러움, 밝음, 균형, 합리성을 재현한다. 프랑스 고전주의 예술가는 고대 그리스와 로마의 작가를 모방할 것을 권했다. 그 시대 예술가가 사용한 규범과 주제를 차용하라는 것이다. 아마도 르네상스 시대 플레이아드의 영향을 받은 탓이리라. 그리고 자연을 모방해서 예외적인 것이 아닌 진리에 다가가라고 권고했다. 이처럼 미학적 기준뿐만 아니라 올바른 인간의 이성을 반영한 도덕적 기준도 정립되었다. 바로크가 지나친 과장으로 치닫자 어느 정도 가라앉힐 필요가 있었다. 이는 특히 플레이아드의 현학적 태도에 대한 반발이었다. 또한 프랑스어가 라틴어의 위상을 흔들자 역사에 자신의 자취를 남기기를 열망한 국왕의 바람을 반영해야 했다.

웅변술을 쓰는 기쁨

고전주의는 기존의 사조들과는 달리 주로 프랑스에서 발달했다. 음악, 건축, 회화, 문학 등 예술의 전 분야에 고전주의의 경향이 드러났다. 글 속에서 조화를 이루는 것이 문학에서 고전주의가 추구하는 목적이었다. 작가가 지켜야 할 규칙은 엄격했지만 루이 14세와 왕궁은 고전주의를 지지했기 때문에 1660년대 문인들을 보호했다. 당시 프랑스 왕궁은 유럽의 모든 왕궁에 영향을 미쳤으므로 문학도 왕을 찬양해야 했다. 문학 살롱을 연 여성들은 지적 부흥에 적극적으로 동참했다. 가장 유명한 살롱은 '파란 방'이라는 별칭이 있었던 랑부예 부인의 살롱이었다. 이런 살롱에서 '재치 있는' 문체가 발달했다. 물론 세속적이었을 대화도 아주 정확한 규칙에 부응해야 했으므로 진정한 지적 훈련이 되었다. 소모임 형식으로 모인 사람들 중 여성이 있다는 것은 예의범절을 지켜야 한다는 뜻이었다. 귀족들이 가장 좋아한 오락은 사냥, 음악, 무용 등을 비롯해 쿠르 라 렌 길을 따라 루아얄 광장까지 파리를 산책하는 일이었다. 팔레루아얄 상점가에는 패션 부티크와 서점이 즐비했다. 프랑스의 다른 국왕들과 마찬가지로 루이 14세도 루브르, 퐁텐블로, 생제르맹앙레를 오가며 살다가 1682년 베르사유에 정착했다.

대표적 고전주의자들

시인 프랑수아 드 말레르브는 처음으로 고전주의 문학의 기초를 쌓은 인물이다. 「마리아 데 메디치 환영시」, 「스탠자」, 「뒤 페리에를 위한 위로」를 쓴 그는 시의 구와 절이 이루는 대칭성을 중요하게 생각했으며 구시대적 표현과 지방어를 없애서 프랑스어를 개혁하고자 했다. 위대한 비극 작품에 시간, 행위, 장소의 삼일치 법칙을 도입한 것도 새로웠다. 행위는 한 장소에서만 일어나야 하고 일반적으로 하루 동안 벌어져야 한다. 고전주의 양식은 가장 먼저 문학에서 나타났다가 빠르게 조형 예술로 옮겨갔다. 작가들은 명료한 언어와 수사학, 단순성, 조화를 꾀했다. 니콜라 부알로는 『시학』에서 고전주의의 교리를 시구 하나로 정리했다. "머릿속에 잘 정리된 생각은 명료하게 표현된다." 말레르브가 권한 절도를 실천해야 하는 올바른 인간을 『잠언과 성찰』의 저자 프랑수아 드 라 로슈푸코와 『격언』과 『사람은 가지가지』를 쓴 장 드 라 브뤼예르도 옹호했다. 고전주의가 발달하던 때는 장 드 라 퐁텐과 『시골 친구에게 보내는 편지』를 쓴 블레즈 파스칼이 대표 주자인 모럴리스트의 시대이자, 세비녜 후작 부인인 마리 드 라뷔탱샹탈과 라 파예트 부인으로 대변되는 프레시오지테의 시대였다. 고전주의 극작가들은 사랑을 무대에 올렸다. 장 라신의 『이피게네이아』, 『페드르』, 『에스더』, 피에르 코르네유의 『르 시드』, 『호라티우스』, 『시나』가 그 예이다. 작가들은 익살극(가면극), 상황극, 인물극 등 다양한 형태로 익살을 활용하기도 했다. 장바티스트 포클랭, 일명 몰리에르가 쓴 『타르튀프』, 『돈 후안』, 『인간 혐오자』, 『수전노』가 대표적인 작품이다.

하나의 예술을 위한 세 가지 규칙

부알로는 『시학』에서 고전주의 연극에 자리 잡은 삼일치 법칙을 정리했다.

"한 장소에서 하루 동안 단 하나의 행위가 완성되어야 한다.
그래야 극장이 끝까지 꽉 찬다."

시간의 일치: 공연 시간은 행위의 실제 발생 시간과 최대한 같아야 하고, 행위의 지속 시간은 24시간을 넘어서는 안 된다.
행위의 일치: 관객이 줄거리를 잘 따라갈 수 있으려면 모든 대사와 모든 장면이 단 하나의 줄거리를 위해서 준비되어야 하고 단일한 줄거리가 진행될 수 있도록 해야 한다.
장소의 일치: 연극의 모든 행위는 같은 장소에서 일어나야 한다.

건축 분야에서 이탈리아는 고대 그리스와 로마 다음으로 대표적인 영감의 원천이 되었다. 이 분야의 예술가들은 정화된 고전주의를 받아들였다. 1645년에서 1667년까지 파리에서 발드그라스 성당이 지어질 당시 프랑수아 망사르가 그러했다. 왕궁은 외관을 국가의 힘을 보여줄 수 있는 주요한 요소로 간주했다. 1624년 루이 13세 통치하에 건설이 시작된 베르사유 궁전이 가장 의미 있는 사례인데, 이는 루이 14세의 수석 건축가 쥘 아르두앵망사르 덕분에 가능했다. 왕과 왕궁에 잘 보이고 싶어 안달이었던 고전주의 예술가들은 1630~1640년대에 시행된 정치의 방향으로 따라갔다. 고전주의 이전 시대와는 달리 건축에는 과장된 장식이 전혀 없었고 직선을 사용한 대칭이 강조되었다. 클로드 페로가 설계한 주랑이 그 예이다. 지방 도시들도 고전주의의 엄격함을 도입했고 기념물과 건축물을 많이 지었는데, 예를 들면 엑상프로방스의 쿠르 미라보, 아를의 시청 등이다.

프랑스 회화는 코드화되어 있었고 장르의 서열화가 뚜렷했다. 가장 숭고한 회화는 종교나 신화의 한 장면을 담은 역사화였다. 그 아래가 초상화였는데 언제나 주제가 단순했고 쉽게 이해할 수 있었으며 빛이나 색의 효과는 무시되었다. 고전주의 회화의 대표적인 작가는 니콜라 푸생과 클로드 로랭이다. 고전주의의 발달을 옹호했던 이 두 화가는 모두 프랑스 출신이었고 로마에서 활동했다. 샤를 르 브룅은 고전주의를 공식적인 운동으로 만들었다. 그가 프랑스의 왕립 회화·조각 아카데미를 이끌고 있었기에 일이 훨씬 수월했다. 루이 14세는 르 브룅에게 베르사유 궁전의 실내 장식을 맡겼다. 다른 예술에서도 마찬가지이지만 그 당시 사람들은 회화에서 고대 그리스·로마의 덕목이 이상적인 완벽함과 아름다움, 그리고 끊임없는 조화의 추구라고 생각했다.

고전주의 회화를 대표하는 인물로는 「에이스 카드를 든 사기꾼」, 「교현금을 타는 사람」을 그린 조르주 드 라 투르와 「엠마오의 순례자들」, 「실내에 있는 농부들의 가족」을 그린 르 냉 형제(앙투안, 루이, 마티외), 「아르카디의 목동들」, 「비너스와 아도니스」, 「시인의 영감」, 「사비니 여인들의 납치」를 그린 니콜라 푸생, 「에우로페의 납치」를 남긴 클로드 로랭이 있다.

조각은 회화만큼 각광받지 못했지만 피에르 퓌제는 언급하고 넘어가자. 그는 미켈란젤로를 비롯해 마를리 공원에 둘 예정으로 제작되었다가 1719년 튈르리 정원으로 옮겨진 「명성」과 「메르쿠리우스」를 조각한 앙투안 쿠아즈보에게서 영향을 받았다.

근대성

'근대'라고 하면 진보나 혁신이 없는 옛것에 반대되는 개념을 의미한다. 근대성은 따라서 전통에 반대되며 정치적, 사회적, 역사적 영역을 벗어난다. 그것은 사회 경제적 변화 이후 우리의 삶의 방식과 의식을 뒤흔들었다. 근대성의 시작은 기술, 정치, 경제, 예술 방면에서 큰 변화가 일어났던 르네상스이다. 그런데 근대성이라고 하면 지속적인 변화의 의미도 내포한다. 따라서 그 개념이 모호하다고 할 수 있다. '현재', '최근'의 뜻을 가진 라틴어 '모데르누스modernus'에서 유래된 '근대modern'는 '현재에 속한'이라는 뜻으로 정의될 수도 있다. 이 용어는 5세기부터 나타난 것으로 보이지만 오늘날의 뜻으로 이해한 것은 중세부터이다.

근대인

고대인이 자신을 자연에 투사했다면 근대인은 역사에서 자신의 위치를 찾았다. 고대인은 공동체를 중시했고 근대인은 개인을 중시했다. 플라톤과 아리스토텔레스는 인간이 인간의 본질에 맞게 행동해야 한다고 주장했다. 중세에는 인간이 창조주에게 복종해야 했다. 그러나 근대인은 자신이 정한 목표를 추구하고 자신의 자리를 스스로 정의해야 했다. 신이 더 이상 그 일을 해주지 않기 때문이다. 15세기 말에 위대한 발견이 이어지고 새로운 발명이 나오면서 인간은 자연을 더 잘 제어하고 세상을 더 잘 파악했다. 근대성의 중심은 데카르트가 이론화한 주관성이다. 한편 근대 국가는 모든 이에게 의견을 말할 수 있는 가능성을 열어주었고 개인의 행복과 안전을 추구했다. 근대적 개인은 이성을 겸비했다. 이는 계몽주의자들이 주장하듯이 근대적 인간이 되려면 반드시 갖춰야 할 조건이었다. 근대적 개인의 출현은 진리의 개념도 바꿔놓았다.

예술 양식으로서의 근대성

19세기 작가들은 근대성에 대해 의문을 가졌다. 보들레르를 비롯해 『인간의 조건』

「만남」, 귀스타브 쿠르베, 1854년.

에서 사회를 있는 그대로 표현한 발자크, 『마담 보바리』에서 근대적 여성을 보여준 플로베르, 『지옥에서 보낸 한 철』에서 "단호히 근대적이어야 한다!"고 외친 랭보가 그 예이다.

많은 역사가가 근대 예술이 마네의 「올림피아」와 함께 시작되었다고 본다. 예술 분야의 근대성은 전통과 결별하면서 동시에 위기와 갈등 관계의 시대를 열기도 했다. 근대 예술이 점묘법과 같은 새로운 기법을 제외하고 아카데미가 강요하는 규범을 모두 거부하면서 어떤 작품이 살롱에 들어갈 수 있느냐 없느냐를 판단하는 일이 복잡해졌다. 보들레르는 1863년 『근대적 삶의 화가』에서 근대성의 시작을 알렸고 이상적인 아름다움에 대해 기술했다. 결론적으로 말하면 예술 작품을 바라보는 새로운 시선은 새로운 형식을 낳았다고 할 수 있다. 아름다움은 상대적인 것이니까.

포스트모던 vs. 포스트 모던

'포스토모던'이라는 용어는 아널드 토인비가 제1차 세계대전이 시작된 시기를 지칭하기 위해 1939년에 처음으로 사용했다. 철학사를 연구했던 토인비는 포스트모던이 데카르트, 말브랑슈, 스피노자 이후의 새로운 시대를 가리킨다고 생각했다. 포스트모던을 한 단어로 쓰면 '이후'를 생각하고자 하는 의지가 강조된 것이고, 포스트와 모던을 띄어 쓰면 모더니즘과의 일시적 결별, 미래를 고려할 수 없는 시기를 가리킨다. 두 단어로는 시기, 사회 문화적 배경을, 한 단어로는 미학을 의미한다. 합리성의 위기와 계몽주의와의 결별을 특징으로 하는 포스트모던은 1989년 베를린 장벽의 붕괴와 이후 소련 진영의 해체를 끝으로 이데올로기가 무너지면서 타격을 입었다. 이때부터 진보의 신화에서 해방된 예술가는 더 이상 혁신을 꾀할 필요가 없이 과거에서 영감을 찾을 수 있었다. 자신의 취향에 따라 창작할 수 있는 자유를 되찾은 것이다. 포스트모던 아트는 제한이나 서열을 배제하고 다중과 차이를 지향한다. 위대한 이야기를 다룰 필요가 없어지면서 작품은 객관적인 구조를 취하지 않아도 되었다. 따라서 모든 것이 가능해졌다.

데카르트주의

데카르트주의는 감각적 경험을 모든 지식의 기원으로 두는 경험주의와의 결별을 상징하는 근대 철학 사조이다. 그러나 무엇보다 데카르트의 철학을 가리킨다고 할 수 있다. 폴 발레리는 최초의 근대 철학자로 인정받는 데카르트가 "언어를 생각에 맞추는 것을 보여주는 모범"이라고 말했다. 데카르트는 육체와 정신의 이원론에 관해 최초의 근대적 해석을 내놓음으로써 관찰과 실험을 바탕으로 한 새로운 과학의 발전을 촉진했다. 그는 그때까지 서로 분리된 수학 영역으로 여겨졌던 기하학과 대수학의 연결 관계를 설정한 것으로 유명하다. 또한 기계적 설명으로 물리적 현상을 이해할 수 있게 해주는 물질에 대한 새로운 개념을 내놓은 것으로도 알려져 있다. 보편 수리학에 지식의 단위가 있다고 생각한 데카르트는 추론 이외에 논리적 사고 방법을 만들었다. 이성의 유일한 길잡이인 연역법과 자명한 직관이 데카르트의 전제가 되었고, 이는 결국 "나는 생각한다. 고로 나는 존재한다"는 말로 귀결되었다. 데카르트의 신봉자들은 그의 철학을 빠르게 전파했다. 그의 첫 네덜란드 제자였던 헨리퀴스 레히위스는 위트레흐트 대학교에서 데카르트의 물리학을 가르쳤다. 프랑스의 신학자이자 철학자인 니콜라 말브랑슈도 데카르트의 신봉자였다. 17세기 말에 데카르트의 물리학은 대부분 뉴턴의 물리학으로 교체되었다. 그러나 특히 지식의 개념에 대한 그의 비판적인 생각은 살아남았다. 이는 근대 철학에 있어서 중요한 일이었다. 그의 저서 『방법서설』은 프랑스어로는 최초로 출간된 지식서였다. 이 책을 보면 데카르트가 아리스토텔레스의 전통에 깊이 물든 동시대의 학자들과 거리를 두었음을 알 수 있다. 그는 근대 철학을 비롯해 파스칼, 보쉬에, 아르노, 포르루아얄의 은자 등 17세기 작가 및 사상가들에게 큰 영향을 미쳤다.

르네 데카르트는 누구인가

르네 데카르트는 프랑스 투렌의 마을 라 에에서 태어났다. 아버지는 브르타뉴 의회의 의원이었고, 어머니는 그가 한 살이었을 때 세상을 떠났다. 데카르트는 앙리 4세가 1604년에 설립한 라 플레슈의 학교에서 공부했다. 이후 푸아티에 대학교에서 법학을 공부하고 1616년에 학위를 받았다. 당시는 위그노huguenot가 루이 13세에게 반발하던 시기였다. 데카르트는 1619년에서 1628년까지 그 자신이 나중에 설명했듯이 '세상이라는 책'을 공부하러 유럽 북부와 동부를 여행했다. 그는 1619년 보헤미아에서 해석 기하학을 창안했고, 수학을 기초로 모든 학문에 적용할 수 있는 보편적인 연역적 추론 방법을 개발했다.

데카르트는 신비주의에 관심을 보이기도 했는데, 특히 독일의 연금술사 하인리히 코르넬리우스 아그리파 폰 네테샤임에게 강한 인상을 받았다. 그러나 장미십자회의 마술적이고 신비주의적인 믿음은 거부했다. 1622년 그는 파리에 정착해서 시인 장루이 귀에 드 발자크, 테오필 드 비오와 우정을 맺었다. 테오필 드 비오는 1623년에 종교를 비판하는 글을 썼다는 이유로 초상화가 불태워졌고 감옥에 가는 신세가 되었다. 조용히 사색하는 삶을 원했던 데카르트는 1628년 당시 종교적 비관용이 커져가던 프랑스를 떠나 관용의 나라 네덜란드로 가서 1649년까지 머물렀다. 1633년에는 『천체론』을 발표하기 전에 이탈리아의 천문학자 갈릴레이가 로마에서 지구가 태양 주위를 돈다고 했다가 처벌을 받았다는 소식을 전해 들었다. 결국 자신의 이름은 빼고 「굴절광학」, 「기상학」, 「기하학」이라는 세 편의 글을 한 권의 책으로 묶어 『이성을 올바르게 이끌어 학문에서 진리를 찾기 위한 방법서설』(통칭 『방법서설』)을 발표했다. 이 책은 라틴어가 아닌 프랑스어로 작성된 최초의 중요한 근대 철학서이다. 4년 뒤에 데카르트는 『제1철학에 관한 성찰』을 세상에 내놓았다. 『방법서설』에서 언급했던 주장을 다시 다룬 이 책은 진정한 의미에서 데카르트가 쓴 최초의 철학서이다. 『제1철학에 관한 성찰』에서 그는 자신의 주요 명제를 설명하고 홉스, 아르노, 가상디의 반박에 대해 답하고 있다. 데카르트는 절대적 진리를 정립하려고 했으며, 모든 것을 의심하는 방법론을 써서 절대적으로 확신할 수 없는 모든 것을

규칙과 방법

1637년에 나온 『방법서설』과 1628년에 썼으나 1701년에 발표된 『정신 지도의 규칙』에 나온 방법론은 아래 4개의 규칙으로 이루어진다.

- 참이라고 분명히 알지 못한다면 그 어느 것도 참으로 받아들이면 안 된다.
- 각 문제를 잘 해결하기 위해 가능한 한 많은 부분으로 나눠 검토한다.
- 가장 간단하고 가장 알기 쉬운 것에서 출발해 생각을 순서대로 이끈다.
- 언제나 완전하게 열거하고 종합적으로 검토해서 아무것도 잊은 것이 없도록 한다.

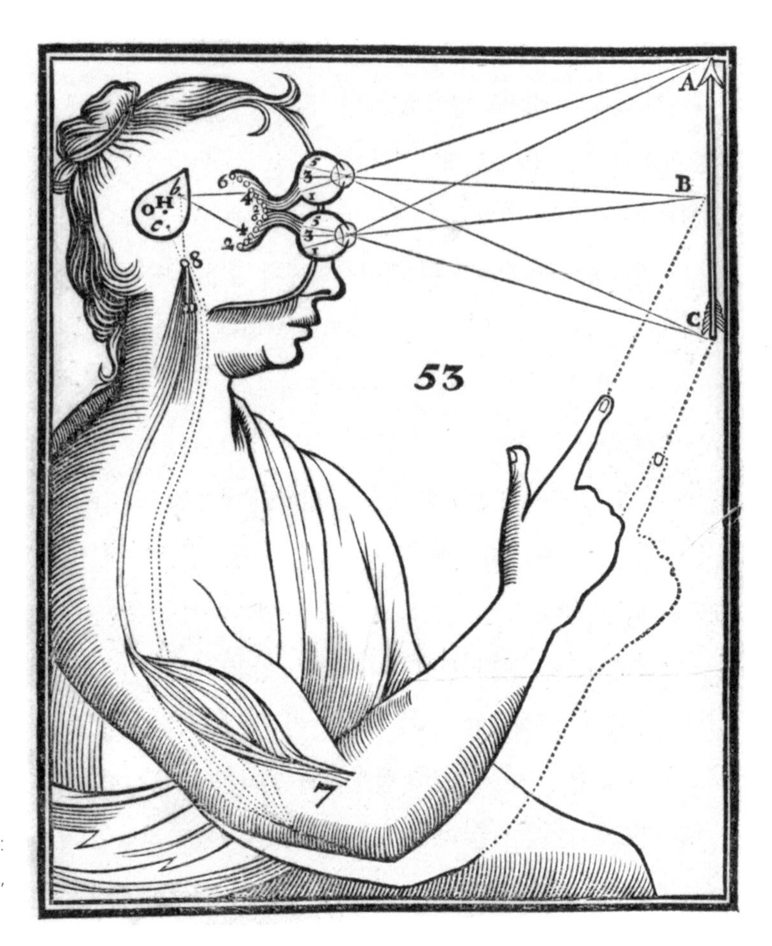

『인간론』 중 '지각론: 눈', 르네 데카르트, 1686년.

거부하라고 했다. 이를 통해 신의 존재를 입증하고자 했다. 이것은 본체론적 논리이다. 『정념론』은 데카르트가 살아생전에 발표한 마지막 책이다. 그는 이 책을 엘리자베트 폰 뵈멘 공주에게 바쳤다. 데카르트는 1650년 스톡홀름에서 쉰네 살의 나이로 사망했다.

데카르트의 이론

데카르트의 천재성은 철학, 수학, 기하학, 물리학 등 많은 분야에서 나타났지만 그의 독창성은 유독 과학 분야에서 두드러졌다. 그는 대수학을 개혁했고 방정식 이론을 제안했으며 해석 기하학을 만들었다. 또한 굴절의 법칙을 발견했고, 그보다 앞서 윌리엄 하비가 있었지만 자신만의 혈액 순환론을 연구했다. 철학 분야에서는 스콜라주의와 아우구스티누스주의의 영향을 받아 이성을 주요 도구로 삼는 지식의 모든 영역에 적용할 수 있는 수학적 방법론을 정립했다. 이 방법론은 『방법서설』에 나와 있는 4개의 규칙으로 이루어진다. 그중 3개는 연역법에 해당되고 나머지 1개는 직관에 해당되어 데카르트는 이를 '명증성의 규칙'이라고 불렀다. 자명한 것만 참으로 받아들여야 한다는 것이다. 명증성의 규칙을 적용할 때 어쩔 수 없이 의심이 들지만 그것은 회의적 의심이 아니라 방법론적 의심이다. 의심하는 것은 그 자체가 목적이 아니라 진리에 도달하기 위한 수단이다. 모든 것은 의심의 대상인가? 의심할 수 없이 명증한 것은 존재하는가? 이를 알아내기 위해 데카르트는 가설을 세웠다. 먼저 인간을 기만하는 신을 가정했다. 신은 그에게 그가 믿지 못할 감각을 주었고 그리하여 외부 세계가 존재하지 않을지도 모른다는 결론으로 끌어냈다. 그러나 신이 진리만 말한다고 한다면 이 가정은 처음부터 잘못된 것이다. 그래서 데카르트는 존재하지 않는 현실을 인식하게 하는 악령의 논리를 내세웠다. 그렇다면 가정은 고려해볼 수 있는 것이 되고, 외부 세계의 존재도 의심할 수 있게 된다. 그러나 악령이 데카르트를 속이려면 데카르트가 필연적으로 존재해야 한다. 따라서 다음과 같은 결론에 이른다. "나는 있다. 나는 존재한다. 나는 생각하는 존재이고 나의 존재 이외에 나머지 모든 것을 의심할 수 있다." 생각을 통해 얻은 확신만이 의심의 여지가 없다. "나는 생각한다. 고로 나는 존재한다." 데카르트는 자신이 생각하는 존재, 지성, 이성임을 깨달았다. 그는 『제2성찰』에서 밀랍을 예로 들었다. 사람들은 밀랍이라고 하면 색이나 단단함 등 물리적 특징을 먼저 묘사한다. 그러나 불에 밀랍을 가까이 대면 우리의 감각으로 인지한 특성은 모두 없어진다. 사실 밀랍의 감각적 특징이 사라져도 밀랍은 그대로 밀랍이다. 다만 우리의 감각으로는 그 사실을 알 수 없다. 그 사실을 알려면 지성, 즉 개념을 만들 줄 아는 능력이 필요하다. 이처럼 데카르트는 감각보다 지성이 세상을 이해하는 데 더 도움이 된다고 믿었다.

마키아벨리즘

오늘날 마키아벨리즘은 자신의 목적을 달성하기 위해 온갖 술수를 마다하지 않는 사람, 또는 국익이라는 미명하에 권력자의 이익을 옹호하는 사람을 가리킬 때 사용된다. 여기서는 니콜로 마키아벨리가 『군주론』과 『로마사 논고』에서 발전시킨 원래 개념으로 돌아가 보자. 사후에 마키아벨리처럼 경멸적인 형용사가 따라붙는 인물도 드물다. 마키아벨리는 자신의 목표를 이루기 위해 모든 책략을 동원하는 양심 없는 정치인처럼 보인다. 근대 정치 철학의 시조로 간주되는 사람은 홉스이지만, 역사적 현실과 정치적 현실을 확인하고 의미를 부여하면서 정치 철학의 영역을 구분한 것은 마키아벨리였다. 그는 1576년에 '마키아벨리즘'이라는 말과 함께 악명을 얻었다. 프랑스 개신교도들은 카테리나 데 메디치가 마키아벨리에게서 성 바르톨로메오 축일의 학살에 대한 영감을 얻었다고 생각했기 때문이다. 그러니까 마키아벨리는 목적을 이루기 위해서는 수단과 방법을 가리지 않아 그 누구도 막을 수 없는 자를 가리킨다. 마키아벨리의 저서가 섣부른 비판을 받는 것은 오늘날의 정치적 배경이 완전히 다르기 때문이다. 그러나 그의 저서는 정치와 열정의 관계를 밝히면서 그와 동시에 이성에 중요한 역할을 부여했다는 데 의미가 있다. 이탈리아를 혼란에 빠트린 전쟁에 대해 분석한 마키아벨리는 국가는 한 명의 우두머리 밑에서 통일성을 유지해야 하며 내부의 사회적 갈등을 종식해야 한다는 결론을 내렸다. 그는 이에 대한 해답을 『군주론』의 마지막 장인 '야만인으로부터 이탈리아를 해방시키기를 권고함'에서 밝혔다.

『군주론』

『군주론』의 제목을 붙인 사람은 마키아벨리가 아니었다. 원래 그는 '군주정'이라는 제목을 붙였다. 마키아벨리가 사망하고 5년이 지났을 때 출판업자 블라도와 준타가 제목을 '군주Il Principe'라고 하고 국왕의 그림을 전면에 내세운 것이다. 그 이후로 책의 제목은 변하지 않았는데, 실제로 총 26장 중에서 9장이 군주의 모습을 다루고 있다. 마키아벨리는 중세의 사상에서 멀어져 도덕적이거나 종교적인 고찰은 모두 거부하고 현실을 분석하고자 했다. 그렇게 해서 군주정을 채택한 국가들의 관계가 경쟁을 기반으로 하며 약육강식의 법칙이 세상을 지배한다는 사실을 확인했다. 마키아벨리가 문학적으로 성공했다는 것은 1532년에서 1550년까지 주로 프랑스와 잉글랜드에서 그의 책이 많이 출간되었다는 사실로 증명된다.

니콜로 마키아벨리는 누구인가

니콜로 마키아벨리는 1469년 5월 3일 피렌체에서 태어났으며 피렌체 대학교에서 훌륭한 인문주의 교육을 받았다. 마키아벨리의 삶에 대해서는 그가 피렌체의 제2서기국 서기장으로 임명되었을 때부터 좀 더 정확하게 알 수 있다. 1498년 한 친구에게 보낸 편지에서 그가 도미니코회 수도사인 사보나롤라의 설교를 들었다는 사실을 알 수 있다. 사보나롤라는 정부와 성직자, 교황에 대해 노골적인 비난을 퍼부었던 인물이다. 마키아벨리는 스물아홉 살이라는 젊은 나이에 피렌체의 군사를 담당한 장관 겸 법관인 피에로 소데리니의 신임을 얻어 제2서기국의 서기장이 되었다. 마키아벨리가 쓴 편지나 공문을 보면 그가 정치 업무를 보았을 뿐만 아니라 프랑스 왕궁, 교황 알렉산데르 6세의 아들 체자레 보르자, 막시밀리안 1세에게 외교 및 군사 사절로 갔음을 알 수 있다. 1512년 피렌체 공화국은 전복되었고 메디치 가문은 고향으로 돌아올 수 있었다. 마키아벨리는 메디치 가문을 무너뜨릴 음모를 꾸몄다는 누명을 썼고, 투옥과 고문을 당한 뒤 1513년 피렌체 남부로 추방되었다. 그곳에서 피렌체 공화국이 실패한 이유를 분석하기 위해 『군주론』과 『로마사 논고』를 썼다. 마키아벨리는 『군주론』을 로렌초 2세 데 메디치에게 헌정했다. 그의 총애를 얻기 위해서였다. 그러나 1521년이 되어서야 사면되어 줄리오 데 메디치 곁으로 돌아올 수 있었다. 줄리오 데 메디치는 훗날 교황 클레멘스 7세가 되고 마키아벨리에게 『피렌체의 역사』의 집필을 맡긴다. 1526년 피렌체에 돌아온 마키아벨리는 그곳에서 오래 체류하지 못했다. 1527년 6월 21일에 사망했기 때문이다.

마키아벨리의 주장

1967년 앙드레 글뤽스만은 『전쟁의 담화』에서 다음과 같이 서술했다. "15년 동안 강제된 활동 정지 상태에서 그(마키아벨리)는 최초의 정치 개론서, 최초의 전략서, 최초의 근대 역사서를 썼다." 지도자가 자율적이라고 마키아벨리가 주장한 것은 지도자가 된 것이 정복의 결과이지 신권으로 얻은 결과가 아니기 때문이다. 통치는 효율성을 기준으로만 평가된다. 도덕률을 고수하면 위험할 수 있기 때문에 군주는 무도덕주의를 택해야 한다. 이는 국가를 유지하기 위해 절대적으로 필요한 일이다. 그렇다면 무력과 간계를 쓰는 것을 막을 수는 없다. 백성에게는 법과 도덕을 기준으로 한다고 믿게 해야 한다. 따라서 겉으로 보이는 것과 실재의 것을 분리해야 한다. 군주는 행동뿐만 아니라 능수능란한 언변, 통합을 가져올 수 있는 연설의 능력을 연출해야 한다. 마키아벨리는 『군주론』으로 명성을 얻었다. 『로마사 논고』에서도 황제들을 친구라고 불렀던 그가 진짜 군주를 상대로 글을 썼다는 것이 주효했다.

한 배를 탄 비르투와 포르투나

'비르투virtu'(덕)와 '포르투나fortuna'(운)는 마키아벨리즘의 두 기둥이다. 비르투는 인간이 권력을 행사하도록 해주고, 포르투나는 예상할 수 없으며 외부 사건들에 따라 달라진다. 잘못되면 사람을 약하게 만들고, 반대의 경우에는 기회가 된다. 마키아벨리는 군주에게 비르투를 가진 사람의 힘은 '유연성'을 갖는 것, 외부 조건에 따라 행동을 바꿀 수 있는 것을 의미한다고 설명했다. 비르투는 사건에 대해 개입할 의지를 갖는 용기로 표현되고, 군주에게 필요한, 인간의 의지가 갖는 힘으로 정의된다. 권력이 올바르게 기능하려면 비르투를 가진 훌륭한 인간이 잡아야 할 기회인 포르투나와 만나야 한다. 마키아벨리는 『전쟁의 기술』에서 이러한 개념들을 전쟁터에 적용했다. 장군은 비르투를 가지고 있어야 상황, 즉 포르투나에 맞는 전략을 세울 수 있다.

매너리즘

매너리즘은 르네상스가 절정을 이루었고 바로크와 고전주의가 출현하기 직전인 1520년에서 1580년 무렵까지 나타났던 예술 양식이다. 이탈리아의 로마와 피렌체, 프랑스의 왕궁, 특히 퐁텐블로에서 발달했고 차후에는 네덜란드로 확산되었다. 일반적으로 매너리즘은 지나친 외면치레, 거드름을 피우는 태도를 가리켜 부정적인 뜻으로 쓰인다. 사실 매너리즘이 유래된 이탈리아어 '마니에라maniera'는 스타일을 추구한다는 의미로 풀이되어야 한다. 피렌체 출신의 화가이자 예술사가인 조르조 바사리도 그런 뜻으로 마니에라라는 말을 썼다. 그는 '아름다운 양식'으로 구현되고 조화와 절제 같은 기준을 충족한 이탈리아 작품을 찬양할 때 '벨라 마니에라'라는 표현을 사용했다. 실제로 바사리는 마니에라를 예술적 개성으로 정의했다.

17세기에는 쇠락의 징후로 간주된 매너리즘의 사고는 조반니 피에트로 벨로리가 쓴 안니발레 카라치의 전기에서 처음 나타났다. 매너리즘이라는 용어를 처음 사용한 사람은 18세기 말 이탈리아의 고고학자 루이지 란치였다. 그는 매너리즘이 르네상스 시대 위대한 작가들의 양식을 그대로 따온 것이라고 부정적으로 말했다. 매너리즘으로 유명한 화가들은 많다. 이탈리아의 폰토르모, 브론치노, 로소 피오렌티노, 파르미자니노, 아르침볼도, 에스파냐의 엘 그레코, 독일의 뒤러 등이다. 매너리즘은 1527년 카를 5세의 로마 약탈로 인해 어지러웠던 시기에 발전했다. 카를 5세는 로마 약탈로 교황령들의 동맹을 무너뜨렸고 교황을 중심으로 모여 있던 예술가들이 유럽 각국의 왕궁으로 흩어지게 만들었다. 매너리즘은 왕궁의 예술로 정의되기도 한다. 보편적이고 일률적인 운동이었던 매너리즘은 유럽 전체에 확산된 절대주의의 영향을 받았다. 마드리드의 펠리페 2세, 프라하의 루돌프 2세, 뮌헨의 알베르트 5세, 퐁텐블로의 프랑수아 1세는 모두 자신의 왕궁에 이탈리아 매너리즘의 대가들을 불러들였다.

매너리즘이란 무엇인가

아리스토텔레스 이후 미메시스mimesis, 즉 자연을 있는 그대로 재현하는 것을 중시한 예술 개념과 반대로 매너리즘은 상상력을 동원한다. 매너리즘은 르네상스 시대에 구축한 공간을 파괴하고 조각난 부분으로 이루어진 공간을 만들었다. 그 공간을 새롭게 점유한 중심 테마는 사소한 모티프에 가려지기도 한다. 마치 화가가 자신의

「공기」, 주세페 아르침볼도, 1566년경.

영감을 따라가다가 주연 배우들을 잊어버리고 붓놀림에 따라 관객의 주의를 디테일로 돌리려는 듯이 보인다. 이러한 구성의 출현은 화폭에 일어난 새로운 운동과 때를 같이한다. 신체에 대한 접근도 달라져서 브론치노는 굴곡지거나 길어진 신체를, 폰토르모는 비틀린 신체를 표현했다. 파르미자니노라는 이름으로 활동한 지롤라모 프란체스코 마리아 마졸라는 「성모와 아기 예수 및 성인들」과 「목이 긴 성모」를 그리는 데 미켈란젤로와 세르펜티나타 양식의 영향을 받았다. 나선형의 물체를 표현하는 세르펜티나타 양식은 조각과 회화에서 매너리즘의 브랜드가 되었다.

1530년에서 1540년까지 매너리즘은 위기를 겪었지만 당대 최고의 천재 화가였던 티치아노 덕분에 되살아났다. 티치아노의 붓끝에서 생명이 탄생하는 듯했다. 그는 풍경을 통해 육체의 아름다움을 강조했다. 「뮐베르크 전투에서의 카를 5세」에서 볼 수 있듯이 과감한 축약과 대조된 빛 속에서 요동치는 인물들을 통해 강한 관능성을 뿜어냈다. 매너리즘 화가는 자연에서 멀어지고 육체에 더 집중했다.

매너리즘은 조각에서도 발전했다. 피렌체에 있는 피아차 델라 시뇨리아의 넵투누스 분수를 조각한 바르톨로메오 암만나티, 기술의 집합체인 페르세우스 청동상을 만든 벤베누토 첼리니, 「사비니 여인들의 납치」를 조각한 장 볼로뉴 같은 훌륭한 조각가들이 있었기 때문이다. 특히 잠볼로냐라는 이름으로도 알려진 장 볼로뉴의 「사비니 여인들의 납치」는 유명한 군상 조각 작품 중 하나이다.

바로크

"바로크는 르네상스와 같은 언어로 말하지만 야만인이 사투리 쓰듯이 말한다." 야코프 부르크하르트는 1860년 자신의 저서 『치체로네』에서 이렇게 말했다. 바로크는 르네상스 시대의 예술이 타락한 형태로 나타난 것이라는 인식이 오랫동안 존재했다. '바로크 baroque'는 울퉁불퉁하고 모양이 일정하지 않은 진주를 가리키는 포르투갈어 '바로코 barroco'에서 왔다. 보석 세공에서 전문 용어로 쓰이는 이 말은 프랑스에서 완벽하게 둥근 모양이 아닌 진주를 가리키는 말로 쓰였다가 '이상한', '불규칙한' 또는 '뜻밖의'라는 의미의 형용사로 사용되었다. 18세기 말에 가서야 예술 양식을 가리키는 용어가 되었는데, 그 당시 올바른 취향으로 간주되던 고전주의에 반하는 것으로 정의되었기 때문에 매우 부정적인 의미가 내포되었다. 예술사가 하인리히 뵐플린은 그의 대표작인 『미술사의 기초 개념』에서 처음으로 바로크와 고전주의를 대비시켰다. 바로크는 1580년에서 1640년까지 발달했는데 르네상스 시대의 이탈리아 매너리즘의 영향을 받았으며 계몽 시대의 로코코보다 앞섰다. 바로크는 먼저 이탈리아—피렌체, 만토바, 로마, 베네치아—에서 발달해 유럽 전역으로 퍼져나갔고 모든 예술 영역에 확산되었다. 바로크의 특징은 웅장함의 찬양, 감각적 풍부함, 과장된 형태, 무브먼트, 극적 효과 등이다. 반대로 고전주의는 매우 프랑스적인 문화 현상으로 1640년에서 1715년 무렵까지 발달했다. 고전주의는 유럽의 다른 지역으로는 쉽게 전파되지 않았다. 아마도 그 당시에 변화를 거듭하던 세상이 자유를 갈망하고 걸모습의 힘을 인식하기 시작했기 때문일 것이다.

바로크란 무엇인가

바로크는 반종교 개혁의 예술로 인식된다. 수십 년 전부터 특히 종교 분야에서 매너리즘과 궁정풍 양식이 쇠퇴하기 시작했다. 트리엔트 공의회가 열린 뒤 가톨릭교회는 예술을 선전 도구로 이용하기로 결정했다. 다양한 예술가들이 있고 예술 작품의 주문이 활발하게 이루어지는 로마가 이러한 실험의 장소였다. 바로크로 인해 종교화는 신자들에게 더 친숙하게 다가가게 되었다. 바로크는 작품의 극적 효과를 높여 감동을 주고 신앙심과 경건한 마음을 자극했다. 후원자로서의 역할을 하게 될 중산층이 형성되고 절대 군주제가 확고히 자리를 잡은 뒤 바로크 예술이 발달했다. 거대

「페르세포네의 납치」, 조반니 로렌초 베르니니, 1622년.

한 규모의 바로크식 궁들이 건설되었는데, 가장 대표적인 예가 중앙 집권식 국가의 힘을 보여주는 베르사유 궁전이다. 사람들의 세계관을 넓히고 인식을 바꾼 지구 탐험과 과학적 발견도 바로크의 발전에 영향을 주었다. 그러고 보면 인간의 본성에 대해 인식한 뒤에 17세기 풍경화가들이 인간을 광활한 자연 속에 있는 부차적 요소로 표현한 것은 당연한 일이다.

양식과 예술

고전주의와 자연주의는 바로크와 함께 성장했고 서로 공존하다가 섞이게 된다.

1600년경 안니발레 카라치가 파르네세 궁전의 프레스코화를 그리면서 산 루이지 데이 프란체시 성당에 성 마태 3부작을 그린 미켈란젤로 메리시 다 카라바조와 함께 17세기 회화의 초석을 놓았다. 카를로 마데르노는 마테이 궁전을 디자인할 때 매너리즘 건축 양식에 바로크의 요소를 도입했다. 조반니 로렌초 베르니니와 그의 경쟁자 프란체스코 보로미니는 바로크를 과장된 무브먼트, 극도의 긴장감, 과다한 장식, 때로는 현란한 웅장함을 표현하도록 발전시켰다. 바로크라는 이름은 베르니니가 교황 우르바노 8세의 의뢰를 받아 완성한 첫 작품과 관련이 있다. 그것은 1629년에 완성된 성 베드로 대성당의 발다키노baldacchino이다. 거대한 궁륭 밑에 놓인 발다키노는 높이가 7미터에 이른다. 대성당의 대제단을 돋보이게 하는 닫개 모양이다. 상단은 여러 금속으로 만들어졌고 꽈배기 모양의 기둥 4개가 받치고 있다. 17세기는 풍요로운 시기였다. 순수성을 강조한 고대 그리스·로마 양식에서 멀어져 새로운 형태가 나타났기 때문이다. 분야를 막론하고 예술가들은 색채를 과감하게 쓰고 대비시키며 무브먼트를 최대한 이용하고 비합리적인 구성을 취함으로써 작품을 보는 사람들의 감정을 불러일으킬 수 있는 요소를 선호했다. 화가들은 액자 밖으로 나가고 싶어 했고 작가들은 불안정과 모순의 느낌을 불러일으키기 위해 대조법과 이미지를 사용했다. 선택된 주제는 흐르는 시간, 변덕스러운 사랑, 비장함 등이었다. 현실과의 대비는 쾌감을 즉각적으로 증가시키기 때문에 바로크 예술은 강렬한 색채, 광원의 부재, 사치스럽고 세련된 소재 등을 이용해 사람들의 눈길을 끌고 눈을 속이는 데 집중했다.

반종교 개혁

교회는 완전히 새롭게 태어나고자 했지만 전반적인 개혁을 계속 미루어왔다. 공의회에서 여러 차례 경고했으나 부패는 계속 증가했다. 성직록 문제—성직록을 받는 사람들 대부분이 명문가 출신이어서 성직을 맡지 않고도 이익을 챙겼다—와 성물 매매, 족벌주의가 판을 쳤다. 교회 행사 불참, 대충 지켜지는 독신주의, 부족한 사제 교육까지 합치면 분열된 가톨릭교회는 16세기 주변부에 떠도는 시체처럼 보였다. 인노첸시오 8세와 알렉산데르 6세의 교황청도 반복되는 스캔들로 시끄러웠다. 사태를 악화시킨 것은 도미니코회 수도사 요한 테첼이 면죄부를 판매한 일이었다. 태초의 순수성을 회복하고 싶은 영혼들은 현금을 내고 죄를 사함 받을 수 있었다. 성자들의 덕이 넘쳐서 변제가 가능하다는 것이었다. 교회는 면죄부를 팔아 일종의 판돈을 마련할 수 있었다. 이러한 폐습에 대한 반대급부로 종교 개혁이 시작되었다.

루터의 개혁

독일의 수도사 마르틴 루터는 내부에서 제도를 개혁하고자 했다. 그는 처음부터 가톨릭교회와 단절하려던 것은 아니며 그저 교회를 개선하려던 것이었다. 루터의 교리는 충만한 은총이라는 개념에 근거한다. 인간은 행위로 영원한 저주에서 구원받는 것이 아니라 진실한 믿음으로 구원받는다는 것이다. 그렇다면 인간에게는 면죄가 필요 없다. 세례와 성찬식만으로도 충분하다. 루터는 빵과 포도주가 예수의 살과 피로 바뀌는 화체를 통해서가 아니라 성찬식이 열리면 예수가 우리 곁에 온다고 설파했다.

루터의 개혁은 가톨릭교회가 개혁에 대한 요구를 무시할수록 속도가 빨라졌다. 교회의 분열은 1517년 가을에 일어났다. 루터는 비텐베르크에 있는 성 교회의 문에 고위 성직자의 악행을 고발하는 '95개조 반박문'을 붙였다. 처음에 교황은 루터의 도발적인 행동에도 타협적인 태도를 취했지만 교회의 분열을 피할 수는 없었다. 카를 5세는 아우크스부르크 의회에 루터를 소환했지만 루터는 자신의 입장을 철회하지 않겠다고 버텼다. 1520년 교황의 교서로 파면 위기에 처했지만 루터는 뜻을 굽

히지 않고 사람들이 보는 앞에서 교서를 불태웠다. 결국 그는 1521년에 파면당했다. 그 와중에도 루터는 「그리스도인의 자유에 대하여」, 「교회의 바빌론 감금」, 「독일 기독교 귀족에게 고함」을 썼다.

작센 선제후인 현공 프리드리히 3세의 궁으로 몸을 피한 루터는 1521년과 1522년에 『신약』을 독일어로 번역했다. 1530년 아우크스부르크 의회가 소집되었을 때 필리프 멜란히톤이 「아우크스부르크 신앙 고백」에서 개신교의 교리를 소개했고 카를 5세는 요한 에크의 「아우크스부르크 신앙 고백 반박」으로 이를 거부했지만 교회는 완전히 분열했다. 그러나 1555년에 '지배자가 자기 영내의 종교를 결정한다cujus regio, ejus religio'라는 군주의 신앙 결정권에 따라 독일의 각 군주는 자신의 영토에서 공식 종교를 선택할 수 있게 되었다. 스위스인 울리히 츠빙글리는 루터교로 개종하고 취리히에 루터교를 전파했다. 그는 사실 두 가지 쟁점에 있어서 루터와 의견이 달랐다. 츠빙글리는 인간의 행동이 구원에 영향을 줄 수 있다고 생각했고, 성찬식에 예수가 진짜 함께한다는 것을 부정했다. 그러나 루터의 교리는 베른, 바젤, 스트라스부르까지 전파되었다.

잉글랜드 성공회

헨리 8세는 루터의 입장을 단호히 비난하고 개신교도들을 박해했다. 그런데 1526년 아내 카탈리나 다라곤과 이혼하기를 원하면서 그는 결국 종교에 대한 입장을 재고해야 했다. 그 당시 국왕의 결혼을 무효로 만들 수 있는 사람은 교황뿐이었는데, 교황이 이를 거부했다. 헨리 8세는 1534년 4월 30일 의회가 수장령을 통과시키도록 했다. 수장령으로 잉글랜드 교회는 군주의 관할권에 들어가게 되었고 로마 교회와 결별하고 성공회가 되었다.

헨리 8세의 장녀 메리 튜더는 수장령을 무효로 만들고 개신교도 박해 정책을 매섭게 펼쳤는데 이로 인해 '블러디 메리Bloody Mary'라는 별명까지 얻었다. 그녀가 세상을 떠난 뒤 개신교도인 여동생 엘리자베스가 여왕 엘리자베스 1세가 되었고 성공회를 부활시켰다.

개혁의 2단계: 칼뱅주의

프랑스의 장 칼뱅은 종교 개혁에 새롭게 박차를 가했다. 루터교로 개종한 칼뱅은 1534년 개신교도에 대해 관용적이었던 프랑수아 1세가 입장을 바꿔 박해를 시작하자 프랑스를 떠났다. 바젤로 피신한 그는 『기독교 강요』를 발표하고, 1541년 제네바에 정착해서 1559년 목사를 양성하는 아카데미를 설립했다. 칼뱅의 교리는 루터가 주장하는 충만한 은총이라는 개념을 받아들이지 않았다. 구원은 숙명과 관련이 있기 때문이다. 전지의 신은 누가 저주를 받을지 이미 알고 있다. 따라서 최종 목적이 신을 섬기는 것인 활동적인 삶vita activa을 살지는 인간에게 달려 있다. 칼뱅주의는 프랑스를 넘어서 폴란드, 헝가리, 보헤미아, 네덜란드, 스코틀랜드까지 확산되었다. 스코틀랜드에서는 종교 개혁가 존 녹스에게 영향을 주었다.

트리엔트 공의회(1545~1563)

1542년 교황 바오로 3세가 이탈리아 북부에 있는 티롤에 소집한 트리엔트 공의회는 1545년에 열렸고 여러 교황령으로 확산되었다. 바오로 3세에 이어 율리오 3세, 마르첼로 2세, 바오로 4세, 비오 4세가 교황의 자리에 올랐다. 공의회는 지속적으로 열리지 않고 여러 회기로 이어졌다. 첫 번째 회기에는 교회 행사 불참, 성물 매매, 사제의 축첩 같은 악습을 비난하고, 신학교를 통해 성직자 교육을 개선하도록 정했다. 두 번째와 세 번째 회기에는 은총을 신의 선물로 정의하고, 인간은 은총을 자유롭게 거절할 수 있다고 규정했다. 성서는 히에로니무스가 라틴어로 번역한 『불가타』를 신앙의 주요 원천으로 채택했다. 7개의 성물은 보관되었고 화체가 도그마로 선포되었으며 사제들의 독신의 의미를 재확인했다.

반종교 개혁

반종교 개혁 또는 가톨릭의 종교 개혁은 개신교의 성공에 대응하기 위해 일어났다. 가톨릭 신자인 군주들이 반종교 개혁의 지지 세력이었다. 프랑스의 프랑수아 1세와 앙리 2세는 개신교를 금지했고, 에스파냐의 카를 5세와 펠리페 2세는 1542년 이탈리아에서 바오로 3세가 부활시킨 종교 재판을 이용해 개신교도들을 박해했다. 박해의 정도가 워낙 심해서 개신교도들은 1540년 이후 자신의 종교를 숨겨야 했다.

그러나 개신교도들을 잡아서 추방하거나 화형에 처하는 것만으로는 모자랐다.

가톨릭교회는 스스로를 돌아보지 않으면 안 되었고, 그것은 트리엔트 공의회에서 추진해야 할 일이었다.

수도회, 가톨릭 종교 개혁의 지지 세력

가톨릭의 부활에 필요한 근간은 제대로 양성되고 자신의 의무를 준수하는 성직자였다. 과거의 수도회는 이러한 새로운 요구에 부응할 수 없었다. 가톨릭의 종교 개혁은 교육과 신앙의 전파를 목적으로 하는 새로운 수도회 창설과 맞물렸다. 가장 유명한 수도회는 이냐시오 데 로욜라가 만든 예수회이다. 교황은 1540년에 이 수도회를 인정했다. 예수의 진정한 군대인 예수회의 수도사들은 교황과 종신직으로 선출된 회장에 복종하고 순종, 가난, 순결의 맹세를 해야 한다. 필립보 네리는 1575년에 교육을 사명으로 하는 오라토리오회를 창설했고, 교황 바오로 4세는 자선, 병자 구호, 신앙 전파를 목적으로 하는 테아티노회를 만들었다.

가톨릭 종교 개혁의 유산

1560년에서 1660년에 이르는 시기는 '성자들의 세기'라고 불릴 만하다. 반종교 개혁과 트리엔트 공의회를 계기로 일어난 가톨릭교회의 개혁에 대한 열망은 강했다. 아빌라의 테레사, 가를로 보로메오, 프란치스코 살레시오, 빈첸시오 드 폴 이외에도 성자로 인정받지는 못했지만 신앙이 두터운 피에르 드 베륄, 브누아 드 캉필드 같은 사람들이 새로운 종교의 탄생을 알렸다. 초기 바로크 양식으로 화려하게 채색되고 장식된 성당에서 성대한 예배로 신의 영광을 찬양하던 때에 마음과 감정은 가장 중요한 자리를 차지했다. 그러나 이제는 가톨릭교회와 개신교 교회가 합의할 일은 없어졌다. 16세기 말은 유럽이 남쪽은 가톨릭, 북쪽은 개신교로 나뉘어 대립하는 종교적 분열로 점철되었다.

신구 논쟁

17세기 말 프랑스의 문학계는 저항의 바람으로 흔들렸다. 저항은 1687년 샤를 페로가 고대 그리스·로마의 문학 모델을 버리고 쓴 「루이 14세의 세기」와 함께 시작되었고, 1714년 프랑수아 페늘롱이 쓴 「아카데미에 보내는 편지」로 끝났다. 다툼은 호메로스의 『일리아드』를 프랑스어 운문으로 번역한 사건을 두고 최고조에 달했다. 1714년 앙투안 우다르 드 라 모트가 『일리아드』를 운문으로 번역하면서 문단의 거센 반발에 부딪혔다. 문제가 되었던 것은 과연 루이 14세 시대의 작가들이 고대 작가들보다 뛰어나다고 할 수 있느냐는 것이었다. 페로와 부알로는 신구 논쟁의 두 주역이다. 페로와 퐁트넬은 발전이 이루어졌다고 주장했지만 부알로, 라퐁텐, 라신은 고대 작가들에게서 이상적인 사상과 예술을 찾을 수 있다고 반박했다.

팽팽한 입장

'고대인'은 1687년에 페로가 호메로스, 플라톤, 아리스토텔레스를 비웃으며 쓴 「루이 14세의 세기」가 발표되어 논쟁이 일었을 때 왕과 그 측근의 지지를 받았다. 1년 뒤에 『동화집』의 저자 페로는 「고대인과 근대인 비교」에서 근대인을 옹호하는 입장을 펼쳤다. 그리하여 각자의 입장을 옹호하는 글이 계속 발표되는 상황이 시작되었다. 예를 들어 라 브뤼예르는 퐁트넬의 『고대인과 근대인에 관한 여담』에 대한 반박으로 『성격론』을 발표했다. 이러한 갈등은 페로가 실제로 공격에 나서기 전 몇 년 동안 잠재되어 있었다. 문학에서 경이의 중요성에 대한 고찰은 사태를 더욱 악화시켰다. 일부 작가들은 기독교적 인물을 다룰 수 있는지, 또는 이교적 인물에 한정해야 하는지 자문했다. 데마레 드 생소를랭이 「클로비스 1세 또는 기독교 프랑스」라는 서사시에서 기독교가 경이를 위한 영감을 불러일으켜야 한다고 주장하면서 신구 논쟁이 시작되었다.

모방 대 이성

고대인은 아리스토텔레스의 이론인 미메시스, 즉 모방을 중요하게 여겼다. 라 브뤼예르는 이러한 입장을 「테오프라스토스에 관한 견해」에서 설명했다. 반면에 근대인은 진보와 이성의 힘을 더 중요하게 생각했다. 학문뿐만 아니라 예술과 기술 분야에서도 완벽함에 도달할 수 있다는 개념을 쟁점으로 삼은 17세기의 영향 때문이다. 파스칼은 무의 존재를 발견했고 이로써 과학이 진보할 수 있음을 증명했다. 근대인은 고대를 초월해야 하며 시대에 적응할 줄 알아야 한다고 주장한 반면, 고대인은 고대 작가들의 변하지 않는 위대함을 찬양했다. 근대인의 입장에서 인류의 역사를 되돌아보아야 한다는 주장이 비롯되었으며 역동적인 역사와 상대적인 아름다움 등 계몽시대에 발전하게 될 중요한 개념들이 나타났다.

얀센주의

얀센주의는 17세기와 18세기에 코르넬리우스 얀센Cornelius Jansen이 쓴 『아우구스티누스』를 바탕으로 프랑스, 네덜란드, 이탈리아를 뒤흔든 종교 운동이다. 얀센은 히포의 아우구스티누스의 신학을 옹호하고 예수회에서 이루어지는 일부 교육과 수행을 비난했다. 특히 그는 인간이 자유롭기 때문에 자신의 구원에 대한 책임이 있다는 예수회 몰리나의 주장에 반대했다. 얀센주의는 초기에 은총과 숙명에 관심을 가졌다. 종교 개혁에 영감을 준 영적 주제들을 가톨릭에 적용하려고 시도한 듯하다. 신의 은총과 인간의 자유 의지를 어떻게 양립시킬 것인가? 이 문제는 아우구스티누스와 펠라기우스의 논쟁으로 제기되었다. 브리타니아 출신의 수도사 펠라기우스는 인간의 자유 의지를 옹호했고, 교부 아우구스티누스는 신의 은총이 없으면 선한 일을 할 수 없다고 주장했다. 두 관점이 서로 부딪쳤다. 아우구스티누스는 원죄를 지은 인간의 본성을 강조했고 은총만이 인간을 구원할 수 있다고 말했다. 얀센주의자들은 그의 주장을 받아들였다. 펠라기우스는 인간의 자유 의지가 중요하다고 강조했고, 이는 예수회의 입장이 되었다.

결의법

결의법casuistry은 도덕론만큼 오래되었다고 할 수 있다. 양심의 문제를 분석하는 도덕 신학의 일부로 정의되기 때문이다. 결의법은 행위에서 일반 법칙을 도출하고 이를 통해 실질적 문제를 해결하는 것이다. 경제, 의학, 법학에도 적용되는 이 방법론은 실재하거나 가정한 사실의 의미를 띤다. 라틴어로 '뜻밖의 사건', '예기치 못한 사건'을 뜻하는 카수스casus에서 비롯된 말인 결의법은 원시 기독교, 유대교, 고대 철학에 존재했다. 『소크라테스 회상』에서 크세노폰은 소크라테스가 이 사고방식을 실천했음을 추측하게 한다. 1215년에 라테란 공의회는 고해를 의무로 정했다. 그런데 결의법은 고해 과정에 내재되어 있다. 행동을 일으킨 복잡한 조건을 세밀히 검토해서 죄의 경중을 판단해야 했기 때문이다. 이는 죄를 사해줄지 말지 결정하는 데 필요한 분석이다.

코르넬리우스 얀센은 누구인가

1585년 네덜란드의 가톨릭 집안에서 태어난 코르넬리우스 얀센, 일명 얀세니우스Jansenius는 1602년 루뱅 대학교에 들어가 신학을 공부했다. 그의 스승은 인간이 태어날 때부터 아담의 죄를 지었다고 주장한 미셸 드 베의 추종자였다. 미셸 드 베에 따르면 인간의 본능은 필연적으로 악을 향해 가고 예수의 은총만이 인간을 구원할 수 있다. 그런데 예수의 은총은 적은 수의 선택받은 자, 하늘의 왕국에 들어가도록 이미 운명 지어진 자에게만 내려진다. 얀센은 아우구스티누스의 글에서 영감을 받은 이 교리에 매료되었다. 그런 학생이 하나 더 있었는데, 그가 바로 얀센주의 운동의 지도자가 될 프랑스의 장 뒤베르지에 드 오란이다. 예수회는 미셸 드 베를 위험인물로 간주했고, 1567년 교황 비오 5세는 그의 주장을 비난했다. 얀센은 펠라기우스주의 교리에 반박하기 위해 아우구스티누스의 저서를 더 깊게 공부했다. 그리고 자신의 대표작 『아우구스티누스』를 썼다. 이 책 또한 1642년에 로마 교회의 비난을 받았다. 얀센은 자신의 책에서 신의 은총만이 태어날 때부터 원죄를 지은 인간을 구원할 수 있다는 주장을 옹호했다. 인간의 의지가 무력하기 때문이다. 따라서 인간은 은총을 얻거나 저주를 받도록 운명 지어져 있다. 얀센은 루뱅 대학교에서 신학 박사 학위를 받고 1635년에 동 대학교의 총장이 되었으며 1636년에는 이프르의 주교로 임명되었다. 그러나 2년 뒤에 그는 흑사병으로 사망했다.

얀센주의

얀센주의는 정치권력과 교황의 권력을 모두 뒤흔들었다. 아르노 가문을 비롯해 장 뒤베르지에 드 오란 같은 훌륭한 지식인뿐만 아니라 파스칼이나 라신 같은 문인들도 얀센주의를 지지했기 때문에 그 영향력은 꽤 위력적이었다. 얀센주의의 본거지는 파리의 포르루아얄 수녀원이었다. 얀센주의의 영향력이 점점 커지자 위협감을 느낀 우르바노 8세는 1642년 교서를 통해 『아우구스티누스』를 금서로 지정했다. 이미 교회로부터 비난을 받았던 미셸 드 베의 교리에 바탕을 둔 『아우구스티누스』는 교황의 승인을 받지 않고 출간되었다. 책에 대한 프랑스의 반응은 호의적이었다. 소르본 대학교의 학자들과 포르루아얄 수녀원의 측근들이 옹호하는 입장을 보였던 것이다. 리슐리외가 지지한 예수회는 이러한 입장에 반대 의견을 표했다. 그러나 『아우구스티누스』에 대한 비난은 얀센주의에 재갈을 물린 것이 아니라 오히려 종교로서 자리를 잡는 계기가 되었다. 아우구스티누스주의는 지상권을 교권에 복종시키기 때문에 얀센은 리슐리외의 정치관에 반대했다. 1635년 얀센은 리슐리외의 외교 정책을 신랄하게 비판한 「마르스 갈리쿠스」를 발표했다.

생시랑 수도원 원장이 된 장 뒤베르지에 드 오란은 포르루아얄 수녀원의 수녀들에게 얀센의 교리를 가르쳤다. 그가 세상을 떠난 뒤에는 앙투안 아르노가 소르본에서 얀센주의의 수장이 되었다. 1650년대에 군주의 공격은 더욱 거세졌다. 블레즈 파스칼은 1656년에서 1657년에 『시골 친구에게 보내는 편지』를 써서 소르본 대학교 신학 대학의 비난을 받은 앙투안 아르노를 옹호했다. 루이 14세가 왕국의 분열을 조장하는 얀센주의자들을 제거하기로 결심했지만 갈리아주의가 태동하면서 얀센주의자들과의 갈등은 주요 관심사 밖으로 밀려났다. 신임 교황 클레멘스 9세는 1669년 교황과 국왕, 그리고 얀센주의자들의 화해를 제안했다. 그러나 평화는 오래가지 않았다. 루이 14세가 1709년에 다시 싸움을 걸었기 때문이다. 그는 포르루아얄 수녀원에서 수녀들을 내쫓았고 1710년에는 수녀원을 없애버렸다. 1713년에 18세기 얀센주의의 수장이었던 파스키에 케넬의 『신약 성서에 관한 도덕적 사색』이 「하나님의 외아들」이라는 교서에 의해 규탄을 받으면서 얀센주의의 세력이 결정적으로 약화되었다.

우생학

'좋은 태생'에 대한 학문이라는 뜻의 용어인 우생학은 19세기에 찰스 다윈의 사촌인 프랜시스 골턴Francis Galton이 처음 사용했다. 골턴은 우생학을 "어떤 인종의 출생의 질을 개선하는 모든 영향력을 다루는 학문"이라고 정의했다. 우생학은 19세기 말에서 20세기 초에 유럽과 미국으로 확산되었다. 최초의 우생학자들의 주장에서 늘 나타나는 개념은 세 가지이다. 즉 다윈의 자연 선택설, 인간의 육체 및 정신의 쇠퇴, 정신 지체의 유전성이다. 인종 차별주의의 색채가 짙은 우생학은 인류에게 필요한 유전적 형질은 선택하고 필요 없는 요소는 제거해서 자연 선택이 이루어지지 않는 부분을 상쇄하는 것이 목적이었다. 그러나 일부 개체의 생식을 장려하는 긍정적인 우생학과 그것을 막으려는 부정적인 우생학은 구분해야 하는데, 이는 축산업과 농업에서 사용하는 방식을 인간에게 그대로 적용한 것이나 다름없기 때문이다. 우생학 이론들은 19세기 초반에 유럽에서 적용되었으며, 나치는 이를 악용했다. 결국 과학계도 반발했고 이 이론들은 법률로도 금지되었다.

프랜시스 골턴은 누구인가

프랜시스 골턴 경은 많은 학문에 관심이 있었지만 아주 이른 나이에 의학을 선택했다. 그는 1845년에서 1846년까지 나일강과 거룩한 땅 이스라엘과 팔레스타인을 탐험했다. 이 여행에서 많은 정보를 얻어 9권의 책과 20여 편의 소논문을 썼다. 골턴은 신원을 확인하는 방법으로 지문을 사용하고 통계의 중요한 개념이 된 상관 계수를 계산하고 수혈을 연구하는 등 많은 영역에서 선구자가 되었다. 우생학은 그가 말년에 인간의 육체적·정신적 선택의 도구로 생각한 이론이다. 골턴은 『유전성 천재』에서 천재가 나온 가정을 대상으로 지적 능력의 유전적 대물림에 대해 연구할 것을 제안했다.

사회적 공포가 촉진제

우생학의 개념은 19세기에 생겨났지만 그 이론이 어우르는 개념들은 그 이전에도 존재했는데 특히 플라톤의 『국가』 제5권에서 찾아볼 수 있다. 플라톤은 이 책에서 이상적인 도시를 그리는데, 이곳의 엘리트 계층인 수호자 두 사람은 결혼을 신중하게 결정해야 한다고 썼다. 이와 같은 선별의 개념은 스파르타에서도 찾아볼 수 있다. 우생학의 이데올로기는 진화론과 더불어 19세기에 약진했다. 물론 다윈이 『종의 기원』에서 우생학을 언급한 적은 없지만 말이다. 이 시기에 사회적 선택은 자연 선택을 방해했다. 전쟁으로 인해 가장 건강한 사람들이 죽었고, 과학의 발전으로 가장 쇠약한 사람들이 치료를 받을 수 있었기 때문이다. 따라서 우생학은 자연 선택으로 인간의 생물학적 쇠퇴를 막고자 했다. 다윈은 우생학을 거부했지만 19세기 말 불안정한 사회 분위기 속에서 우생학은 인기를 얻었다. 게다가 에밀 뒤르켐도 실업과 산업 혁명으로 증폭된 범죄나 알코올 중독 등 한 사회 내에서 일부 개체가 일으키는 일탈적 행동을 강조했다. 1907년에 미국 인디애나주는 정신 질환자와 범죄자들의 불임 수술을 허가하는 법을 시행하기도 했다. 우생학이라고 하면 독일의 나치가 먼저 연상되지만 이와 같이 우생학이 탄생한 곳은 독일이 아니라 영미권이었다.

유토피아적 이상주의

일반적으로 유토피아라는 말은 상상의 계획, 실현할 수 없는 계획, 가공의 장소 등을 뜻한다. 유토피아는 토머스 모어가 창시한 특정한 문학 장르를 가리키기도 하지만 왜곡된 사회적 상상력이 반영되어 문학이나 예술과 거리가 먼 작품들을 가리킬 때도 있다. 그러나 두 개념 모두 인간의 조건을 개선하는, 때로는 현실적이지 않다고 판단할 수 있는 개혁의 아이디어를 내포한다.

토머스 모어는 르네상스 시대인 1516년에 '유토피아'라는 말을 만들어냈다. '어디에도 없는 장소'라는 뜻의 그리스어 '우토포스ou-topos'와 '행복의 장소'라는 뜻의 '에우토포스eu-topos'에서 기원한 이 말은 '유토피아'라는 제목으로 더 잘 알려진 그의 저서 『공화국의 최적의 상태와 새로운 섬 유토피아에 관하여』에 등장한다. 유토피아라는 개념은 플라톤의 『국가』에도 이미 언급되었지만 유토피아적 사상이 발달한 것은 르네상스 시대였다. 르네상스는 혁신의 시대이자 지리학적 대발견의 시대였다. 따라서 새로운 지식의 원천을 상대적인 것으로 만들었고 어떤 면에서는 반박이 가능하게 만들었다. 유토피아적 사상도 일종의 반박이었다. 개인이 충만하고 평온한 삶을 살 수 없게 방해하는 사회의 기능 이상을 고발하는 방법이었던 것이다. 초기에 유토피아적 사상은 인간의 행복을 추구하고 삶의 조건을 개선하려는 인문주의적 사상과 비슷했다. 18세기와 19세기에도 유토피아적 사상은 발전해왔는데 20세기에 와서는 전체주의 체제를 연상시키는 부정적인 의미를 띠게 되었다. 올더스 헉슬리의 『멋진 신세계』와 조지 오웰의 『1984』가 부정적 유토피아 또는 디스토피아라고도 불리는 반유토피아를 보여주는 가장 유명한 예이다.

토머스 모어는 누구인가

아버지의 뜻에 따라 변호사가 되려고 했던 토머스 모어는 1496년 유명한 링컨 법학원에 입학했다. 2년 뒤에는 변호사 협의회에 가입했다. 그의 경력은 임명, 수상, 명예 등으로 가득 찼지만 그는 종교 개혁으로 위협받는 가톨릭교회의 열렬한 옹호자가 되기로 결심했다. 그러나 헨리 8세가 카탈리나 다라곤과 1533년에 이혼하고 맞은 두 번째 부인 앤 불린의 왕비 책봉식에 참석하지 않으면서 많은 적을 얻었다. 모어는 헨리 8세가 스스로 부여한 잉글랜드 성공회의 최고 수장이라는 타이틀을 부정했다는 이유로 재판을 받았다. 그는 입장을 철회하라는 왕의 명령을 거부했고 결국 반역죄로 투옥되어 처형당했다. 로마 가톨릭교회는 그를 1886년에 시복했고 1935년에는 시성했다.

토머스 모어가 『유토피아』에서 주장한 것은?

신세계의 상상의 섬 유토피아에서는 이상적인 사회적 삶이 이루어진다. 모어는 『유토피아』의 후반부에서만 이 상상의 섬에 대해 기술했다. 전반부는 "노동보다 범죄를 선호하는 사람들이 있는" 잉글랜드의 정치를 비판하는 형식을 취했다. 『유토피아』

유토피아를 다룬 책과 영화

프랑수아 라블레의 『가르강튀아』에 나오는 수도원
프랜시스 베이컨의 『새로운 아틀란티스』
톰마소 캄파넬라의 『태양의 나라』
시라노 드 베르주라크의 『달나라 여행기』
프랑수아 페늘롱의 『텔레마크의 모험』
마리보의 『노예들의 섬』
베르나르댕 드 생피에르의 『폴과 비르지니』
생시몽의 『새로운 그리스도교』
샤를 푸리에의 『팔랑스테르』
쥘 베른의 『신비의 섬』
르네 바르자벨의 『시간의 밤』에 나오는 곤다와의 세계
조지 오웰의 『동물 농장』

조르주 멜리에스의 「달세계 여행」(1902)
프리츠 랑의 「거미」(1919)와 「메트로폴리스」(1927)
자크 페데의 「아틀란티스」(1921)
잔니 아멜리오의 「태양의 도시」(1973)
제임스 맥테이그의 「브이 포 벤데타」(2006)

는 모어와 『우신예찬』을 펴낸 에라스무스가 교환한 메모 및 서신을 바탕으로 6~7년 정도 기획한 뒤에야 작성되었다. 이 책은 정치적 악행의 뿌리를 파헤치고 기존의 해답이 부적절하다는 것을 보여준다. 유토피아는 플라톤의 아틀란티스를 모델로 해서 반달 모양을 이룬다. 이곳에는 풍습과 제도, 언어가 같은 54개의 도시가 있다. 이 도시들은 사리사욕과 탐욕으로 분열되고 비합리적인 정치 체계를 가진 유럽의 기독교 사회와 대조를 이룬다. 모어는 책의 첫 부분부터 플라톤의 『국가』를 떠올리게 한다.

책의 후반부에서는 방어 시설과 암초로 인해 접근이 힘든 유토피아 공화국의 이상적인 조직과 운영에 대해 다룬다. 이곳의 경제는 '남아도는 것이 없는 것'에 바탕을 두고 있다. 모어가 고안한 유토피아 공화국은 사유 재산이 존재하지 않아 공산주의적이고 평등주의적이었다. 『유토피아』의 전반부는 헨리 8세의 호전적인 정책을 신랄하게 풍자하고 있으며 큰 피해를 유발하는 전쟁과 유럽 국가들의 악행을 고발한다.

인문주의

인문주의는 인간을 모든 가치의 정점에 두는 사상이며, 14세기에 이탈리아에서 예술, 문학, 철학의 그리스어 및 라틴어 원전으로 돌아가자고 주장한 프란체스코 페트라르카 Francesco Petrarca를 필두로 발달한 지식 운동을 가리키기도 한다. 그렇다면 인문주의는 중세에도 존재했다는 말이다. 다만 형식에 지나치게 얽매인 스콜라주의로 인해 잠시 쇠퇴했을 뿐이다. 인문주의는 도서관에서 출발했다. 1480년에 설립된 바티칸 도서관이 대표적이다. 15세기와 16세기에 도서관은 주석과 주해가 이루어지는 곳이었다. 고대 작가들은 새로운 기준으로 거듭났다. 키케로는 유연한 언어와 우아한 문체의 기준이 되었고, 플라톤은 철학의 기준이 되었다. 로마의 교황청과 피렌체, 페라라, 우르비노, 만토바, 나폴리의 궁에 출현한 인문주의는 대학을 통해 유럽으로 확산되었다. 그 결과 인간을 중심으로 세상을 인식하는 방법이 등장했으며 계몽 시대 철학자들은 인문주의를 되살리는 큰 업적을 세우게 된다. 그들은 이성을 바탕으로 인간에 대한 도덕론과 인간의 존엄성에 관한 철학을 정립했다. 17세기에 데카르트는 인간에게 생각하는 주체의 지위를 부여했다. 그렇게 해서 인간은 '자연의 주인이자 소유자'라는 새로운 자리를 차지했고 스스로 참과 거짓을 구분할 수 있었다. 이러한 고전적 인문주의는 인간의 본성이 불변한다고 가정하는 반면, 현대 인문주의는 특히 무신론자인 장폴 사르트르, 기독교인인 자크 마리탱과 에마뉘엘 무니에가 주장했던 실존주의를 통해 자유를 인간의 본질적인 투기投企로 다룬다.

인문주의 이전의 인문주의자

페르시아의 왕 키루스 2세는 바빌로니아를 함락한 뒤 패전 지역의 백성을 보호하기 위해서 특히 언어, 종교, 행정을 그대로 유지한다는 일련의 정책을 발표했다. 이러한 내용이 기록된 '키루스 실린더'는 현재 대영 박물관에 보관되어 있다. 이런 사례는 매우 드물기 때문에 국제 연합은 키루스 2세를 인권 수호자의 먼 선구자로 여긴다.

인문주의의 근간

르네상스는 새로운 부르주아 계층의 등장으로 사회적 변화를, 신교와 구교가 갈라서면서 종교적 변화를, 코페르니쿠스의 이론으로 과학적 변화를 일으켰다. 15세기 전반기에 르네상스는 고대 그리스·로마 시대의 가치에서 영향을 받으면서도 그것을 뛰어넘는 가치 체계와 미적 기준을 완성했다. 그 파장은 20세기까지 이어졌다. '우마니스타umanista'는 콰트로첸토(15세기)에 생긴 말로 문법 및 수사학 선생을 의미했다. 19세기에 와서야 독일 학자들은 르네상스 시대에 활발했던 고전 연구를 가리키기 위해 인문주의라는 말을 사용했다. 따라서 인문주의는 '인간에 대한 연구studia humanitatis'를 바탕으로 하는 활동으로 정의할 수 있다. 어린이는 인문주의자들의 관심의 중심이 되었다. 중세에는 어린이가 많아지면서 학교의 수도 증가했다. 학교의 조직은 간단했다. 선생을 고용하고 학생을 공부시킬 각 학교는 설립 자금을 받았다. 학교 행정은 교장이 맡았다. 교육 내용은 더욱 다양해졌다. 그리스어가 중요한 비중을 차지했고, 키케로의 라틴어가 교회의 라틴어를 대체했다. 중세에 만들어진 트리비움(문법, 논리학, 수사학)과 콰드리비움(산술, 기하학, 천문학, 음악)은 교육에 계속 포함되었다.

인문주의 이론

최초의 인문주의자들은 전통적으로 받아들여진 가설을 거부하고 지각한 경험을 객관적으로 분석하는 데 집중했다. 인간을 이상적인 모습이 아니라 있는 그대로 파악하고자 했던 마키아벨리에게 역사는 새로운 정치학의 근간이었다. 인문주의적 시각에서 이루어진 사회 비판은 이후 에라스무스의 『아동교육론』에 영향을 주었다. 토머스 모어, 발다사레 카스틸리오네, 프랑수아 라블레, 미셸 드 몽테뉴도 마찬가지이다. 인문주의는 인류의 역사를 설명하는 것을 목적으로 하는 것이 아니라 본질적이고 침해할 수 없는 인간의 본성을 통해 사회 질서를 개혁하고자 한다. 이러한 방식은 페트라르카에게서는 개인의 자율성을 강조한 것으로 나타났고, 그 이후에는 인문주의 전체의 특징이 되었다. 비판적 검토로 부서진 지성이야말로 자유로운 지성이다. 개인주의에서와 같이 인문주의에서도 인간의 존엄성이라는 개념이 출현했다.

이 개념을 주장한 대표적인 인물은 프란체스코 페트라르카, 잔노초 마네티, 로렌초 발라, 마르실리오 피치노, 그리고 「인간 존엄성에 관한 연설」을 쓴 조반니 피코 델라 미란돌라이다. 이들은 모두 인간의 우월성과 인간이 갖고 있는 유일한 잠재성을 강조했다. 그리고 과학적 발견은 개인을 더 인간적으로 만들 것이며 그런 인간이 새로운 교육 모델이 될 것이라고 주장했다.

위대한 거울

『위대한 거울*Speculum Majus*』은 루이 9세의 측근인 뱅상 드 보베의 작품으로 최초의 백과사전으로 볼 수 있다. 중세에 축적된 지식을 인용 형식으로 엮은 책으로, 다음의 세 부분으로 구성된다.

- 자연의 거울은 창조주와 피조물에 대해 다룬다.
- 과학의 거울
- 역사의 거울

전후의 논의

인간이 최고의 가치를 지녔다는 원칙에서 출발한 현대 철학자들은 인문주의 사상이 자신들의 주장과 비슷하다는 것을 알았다. 19세기에 카를 마르크스는 자신의 주장을 일종의 인문주의라고 여겼다. 그의 목적도 인간의 해방과 행복이었기 때문이다. 마르크스는 사회의 부와 그로 인해 발생하는 사회 경제적 작용이 인간을 자기 자신으로부터 소외시키는 현상을 고발했다. 20세기에 세상은 두 가지 도전에 부딪혔다. 나치주의와 전쟁 범죄를 가능하게 한 서구의 가치가 붕괴했으며, 새로운 도덕관과 가치관을 정립해야 했다. 그래서 학문과 생각하는 주체에 대한 의심에도 불구하고 새로운 인문주의를 위한 도약이 필요했고 인간을 믿어야 할 이유를 다시 찾아야 했다. 에마뉘엘 무니에, 자크 마리탱, 장폴 사르트르가 그러한 야망을 대표했다. 그들은 인간을 가장 비합리적인 측면까지 포함해 모든 다양한 차원에서 고려했다. 이는 매우 민감한 문제여서 프랑스와 독일은 논쟁까지 벌였다. 마르틴 하이데거는 장 보프레가 "인문주의라는 단어에 어떻게 다시 의미를 입힐까요?"라는 질문을 던지자 「인문주의에 관한 편지」로 답했다. 사르트르는 1946년에 '실존주의는 인문주의이다'라는 제목의 강연회를 열기도 했다.

자유분방주의

자유분방주의libertinism는 17세기에 철학의 변방에서 교회의 도그마에 대한 반발로 발달했던 사상이다. 라틴어로 '리베르티누스libertinus'는 '해방된'이라는 뜻이다. 즉 해방된 노예를 가리켰다. 그와 동시에 '자유분방'은 교회의 예속에서 해방되는 것이다. 따라서 자유분방주의자는 철학적 자유를 원하는 자유사상가와 18세기 소설에 등장하는 타락한 귀족을 동시에 일컫는다. 자유분방주의자들은 고대 그리스·로마의 사상에서 영감을 받았으며 에피쿠로스, 데모크리토스, 그리고 회의주의자에게 관심을 가졌다. 또한 영혼의 '사망'에 관해 가르쳤던 피에트로 폼포나치, 종교의 정치적 성격을 비난했던 줄리오 체사레 바니니 등 파도바 대학교의 범신론자들이 그들의 사색의 원천이었다. 자유분방주의자들은 자신들의 철학에 위험이 따른다는 것을 알고 있었다. 특히 사고의 자유를 지키려고 하다가 종교 재판을 받고 화형에 처해진 조르다노 브루노의 비극적인 죽음을 잊지 않았다. 자유분방주의자들은 우주가 물질로 구성된 생명체이고 고유의 법칙을 가지고 있다고 보았다. 그들이 가끔 '신'이라는 단어를 사용하기는 했지만 실제로 '신'은 자연을 가리키는 것이었다. 18세기는 철학적 자유분방주의를 삶의 방식으로 바꿔놓았다. 그런 의미에서 계몽 시대의 이상, 자유 의지, 자유로운 사고에 충실했다.

자유분방주의란 무엇인가

16세기 말에 일어난 종교 전쟁은 회의주의를 낳았고 자유분방주의가 탄생하는 토대가 되었다. 자유분방주의라는 이름이 갖는 유일한 동질성은 종교에 대한 반발이었다. 그 기원은 합리주의에서 찾아야 한다. 인간의 본성으로 돌아가야 한다고 설파한 인문주의자들은 스콜라주의적 토론과 도그마적 종교에 반대되는 사고의 체계와 고대 그리스·로마의 철학을 되살렸다. 그러나 파도바의 철학자들이 없었다면 자유분방주의는 그렇게 성공하지 못했을 것이다. 파도바의 철학자들은 기적과 예언이 사기극이거나 우연의 결실이라고 주장했다. 16세기에 장 칼뱅은 이미 「스스로 영적인 자들이라 부르는 자유분방주의자들의 비현실적이고 기세등등한 이단에 반하여」라는 글에서 자유분방주의자처럼 종교와 자연을 혼동하는 이들을 비난했다. 그러나 그는 제세레파를 겨냥한 것이었다. 예수회 소속의 프랑수아 가라스도 자유분방주의자들이 에피쿠로스의 신봉자이고 신을 믿지 않는다며 비난했다. 1600년에 조르다노 브루노가, 1619년에 줄리오 체사레 바니니가 사형 선고를 받으면서 당시 파리 자유분방주의 수장이었던 테오필 드 비오의 입지도 위험해졌다. 자유분방주의자는 선동적인 의견을 표출하는 사람으로 간주되었기 때문이다. 자크베니뉴 보쉬에는 자유분방주의자가 무신론이라는 특별한 악에 빠진 사람이라고 정의했다. 장 드 라 브뤼에르는 『성격론』에서 '강한 정신의 소유자'라는 제목으로 한 부분을 자유분방주의자에게 할애했다. 그는 자유분방주의자들이 지나치게 자주 귀족들을 만난다고 비난했다.

고대의 원자주의를 바탕으로 한 철학을 했던 피에르 가상디는 자유분방주의자들의 지도적 사상가이다. 그가 친하게 지냈던 이들 중에는 신학자이자 수학자인 마랭 메르센과 작가이자 최고의 자유분방주의자인 사비니앵 드 시라노 드 베르주라크가 있다. 프랑스의 풍자 작가이자 극작가인 시라노 드 베르주라크는 많은 작가에게 영감을 주었다. 1897년에 나온 에드몽 로스탕의 희곡에서 시라노 드 베르주라크는 똑똑하고 예의 바르지만 소심하고 코가 엄청나게 큰 못생긴 남자로 나온다. 몰리에르가 구현한 돈 후안도 자유분방주의자의 전형으로, 무신론자로서 종교에 대한 주장을 펼친다. 돈 후안의 자극적인 행동은 도덕을 쾌락으로 타락시키고 그의 견유주의는 다음 세기의 자유분방주의를 미리 맛보게 한다.

사랑놀이

18세기에 자유분방주의는 쾌락을 약속하는 사교계의 놀이를 표현한 앙투안 바토의 그림에서 나타난다. 크레비용 피스는 자유분방주의자에 대한 최초의 심리학적 정의를 내렸다. 그에 따르면 자유분방주의자는 육체가 갖는 힘의 표출로 세상이라는 큰 무대에 사랑의 재능을 펼치는 이로 감각적 쾌락만 추구한다. 그의 작품은 18세기 귀족 사회에서 일어나는 사랑의 모험을 다룬다. 피에르 쇼데를로 드 라클로는 『위험한 관계』의 인물 관계, 배경, 상황을 다룰 때 자유분방주의에서 영감을 받았지만 인물의 독립성 파괴, 의지의 무력화라는 새로운 개념을 도입했다. 새로운 형태의 자유분방주의는 도나시앵 알퐁스 프랑수아 드 사드의 『규방철학』이 나오면서 절정을 맞았다.

프리메이슨

프리메이슨은 박애주의 정신을 지향해 사람들의 환호를 샀지만 그 기원과 목적을 정확히 알 수 없어 거부감을 일으키기도 했다. 1744년에 페로 사제는 "대중에게 프리메이슨 단원은 늘 문제가 될 것이다. 직접 프리메이슨 단원이 되지 않고서는 그 문제를 끝까지 파헤치지 못할 것이다"라고 썼다. 13세기에서 18세기까지 영어로 작성된 「오래된 의무Old Charges」는 석공들의 노조인 석공 길드의 가장 중요한 문서이다. 프리메이슨은 이 문서가 고대와 『성경』의 다양한 전설에서 기인한다고 보고 있으며 자신들의 진짜 기원을 알아내는 데 없어서는 안 될 문서로 생각한다. 어쨌든 중요한 것은 석공 조합이었던 단체가 어떻게 사색적인, 다시 말하면 철학적인 프리메이슨으로 탈바꿈했는지 알아내는 것이다. 그 변화는 스코틀랜드와 영국에서 일어난 듯하다. '프리메이슨'이라는 단어가 그곳에서 시대에 따라 서로 다른 단체를 뜻했던 것을 보면 그렇게 가정할 수 있다. 중세에 프리메이슨은 돌을 다듬는 데 숙련된 노동자를 가리켰지만 17세기에는 자유로운 석공, 아마도 '모든 직업에서 자유로운' 석공을 의미했던 것으로 보인다. 18세기 초부터는 프리메이슨의 로지lodge가 갖는 조합의 성격이 모두 사라졌고 상징성만 남았다. 18세기 중반에는 서열 체계와 군대 및 종단의 규칙과 유사한 규칙을 갖추게 되었다.

모두 사촌?

프리메이슨이 성전 기사단, 장미십자회, 연금술사, 프랑스의 직인 조합인 콩파뇨나주 등과 관련이 있다는 설은 좀처럼 사라지지 않았다. 이들 모두 수은이나 소금을 기본적 원소로 보았던 연금술, 그리고 시대를 막론하고 사람들을 매료시키는 기사단 입단과 비슷한 가입 형식 등의 공통점이 있다. 그러나 이런 점들을 제외하면 이들 사이에는 아무런 관련이 없다. 콩파뇨나주의 경우 18세기 이전의 상황에 대해서는 알려진 것이 거의 없다. 장미십자회는 17세기 말 독일에서 '이상을 좇는 튀빙겐의 모임'이라는 그룹에서 비롯되었다. 태동하는 장미십자회, 성전 기사단의 전설, 카발라, 신성한 숫자들에 대한 임의적 해석 등 이 모든 요소가 프리메이슨이 사용하는

프랑스 제1제국 당시 프리메이슨의 상징들, 19세기.

일련의 기호와 상징, 그리고 프리메이슨이 영감을 얻은 사상과 교리의 뿌리가 되었다. 17세기 말 유럽은 신앙보다 이성을 우위에 두는 의식의 위기를 겪고, 경제, 기술, 정치적 진보 속에서 프리메이슨의 출현을 가능하게 할 요소를 발견하게 된다.

런던의 술집 2층에서

술집 '거위와 그릴'은 1717년 6월 24일에 최초의 프리메이슨 대로지가 만들어진 장소이다. 이 술집은 크리스토퍼 렌 경의 건축 역작인 세인트 폴 대성당과 그리 멀지 않은 곳에 있었다. 대성당 공사는 1666년 런던 대화재로 가옥 약 1만 3000채와 성당 90채가 화마에 휩쓸린 뒤에 시작되었다. 이때부터 목재는 건축 자재로 사용되지 못했다. 이 술집은 클럽이나 협회의 회원, 구경꾼, 프리메이슨 단원 등이 모이는 사교의 장소였다. 여러 층으로 이루어진 건물이어서 따로 자리를 마련하는 것은 문제가 되지 않았다. 이 당시에 런던에는 최초의 프리메이슨 지부라고 할 수 있는 로지가 4개 있었다. 그러나 1723년이 되어서야 '앤더슨 헌장'을 갖춘 근대적 프리메이슨이 탄생했다고 할 수 있다.

플레이아드

16세기에 시 부흥 운동을 일으켰던 플레이아드Pléiade의 기원은 7인의 서정 시인이다. 이 시인들은 원래 '브리가드Brigade'라는 이름으로 불렸는데 1553년 피에르 드 롱사르 덕분에 유명해졌고 그가 명칭을 플레이아드로 바꾸었다. 플레이아드는 그리스 신화에 나오는 아틀라스의 7명의 딸을 가리키는 말이다. 딸들은 죽어서 하늘로 올라가 별자리가 되었다. 또한 기원전 3세기 알렉산드리아에서 활동했던 7명의 시인을 가리키기도 한다. 롱사르를 중심으로 조아생 뒤 벨레, 장 앙투안 드 바이프, 에티엔 조델, 퐁튀스 드 티야르, 장 바스티에 드 라 페뤼즈, 자크 펠르티에 뒤 망이 있었는데, 장 바스티에 드 라 페뤼즈는 레미 벨로로 교체되었고 자크 펠르티에 뒤 망이 죽자 장 도라가 그 자리를 채웠다. 이들 외에도 기욤 데 조텔과 니콜라 드니조도 플레이아드의 일원으로 여겨지곤 했다. 콜레주 드 코크레에서 그리스어와 라틴어 시를 가르쳤던 장 도라의 기여로 플레이아드 운동도 부흥했다. 플레이아드를 진정한 '문학 학파'로 분류하기는 어렵지만 고대 그리스·로마 작가들을 모방해서 프랑스어를 새로운 언어로 진화시키고자 한 그룹이었다고 할 수 있다. 고대 작가들보다는 클레망 마로에게 영감을 받기 원했던 토마 세비예의 『프랑스 시학』에 맞서기 위해 뒤 벨레는 1년 뒤 『프랑스어의 옹호와 선양』을 발표해서 플레이아드라는 이름으로 세비예의 주장과 선을 그었다. 뒤 벨레의 저서는 당시 고대 그리스어와 라틴어의 도입으로 풍부해질 수밖에 없는 저속한 언어였던 프랑스어를 훌륭하게 변호했다.

16세기 문학의 유산과 새로운 경향

16세기 문학에는 중세의 유산이 여전히 남아 있었다. 특히 「생테티엔의 미스터리」 풍의 신비극이나 익살극 같은 서민 연극의 형태가 잔존했다. 이탈리아의 즉흥극 콤메디아 델라르테에서 영향을 받은 새로운 운문 형식은 1560년까지 쓰였고, 신비극은 1548년에 금지되었다. 희극적 요소와 종교적 요소를 혼합한 것이 반종교적이라는 평가를 받았기 때문이다. 비극은 초기에 라틴어로 상연되었다. 그리스어로 쓰인 소포클레스와 에우리피데스의 작품들을 번역한 라자르 드 바이프 때문이었다. 그러다가 에티엔 조델이 최초로 비극을 프랑스어로 번역하자고 제안했다. 조델이 프랑스어 운문으로 쓴 『사로잡힌 클레오파트라』는 교양 있는 엘리트 계층을 위한 작품이었다. 반면에 오데 드 튀르네브의 『만족한 사람들』이나 피에르 드 라리베의 『유령 소동』 같은 희극은 산문으로 쓰였으며 고대 그리스·로마와 이탈리아 작가들의 영향을 받았다. 장 드 라 타유는 자신의 비극 『분노한 사울』에 『비극 예술에 관하여』를 부록으로 첨부했지만 그의 이론은 50년이 더 지나서야 고전주의 연극에 적용되었다. 비망록이라는 장르도 16세기에 유행했다. 브랑톰의 『비망록』, 종교 전쟁 당시 명성을 얻은 블레즈 드 몽뤼크의 『주석』, 앙리 3세의 통치와 종교 전쟁에 대한 귀중한 사료가 되는 피에르 드 레투알의 『앙리 3세 통치 시절의 일기』 등이 그 예이다.

선언서의 내용

플레이아드 시인들은 중세 문학의 유산을 거부하고 고양된 양식과 아름다움을 추구하고자 했다. 그래서 그들은 서정시나 서사시, 비극 등 고대 그리스와 로마에서 영감을 받은 형식을 되찾으려 했으며 소네트, 특히 12음절의 시구인 알렉상드랭을 선호했다. 그들은 퀸틸리아누스가 『웅변교수론』에서 주장한, 완벽한 화술을 완성할 수 있는 다섯 단계의 훈련과 1520년에 재발견되어 1549년에 펠르티에가 번역한 호라티우스의 『시학』을 교과서로 삼았다. 호라티우스는 『시학』에서 플라톤과 아리스토텔레스의 전통과 결별해야 한다고 강조하고, 글쓰기와 영감이 연결되어 있다고 주장했다. 플레이아드 시인들은 고대 작가들에게서 일부 테마를 가져왔으며 반대로 지나치게 서민적이거나 엘리트의 언어를 만들기에는 부적합하다고 생각되는 중세의 문학 장르들은 버렸다. 롱도, 비를레, 발라드는 16세기에도 여전히 유행이었지만 롱사르를 중심으로 모인 시인들에게는 배척당했다. 플레이아드 시인들이 추구한 것은 다음과 같다.

고대 그리스·로마 작가들의 모방: 플레이아드 시인들은 그리스 작가 중에는 핀다로스, 라틴어 작가 중에는 호라티우스, 오비디우스, 베르길리우스에게 영감을 받아 자기만의 창작을 이루어냈다. 또한 페트라르카가 자신의 연애담을 반영한 서정시를 모아 엮은 『칸초니에레』에서도 영감을 받았다. 페트라르카의 소네트 형식은 플레이아드가 받아들인 소네트 형식 중 유일하게 고대의 것이 아니다.

프랑스어의 개선: 라틴어를 버리고 프랑스어로 시를 쓰려면 프랑스어를 라틴어만큼 풍부하게 만들어야 했다. 1539년 빌레코트레 칙령에 의해 공식 문서에 프랑스어가 의무적으로 사용되기 시작했지만 라틴어는 여전히 유럽에서 통용되는 권위 있는 언어였다. 플레이아드는 외래어를 받아들이고 흔히 사용되지 않는 특수한 어휘를 사용하고 신조어를 만들어내면서 프랑스어를 완전한 문학 언어로 만들고자 했다.

고귀한 장르인 소네트와 서사시: 플레이아드의 일원들은 알렉상드랭만 허용하고 시간, 역사, 자연, 사랑, 죽음 등 고대의 주요 테마만 유지했다. 그렇다고 풍자시나 과학시를 배제하지는 않았다. 이처럼 새로운 장르들이 나타났고 프랑스 연극 무대에 고대 그리스·로마의 문학에서 영감을 받은 희극과 비극이 올려졌다. 플레이아드는 프랑스 역사에서 주제를 끌어낸 근대 서사시를 쓰기도 했다.

근대

유적

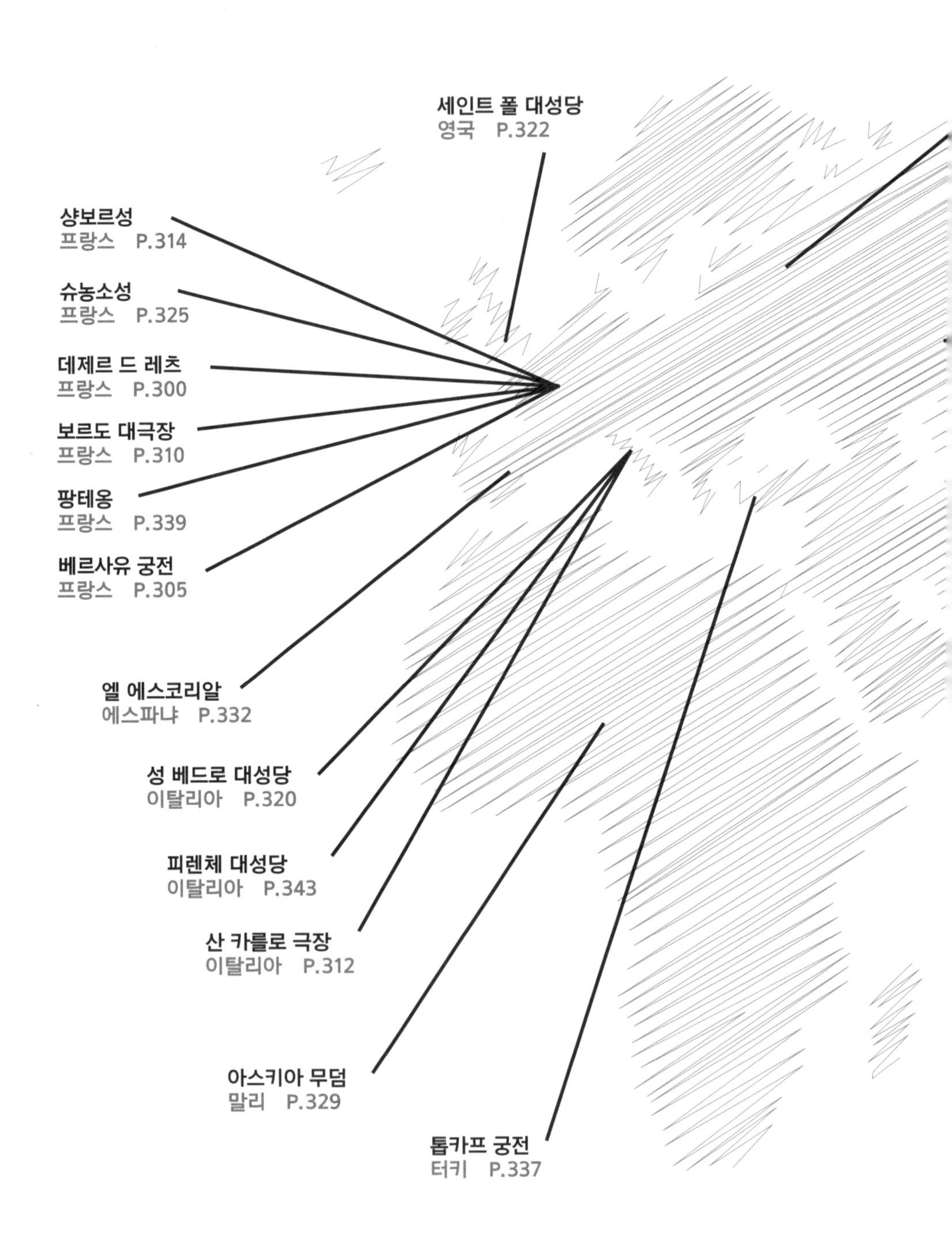

세인트 폴 대성당
영국 P.322
샤보르성
프랑스 P.314
슈농소성
프랑스 P.325
데제르 드 레츠
프랑스 P.300
보르도 대극장
프랑스 P.310
팡테옹
프랑스 P.339
베르사유 궁전
프랑스 P.305
엘 에스코리알
에스파냐 P.332
성 베드로 대성당
이탈리아 P.320
피렌체 대성당
이탈리아 P.343
산 카를로 극장
이탈리아 P.312
아스키아 무덤
말리 P.329
톱카프 궁전
터키 P.337

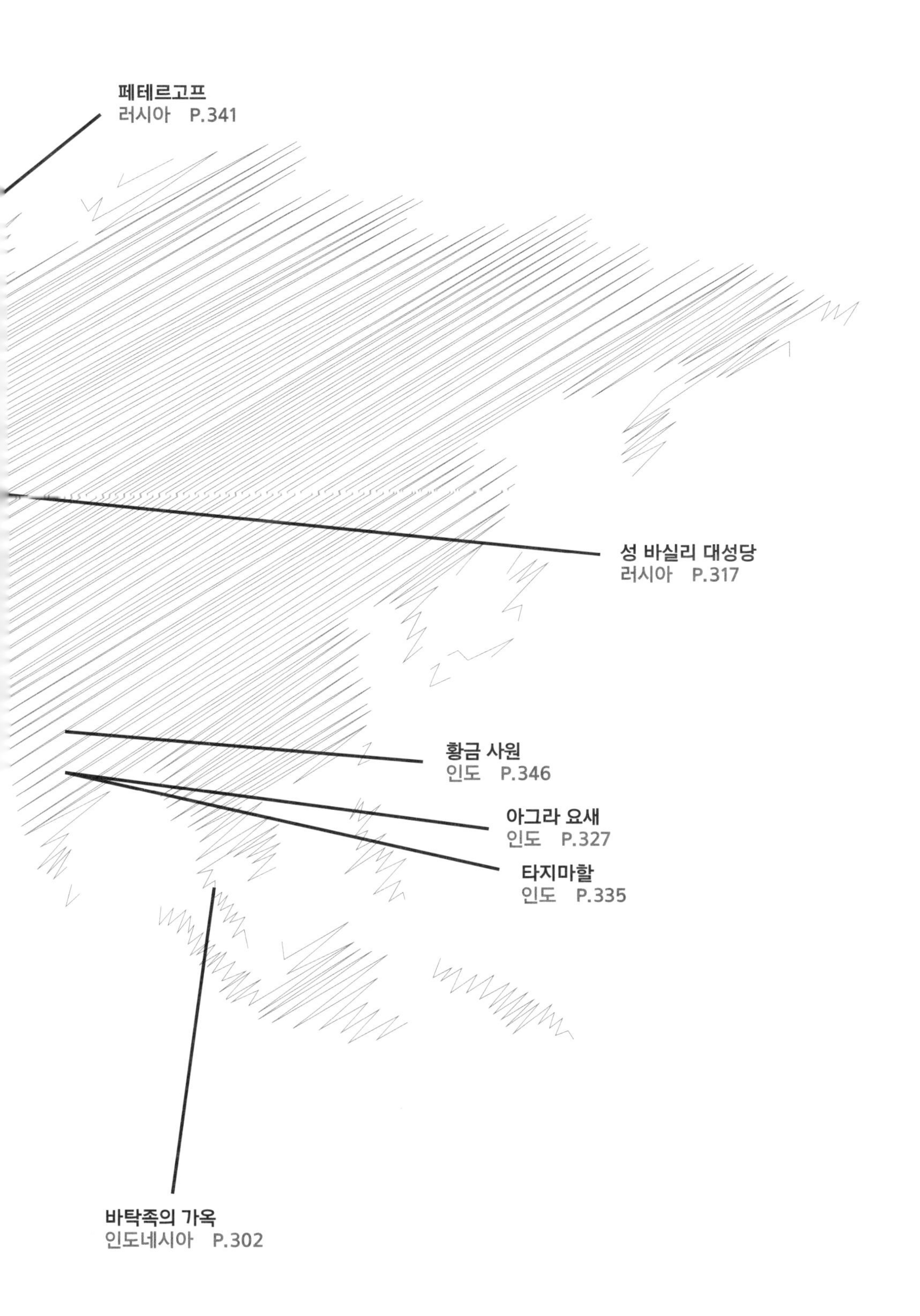
페테르고프
러시아 P.341
성 바실리 대성당
러시아 P.317
황금 사원
인도 P.346
아그라 요새
인도 P.327
타지마할
인도 P.335
바탁족의 가옥
인도네시아 P.302

데제르 드 레츠 프랑스

샹부르시 인근에 위치한 데제르 드 레츠Désert de Retz는 프랑수아 니콜라 앙리 라신 드 몽빌이라는 귀족이 1774년에서 1789년까지 만든 중국풍의 영국식 정원이다. 마를리 숲에 인접해 있으며 면적이 40헥타르에 달한다. 이 정원은 그 이름과는 달리 사막이 아니라 고대 그리스와 로마, 이집트, 시암 왕국에 열광한 남자의 낭만적인 작품이다. '폴리folly'라고 하는 풍류를 위한 조형물들이 전 세계에서 들여온 4000여 종의 나무와 어우러져 있다. 1759년부터 영국의 건축가 윌리엄 체임버스의 중국풍 정원이 인기를 끌자 드 몽빌도 이에 영향을 받아 설계도를 직접 그렸다. 18세기에는 '데제르'라는 말이 사람들의 발길이 닿지 않는 외딴 산책 장소를 뜻했다. 지금까지 남아 있는 20여 개의 데제르 중 데제르 드 레츠는 옛 문명과 당대의 문명을 섞어놓은 듯한 형식이어서 사람들의 호기심을 불러일으켰을 것이다. 이곳은 또한 명상하기에도 좋은 장소였다. 드 몽빌이 기거하기도 했던 폴리는 훼손된 기둥 모양의 가장 특별한 폴리이다. 이 정원은 1941년에 프랑스의 역사 유적으로 지정되었고 2009년에 대중에게 재개방되었다.

정원의 건설

1774년 드 몽빌은 18헥타르의 부지에 둘러싸인 집을 한 채 사들였다. 그 후 땅을 더 넓혔으며 1781년에는 '훼손된 기둥'을 기거할 집으로 만들기로 결심했다. 그 사이에 이미 많은 폴리를 배치해두고 1785년에 정원의 최종 설계를 완성했다. 정원에 있는 17개의 폴리 중 일부는 1986년부터 복원 작업에 들어갔다. 6미터 깊이의 '피라미드 빙하'는 썩기 쉬운 음식과 주변 늪에서 가져온 얼음을 보관하던 곳이었는데 풀로 덮인 구릉으로 변했다가 현재는 처음 모습에 가장 가깝게 복원된 상태이다. '훼손된 기둥'의 파사드도 유리 장식 창과 나선형 계단과 함께 부분적으로 복원되었다. '판의 신전'도 보강 공사가 이루어졌다. 원래 13세기에 지어진 예배당이었던 '고딕 양식의 성당'은 300여 년 동안 보수가 이루어지지 않았고 지금도 정원에서 유일하게 폐가 상태로 남아 있다. 정원에 들어가면 차례대로 고대 그리스, 고딕 양식의 성당, 나무와 풀이 무성하게 자란 야외극장의 흔적을 볼 수 있다. 커다란 느릅나무들 아래에서 발견된 극장의 무대 양쪽 끝에는 사자의 발 모양이 장식된 중국풍 등불 단지만 남아 있다. 이곳에서는 한때 코메디 프랑세즈의 배우들이 무대에 섰고 음악회도 열렸다. 각 폴리는 상징적인 의미를 가진다. 예를 들어 폐허가 된 성당은 관람객에게 종교가 계몽주의라는 근대적 흐름 속에서 살아남지 못했다는 느낌을 준다.

'훼손된 기둥'

일부러 파괴된 듯 보이게 만든 '훼손된 기둥'은 '중국의 집' 다음으로 드 몽빌의 주거지가 되었다. 윗부분이 잘려나간 도리아식 기둥을 모조한 이 폴리의 높이는 약 25미터이고 둘레는 약 15미터에 달한다. 내부에는 나선형 계단이 있어서 총 4층에 있는 방들을 연결한다. 벽난로들은 아칸더스 잎으로 장식되어 있고, 그 위에 있는 거울들이 바깥 풍경을 비춘다. 기둥의 갈라진 틈은 꼭대기에서 시작되어 맨 위층의 채광을 돕고, 기둥에 난 16개의 홈에는 큰 창문들이 3층에 걸쳐 나 있다. 1층에는 문을 겸한 창들이 있으며 2층에는 정사각형의 창들이, 3층에는 타원형의 창들이 나 있다. 1층에는 거실, 식당, 침실 하나가 중앙 계단을 중심으로 배치되어 있다. 다른 층들의 방은 크기가 작지만 안락하다. 꼭대기 층은 큰 유리 벽으로 채광이 되며, 가구 보관실, 작은 계단으로 한 층 밑에 있는 준비실과 연결된 큰 작업실이 있다. '훼손된 기둥'의 정교함은 끝이 없었다. 목록표를 보면 가구는 마호가니로 만들었고 의자에는 투알 드 주이라는 장식 천을 썼다.

바탁족의 가옥 인도네시아 수마트라

바탁족의 가옥은 인도네시아의 수마트라섬, 그중에서도 토바호 주변에서 볼 수 있다. '바탁Batak'이라는 이름은 19세기 중반 이곳에 발을 들여놓은 최초의 유럽인들이 지은 것이며 실제로는 '마르가'로 불리는 여섯 부족—토바, 카로, 심룽군, 팍팍, 앙콜라, 만다일링—을 가리킨다. 이들은 모두 1825년까지 산악 지대에서 비교적 고립되어 살았던 '프로토말레이'라는 강한 부족의 후손이다. 기독교 시대 초기에 인도네시아의 원시 문화가 인도의 영향을 받은 것은 틀림없다. 특히 인도의 문자가 바탁족의 문자에도 영향을 주었다. 바탁족의 기원은 '세상의 중심이 되는 산'이라는 뜻의 뿌숙부힛산에서 찾아야 한다. 바탁족은 1864년 독일인 선교사에 의해 기독교로 개종했다.

가옥의 구조

바탁족에 속하는 여섯 부족은 매우 다양하게 마을과 가옥을 배치한다. 일반적으로 한 마을에는 가옥이 10여 채 정도 있어서 작물을 재배하는 데 최대한 넓은 면적을 확보할 수 있다. 마을에는 가옥 이외에 건물이 2채 있는데 쌀을 보관하는 창고와 회의를 위해 모이는 회관이다. 위기가 닥칠 때를 대비해 큰 돌로 마을에 방어벽을 치기도 한다. 지상에서 계단을 올라가야 직사각형 모양의 토바족 집 안으로 들어갈 수

상징과 종교

3층으로 이루어진 바탁족의 가옥에서 각 층은 각기 다른 세계를 가리킨다. 지붕은 신의 세계를 상징하고, 중간층은 인간에게 속하며, 아래층은 가축을 위한 장소이다. 동물의 머리를 연상시키는 장식물이 집 안 곳곳에 놓여 있고 물소, 뱀, 용의 특징을 모두 가지고 있는 보호신 싱아의 다양한 조각상도 눈에 띈다. 호숫가에 접한 기둥에 놓은 싱아는 등에 세상을 지고 있는 전설의 뱀 나가 파도하를 상징한다. 가장 중요한 사람인 집주인은 영적인 능력을 가지고 있어야 한다. 그들은 아픈 자를 치료하거나 영혼과 대화를 나누거나 미래를 점치는 사명을 가진 경우가 많다. 주술을 행하는 사제격인 '다투datu'는 물건에 보호하는 힘을 불어넣는 의식을 알고 있다. 예를 들어 사람 모양을 한 지팡이는 자연재해로부터 밭을 지켜준다.

바탁 비비엔다족의 전통 가옥, 링가의 토바호.

있다. 육중한 기둥 위에 지은 집 바닥에는 습기가 올라오는 것을 막기 위해서 편평한 돌을 깔았다. 가옥은 가축을 키우는 공간, 가족이 생활하는 공간, 그리고 매우 특이한 지붕의 3층 구조로 되어 있다. 배의 앞머리처럼 날아갈 듯한 모양의 지붕은 건물의 동서남북을 마치 모자가 덮듯이 가리고 있다. 가장 다양한 집을 짓는 부족은 카로족일 것이다. 바탁족은 큰 집을 지어 여러 가족이 함께 살기도 한다. 이 공동 가옥에서는 큰 거실에 돗자리를 깔아 잠자리를 마련한다. 집에 거주하는 사람은 집주인과의 촌수에 따라 공간을 부여받는다. 바탁족에게는 마을 내에서의 사회관계가 가족 관계보다 더 중요하다. 마을을 설립한 가족의 일원인지 아닌지에 따라 공동체 내에서의 지위, 수행해야 할 일상적 임무, 의식이 있을 때 해야 할 일 등이 주어진다.

베르사유 궁전 프랑스

파리에서 10킬로미터 정도 떨어진 곳에 위치한 베르사유 궁전은 유럽의 절대주의를 상징하는 건축물이다. 완벽한 대칭 구조인 데다가 기둥이 있는 파사드와 신화에서 영감을 받은 장식을 보면 베르사유 궁전은 프랑스 고전주의 건축의 전범이다. 루이 14세가 관저로 쓰고 왕실까지 불러들이기 전에 이 궁전은 필리베르 르 루아가 1631년에서 1634년까지 손본 사냥할 때 머무는 작은 별장에 불과했다. 프롱드의 난으로 뜨거운 맛을 본 루이 14세는 루브르 궁전을 떠나 위협이 없는 파리 외곽에 정착하고자 했다. 건축가 루이 르 보는 베르사유 궁전의 확장 계획을 짰고 프랑수아 도르베와 쥘 아르두앵망사르에게 작업을 넘겨주었다. 아르두앵망사르는 베르사유 궁전의 거울의 방을 만들었다. 정원은 앙드레 르 노트르가 설계했는데, 그는 푸케를 위해 보르비콩트성의 정원을 만들었다가 루이 14세의 베르사유 궁전 정원사가 되었다. 조각가 프랑수아 지라르동은 정원에 둘 조각상을 제작했다. 시간이 흐르면서 그랑 트리아농, 프티 트리아농, 프티 카날, 스위스인의 샘, 오랑주리, 그리고 동물원까지 들어서는 등 점점 더 많은 건축물이 추가되었다. 1682년에 공식적으로 왕의 관저로 선포된 베르사유 궁전은 루이 14세가 사망하면서 제대로 관리가 되지 않았다. 이후 루이 15세 통치 시절에 새롭게 공사가 시작되어 오페라 극장이 생겼고, 루이 16세도 추가 공사를 지시했다. 그러나 프랑스 대혁명은 베르사유 궁전에 치명적이었다. 루이필리프 1세가 궁을 복원했지만 궁은 비어 있는 때가 점점 더 많아졌다.

화려한 거울의 방

왕의 방과 왕비의 방을 잇는 거울의 방은 루이 14세 시절에 제작된 건축물이 보여주는 화려함의 극치이다. 1678년 쥘 아르두앵망사르는 큐폴라cupola가 있는 2개의 거실이 측면에 붙어 있는 회랑을 구상했다. 거울의 방은 길이 73미터, 너비 10미터에 달하며 늑재 궁륭 17개, 그림을 그려 넣은 아케이드 17개, 정원을 감상할 수 있는 창문 17개, 장바티스트 콜베르가 세운 왕립 유리 공장에서 생산한 거울 357개가 있다. 루이 14세는 거울의 방을 만들려고 방 6개와 몇 해 전에 만든 테라스까지 기꺼이 없앴다.

궁의 장식은 샤를 르 브룅이 맡았다. 루이 14세는 10년간의 전쟁을 끝내고 네이메헌 조약을 맺은 자신의 정부가 얼마나 위대한지 보여줄 수 있는 그림들을 주문했다. 그러자 르 브룅은 프랑스-네덜란드 전쟁의 중요한 장면들을 그려 넣었다. 그는 시민 정부와 그 주위를 감싸는 국가의 네 기둥을 그렸는데, 이는 1661년에 루이 14세가 신성 로마 제국, 에스파냐, 네덜란드 공화국을 무력으로 제압하겠다고 밝힌 의지를 표현한 것이다. 궁의 장식은 태양왕의 통치 역사를 비유적으로 보여준다. 태양왕은 전설과 신화의 인물이자 신들에게 둘러싸인 로마 황제로서 30개의 장면에 등장한다. 르 브룅은 첫 번째 그림부터 마지막 그림까지 단일한 서사로 연결하지 않으려고 했다. 르 브룅의 그림으로 장식된 기둥의 머리는 코린토스 양식의 변주이다. 그는 여기에 갈리아를 상징하는 수탉, 백합, 로도스섬의 태양을 추가했다.

베르사유 궁전의 단계적 변화

1623~1624년	프랑스의 육군 원수 프랑수아 드 바송피에르가 말했듯이, 옛날 옛적에 '보잘것없는 성' 한 채가 있었다. 바로 루이 13세의 성이다.
1661~1667년	르 보가 개량 작업을 했으며, 정원을 담당한 르 노트르는 그랑 카날을 파고 39개의 분수가 있는 미로를 만들었다. 1664년 베르사유 궁전에서 최초의 대연회인 '마법에 걸린 섬의 쾌락'이 열렸다. 옛 건물을 U자 모양의 새 건물이 감쌌다.
1674년	왕과 왕비의 방이 새 건물에 마련되었다.
1678년	아르두앵망사르가 북쪽과 남쪽 동을 지었다. 또한 거울의 방을 마련하고 왕의 방을 꾸몄다.
1678~1689년	대규모 공사가 수차례 이루어졌다. 왕족이 생활하는 데 필요한 새로운 부속 건물들이 세워졌다. 왕의 채소밭과 오랑주리는 개조 작업을 거쳤다. 왕의 장교들이 식사를 하는 그랑 코뮁이 마련되었다. 크고 작은 마구간이 지어졌다.
1699~1710년	이 기간 동안 공사가 진행된 왕의 예배당은 루이 14세 때 마지막으로 지어진 건축물이다.
1758~1770년	오페라 극장이 지어졌다.

왕의 처소

왕의 일상적인 행동까지 찬양하기 위해 설계된 왕의 처소에는 하나같이 화려한 7개의 방이 이어진다. 이 방들은 본관 건물 2층에 있으며 북쪽 화단이 내려다보인다. 각 방은 신화에서 영감을 받은 것이다.

- 헤라클레스의 방에는 베로네세의 대작 「바리새인 시몬의 집에서의 식사」가 걸려 있다. 이 작품은 베네치아 총독이 선물한 것이다.
- 풍요의 방은 루이 14세의 호기심의 방에 딸린 대기실이다. 이곳에서는 다과가 제공되었다.
- 비너스의 방은 연회를 위한 장소였다. 사랑의 여신이 장식되어 있다.
- 디아나의 방은 옷을 보관하는 곳이기도 했지만 당구를 치는 곳이기도 했다.
- 마르스의 방은 근위대의 방이지만 무용과 음악을 즐기는 장소이기도 했다.
- '침대의 방'으로도 불리는 메르쿠리우스의 방은 겨우 세 번 침실로 사용되었다. 천장에는 장바티스트 드 샹파뉴가 그린 전차를 탄 메르쿠리우스의 그림이 있다.
- 아폴론의 방은 가장 화려하다. 원래 왕의 방이었다가 알현실로 사용되었다.

베르사유 궁전의 공원

앙드레 르 노트르가 만든 정원은 궁전의 세 면을 감싸고 있다. 정원은 왕의 관저에 없어서는 안 될 요소이다. 루이 14세는 1661년 조경사에게 궁전 건물만큼이나 큰 정원을 조성하라고 맡겼다. 1664년부터 19년 동안 장바티스트 콜베르가 공사를 지휘했다. 총 공사 기간은 40년이었고 많은 예술가가 건설에 참여했다. 왕의 화가였던 샤를 르 브룅은 동상과 분수의 도안을 그렸고 쥘 아르두앵망사르는 오랑주리를 지었다. 팡팡 터지는 폭죽으로 분위기를 달구었던 수많은 연회와 공연이 이곳에서 열렸다. 공원은 왕의 권력을 보여주는 보석함 같은 곳이다. 93헥타르의 면적에 테라스 형태로 지어졌다. 오랑주리, 그랑 카날, 크고 작은 못, 그랑 트리아농, 프티 트리아농, 왕비의 촌락 등 여러 건축물이 순차적으로 이곳에 들어섰다. 정원은 3.5킬로미터에 달하는 중앙 대로를 중심으로 만들어졌다. 동서쪽으로 뻗어 일출에서 일몰까지 볼 수 있다. 정원의 메인 테마가 된 태양은 아폴론이나 빛으로 감싼 얼굴 등의 형상으로 표현되어 궁전 어디에서나 볼 수 있다. 수풀이나 동굴, 분수대, 대리석 조각상 및 청동상을 따라 공원을 가볍게 거닐 수 있다. 연못 중에서 크기가 가장 큰 아폴론 연못은 정원의 중앙에 위치하는데, 전차를 탄 로마의 신을 표현한다. 물도 중요한 장식 요소이다. 운하 시설과 200킬로미터에 달하는 배수관, 그리고 센강의 물을 길기 위해 발명한 마를리 펌프 덕분에 물이 잘 흐른다.

왕비의 촌락과 프티 트리아농의 정원, 베르사유 궁전, 클로드루이 샤틀레, 18세기.

그랑 트리아농

루이 14세는 공원 안에 그랑 트리아농을 짓게 했다. '대리석 트리아농'이라고도 불리는 그랑 트리아농은 루이 14세가 가족이 혼란스러운 궁전을 떠나 있을 수 있도록 하려고 지은 별궁이다. 그랑 트리아농의 자리에는 원래 '도자기 트리아농'이라는 성이 있었다. 그러나 구조가 약해서 루이 14세는 1687년에 이 성을 없애고 대리석으로 그랑 트리아농을 새로 짓게 했다. 사실 트리아농은 루이 14세가 붉은 대리석 기둥으로 장식한 단층의 성을 지어놓은 마을이다. 쥘 아르두앵망사르가 이 이탈리아식 궁전을 설계했고 외부와 정원이 잘 보이는 구조로 지었다. 입구에는 중정이 있고 본관의 왼쪽과 오른쪽에 2개의 동이 있다. 이 동들은 페리스틸륨이라고 불리는 회랑으로 연결되어 있다. 원래 페리스틸륨은 건물을 둘러싸고 있는 기둥을 가리키는 것이므로 이는 틀린 말이다. 북쪽 동은 트리아농수부아라고 불리며 공간 부족을 해결하기 위해 지어졌다. 이곳에는 거주할 수 있는 방들이 있다.

프티 트리아농

프티 트리아농은 1760년 무렵 유행했던 소박하고 우아한 신고전주의 양식을 잘 표현한다. 루이 14세가 퐁파두르 부인에게 선물한 이 작은 궁은 입방체 형태이고 3층으로 이루어져 있다. 프랑스식 정원 한가운데에 지어진 이 건축물을 설계한 사람은 앙주자크 가브리엘이다. 코린토스 양식의 페리스틸륨이 프티 트리아농의 중정과 영국식 정원을 향한 파사드를 장식하고 있다. 루이 16세는 1774년 프티 트리아농을 마리앙투아네트에게 선물했다. 왕비의 처소는 멋진 나무 장식으로 유명하다. 내부에는 13개의 방, 음악실, 여러 개의 연회실이 있다.

왕비의 촌락

마리앙투아네트는 건축가인 리샤르 미크에게 노르망디 양식의 작은 촌락을 만들라고 지시했다. 미크는 베르사유에 있는 작은 호수 옆에 촌락을 만들었다. 목재 골조로 지어진 노르망디식 농장의 외관은 투박해서 극도로 세련된 내부와 대조를 이룬다. 12채의 '초가집'이 호수 주위에 있으며 왕비의 생활 습관에 부응하고 시골 생활에 적응할 수 있도록 구성되었다. 예를 들어 안방은 우유 창고와 물레방아 바로 옆에 위치한다. 그 당시에는 장자크 루소의 『신엘로이즈』의 영향으로 전원생활의 감흥을 느껴보는 것이 유행이었다.

보르도 대극장 프랑스

보르도 대극장은 18세기의 독특한 건축물이다. 계몽 시대의 가장 크고 화려한 극장으로 평가될 정도이다. 건축가 빅토르 루이가 귀엔의 지방관 루이프랑수아아르망 뒤 플레시 리슐리외 공작의 요청으로 7년에 걸쳐 완성한 대극장은 1780년에 개관했다. 신고전주의의 걸작으로 꼽히는 보르도 대극장은 루이의 첫 작품은 아니었다. 그는 이미 파리에 있는 코메디 프랑세즈와 팔레루아얄의 건물들을 건설했다. 보르도 대극장은 지방에서 가져온 돌로 지었고 길이 88미터, 너비 47미터 규모이다. 바깥에서 보면 파사드 때문에 그리스와 로마의 신전이 연상된다. 서쪽을 향해 있는 건물은 앙시엔코메디 광장을 마주하고 있다. 상점이 들어선 넓은 아케이드는 남쪽과 북쪽의 파사드에 활기를 불어넣는다. 19세기에 보수된 대극장은 1990년과 1991년에도 보수 공사를 거쳐서 궂은 날씨에도 유지될 수 있게 했다. 보르도 대극장에서는 지금까지도 콘서트, 연극, 발레 공연이 열린다.

기둥들 사이에서

보르도 대극장의 석조 부분을 보면 극장의 역사를 알 수 있다. 건물의 초석은 1776년 4월 13일 그 당시 프랑스의 프리메이슨을 이끌던 샤르트르 공작이 놓았다. 건물의 공사는 프리메이슨 단원이었던 귀엔의 지방관 리슐리외 공작이 의뢰했다. 18세기 말 보르도에는 2000명 이상의 프리메이슨 단원들이 있었다. 1732년 이곳에 3명의 아일랜드인이 세운 영국 로지가 들어서면서 프리메이슨이 등장했기 때문이다. 그렇다면 그리스·로마의 신전과 유사한 대극장이 어떻게 프리메이슨을 상징하지 않는다고 할 수 있을까. 궁륭에 있는 5개의 장미 꽃잎 장식이 프리메이슨의 동방의 빛나는 별을 연상시키지 않는가?

보르도 대극장의 의의

보르도 시청 옆에 건설되었던 극장은 1756년에 화재로 전소되었다. 그러자 리슐리외 공작은 빅토르 루이에게 보르도 사람들이 공연을 볼 수 있는 대극장을 지어달라고 했다. 대극장은 웅장한 홀, 3개의 휴게실이 있는 공연장, 멋진 계단곲로 명성을 얻었다. 특히 계단곲은 샤를 가르니에가 파리의 오페라 극장을 지을 때 영감을 주었다고 한다. 공연장은 1700명을 수용할 수 있고 타원형의 콘서트홀에는 700명이 들어갈 수 있다. 파사드에 보이는 12개의 코린토스 양식의 기둥 위에는 12개의 석조상이 있다. 피에르프랑수아 베뤼에의 작품인 이 석조상들은 9명의 뮤즈와 3명의 고대 여신을 나타낸다. 대극장 입구에는 계단이 없었는데, 예전에는 앙시엔코메디 광장의 지면이 더 높았기 때문이다. 1848년에 외부 계단을 만들기 위해 대규모 공사가 이루어졌다. 주랑—기둥이 늘어선 회랑이 건물 전체를 둘러싸고 있다—을 지나면 16개의 이오니아식 기둥 장식이 있는 로비로 들어갈 수 있다. 기둥 위의 궁륭은 사각형으로 파내고 그 안에 장미 문양을 새겨 장식했다. 로비 안쪽에는 이중 계단이 있고 둥근 천장에서 빛이 들어온다. 공연장은 왕실을 상징하는 색인 파란색, 흰색, 금색으로 장식되어 있다. 천장의 장식은 화가 장바티스트클로드 로뱅이 맡았고 '아폴론과 뮤즈들'의 테마에 변화를 주었다. 공연장의 조명인 촛불이 그림을 검게 만들자 1917년 프랑수아모리스 로가노가 원본에 충실한 모작을 제작했다.

산 카를로 극장 이탈리아 나폴리

나폴리의 산 카를로 극장을 건설하도록 지시한 사람은 나폴리와 시칠리아의 부왕이었던 샤를 3세 드 부르봉 공작이었다. 1734년에 지시가 내려졌으니 밀라노의 스칼라 극장보다 41년, 베네치아의 라 페니체보다 55년 이른 결정이었다. 이곳에서 처음으로 상연된 오페라는 도메니코 사로의 「스키로스의 아킬레우스」였다. 6층의 발코니를 갖춘 산 카를로 극장은 3000명을 수용할 수 있다. 이 극장은 1621년에 지어져 규모도 작고 낡은 산 바르톨로메오 극장을 대체하기 위해 건설되었다. 그 당시는 이탈리아 북부에서 유행했던 새로운 오페라 장르가 나폴리에 아직 정착하지 못했던 때이다. 산 카를로 극장은 부르봉가의 힘을 상징하기도 했다. 이 극장은 오랫동안 세계에서 가장 큰 오페라 극장이었다. 샤를 3세 드 부르봉 공작은 음악의 중심지인 로마나 베네치아에 밀리지 않기 위해서 극장 공사를 270일 만에 마치게 했다.

산 카를로 극장의 역사

편자 모양의 큰 공연장에는 184개의 박스석과 아름다운 로열석이 있다. 관람석에서는 식사도 할 수 있다. 1층 좌석은 접이식 의자이다. 무대는 가로 33미터, 세로 34미터의 크기이다. 산 카를로 극장은 페르디난트 4세와 마리아 카롤리나의 결혼을 기해 1767년부터 건축가 페르디난드 푸가가 개축 공사에 들어갔으며, 조아킴 뮈라의 요청으로 안토니오 니콜리니가 1809년에 신고전주의 양식의 파사드를 고안했다. 그러나 7년 뒤에 화재로 극장은 전소되었고 니콜리니가 극장을 재건했다. 3500명의 인원을 수용할 수 있게 규모가 커졌고 오케스트라석도 확장했다. 주세페 캄마라노는 아폴론을 주제로 한 황갈색 천장화를 제작했다. 1854년에 공연장에는 고색이 물든 붉은색과 황금색이 사용되었다.

오페라 세리아

18세기 초까지 오페라 세리아는 바로크 오페라와 혼동되었다. 이 시기에 오페라는 두 종류가 있었다. 오페라 세리아는 비극이고, 오페라 부파는 콤메디아 델라르테를 그대로 물려받은 희극이다. 두 장르 모두 공연되었지만 비극과 희극처럼 상반되었다. 오페라 세리아는 그리스·로마의 신화를 바탕으로 한 극이 많고 벨칸토 곡을 많이 썼다. 벨칸토는 노래를 웅변조에서 벗어나게 한 창법으로 이탈리아에서 탄생했다. 다양하고 화려한 무대 장식과 의상도 중요한 위치를 차지했고, 관객 앞에 가만히 서서 노래하던 여자 성악가와 카스트라토는 즉흥적으로 노래해야 했다. 제노와 메타스타시오는 대본에서 희극적 요소를 배제하고 멜로드라마로 방향을 선회했다. 반면 페르골레시는 오페라 부파의 대표 주자가 되었다. 19세기의 오페라 작품은 오페라 세리아와 오페라 부파를 넘나들었다. 로시니만 보아도 오페라 부파 스타일의 걸작 「세비야의 이발사」 다음에 오페라 세리아 스타일인 「오텔로」와 「아르미다」를 발표했다. 합창, 이중창, 제창은 아직 자리를 잡지 못했다. A-B-A의 3부 형식으로 이루어진 다 카포 아리아는 오페라 세리아 구조의 핵심이다. 비발디와 알비노니도 다 카포 아리아를 사용한 것으로 유명하다.

샹보르성 프랑스

샹보르성은 블루아에서 14킬로미터 떨어진 솔로뉴 강가에 있다. 이 성은 젊은 국왕 프랑수아 1세의 욕망으로 탄생했다. 1519년 프랑수아 1세는 블루아 백작의 사냥 별장을 밀어버리고 그곳에 웅장함으로는 다른 군주들의 저택이 따라오지 못할 성을 짓기로 결정했다. 공사는 30여 년이나 계속되었고 앙리 2세 시절에 완공되어 프랑수아 1세는 샹보르성에서 기껏해야 몇 주 정도밖에 머물지 못했다. 많은 사람이 이 대규모 프로젝트에 개입했다. 나무로 만든 성의 축소판은 도메니코 다 코르토나가 제작했고, 현장 공사 감독은 피에르 네뵈가 맡았다. 루이 14세 때 건축가 쥘 아르두앵망사르가 보강 공사를 마쳤다. 샹보르성은 아성, 낮은 방벽, 동서남북의 탑, 지금은 사라진 해자를 갖추고 있었으며 요새의 역할을 했던 성관이다. 그 크기만 해도 어마어마하다. 방벽은 길이가 156미터, 폭이 128미터에 달한다. 대규모 공사였음에도 불구하고 1539년 카를 5세가 이곳을 지날 때 성은 거의 완성된 상태였다. 1547년 프랑수아 1세가 세상을 떠나자 새로운 왕은 샹보르성의 설계도를 조금씩 변경하기 시작했다. 설계에 대한 검토는 앙리 2세 시절에 끝났다. 가스통 도를레앙 공작은 1639년에서 1642년까지 샹보르성을 원래대로 개축하고자 했지만 1680년에서 1686년까지 루이 14세 통치 시절에 많은 변경이 불가피했다. 18세기 중반에는 모리스 드 삭스가 벽감과 가구를 설치했다. 426개의 방과 77개의 계단, 800개의 조각된 기둥머리가 있는 샹보르성의 건설은 르네상스 시대에 가장 규모가 컸던 공사였다.

성에 머문 시간

샤를 8세, 루이 12세, 프랑수아 1세가 15세기 말에서 16세기 초까지 치렀던 이탈리아 전쟁은 이들이 이탈리아 북부에서 피어난 새로운 삶의 기술, 바로 르네상스를 배우는 계기가 되기도 했다. 피렌체, 밀라노, 로마의 찬란한 발전에 깊은 인상을 받고 프랑스로 귀국한 군주들은 자신들도 새로운 건축물을 지어 역사에 남기를 바랐다. 그래서 일부러 투렌에서 지내기도 했는데 이후 루아르강 변이나 강변에서 가까운 곳에 성과 성관이 솟아오르기 시작했다. 프랑스 성들은 요새로 지어졌다가 왕궁의 쾌락을 위한 화려한 저택으로 건설되었다.

샹보르성

샹보르성의 구조

사방의 문을 걸어 잠글 수 있는 중세의 성과는 달리 프랑수아 1세의 성은 들판과 자연으로 개방된 형태이다. 막벽의 상층부에 창이 뚫려 있고, 지붕은 도머로 장식되어 있다. 입방체 형태의 성은 3층 구조로 되어 있고 탑을 포함한 높이가 60미터, 사방 너비가 45미터에 달한다. 입방체의 네 귀퉁이에는 각각 20미터 높이의 5층 탑이 서 있다. 성의 요체인 아성은 여러 가지 형태—사각형, 원형, 삼각형—로 나뉜다. 모두 황금률로 계산된 아성들은 중앙에 있는 이중 나선 계단을 중심으로 완벽에 가까운 대칭을 이루도록 배치되어 있다. 이 계단을 레오나르도 다빈치가 설계했다는 설도 있는데, 적어도 그의 스케치를 보고 고안한 것이라고 전해진다. 북쪽에서 아성은 방벽과 합쳐진다. 3개의 동은 하인들이 쓰는 건물이다. 성 전체는 네 귀퉁이에 탑이 있는 U자 형태의 건물이 다시 둘러싸고 있다. 2개의 출입문이 있어서 실내로 들어갈 수 있다. 큰 정원으로 통하는 문은 왕의 문이고, 또 다른 문은 곧장 아성으로 통한다. 이러한 혁신적인 구조 덕분에 왕궁의 신하들을 위한 숙소까지 마련할 수 있었다. 이 위대한 걸작을 완성하기 위해 1500명의 인부가 15년 동안 하루도 쉬지 않고 프랑수아 드 퐁브리앙의 감독하에 땀을 뻘뻘 흘리며 일했다.

이중 나선 계단

아성에서 시작되어 지붕이나 작은 종루, 망루를 바라볼 수 있는 테라스로 이어지는 큰 계단이 르네상스 건축의 특징이다. 32미터 높이의 채광 탑으로 이어지는 샹보르 성의 계단은 2개의 나선형 계단이 서로 겹쳐진 형태이다. 그래서 난간이 2개이지만 하나로 보인다. 두 사람이 동시에 계단을 오르면 서로 볼 수는 있지만 마주치지는 않는다. 심주가 뚫려 있기 때문이다. 이 원리는 14세기부터 알려져 있었지만 레오나르도 다빈치가 새로운 숨을 불어넣었다. 수리학 엔지니어로서의 지식을 활용했을 것이다. 아성의 중심은 속이 빈 이중 계단으로 인해 뚫려 있고, 십자가 모양의 홀 전체를 내려다볼 수 있는 방을 8개의 기둥이 받치고 있다. 누구나 계단에 서면 샹보르 성에서 열리는 파티를 지켜볼 수 있었다. 그리스 십자가 모양의 건물 평면도는 중앙을 중심으로 양쪽에 배치된 요소들이 서로 호응하면서 완벽한 대칭을 이룬다. 이는 르네상스 양식의 특징이다. 벽기둥의 기둥머리는 이탈리아에서 영감을 받은 모티프를 사용해 자유롭게 장식되어 있다. 계단은 프랑수아 1세를 의미하는 글자와 그를 상징하는 문양, 그리고 도마뱀이 새겨진 궁륭까지 올라간다.

성 바실리 대성당 러시아 모스크바

모스크바 붉은 광장의 남쪽에 서 있는 성 바실리 대성당은 이반 뇌왕이라고 불리는 이반 4세가 지었다. 원래 나무로 지어진 이 성당은 1552년에 카잔 칸국을 함락하고 타타르인을 상대로 승리를 거두었으며 킵차크 칸국의 위협을 종식한 것을 기념하는 건축물이었다. 그 당시에는 전쟁에서 큰 승리를 거둘 때마다 작은 규모의 목조 성당을 짓고 승전일에 해당하는 성인의 이름을 붙였다. 성 바실리 대성당은 훼손되어 돌로 다시 지었으며 시간이 흐르면서 외관이 계속 바뀌었는데, 지금의 형태가 완성된 것은 18세기 예카테리나 2세 통치 시절이었다. 성 바실리 대성당은 다채로운 색과 곡선이 조화를 이룬다. 57미터 높이의 중앙 성당을 중심으로 4개의 소예배당이 그리스 십자가 모양으로 배치되어 있다.

양파 모양의 지붕

성 바실리 대성당은 원래 8개의 예배당으로 구성되어 있었다. 러시아가 타타르인들에게 결정적인 승리를 거두자 이반 4세는 중앙의 성당을 중심으로 8개의 석조 예배당을 대칭적으로 배치해서 짓게 했다. 가장 높고 규모도 큰 중앙의 성당은 성모의 전구 축일 성당이라고 불렸다. 『아라비안 나이트』를 연상시키는 동양적 화려함을 뽐내는 이 대성당은 1555년 기초 공사를 하기 시작해 1561년 완공하기까지 6년이 걸렸다. 하나의 토대 위에 9개의 예배당이 들어섰고 예배당 사이는 개방된 회랑으로 연결되어 서로 통해 있었다. 1583년에 화재가 발생해서 초기의 지붕들이 소실되었으며, 3년 뒤 성 바실리의 무덤 위에 예배당이 추가로 건설되었다. 1680년 표도르 3세가 붉은 광장에 나무로 지어진 모든 성당을 없애라는 명령을 내렸다. 지금도 광장에 그대로 남아 있는 유명한 종탑이 세워진 것도 이 시기이다. 17세기 후반에 대성당의 외부 파사드 전체를 개축하고 채색 작업도 했다. 둥근 지붕은 다채로운 색이 멋진 조합을 이루고 있으며 동시에 이질적인 외양을 이룬다. 솔방울 모양의 지붕도 있고 가운데는 불룩하고 밑으로 갈수록 얇아지는 모양의 지붕도 있다. 대성당 내부에서는 희미한 어둠 속에서 예배당 사이를 오갈 수 있다. 성궤에는 성 바실리의 유해가 안치되어 있다.

성 바실리 대성당의 설계자는 누구일까? 그것은 지금까지도 수수께끼로 남아 있다. 가장 유명한 설은 일명 '바르마'라고 불리는 포스트니크 야코블레프가 설계했다는 것이다. 이반 4세가 대성당의 건축이 완성되자 다른 곳에 똑같은 성당을 짓지 못하도록 설계자의 눈을 멀게 했다는 전설 같은 이야기도 전해진다.

성 바실리 대성당, 1555~1561년, 모스크바.

러시아의 바로크

러시아에서 바로크 양식은 르네상스 시대에 이미 나타났다가 바로크 시대에 다시 한번 반복되었다. 프랑스와 이탈리아의 예술가들이 러시아에 정착해서 현지 예술을 풍요롭게 만들었기 때문이다. 러시아 바로크의 특징은 규칙이나 원칙이 없다는 것이다. 러시아의 바로크를 대표하는 건축물들을 지었던 이탈리아 출신의 건축가 프란체스코 바르톨로메오 라스트렐리는 프랑스의 고전주의와 이탈리아의 바로크를 혼합했다. 17세기에는 피라미드 형식의 탑이 있는 다채색 성당이 이상적인 모델로 떠올랐고 성 바실리 대성당은 이를 화려하게 재현한 대표적인 사례이다. 표트르 1세 시대에 와서야 러시아 예술이 심오한 변화를 맞았다. 비잔티움 양식은 점점 희미해졌고 유럽 예술 양식으로 완전히 방향을 선회했으며, 수도가 상트페테르부르크로 이전되면서 서구주의가 출현했다. 라스트렐리의 대표작인 상트페테르부르크의 겨울 궁전(지금은 에르미타주 미술관이 되었다)과 푸시킨의 예카테리나 궁전은 파스텔 색조와 황금색으로 장식한 파사드, 서양의 엄격한 고전주의, 슬라브 양식의 유쾌한 색채를 적절히 조화시켰다.

성 베드로 대성당 이탈리아 로마

로마에 있는 성 베드로 대성당의 건설을 지시한 사람은 교황 율리오 2세였다. 1506년 시작된 공사가 마무리된 것은 1615년 교황 바오로 5세 시절이었다. 1626년에 축성이 이루어졌다. 대성당의 구조는 주랑과 익랑을 중심으로 짜였다. 말하자면 가로 주랑이 직각으로 주요 주랑을 가로지르면서 성당이 라틴 십자가의 형태가 된다. 중앙에는 제단이 있고, 그 위에 큐폴라가 있다. 제단 밑에는 최초의 교황으로 간주되는 사제 베드로가 잠들어 있다. 1950년대에 발굴 작업이 시작되어 베드로 시대에 만들어진 지하 무덤을 발견했는데, 그 안에 베드로의 유해가 있었던 것이다. 5개의 주랑이 있던 최초의 대성당은 콘스탄티누스 황제가 통치하던 326년에서 333년까지 이 지하 무덤 위에 대부분 지어졌다. 대성당이 완공된 것은 30년 뒤였는데, 15세기에 폐허가 되었다. 대성당을 복원하려는 생각도 있었지만 결국 교황 니콜라오 5세는 대성당을 완전히 허물고 그 자리에 보다 현대적인 건물을 짓기로 결정했다. 오늘날 우리가 알고 있는 모습의 성 베드로 대성당은 100년도 넘는 기간 동안 여러 건축가의 손을 거쳐 탄생했다. 현재의 대성당은 카를로 마데르노와 조반니 로렌초 베르니니의 작품이다. 마데르노는 초기 설계자였던 도나토 브라만테의 초안 설계도를 변경했고, 베르니니는 실내를 장식할 동상, 성수반, 교황의 의자, 청동 제단을 제작했다. 제단 위에 있는 28미터 높이의 닫집을 제작하는 데에만 8년이 걸렸다. 베르니니는 1656년에서 1663년까지 성 베드로 광장을 개조하고 열주를 설치해서 지금의 모습을 완성했다. 베르니니가 완성한 것—제단 위의 닫집, 돔을 지지하는 기둥 위에 놓인 성 론지노 조각상, 우르바노 8세의 묘, 성 베드로의 설교단 위에 놓인 주교좌—외에도 성당 내부에는 르네상스와 바로크 예술의 걸작이 많다. 가장 유명한 작품으로는 미켈란젤로의 「피에타」가 있다.

브라만테가 오다

피렌체에 있는 메디치가의 수많은 사료를 보면 브라만테가 성 베드로 대성당의 건축에 관해 어떤 생각을 가졌는지 더 잘 알 수 있다. 양피지에 그린 설계도는 브라만테가 5개의 큐폴라가 있는 성당을 지으려고 했음을 말해준다. 중심에 있는 가장 높은 큐폴라가 사방으로 균일한 압력을 가하기 때문에 기저부는 사각형이어야 했다.

대성당은 그리스 십자가, 즉 상하좌우의 길이가 동일한 십자가 형태로 설계했다. 1506년 4월 18일 율리오 2세가 교황에 취임한 뒤 처음으로 지어지는 대성당 공사의 초석을 놓았다. 즉 몇 년 전에 로마에 정착한 밀라노 출신의 건축가 브라만테의 아이디어를 존중한 것이다. 1514년 브라만테가 사망하자 교황 레오 10세는 그의 후계자인 라파엘로 산치오, 프라 조콘도, 줄리아노 다 산갈로에게 그리스 십자가 형태를 라틴 십자가 형태로 바꾸라고 지시했다. 그렇게 되면 주랑이 기둥들에 의해 셋으로 나뉘게 된다. 라파엘로가 세상을 떠나자 안토니오 다 산갈로 일 베키오, 발다사레 페루치, 안드레아 산소비노 등 새로운 건축가들이 그의 뒤를 이었다. 1527년 로마 약탈 이후 교황 바오로 3세는 안토니오 다 산갈로 일 조바네에게 공사를 맡겼다. 산갈로 일 조바네는 브라만테의 설계로 다시 돌아가서 그 당시 여전히 사용 중이었던 바실리카 노바의 동쪽 부분을 분리하는 벽을 세웠다.

그리고 미켈란젤로가 오다

산갈로 일 조바네가 죽자 바오로 3세는 미켈란젤로를 수석 건축가로 임명했다. 이는 미켈란젤로가 율리오 3세와 비오 4세 밑에서도 이미 맡았던 직책이었다. 미켈란젤로는 매우 높은 큐폴라를 제작하고자 했는데, 그가 세상을 떠난 1564년에 큐폴라를 떠받치는 기둥 부분이 거의 완성된 상태였다. 미켈란젤로의 후임자는 피로 리고리오였는데 그는 스무 번이나 교황이 바뀔 동안 교황령에서 활동했던 위대한 미켈란젤로, 야코포 바로치 다 비뇰라, 자코모 델라 포르타를 비판했다는 이유로 교황에 의해 쫓겨나고 말았다. 그러나 큐폴라는 약간 수정되었고 교황 식스토 5세의 고집으로 완성되었다. 그레고리오 14세는 돔 위에 루프 랜턴만 설치하라고 명했고, 클레멘스 8세는 옛 성 베드로 대성당의 후진을 없애고 갈리스토 2세의 제단을 새로 만들었다. 바오로 5세는 주랑을 동쪽으로 확장해서 대성당 전체가 라틴 십자가 형태를 띠도록 한 카를로 모데르노의 설계를 채택했다. 모데르노는 대성당의 파사드를 마침내 완성했고, 각 모서리마다 종탑을 지탱할 베이를 하나씩 설치하려고 했으나 종탑은 최종적으로 하나만 지어졌다.

세인트 폴 대성당 영국 런던

세인트 폴 대성당은 런던의 구시가지에 있다. 블랙프라이어스의 북동쪽에 있는 러드게이트 힐 정상에 위치한 세인트 폴 대성당은 늑재 궁륭에 있는 큐폴라, 측면에 있는 중랑, 통일된 양식이 특징인 전통적인 디자인에도 불구하고 로마의 성 베드로 대성당을 연상시키는 개신교 건축물이다. 내부에 큐폴라가 있고 훨씬 높은 위치에 두 번째 큐폴라가 있다. 원형으로 늘어선 기둥들이 두 번째 큐폴라를 받치고 있다. 크리스토퍼 렌이 현재 대성당의 설계도를 그렸고 공사를 감독했다. 자재로는 주로 포틀랜드석을 썼다. 1660년대에 기존의 대성당을 복구하기 위해 건축가를 모집했다. 그러나 1666년에 런던 대화재가 일어나면서 대성당이 소실되었다. 런던 시내 거의 전체를 잿더미로 만든 대재앙은 렌에게 능력을 펼칠 수 있는 기회가 된 셈이다. 렌은 런던의 도시화를 위한 새로운 계획을 세웠고 세인트 폴 대성당을 유럽의 바로크 양식으로 구상했다. 그의 설계는 1675년에 승인을 받았고 이때부터 공사가 시작되어 1710년에 마무리된다. 재정적인 이유로 렌의 계획이 백 퍼센트 실현된 것은 아니지만 많은 건물이 그의 손에서 탄생했다. 렌은 성공회가 내건 까다로운 조건을 지키며 50여 개의 교회와 80개 교구의 건물들을 지었다. 그중 가장 뛰어난 작품이 세인트 폴 대성당이다. 19세기에 대성당의 실내 장식은 빅토리아 시대의 취향에 맞게 변경되었다. 1941년 런던 대공습이 일어났을 때 세인트 폴 대성당은 독일군의 표적 1순위였다. 다행히 지붕만 약간 훼손되어 전쟁이 끝난 뒤 복구되었다. 제1대 넬슨 자작, 웰링턴 공작, 크리스토퍼 렌 등 유명한 지식인과 예술가, 수많은 병사가 지하 납골당에 묻혔다.

그 시절 잉글랜드에서는

제임스 1세와 찰스 1세의 통치 시기에서 1640년대 말까지 잉글랜드의 건축은 주로 후기 고딕 양식—19세기 말까지 이어진다—을 따랐다. 이탈리아의 고전주의를 잉글랜드에 도입한 사람은 이니고 존스였고 그의 조수 존 웹은 영주의 저택에 고전주의 양식의 주랑 현관을 최초로 제작함으로써 스승의 뒤를 이었다. 이 시기에는 정치적 사건이 많았고 사회적 변화도 컸다. 잉글랜드 내전으로 스튜어트가가 몰락했고 크롬웰의 청교도 정치가 시작되었다. 왕조가 복원되었지만 종교 정책은 1688년에 명예혁명과 네덜란드의 윌리엄 3세의 즉위로 귀결되었다. 1666년 런던 대화재 이후 건축은 성공회의 청교도 정신을 표현하는 최고의 수단이 되었다.

다섯 개의 대성당

첫 번째 대성당은 켄트의 왕 에델베르흐트가 통치하던 604년에 성 바울로를 기리기 위해 지어졌으나 화재로 소실되었다. 두 번째 성당은 9세기에 바이킹이 무너뜨렸으며, 세 번째 성당도 화재로 파괴되었다. '올드 세인트 폴'로 알려진 네 번째 성당은 11세기 말에 캉에서 가져온 석회암으로 지었다. 잉글랜드의 종교 개혁 당시 성당은 폐허가 되었고, 중랑에는 시장이 들어섰다. 종탑은 벼락을 맞아 무너졌고 대규모 복구공사가 1630년대에 이니고 존스에 의해 시작되었다. 그는 시장을 철거하고 벽을 복구했으며 서쪽에 멋진 주랑 현관을 건설했다. 잉글랜드 내전(1642~1651) 당시 이곳을 병영으로 썼던 크롬웰의 기사단으로 인해 성당의 구조가 크게 훼손되었다. 크리스토퍼 렌이 신고전주의, 고딕, 바로크 양식의 요소들을 혼합해서 구상한 대성당은 잉글랜드 왕정복고와 17세기 과학 철학의 이상을 상징했다. 왕립 학회의 회원이었던 렌이 천문학, 수학, 물리학에 푹 빠져 있었지만 건축 교육은 받은 적이 없다는 사실이 재미있다.

세인트 폴 대성당의 의의

파사드에는 코린토스 양식의 기둥 12개로 이루어진 주랑 현관이 있고, 그 위로 혼합적인 주범 양식의 기둥이 8개 더 있다. 삼각형의 페디먼트에는 성 바울로의 개종 장면이 표현되어 있다. 파사드 양 옆에는 탑이 하나씩 있고 상단부에는 금박을 한 솔방울 장식이 있다. 남쪽 파사드에는 시계가, 북쪽 파사드에는 종탑이 있다. 익랑의 각 끝부분에는 반원형의 주랑 현관이 있다. 역시 코린토스 양식의 기둥 6개가 사도들의 동상을 지탱하고 있다. 런던의 상징이기도 한 세인트 폴 대성당의 유명한 큐폴라는 3개의 돔—각각 외부, 내부, 전체를 지탱하는 원뿔 모양의 숨겨진 벽돌 돔—으로 이루어져 있다. 바깥쪽 돔은 6미터의 토대 위에 세워졌고, 돔 정상에 있는 십자가는 지상 120미터 높이에 서 있다. 그 아래에는 850톤이나 되는 루프 랜턴이 일부 드러나 있다. 530개에 달하는 계단을 올라가면 탁 트인 전경을 선물로 받을 수 있다. 85미터 아래 런던 시내가 한눈에 들어온다. 안쪽 큐폴라의 벽화는 '속삭임의 회랑'에서 더 잘 감상할 수 있다. 이곳을 '속삭임의 회랑'이라고 부르는 것은 아주 작은 소리로 속삭여도 반대편까지 들리는 구조이기 때문이다. 8개의 기둥이 지면에서 대성당 돔의 버트레스를 이어준다. 세인트 폴 대성당의 내부는 성 바울로의 삶을 나타낸 큐폴라의 벽화를 제외하면 근엄한 분위기이다. 중요한 날에만 사용하는 주교의 자리는 제단 가까이, 반원형의 실내보다 더 높이 위치해 있다.

슈농소성 프랑스

슈농소성은 루아르 계곡에 늘어서 있는 아름다운 성들 중 하나이다. 셰르강 위에 마르크 가문은 성을 지었고 물레방앗간도 추가해 만들었다. 그러나 행운의 여신이 떠나가면서 마르크 가문은 성을 토마 보이에에게 팔아야 했다. 보이에는 루이 11세, 샤를 8세, 프랑수아 1세의 신뢰를 받고 있었다. 1513년 보이에는 성을 밀어버리고 고딕 양식과 르네상스 양식의 전환기를 보여주는 새로운 건축물을 짓고자 했다. 슈농소성은 물레방앗간이 있던 자리에 세워졌고 1522년에 완공되었다. 프랑수아 1세는 1535년 보이에가 공금을 횡령하자 성을 몰수했다. 그리고 프랑수아 1세의 후계자인 앙리 2세는 이 성을 애첩인 디안 드 푸아티에에게 주었다. 디안 드 푸아티에는 이곳에 새 정원을 가꾸었다. 앙리 2세가 죽자 그녀는 왕비 카테리나 데 메디치에게 성을 돌려주어야 했고, 왕비는 그 대가로 쇼몽쉬르루아르성을 내주었다. 슈농소성의 새 주인이 된 카테리나 데 메디치는 셰르강의 좌안으로 통하는 회랑을 만들었다. 루이즈 뒤팽 덕분에 프랑스 대혁명에도 보전될 수 있었던 슈농소성은 19세기에 전면적인 보수를 거쳤다. 제2차 세계대전 당시에는 슈농소 마을이 독일인들로 꽉 차게 되는데 이로 인해 성도 약간의 피해를 입었다. 슈농소성에는 무리요, 틴토렌토, 푸생, 코레조, 루벤스, 프리마티초 등 쟁쟁한 화가들의 작품과 16세기 플랑드르 지방의 양탄자 등 인상적인 컬렉션이 소장되어 있다.

그 시절 프랑스에서는

1495년 샤를 8세는 22명의 나폴리 예술가들을 고용해서 이탈리아식으로 건축물을 지을 것을 주문했다. 프랑스 중부의 기후에는 지붕과 장식 창이 난 넓은 다락방이 있어야 한다. 결국 이탈리아 예술가들은 혼합 양식을 만들어냈다. 나선형 계단은 이 당시에 건축된 프랑스 성의 특징이다. 수도 가까이에 있어야 할 필요를 느낀 프랑수아 1세는 파리 주변에 새 성들을 건설하게 했다. 불로뉴 숲에 지은 마드리드성, 생제르맹앙레성, 퐁텐블로성 등이 그것이다. 프랑수아 1세가 통치하던 시기에 샹보르, 아제르리도, 슈농소, 퐁텐블로에서는 이탈리아 취향이 대세였다. 반면 앙리 2세가 통치했을 때는 모든 주범 양식이 철저하게 사용되는 고전주의 양식이 나타났다. 대칭과 비율은 건축에 있어 배열이 요구하는 특징이었다. 예를 들어 피에르 레스코의 루브르 궁전이나 필리베르 들로름의 튈르리 정원도 고전주의 양식을 적용한 것이다. 고전주의는 루이 13세 시절에 시작되었고 처음에는 바로크의 영향을 벗어나지 못하다가 1660년에서 1690년까지 베르사유 궁전에서 절정기를 맞았다. 이후 18세기 전반부에 쇠퇴하는 듯하다가 후반부에 신고전주의로 다시 부활했다. 1630년경에 자리를 잡기 시작한 고전주의는 오로지 절대 군주정에 헌신했다. 이에 반해 신고전주의 건축은 역사적인 건축 형태—고대 그리스·로마의 주범 양식—를 모방하려 하지 않고 영원한 표현 양식, 즉 근대적인 표현 양식으로 바라본 고대의 정신을 거스르지 않는 범위에서 쇄신을 제안했다.

슈농소성의 의의

15세기는 전쟁의 방식이 변화하고 봉건제가 해체되기 시작했으며 편안한 주거지를 원하는 귀족이 늘어나는 등 다양한 사회적 변화가 일어난 시기이다. 앙부아즈, 블루아, 샹보르, 아제르리도, 슈농소의 성들은 이러한 전환기의 특징을 가지고 있다. 슈농소성은 정사각형 모양의 건물로, 네 귀퉁이에 2층으로 된 코벨 아치형의 작은 망루가 있다. 5개의 아치 위에 놓인 다리는 성과 셰르강의 좌안을 잇는다. 다리의 내부는 2층으로 나뉘어 있는데 카테리나 데 메디치는 이곳에 2개의 회랑을 만들었다. 마르크 가문이 남긴 중세식 아성은 셰르강 우안에 있고 16세기에 보수를 했다. 정원은 카테리나 데 메디치와 디안 드 푸아티에를 위해 설계되었다.

여인들의 성

건축가 필리베르 들로름은 1556년에서 1559년까지 디안 드 푸아티에를 위해서 슈농소성을 많이 개조했다. 상층부는 장 뷜랑이 카테리나 데 메디치를 위해서 1575년에 완성했다. 하늘로 솟은 망루, 돌출된 발코니, 장식 창, 돌출 장식 등 슈농소성은 매우 새로운 미학을 선보였다. 르네상스 시대의 가장 큰 성은 샹보르성이지만 말이다. 슈농소성은 '여인들의 성'이라고도 불린다. 성을 지은 것도 여자이고, 이곳을 주요 거주지로 삼았던 것도 여자이기 때문이다. 그중에는 초기 슈농소성의 건설을 감독했던 토마 보이에의 부인 카트린 브리소네가 있다. 슈농소성의 방 중에는 '다섯 왕비의 방'이 있다. 왕관을 썼던 카테리나 데 메디치의 딸이나 며느리가 이곳에 머물렀기 때문이다.

아그라 요새 인도

아그라 요새는 방벽 위에 망루가 즐비한 뛰어난 건축물이다. 1565년 무굴 제국의 아크바르 대제가 야무나강의 우안에 지었다. '아그라의 붉은 요새'라고 부르기도 하는데, 그것은 붉은 사암으로 요새를 지었기 때문이다. 아크바르가 1558년 전략적 이유로 아그라로 천도하기로 결정했을 때 그곳에는 이미 벽돌로 지은 요새가 있었다. 벽돌로 쌓아 올린 벽을 붉은 사암의 성곽으로 교체하는 공사는 1573년까지 이어졌다. 아그라의 가장 중요한 건축물인 요새는 힌두교를 비롯해 이슬람, 페르시아, 티무르 제국의 전통을 혼합한 무굴 제국 건축 양식의 최고봉을 상징한다. 요새 안에는 제5대 황제인 샤 자한의 궁과 알현실을 비롯해 여러 채의 건물이 있다. 즉, 샤 자한이 흰 대리석으로 지은 궁인 카스 마할, 시슈 마할(거울의 궁), 팔각형의 2층 탑 무삼만 버즈, 샤 자한이 설치한 2개의 알현실 등이 있다. 1637년에 지은 디와니카스는 사적 알현실이고, 디와니암은 공적 알현실이다.

샤 자한은 델리에도 요새를 짓게 했는데, 아그라 요새와 비슷한 점이 많았다. 그는 아그라 요새 안에 있던 궁을 없애고 다른 건물들을 세웠다. 지금 형태의 요새를 만든 것은 무굴 제국의 정복자들이었다. 성벽의 높이는 약 20미터이다. 거대한 출입구들도 그대로 남아 있고 목욕탕, 사적·공적 알현실, 모스크도 남아 있어 황제의 궁으로서의 기능을 유지한다. 경쾌하고 장식이 많은 건축물이 보여주는 고도의 섬세함이 군사적 용도로 지어진 건축물의 힘과 대조를 이룬다.

샤 자한의 건축

샤 자한은 팔각형 주신에 얇은 기둥을 사용하거나 다변 아치multifoil arch를 사용하는 등 건축에 새로운 바람을 불어넣었다. 또한 작은 거울을 많이 사용하고, 상감과 흰 스투코를 쓰는 등 장식도 달라졌다. 샤 자한은 요새를 황궁으로 변모시켰다. 가로 275미터, 세로 340미터의 넓은 4개의 가로축과 6개의 세로축이 교차되어 격자 모양을 이루었다. 샤 자한의 공사는 공적 알현실을 완성하며 끝이 났다. 다변 아치가 있는 공적 알현실은 연회나 개인적인 모임을 하는 장소이기도 했다. 내부를 스투코와 흰 대리석으로 마감한 이 건물은 분홍색 사암으로 만든 큰 파사드를 마주하고 있다.

델리의 샤자하나바드 요새,
1780~1790년경.

샤 자한의 영원한 사랑

샤 자한은 아내 뭄타즈 마할에 대한 사랑으로도 유명하다. 뭄타즈 마할이라는 이름은 '궁의 소중한 장식'이라는 뜻이다. 부부는 지워지지 않는 영원한 사랑의 흔적을 남겼다. 본명이 아르주만드 바누인 뭄타즈 마할은 1593년 인도 북부에 있는 아그라의 무슬림 귀족 집안에서 태어났다. 1612년에 '공작 왕좌'를 물려받을 쿠람 왕자, 즉 미래 무굴 제국의 황제 샤 자한과 혼인했다. 샤 자한의 세 번째 아내이기는 했지만 그녀는 금세 총애를 받았다. 샤 자한은 그녀에게 '베굼'(황족)의 칭호를 주었고 황제가 되자마자 옥새를 맡겼다. 정치적 야망이 없었던 뭄타즈 마할은 남편에게 지혜로운 조언을 하며 평생 좋은 영향력을 발휘했다. 그녀는 열네 번째 아이를 낳다가 1631년에 사망했다. 그녀는 죽기 전에 남편에게 절대 재혼하지 말라고 부탁했고 그들의 사랑에 걸맞은 기념물을 지어달라고 청했다. 뭄타즈 마할의 시신은 임시로 매장되었다. 슬픔에 빠진 샤 자한은 1년 동안 방에서 나오지 않았다. 삶의 빛이었던 그녀를 기리기 위해 샤 자한은 아그라에 화려한 타지마할을 짓게 했고, 그곳에서 자신의 사랑 옆에 잠들었다.

아스키아 무덤 말리

1495년에 송가이 제국의 아스키아 무함마드 1세가 말리의 니제르강 변에 만든 아스키아 무덤은 두꺼운 벽을 쌓아 올린 모스크이기도 하다. 이 무덤은 2004년 유네스코 세계유산에 등재되었다. 아스키아의 도시로 불리기도 하는 가오에서 아스키아 왕조는 사하라 종단 무역으로 황금과 소금을 팔아 전성기를 누렸다. 구운 흙으로 만든 이 사원은 세월의 풍파에도 잘 버텼다. 묵직한 하나의 블록으로 이루어진 아스키아 무덤은 계단식 구조물을 연상시킨다. 무덤의 높이는 17미터이고 표면에 구부러진 나뭇가지가 고슴도치의 털처럼 꽂혀 있다. 이 유적지는 피라미드식 무덤, 지붕이 편평한 모스크 2채, 그리고 묘지로 구성되어 있다. 아스키아 무덤은 가오가 제국의 수도가 되고 이슬람이 국교로 지정되었을 때 만들어졌다. 이 건축물은 아프리카와 아랍·베르베르 문화권 간 교류가 활발했음을 보여준다.

송가이 제국

초기에 말리 제국의 지배를 받은 송가이 제국은 200여 년 동안 번영을 누렸다. 사하라 종단 무역으로 부를 쌓아 오늘날의 니제르와 말리, 그리고 나이지리아 일부 지역까지 영토를 확장했다. 주요 도시였던 가오와 통북투는 지적 파급력이 커져 이슬람 세계의 지식인들을, 또한 무역이 번성해서 대상들을 끌어들였다. 손니 알리는 독립적인 송가이 제국을 세웠다. 그러나 그가 사망한 뒤에 그의 아들은 군대의 과격 이슬람 세력에 의해 축출되었다. 결국 아스키아라는 황제 칭호는 무함마드 투레, 일명 아스키아 무함마드 1세에게 돌아갔다. 그는 아스키아 왕조를 세웠고, 거대한 송가이 제국을 4개의 부왕 통치령으로 나누었다. 16세기에는 수단에서 채굴된 금과 사하라의 타가자 광산에서 캐낸 소금이 모두 송가이 제국으로 집중되었다. 백성에게 순수한 이슬람을 믿도록 하려 했던 아스키아 무함마드 1세는 『쿠란』의 교육과 『쿠란』의 율법 준수에 필요한 일련의 개혁을 단행했다. 노예와 전쟁 포로로 구성된 직업 군대를 조직했지만 모시 부족을 상대로 한 성전에서 패배했다. 무함마드 1세는 통북투, 젠네, 가오를 종교 사상의 중심지로 만들어 아랍·이슬람 세계의 지식인들을 끌어들

송가이 제국의 황제 아스키아 무함마드 1세의 무덤, 15세기, 가오.

였다. 그러나 애니미즘을 숭배하는 자들과 무슬림 사이에 갈등이 생겼고 황권 계승 문제로 번번이 긴장이 고조되면서 송가이 제국은 쇠퇴하기 시작했다. 이런 문제를 극복하지 못한 제국은 1591년 톤디비 전투에서 모로코 군대에게 패하고 말았다.

방코

송가이 제국의 건축물은 주로 구운 흙으로 지었는데, 말리에서 유행했던 수단식 건축은 '방코banco'라고 불리는 굽지 않은 흙 어도비를 썼다. 장인들의 가족이 정성껏

흙을 골라 이기고 발로 밟은 다음에 짚을 첨가해서 단단하게 만든다. 그러고 나서 손이나 틀을 이용해 작은 벽돌이나 공 모양으로 만든다. 벽은 벽돌을 쌓아 햇빛에 말린 다음에 또 쌓아 만든다. 나뭇가지를 밖으로 돌출되게 꽂는데, 이것은 구조물을 견고하게 하고 우기에 보수가 필요하면 쉽게 올라갈 수 있도록 하기 위함이다. 아스키아 무덤도 이와 같은 식으로 계속 보수되고 있다.

엘 에스코리알 에스파냐

엘 에스코리알은 펠리페 2세의 궁으로 쓰인, 오늘날로 치면 넓은 복합 단지이다. 1563년 후안 바우티스타 데 톨레도가 짓기 시작해서 1584년 후안 데 에레라가 마무리한 엘 에스코리알은 구상은 지극히 에스파냐적이지만 그 구조는 르네상스 시대의 이탈리아 궁전에 영향을 받았다. 펠리페 2세는 엘 에스코리알을 성인 라우렌시오에게 헌정했다. 전체 구조도 라우렌시오를 순교자로 만든 고문 도구의 형태를 띠고 있다. 라우렌시오는 뜨거운 석쇠에서 고문을 받았다. 엘 에스코리알 안에는 왕궁을 비롯해 성당, 수도원, 그리고 왕의 어둡고 폐쇄적인 성격과 잘 어울리는 매우 근엄한 건물들이 있다. 이 당시 다른 군주들은 두꺼운 벽을 없애고 창문과 장식적 요소를 많이 넣으려고 했기 때문에 엘 에스코리알의 단순한 구조는 시대착오적으로 보이기도 한다. 과다마라산맥의 절벽을 깎아 그 위에 다양한 양식의 놀라운 조화와 통일성을 보여주는 궁을 세우는 데 20년이나 걸렸다. 산에서 캔 화강암이 엘 에스코리알의 건축 자재로 쓰였다. 엘 에스코리알은 장례 신전이 있는 아름다운 영묘이자 왕들의 판테온이었다. 그 부속 건물에는 화려한 왕의 방들이 있었다.

그 시절 에스파냐에서는

16세기 말 에스파냐는 가톨릭 왕, 귀족, 고위 성직자들이 초청한 외국인 예술가들을 대거 받아들였다. 카를 5세의 궁전은 에스파냐 최초의 이탈리아 양식의 건물이었다. 바로 그라나다의 알람브라 궁전이다. 매너리즘 양식으로 건축된 이 궁전은 동시대의 다른 건축물들과 함께 고딕 양식에서 르네상스 양식으로 넘어가는 과도기에 나타나 특히 에스파냐에서 발달한 플라테레스크 양식의 영향을 받았다. 그러나 근엄한 엘 에스코리알이야말로 이베리아 양식과 결별하는 시발점이었다.

엘 에스코리알의 의의

카를 5세의 궁전 건축에 적용되었던 고전주의 양식의 뒤를 이은 것은 엄격함과 냉철

함을 강조한 양식이었다. 이러한 양식의 대표 주자가 바로 16세기 에스파냐의 가장 위대한 건축가인 후안 데 에레라였다. 16세기 후반에 발달한 그의 양식은 에스파냐의 문화적 분위기가 바뀌고 있었음을 잘 보여준다. 카를 5세의 외아들이었던 펠리페 2세는 1556년 왕위에 올랐다. 그는 매너리즘의 가장 전형적인 인물이 된다. 병적이고 음울한 광신도였던 펠리페 2세는 은둔하기 위해 마드리드 외곽에 엘 에스코리알을 짓게 했으면서도 왕들의 판테온이 된 그곳을 예술과 문학의 중심지로 만들고 싶은 생각도 있었다. 그래서 그는 불타지 않고 남아 있던 그리스어 서적과 아랍어 수사본을 엘 에스코리알 내의 도서관에 많이 들여놓았다. 엘 에스코리알은 왕궁의 역할만 한 것이 아니었다. 그 안에는 수도원과 학교까지 있었다. 말하자면 하나의 도시나 마찬가지였다. 가로 160미터, 세로 200미터의 거대한 직사각형 형태로 설계된

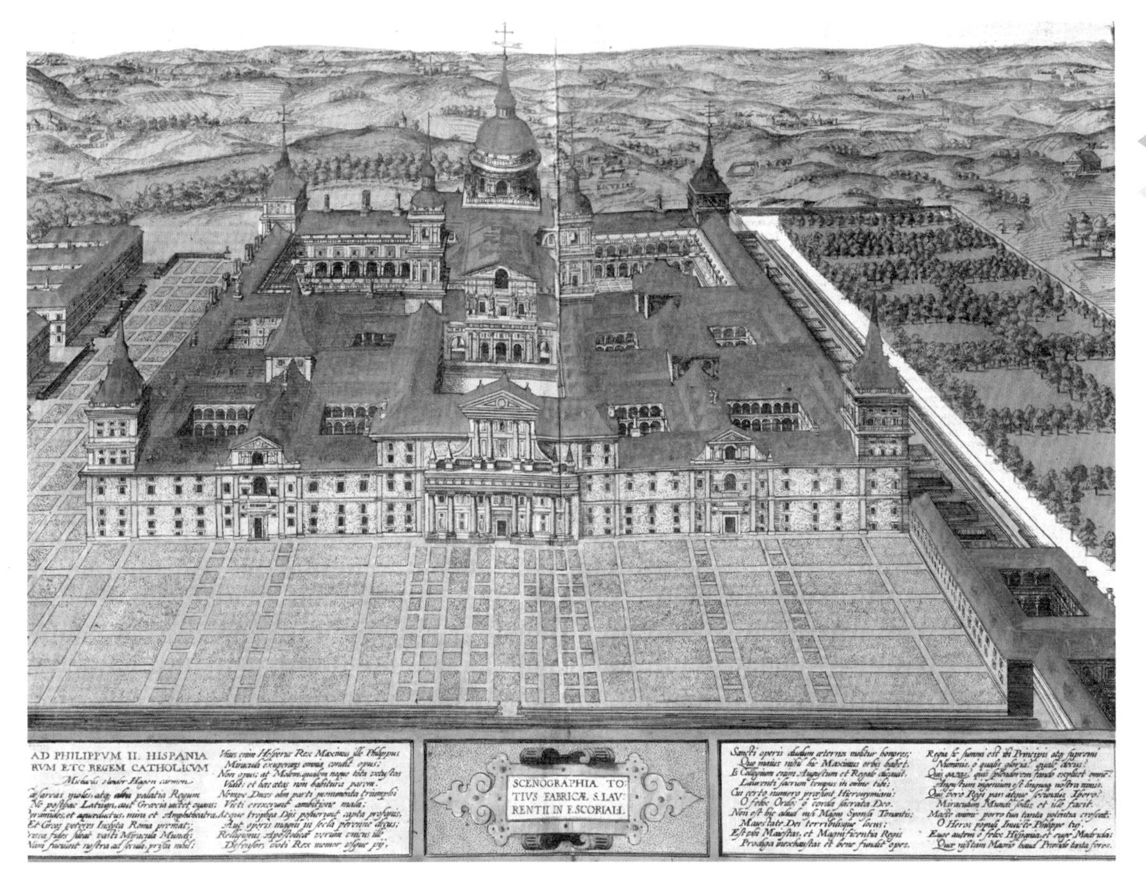

펠리페 2세 통치 시기의 엘 에스코리알, 16세기 중반.

엘 에스코리알의 중심에는 성당이 자리하고 있었고 각 모퉁이에는 탑이 세워졌다. 왕의 궁전만이 원래 설계보다 크게 지어졌다. 성당을 중심으로 뜰과 부속 건물, 수도원, 미술관이 완벽한 대칭으로 배치되었다.

에레라 양식

엘 에스코리알의 설계를 맡은 사람은 건축가 후안 바우티스타 델 톨레도였다. 그러나 그는 1567년에 세상을 떠났고 공사 감독을 맡았던 후안 데 에레라가 그의 뒤를 이었다. 펠리페 2세는 직접 설계도를 검토했고 모든 장식과 화려한 요소를 빼도록 지시했다. 외부 파사드는 장식이 배제된 거대한 화강암 벽으로 이루어져 있다. 벽에는 장식이 전혀 없는 창문들이 나 있다. 소박한 외관이 돈이 없다는 인상을 주지 않도록 파사드 중앙에 있는 출입문에 8개의 도리아식 장식 기둥을 세워서 좁지만 높은 코르 드 로지를 지지하게 했다. 코르 드 로지에도 4개의 부속 장식 기둥이 라우렌시오의 동상과 페디먼트를 둘러싸고 있다. 첫 번째 회랑을 지나면 제왕들의 파티오인 중정이 나온다. 이곳이 성당의 아트리움이다. 성당의 파사드는 고전적이지만 에레라는 6개의 도리아식 기둥과 아키트레이브 위에 놓은 6개의 동상—『구약』에 등장하는 여섯 왕—으로 장식했다. 성당은 그리스 십자가 모양이다. 종탑이 2개 있고, 커다란 돔이 아래를 내려다보고 있다. 성당의 장식은 최소한으로 줄였다. 스투코로 미장을 하지도 않았고 대리석을 깔지도 않았다.

펠리페 2세의 통치 기간 내내 에레라는 일종의 예술적 독재자였다. 그는 톨레도의 알카사르를 비롯해 1585년에 시작되어 18세기에 가서야 마무리된 바야돌리드 대성당의 공사에도 참여했다.

타지마할 인도

세계적으로 유명한 사원인 타지마할은 원래 샤 자한 황제가 사랑하는 아내 뭄타즈 마할이 출산하다가 죽자 그녀를 위해 세운 능이었다. 인도 북부에 위치하고 있으며 1632년에서 1653년까지 공사가 진행된 이 궁전은 이슬람, 페르시아, 인도의 건축 양식이 혼합된 무굴 제국의 대표적인 건축물이다. 타지마할은 무굴 제국의 수도인 아그라의 야무나강 우안에 건설되었는데, 이 강을 따라 왕자들과 고위 관료들의 저택이 늘어서 있었다. 샤 자한이 고용한 건축가들이 누구인지 확실히 알 수 있는 자료는 전해지지 않는다. 일반적으로 페르시아 출신의 인도인 우스타드 아마르 로하리가 지었다고 알려져 있다. 본관의 공사는 1632년에 시작되었고, 건물을 장식하는 공사는 1647년까지 계속되었다. 부속 건물들의 공사는 더 늦게 시작되었다. 22헥타르의 부지에서 이루어진 타지마할의 공사는 20년 이상 걸렸다. 모스크, 남쪽 출입구, 열주 회랑, 방문객 출입구가 1653년에 마무리되었기 때문이다. 돌이 상감된 조각물들과 외벽 등에 손으로 쓴 『쿠란』의 문구들은 타지마할의 독창적인 특징으로 꼽힌다. 타지마할은 중앙축을 강조하기 위해 완벽하게 대칭을 이루는 설계를 바탕으로 건축되었다.

능의 의의

높이 7미터의 흰 대리석 초석 위에 있는 능은 네 부분으로 나뉜 정원의 중앙에 위치한다. 능 4면의 파사드는 거의 비슷하다. 각 파사드의 중앙에는 33미터 높이의 대형 아치가 있다. 중앙의 거대한 돔은 높이가 73미터에 달하고 4개의 큐폴라가 있다. 능의 내부는 팔각형의 대리석 방이다. 대리석은 얕은 돋을새김과 준보석으로 장식되어 있고 방에는 뭄타즈 마할과 샤 자한을 기리는 위령비가 있다. 부부의 실제 석관이 능 밑에 묻혀 있다. 능의 양 옆에는 반복적인 장식 무늬가 들어간 똑같은 모스크가 있다. 타지마할의 곳곳에는 『쿠란』의 경구가 새겨져 있다.

몇백 년의 세월이 흐르는 동안 능은 제대로 관리되지 못해 20세기 초에 대규모 복원 공사가 불가피했다. 그럼에도 불구하고 유네스코 세계 유산에 등재된 능은 여전히 오염될 위험이 있었고, 결국 1998년에 다시 한번 복원 및 연구 프로그램이 시작되었다.

『쿠란』의 문구가 적혀 있는 문, 타지마할.

톱카프 궁전 터키 이스탄불

1453년 콘스탄티노폴리스를 함락한 직후에 메흐메트 2세는 이탈리아의 학자 치리아코 단코나와 함께 비잔티움 제국의 아크로폴리스 유적을 찾아갔다. 그곳은 마르마라해, 금각만, 보스포루스 해협이 내려다보이는 곳이었다. 메흐메트 2세는 이곳을 새 궁전의 터로 삼았다. 그는 자신의 새 궁전이 콘스탄티노폴리스 대궁전보다 더 아름답기를 바랐다. '대포의 문'을 의미하는 '톱카프 사라이'라는 궁전의 이름은 19세기에 생겼다.

70만 제곱미터

톱카프 궁전은 4개의 주요 중정으로 이루어진 단지 안에 있다. 중정은 규모가 작은 수많은 건물을 이어준다. 이 궁전이 술탄의 관저로 쓰였을 때에는 4000명까지 수용할 수 있었다. 공사 기간 동안 메흐메트 2세는 언덕의 서쪽 경사면에 있는 작은 키오스크에서 기거했다. 이곳은 실내를 장식했던 도자기로 유명했다. 초기에는 성곽으로 둘러싸인 70만 제곱미터의 부지에 궁전이 있었다. 시간이 흐르면서 궁전도 발전했고, 또한 화재가 발생해 계속 다시 지어지게 되면서 중정, 회랑, 건물들이 뒤얽혀 있다. 공사는 1853년까지 이어졌는데, 이때는 술탄이 톱카프 궁전을 뒤로하고 보스포루스 해협에 있는 도시에 건축된 최초의 유럽식 궁전인 돌마바흐체 궁전에서 기거할 때이다. 1924년에 돌마바흐체 궁전은 폐허가 되면서 많은 소장품이 있는 박물관으로 변신했다.

톱카프 궁전의 의의

행정부의 본거지이자 술탄과 그 가족의 관저였던 톱카프 궁전은 도시 속의 도시였다고 할 수 있다. 궁전에는 가치를 따질 수 없을 정도로 귀한 예술 작품과 보석이 보관된 보물의 방이 있다. 여기에는 무함마드의 망토를 비롯해서 이슬람 세계의 가장 중요한 성유물들도 보관되어 있다. 1대에서 4대까지 칼리파들이 사용한 검, 모세의 지팡이, 요셉의 터번도 톱카프 궁전에 있다. 술탄의 개인 거처에 있었던 하렘도 인상적이다. 하렘에는 방이 400개가 넘었고 술탄의 가족과 애첩들이 살았다. 하렘은 복도와 중정으로 서로 연결된 몇 채의 건물에 걸쳐 있었다. '왕의 내실' 또는 '마음을 달래는 신전'으로 불린 술탄의 방에는 궁전에서 가장 높은 돔이 있는데 이는 16세기 말에 완성된 것으로 보인다. 이곳은 공식 연회장으로 쓰이거나 하렘에 속한 사람들에게 놀이방이 되었다.

환관의 집

하렘과 그리 멀지 않은 곳에 환관의 중정이 있었다. 환관은 궁전을 지키는 근위병이었다. 중정을 둘러싼 공간은 1665년에 일어난 대화재 이후 재건되었고, 안쪽 중정을 둘러싼 3층의 공동 숙소 건물은 16세기에 지어졌다. 새로 들어온 관리는 위층에 살고 기존의 관리는 중정으로 난 방에 기거했다. 고위 관리직인 하렘 환관들의 우두머리는 공동 숙소 옆에 방과 욕실, 거실이 있는 독채에서 지냈다. 이 고위 관리가 통제하는 왕자들의 학교는 위층에 있었다. 교실의 벽은 18세기 유럽산 기와로 마감했고 바로크 장식을 넣었다.

팡테옹 프랑스 파리

파리의 팡테옹은 생트준비에브 언덕에 있는데, 주변의 전경을 볼 수 있는 이 자리는 상징적인 장소이다. 옛 생트준비에브 성당이 이 자리에 있었기 때문이다. 아주 작은 디테일까지 계몽주의의 정신이 깃들어 있는 팡테옹은 1755년 자크제르맹 수플로가 건축을 맡았으며 1789년에 완공된다. 이후 몇 차례 개조되었다. 5세기에 생트준비에브 수도원과 성당을 지은 사람은 클로비스 1세이다. 전설에 따르면 아틸라가 이끄는 훈족이 쳐들어왔을 때 성녀 준비에브가 기도를 통해 파리를 구했다. 팡테옹의 초석은 루이 15세가 통치하던 1764년에 놓였다. 그러나 프랑스 대혁명 이후 이 가톨릭 성당은 위인들을 위한 성전으로 변모했다. 1851년 루이 나폴레옹 보나파르트가 이 건물을 다시 성직자들에게 돌려주었다. 제2공화국에 와서야 팡테옹은 인류를 위한 성전으로 다시 바뀐다. 빅토르 위고가 세상을 떠난 1885년에 팡테옹은 공화국이 기리는 위인들을 위한 장소가 되었다.

팡테옹의 의의

수플로는 그리스·로마 건축의 열렬한 애호가였기 때문에 팡테옹 주랑 현관의 파사드를 기원전 1세기에 제작된 로마의 판테온을 모델로 지었다. 수플로가 1780년에 세상을 떠나자 그의 제자 장바티스트 롱들레가 1789년까지 공사를 맡았다. 생트준비에브 성당으로 알려졌던 팡테옹은 길이가 100미터에 높이가 83미터이다. 그리스 십자가 모양의 구도에 루프 랜턴이 있는 돔이 있다. 주랑 현관에는 코린토스 양식의 기둥이 있으며 주보랑에도 고대 그리스·로마풍의 동일한 기둥들이 많다. 로마에 있는 아그리파의 판테온에서 영감을 얻은 페리스틸륨도 있다. 팡테옹의 완벽한 대칭과 열주는 동시대의 다른 건물들과 구분되는 특징이었고, 신고전주의 양식은 그 시대의 도덕적 가치를 나타냈다. 카트르메르 드 캥시도 팡테옹 건축에 기여했다. 그는 프랑스 대혁명의 정신에 걸맞은 엄숙함을 더해서 팡테옹이 종교를 배제한 기능을 하도록 만들었다.

푸코의 추

1851년 팡테옹에서는 물리학자 레옹 푸코의 지휘하에 지구의 자전을 증명하기 위한 실험이 진행되었다. 푸코는 놋쇠로 만든 추를 팡테옹의 가장 높은 곳에 매달았다. 추는 6시간 동안 16.5초마다 왕복 운동을 하며 젖은 모래에 회전한 자국을 남겨야 했다. 추가 한 번 움직일 때마다 조금씩 떨어진 위치에 선을 그린 것이 지구의 자전을 증명한다.

우의적인 조각과 조각 장식

페디먼트의 얕은 돋을새김 조각물은 19세기에 제작되었고 여러 번 수정되었다. 이 조각물은 공화국의 가치인 조국, 영광, 영웅심을 알레고리를 통해서 보여준다. 수플로, 카트르메르, 쿠스투, 다비드 당제가 제작에 참여했다. 다비드 당제는 페디먼트의 조각물 「위인들에게 관을 씌우는 조국」을 구상했다. 내부에 있는 조각품과 그림들은 팡테옹의 역사를 바꾼 이데올로기의 변화를 보여준다. 1811년 나폴레옹은 앙투안장 그로에게 돔을 장식할 「성녀 준비에브의 신격화」를 주문했다. 그로는 4년 동안 나폴레옹, 루이 18세, 다시 나폴레옹, 그리고 루이 18세를 거치며 일어난 정세 변화에 따라 인물의 모습을 몇 번이나 다시 그려야 했다. 1848년에는 르드뤼롤랭과 임시 정부가 폴 슈나바르에게 벽화 제작을 의뢰했다. 팡테옹을 장식하는 벽화는 인간의 역사와 도덕이 어떻게 변화해왔는지 보여준다.

페테르고프 러시아

'표트르의 궁'이라는 뜻의 페테르고프는 1716년 러시아의 황제 표트르 1세가 프랑스에서 베르사유 궁전을 보고 돌아와 지은 황제의 관저이다. 상트페테르부르크에서 30킬로미터 정도 떨어진 곳에 있는 페테르고프는 처음에는 소박한 목조 궁전에 불과했다. 표트르 1세는 프랑스에서 돌아올 때 관저 건축에 필요한 스케치와 판화, 그림 등을 가지고 왔다. 이때 프랑스의 건축가 장바티스트 알렉상드르 르 블롱도 함께 데려왔다. 1705년 그는 프랑스식 정원에 작은 규모의 궁전 몽플레지르를 지으라고 명했다. 표트르 1세는 이곳에서 지내며 공사 진행 상황을 살폈다. 동시에 대궁전과 마를리 궁전의 공사도 진행되었다. 예카테리나 궁전의 공사는 더 늦게 시작되었다. 페테르고프의 모든 건축물은 황갈색이 지배하고 있다. 1917년까지 이곳은 로마노프가의 가장 큰 관저였다. 제2차 세계 대전 당시 궁전이 훼손되었으나 전쟁 직후에 복원 공사가 바로 시작되었다. 정원과 수많은 분수도 페테르고프의 볼거리 중 하나이다.

페테르고프의 의의

표트르 1세는 몽플레지르 궁전이 네덜란드식 주택처럼 지어지기를 바랐다. 붉은 벽돌, 흰 난간, 석회에 희석시킨 금빛이 도는 황갈색, 특히 러시아의 칙칙하고 긴 겨울을 나기 위한 선명한 색을 원했다. 첫 건축물을 지은 사람은 건축가 요한 프리드리히 브라운슈타인이었다. 1721년에서 1725년까지 또 다른 몽플레지르가 프란체스코 바르톨로메오 라스트렐리의 설계에 따라 정원 안쪽 호수의 서쪽에 지어졌다. 예카테리나 궁전은 여제 옐리자베타 페트로브나의 명으로 1747년에 짓기 시작해 1754년에 완공되었다. 표트르 1세의 대궁전이나 마를리 궁전 등 다른 건물들도 지어졌다. 18세기 후반에 조성된 공원은 페테르고프의 볼거리이다. 1720년부터 근처에서 샘이 많이 발견되면서 운하를 만들어 수많은 분수에 물을 공급했다. 분수대뿐만 아니라 2개의 동굴까지 있는 대폭포에서는 긴 운하가 출발해 바다까지 이어져 있다. 페테르고프의 초기 건축물에는 자연석을 썼지만 정원의 분수대에는 다채색의 돌, 반짝이는 대리석, 분홍색 화강암을 썼다. 금박을 입힌 둥근 지붕들은 대폭포를 장식한 조각물들의 금박과 조화를 이룬다. 찬란한 색의 향연이 페테르고프를 축제에 바치는 찬가로 변모시켰다.

수집가의 궁전

여제 옐리자베타가 지은 겨울 궁전은 1000여 개의 방이 있는 매우 특별한 건물이다. 에메랄드색 파사드와 창문의 금박 장식 덕분에 겨울 궁전은 바로크 건축의 걸작으로 손꼽힌다. 1837년에 화재가 일어나 궁전은 전소되었지만 2년 뒤에 재건되었다. 겨울 궁전의 명성은 라스트렐리가 지은 북쪽의 윙 덕분에 얻어졌다. 이는 예카테리나 2세가 수집한 예술품을 보관하기 위한 것이었다. 이곳에는 현재 피카소의 작품 30여 점을 포함해서 인상주의 작가들의 작품이 가장 많이 소장되어 있고 고대 수집품도 있다.

18세기 러시아의 건축

바로크는 1730년에서 1760년까지 상트페테르부르크와 모스크바에서 활동한 이탈리아 건축가 라스트렐리와 표트르 1세가 페테르고프의 건축을 맡겼던 프랑스 건축가 르 블롱 덕분에 발달했다. 페테르고프 궁전, 차르스코예셀로 궁전, 겨울 궁전은 파란색과 초록색, 몰딩과 금박 장식을 풍부하게 사용한 러시아 바로크의 대표적인 작품이다. 이 시기에 성당에는 5개의 큐폴라가 있었다.

옐리자베타의 통치하에 러시아의 고전주의는 유럽 고전주의를 따라 발전했고 계몽주의 사상의 영향을 받았다. 궁전과 개인 저택을 아케이드와 큰 열주로 장식했고, 열주에는 신화의 장면을 돋을새김해서 장식했다. 라스트렐리가 해고되자 새로운 건축가들이 등장했다. 장바티스트 발랭 드 라 모트는 1757년 바실리예프스키섬에 미술 아카데미를 지었고 이어서 유수포프 궁전을 지었다. 자코모 콰렌기도 스몰니 학원을 지어서 상트페테르부르크에 자취를 남겼다.

피렌체 대성당 이탈리아 피렌체

피렌체 대성당의 공사는 1296년에 시작되어 140년 뒤에 마무리되었다. 오래된 산타 레파라타 성당을 대신할 대성당의 설계는 건축가 아르놀포 디 캄비오에게 맡겨졌다. 조토 디 본도네는 디 캄비오의 뒤를 이어 1334년 대성당의 종루를 설계했고, 다른 건축가들은 큐폴라의 기저부 벽을 만드는 일에 매달렸다. 주랑의 상단부가 완성되자 익랑의 늑재 궁륭 위에 큐폴라를 만들어 올리는 일만 남았다. 직경이 45미터나 되는 큐폴라를 올리는 일은 그 당시 기술로는 불가능했다. 평소에 쓰는 나무틀이나 비계는 사용하지 못하므로 1418년 이 문제를 해결하기 위한 경연 대회가 열렸다. 우승자는 필리포 브루넬레스키였다. 그는 돌기둥으로 만든 틀 사이에 벽돌을 거꾸로 된 V자 모양으로 쌓아 돔을 만들 수 있는 원리를 증명했다. 브루넬레스키가 제안한 모델은 승인을 받았고, 큐폴라 공사는 1420년에 시작되어 1436년에 완료되었다.

그 시절 이탈리아에서는

로마에 있는 제수 성당은 1568년 야코포 바로치 다 비뇰라가 설계했으며, 이는 유럽 전역에서 반기둥 양식의 성당이 유행하면서 종교 건축물의 모델이 되었다. 1350년에서 1750년까지 수많은 성당이 종교의 상징일 뿐만 아니라 도시와 국가의 자랑거리인 돔을 갖추고 지어졌다. 이는 로마의 이데올로기적 힘을 강조하기 위해 일부러 고딕 양식을 거부한 결과일 것이다. 이 시기는 설계자와 시공자가 구분되기 시작했던 때이기도 하다. 베네치아의 산마르코 대성당의 종탑을 설계한 조토 디 본도네는 피렌체 대성당의 돔을 설계한 브루넬레스키와 함께 최초의 건축가였다. 설계를 담당한 건축가들은 기원전 1세기의 로마인인 비트루비우스의 글에 관심을 가졌다. 그는 건축물의 이상적인 비율은 인체의 비율과 같다고 했다. 이러한 비교를 보완해 주는 미적 기준이 여럿 있다. 그중 몇 가지를 소개하면 다음과 같다.

- 중앙축을 중심으로 건축물의 요소들이 대칭을 이루어야 한다.
- 기본 모듈을 기준으로 정해지는 비율은 배수여야 한다.

- 모든 개구부(문, 창문 등)는 나란히 배치되어야 한다.
- 설계도는 직각과 직선 파사드로 구성되어야 하고 예각은 금지된다.

이 당시의 장식 예술은 고대 그리스와 로마의 영향을 받았다. 예를 들어 기둥을 만들 때에는 그리스인들이 인정한 세 가지 주범 양식인 도리아식, 이오니아식, 코린토스식을 따라야 했다. 그러나 건축가는 이런 규칙을 적용하면서도 이를 로마적 요소와 결합해야 했으며 큐폴라나 궁륭 등 새로운 요소를 실험해야 했다.

해답

조르조 바사리는 브루넬레스키가 로마의 판테온 등 고대 로마 건축물의 큐폴라를 보고 해답을 찾았을 것이라고 설명했다. 판테온과 피렌체 대성당의 큐폴라는 크기만 비슷하다. 피렌체의 큐폴라는 직경이 45미터이고 로마의 큐폴라는 42미터이다. 판테온의 큐폴라는 단단한 벽이 뒤에서 받쳐주고 있고 큐폴라 자체도 일부가 벽으로 들어가 있다. 반면에 피렌체 대성당의 큐폴라는 단독으로 올려야 했다. 브루넬레스키는 팔각형의 드럼 위에 큐폴라를 올려서 완전히 스스로 지탱하게 만들었다. 벽돌과 콘크리트를 써서 균일하게 만들었기 때문에 압력이 분산되었다. 사실 브루넬레스키는 큐폴라를 2개 만들었다. 안쪽의 반구 큐폴라는 높이가 더 낮고, 바깥쪽의 큐폴라는 예각으로 높이를 높여서 두 큐폴라가 서로 맞닿아 지탱하는 원리이다. 뾰족한 큐폴라는 하늘로 더 높이 뻗기 때문에 가장자리에서 안쪽으로 가해지는 압력이 생기는 반면, 반구 형태의 큐폴라는 중심부의 무게 때문에 바깥 방향으로 압력이 가해진다. 브루넬레스키는 두 형태를 혼합해 바깥쪽에서 안쪽으로 가해지는 수평 압력을 안쪽 큐폴라에서 발생하는 반대 방향의 압력으로 상쇄한 것이다. 그뿐만 아니라 브루넬레스키는 늑재 궁륭 위에 84개의 철근을 올려 구조물의 뼈대 역할을 하게 했다. 이 구조가 생선 뼈처럼 벽돌을 서로 포개서 쌓아 만든 돔을 안정적으로 지탱한다.

원근법

브루넬레스키는 교차점이나 정사영 등 원근법에 관한 연구에 많은 시간을 투자했다. 원근법은 회화에 매우 유용한 발견이었다. 브루넬레스키의 전기를 쓴 안토니오 마네티는 그가 어떻게 원근법의 개념에 근접한 산 조반니 세례당의 모습을 사람들이 감탄할 수 있도록 하나의 체계로 만들어갔는지 설명했다. 그는 산 조반니 세례당을 그린 그림을 판에 붙인 뒤 그 판에 구멍을 뚫고 판 앞에는 거울을 놓았다. 그런 다음 세례당을 그린 장소에 서서 거울을 앞뒤로 움직이며 자신이 그린 세례당이 실물과 같은 크기인 위치를 찾았다. 이처럼 기하학적 구성으로 얻은 공간의 구축이 건축에서 공간의 지각을 근본적으로 바꾸는 계기가 되었다.

황금 사원 인도 암리차르

황금 사원으로 더 잘 알려진 하르만디르 사히브Harmandir Sahib는 인도 북서부 펀자브주의 암리차르라는 도시에 있는 시크교도들의 가장 신성한 건축물이다. 시크교의 구루 아르준이 전임자들이 명상을 하던 장소인 암리차르에 짓게 한 황금 사원은 인도 이슬람 예술의 가장 아름다운 예로 꼽힌다. 구리로 만들어 금박을 입힌 돔을 머리에 얹고 있는, 대리석으로 지은 사원의 웅장한 자태가 암리차르의 신성한 저수지 '감로의 못'에 비친다. 전설에 따르면 위대한 구루 람 다스가 1574년에 병을 낫게 하는 물을 담을 수 있도록 저수지를 만들라고 지시했다. 사원으로 들어가는 입구는 네 곳인데 외부 세계로의 개방을 상징한다. 1849년 영국령 인도에 병합된 암리차르는 시크교의 중심지일 뿐만 아니라 지역의 상업 중심지가 되었다. 황금 사원의 초석은 라호르의 이슬람 예언가 미안 미르가 놓았다. 19세기 마하자라 란지트 싱의 통치 시절에 황금 사원은 아프가니스탄 침략자들로 인해서 몇 번이나 파괴되었다가 다시 대리석과 금박을 입힌 구리로 재건되었다. 1984년 6월 6일에는 인도 군대가 황금 사원을 요새와 피난처로 쓰고 있던 시크교 극단주의자들을 진압하기 위해 사원 안으로 들어가면서 건물에 손상을 입혔다.

시크교

전설에 따르면 15세기 말에 펀자브에 출현한 시크교는 구루 나나크가 창시했다. 나나크 이후에 구루가 9명이 더 있었다. 시크교도들은 이 10명의 구루의 몸속에 하나의 영이 들어가 있었다고 믿는다. 그리고 제10대 구루인 고빈드 싱이 죽자 영은 시크교의 경전인 『구루 그란트 사히브*Guru Granth Sahib*』로 들어갔다고 생각한다. 이 경전은 '아디 그란트Adi Granth'라고도 불리며 시크교도들에게는 이 경전이 유일한 구루이다. 경전에는 1만 5574개의 행이 수천 곡의 송가(샤브하드)를 이루고 있다. 송가는 인도 전통 음악인 라가 31곡으로 편곡되었다. 이 모든 것이 1430쪽의 책으로 묶여 있다. 시크교는 힌두교와 이슬람교, 좀 더 정확하게 말하면 이슬람교의 신비주의적인 분파인 수피교가 섞인 종교로 전지전능한 유일신의 존재를 믿는다. 힌두교에서는 윤회와 업보, 신과의 결합으로 윤회에 종지부를 찍을 수 있는 완전한 해방이라는 개념을 가져왔고, 이슬람교에서는 창조주의 의지가 모든 것을 지배한다는 개념을 차용했다.

사상·유적

프랑스 혁명이 일어난 1789년부터 오늘날에 이르는 200여 년의 시기를 현대라고 한다. 프랑스어로는 'contemporain'을 '현대'라고 하는데, '동시대'라는 뜻도 있다. 따라서 현대는 이미 규정된 시기가 아니라 일정 시기부터 현재까지를 가리키는 유연한 시대 구분이라고 할 수 있다. 사실 '현대', 혹은 '동시대'라는 단어를 어떤 작품이나 사상 체계에 붙이면 이들을 긍정적으로 생각한다는 암묵적 의미를 갖는다. 현대의 시작은 나라마다 조금씩 다르다. 프랑스에서 현대의 시작은 구체제가 무너지고 난 이후부터이다. 그 후로 1830년, 1848년, 1871년에 일어난 일련의 혁명은 지금까지 이어지고 있는 대부분의 정치적·사회적 주장의 모태가 되었다. 현대적 사회라고 하면 생산의 현대화와 소비 사회라는 현상 속에서 지식층이 형성되기 시작한 1930년대를 그 출발점으로 볼 수 있다. 물론 이 새로운 현상들은 제2차 세계 대전의 발발로 잠시 주춤했다. 20세기의 특징은 무엇보다 문화 예술의 교류가 활발해졌다는 것이다. 이는 통신 기술의 발달로 가능하게 되었지만 사람들의 의식이 달라졌기 때문이기도 하다. 다른 세상에 대한 호기심은 커져만 갔고 익숙한 문화와는 거리가 먼 문화 예술이 주목을 받았다. 수많은 갤러리와 미술상, 예술 전문 잡지가 탄생했고 이러한 인프라는 예술품의 유통을 더욱 활발하게 만들었다. 1851년 런던에서 처음으로 개최된 뒤 계속 이어진 만국 박람회는 미지의 것에 대한 관심을 더욱 불러일으켰다. 모든 분야에서 새로운 아이디어가 샘솟고 창의적인 작품이 쏟아져 나왔으며, 이들 대부분은 인간의 조건을 향상시키기 위한 것이었다.

현대

L'ÉPOQUE CONTEM-PORAINE

현대

사상

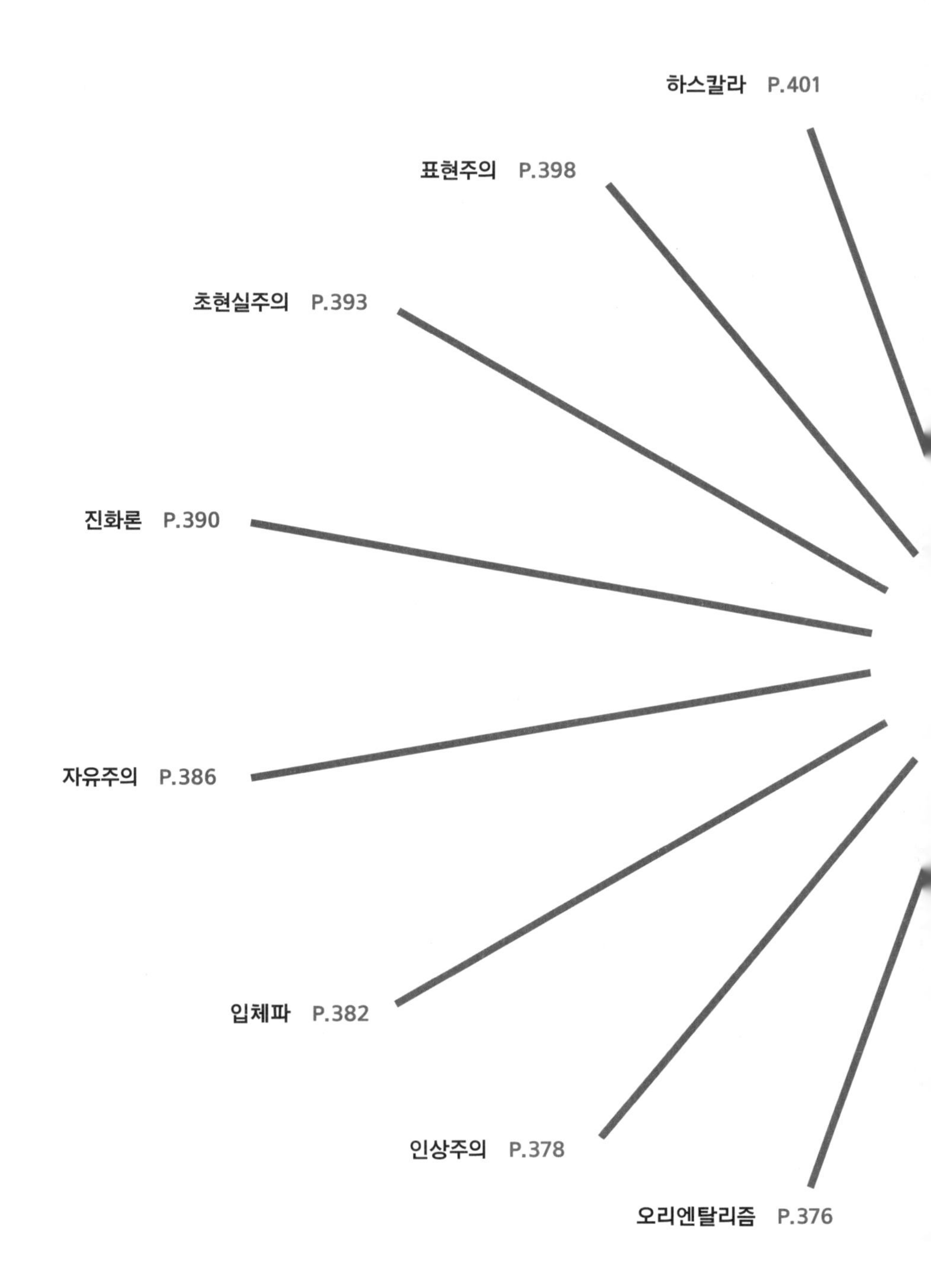
하스칼라 P.401
표현주의 P.398
초현실주의 P.393
진화론 P.390
자유주의 P.386
입체파 P.382
인상주의 P.378
오리엔탈리즘 P.376

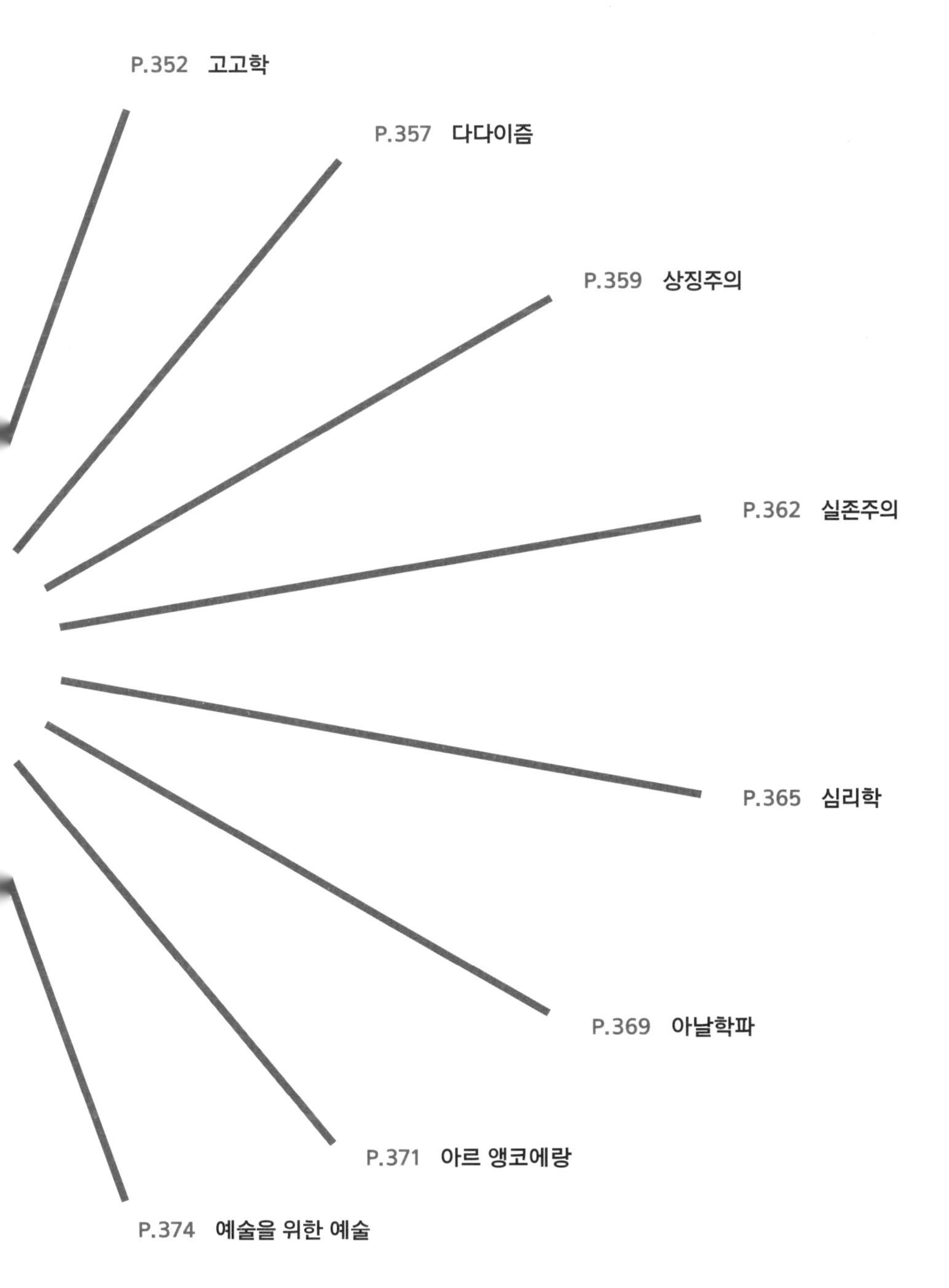
P.352 고고학
P.357 다다이즘
P.359 상징주의
P.362 실존주의
P.365 심리학
P.369 아날학파
P.371 아르 앵코에랑
P.374 예술을 위한 예술

고고학

고고학은 인간이 진화를 거치며 남긴 유적과 유물을 바탕으로 유구한 인간의 역사를 연구하는 학문이다. 과거의 흔적을 찾으려는 욕망은 인간의 본성이고, 과거로 향한 인간의 시선은 상상의 여행이라는 형태를 띨 수 있다. 다양한 과학 분야에서 발전이 이루어진 20세기부터 고고학은 유물의 제작 및 사용 연대를 보다 정확하게 추정할 수 있게 되었으며 문화유산의 복원 및 보존 기술도 향상시킬 수 있었다. 적대적인 자연에서 살아남기 위해 인간이 벌였던 투쟁의 흔적은 오래전부터 찾을 수 있었다. 『사물의 본성에 관하여』에서 루크레티우스는 자연의 제어할 수 없는 힘에 저항하려 했지만 속수무책이었던 인간을 노래했다. 그러나 인간의 상상력은 끝이 없었다. 대大 플리니우스가 인용한 메가스테네스는 뒤꿈치가 앞으로 향하고 발가락이 뒤에 있는 사람들이나 콧구멍이 없는 부족에 대해 썼다. 스트라본은 『지리학』에서 커다란 귀를 가진 부족, 입이 없는 부족, 거미 다리를 가진 부족에 대해 기록하기도 했다. 지금은 잘 보관되고 있는 선사 시대의 유물은 오랫동안 별다른 체계 없이 수집되었다. 모양이나 색이 다른 시대의 유물과 많이 다르기 때문이다. 예를 들어 신석기 시대의 간돌도끼는 호기심의 대상이었다. 유럽에서는 18세기까지 이 돌도끼를 '번개돌'이라고 불렀고, 대 플리니우스는 '마제 석부'라고도 하는 이 돌도끼를 번개로부터 보호해준다는 믿음 때문에 귀금속으로 분류했다. 그런가 하면 화석이 된 동물의 이빨인 '글로소페트라glossopetra'로 보기도 했다. 선사 시대 인간이 도구를 만드는 데 썼던 글로소페트라는 '혀 모양의 돌'이라는 뜻이다. 19세기에 와서야 영국의 고고학자였던 존 러벅이 부갱빌이나 쿡 같은 탐험가들이 여행 수첩에 기록해놓은 미개인의 풍속과 원시인의 풍속을 비교하기에 이른다. 러벅의 연구가 발표되자 서양에서는 「창세기」를 더 이상 인류 기원의 정설로 여기지 않게 되었다.

호기심의 방

16세기 중반 이후 왕들은 골동품, 메달을 비롯한 온갖 종류의 컬렉션—화석, 인공적 또는 자연적으로 만들어진 기이한 물건, 부족의 물건, 신기한 동물—을 함께 전시하는 방에 각양각색의 물건을 모아두었다. 100여 년 동안 '호기심의 방cabinet de curiosités'은 프랑스 전역에서 그 수가 크게 늘어났으며, 개인 박물관으로 유명했던 니콜라클로드 파브리 드 페이레스크는 예술품, 육필 원고, 광물을 전시한 것도 모자라 식물원까지 마련하면서 이 분야의 대표적인 인물이 되었다. 호기심의 방은 이탈리아 르네상스 시대에 존재했던 '스투디올로studiolo'의 후손 격이다. 1490년 만토바의 후작 부인이 된 이사벨라 데스테 역시 곤차가성에 동시대 거장들의 그림을 모아 자신만의 스투디올로를 꾸몄다고 한다. 원래 호기심의 방은 골동품을 모아두던 방과 그리 다르지 않았다. 프랑수아 1세가 호기심의 방을 도입한 뒤 이 유행은 매우 빠른 시간에 전례 없는 인기를 누렸다. 왕의 수집품은 백과사전을 방불케 할 만큼 방대했는데, 이는 르네상스 시대에 사람들이 얼마나 지식에 목말랐는지를 보여준다. 또한 자연에 관한 호기심의 방도 등장했는데 독일에서는 이를 '경이의 방Wunderkammer'이라고 불렀다. 골동품상과 애호가들은 단순한 취향을 조금씩 발전시켜 진귀한 아이템들에 대해 학문적인 관심을 갖게 되었고, 소유하고 있는 물건의 목록을 작성한 도록을 출간하기에 이른다.

학술원

프랑수아 1세 이후 프랑스 국왕들은 전통적으로 지식인과 문인을 지원하는 특권을 누렸다. 이러한 관점에서 17세기 후반은 중요한 사건이 일어난 때로 기억된다. 1663년에 학술원이 설립된 것이다. 그 이후 학술원은 네 번이나 이름이 바뀌었다. 아름다움을 관장하는 부처를 만들고 나라의 지적 삶을 조직하고자 했던 루이 14세는 장바티스트 콜베르에게 '작은 학술원'을 만들라는 명을 내렸다. 학술원에는 4인으로 구성된 위원회가 있었고 샤를 페로가 서기관으로 임명되었다. 학술원은 이후 '왕립 비명·훈장 학술원'으로 명칭이 변경되었다가 1716년 1월 4일에 국사원령에 따라 '왕립 비명·문학 학술원'으로 바뀌었다. 원래 고고학 연구를 설립 목적으로 삼았으나 발굴은 이례적으로 실시했을 뿐이다. 다만 1653년에 벨기에에서 힐데릭의 묘를 발견했고, 1685년에는 노르망디 지방에서 코슈렐 고인돌을 발견했다. 진보, 완성, 세상은 스스로 역사의 흐름에 내맡겨진다는 가설은 사상이 아니라 학문에 적용되었다.

말하는 돌

고고학 분야에서 18세기는 두 사람의 이름으로 기억된다. 바로 베네딕토회의 수도사 베르나르 드 몽포콩과 카일뤼스 백작이다. 두 사람의 연구는 19세기 고고학을 위한 방법론의 기초를 세웠다. 그 방법론은 관찰, 기록, 출판이라는 3원칙으로 요약될 수 있다. 1723년 식물학자였던 앙투안 드 쥐시외가 왕립 과학원에 제출한 논문 「번개돌의 기원과 용법」은 선사 시대 유적 연구에 민족학적 관찰 방법을 적용한 최초의 사례이다. 쥐시외는 번개돌과 캐나다의 돌도끼를 비교했다. 이 시기에는 지질학, 고생물학, 고고학이 동일한 관찰 기록에 섞이는 현상이 증가했다. 생물 변이설과 진화론이 지구의 역사와 생명체의 영속성을 다루는 이론에 대한 고민을 불러일으켰다. 18세기 말은 조르주 퀴비에라는 한 사람의 이름이 지배했다. 그는 혁신적인 천재성을 발휘해서 생물학 발전에 혁혁한 공을 세웠다. 과학에 대한 열정이 들끓던 이 시기에 퀴비에를 중심으로 한 지각 격변설의 찬동자와 장바티스트 라마르크로 대변되는 생물 변이설의 지지자가 맞섰다. 결국 생물 변이설이 우세해졌고 반세기가 흘러 찰스 다윈이 『종의 기원』을 출간했다. 조르주루이 르클레르 뷔퐁 백작 이후 화석을 유적과 마찬가지로 역사적 맥락에 놓고 보기 시작했다.

파헤쳐진 유럽

18세기 중반 베네치아의 부유한 메세나들이 주문한 예술 작품으로 그리스가 다시 부상했다. 당시는 기원후 79년 화산 폭발로 화산재에 묻혔던 헤르쿨라네움과 폼페이의 유적이 발견된 터였다. 높아진 발굴에 대한 관심은 보물찾기로 변질되었다. 영국은 아테네의 파르테논 신전에서 아름다운 물건들을 독차지했고, 이 문화적 약탈은 1822년 그리스가 독립국이 되면서 겨우 중단되었다. 19세기 말과 20세기 초에는 고고학에 새로운 시대가 열렸다. 문자가 존재하지 않는 문명의 흔적이 발견된 것이다. 하인리히 슐리만은 호메로스의 『일리아드』에서 그리스 군대에 포위되었던 트로이를 찾기 시작했다. 1871년에 터키 북서부에 위치한 히살리크라는 마을 근처에서 여러 도시와 요새의 흔적을 발굴했다. 당시 그는 프리아모스의 보물을 찾았다고 믿었지만 연대를 추정해보니 사실이 아니었다. 지칠 줄 몰랐던 슐리만은 결국 그리스의 미케네까지 가서 아가멤논의 보물을 찾으려고 했다. 그는 '아트레우스의 보물'이라고 불리는 아름다운 묘를 발견했다.

수많은 고고학적 발견

근동과 중동이 유럽에 문호를 개방한 때는 19세기 초이다. 문헌학 연구로 1802년에 설형 문자의 첫 번째 철자를 알아내면서 베일에 싸인 이 지역이 조금씩 모습을 드러내기 시작했다. 메소포타미아 발굴 작업으로 수사, 우루크, 우르가 발견되었다. 니푸르와 수사에서 나온 수많은 장례 집기로 이곳에서 생활했던 수메르인들의 존재가 밝혀졌다. 자크 드 모르강은 메소포타미아 역사를 다룬 훌륭한 기록물인 '함무라비 법전'을 해독했다. 1920년에서 1930년까지 새로운 발굴 현장이 개방되었다. 우가리트에서는 인류 역사상 가장 오래된 철자가 발견되었다. 1933년에는 앙드레 파로가 오늘날의 시리아에 있는 마리를 발굴했다. 이란고원에서는 후르리 문명과 누지라는 도시가 발견되었다. 페르세폴리스의 다리우스 궁전도 조금씩 알려지기 시작했다. 제2차 세계 대전 이후 발굴의 방법론이 발전했고 고고학자들은 메소포타미아에만 국한하지 않고 동양의 원사 시대로 눈을 돌렸다. 그러나 연구 지역은 이집트에서 중앙아시아로 한정되었다.

고고학사 연표

15세기 막대한 양의 묘비명을 비롯해 수많은 유적에서 발견된 글을 정서했던 시리아코 데 피지콜리와 그리스에서 8년간 머무르며 에게해의 섬들을 관찰한 내용을 글로 쓴 크리스토포로 부온델몬티 덕분에 망각되었던 그리스가 재발견된다.

17세기 리옹 출신의 의사 자코브 스퐁은 달마티아, 소아시아, 그리스를 여행한 뒤에 쓴 『고대 유물에 관한 연구』에서 최초로 '고고학'이라는 용어를 사용한다.

일명 펠레그리노라고 불리는 피에트로 델라 발레는 설형 문자로 쓰인 묘비명을 연구하고 바빌론 왕국의 존재를 알아낸다.

1738년 헤르쿨라네움 발굴을 시작한다.

1741년 『모세가 받은 신의 명령』의 저자 윌리엄 워버튼은 이 저서에서 이집트의 상형 문자에 대해 다룬다.

1752~1765년 안 클로드 드 카일뤼스가 고대 그리스·로마의 유적과 유물에 사료로서의 가치를 부여하며 근대 고고학의 길을 연다.

1753년 이후 대형 박물관—대영 박물관과 바티칸 박물관—의 등장으로 대중은 고대 그리스의 유물을 만날 수 있게 된다.

1763년 폼페이의 존재를 알아낸다.

1822년 프랑스의 이집트학 연구자인 장프랑수아 샹폴리옹이 상형 문자를 해독한다.

1835~1837년 프랑스의 선사학자 카지미르 피카르가 돌도끼의 현대성과 멸종 동물을 조명한다.

1840년대 프랑스의 고고학자 폴에밀 보타가 사르곤 2세의 궁이 있는 코르바사드를, 영국의 고고학자 오스틴 헨리 레이어드가 수천 개의 점토판이 있는 아슈르바니팔왕의 도서관을 발견한다.

프랑스의 선사학자 부셰 드 페르트는 선사학을 발전시킨다. 그의 투쟁 덕분에 고고학이 여러 사상을 받아들인다. 그가 쓴 『켈트족과 노아의 대홍수 이전의 시대』는 두 가지 고고학적 발견을 기반으로 작성되었다. 아베빌 근교의 맹슈쿠르 채석장에서 확연히 다른 두 종류의 돌 가공 작업장을 발견한 것이다. 두 작업장은 인간이 살았던 흔적이 전혀 없는 불모의 땅과는 분명히 분리되어 있었다. 이 사실은 서로 다른 시대에 서로 다른 인간 무리가 동일한 땅을 골라서 석기를 만들었음을 증명한다.

1870년대 하인리히 슐리만이 히살리크(트로이)와 펠로폰네소스반도에서 이룬 발견으로 이집트와 팔레스타인, 그리고 근동의 문명이 역사적으로 매우 오래되었음을 이해할 수 있게 된다.

1900년 영국의 고고학자 아서 에번스가 페니키아 문자 '이전'에 존재했던 여러 문자의 존재를 증명하고 상형 문자, 선 문자 A, 그 이후에 나타난 선 문자 B 등 3개의 표기 체계를 구분한다.

1906년 독일의 고고학자 후고 빙클러가 히타이트 제국의 수도인 하투사에서 새로운 발굴 작업을 시작한다. 그는 이집트의 파라오 아멘호테프 3세와 아멘호테프 4세의 외교 서신을 설형 문자로 기록한 수많은 점토판을 발굴함으로써 고고학에 큰 기여를 한다. 이를 통해 1917년에 아카드어가 번역된다.

1922년 영국의 고고학자 하워드 카터가 투탕카멘의 무덤을 발견한다.

1940년 라스코의 동굴이 우연히 발견된다.

1974년 루시의 뼈가 발굴된다.

다다이즘

미술 및 문학 사조인 다다이즘은 1916년에 스위스 취리히에서 처음 시작되었다. 다다이스트들의 갈등으로 무리가 해체된 이후 1923년에는 프랑스에서 초현실주의가 탄생했다. 트리스탕 차라가 주창한 다다이즘은 전통적인 예술의 개념을 도발과 조롱으로 뒤엎는 것을 목적으로 했다. 일설에 따르면 다다이즘이라는 이름은 종이칼로 사전을 펴서 우연히 찾은, 아이들이 쓰는 말인 '다다dada'에서 유래했다. 이 일은 1916년 2월 8일 취리히의 테라스라는 카페에서 일어났다고 한다. 이 자리에는 트리스탕 차라, 장 아르프, 마르셀 얀코, 에미 헤닝스가 있었다. 이후 다다이즘과 관련된 행사가 뉴욕, 베를린, 쾰른, 하노버, 파리 등지에서 열렸다. 사람들은 다다이즘을 부르주아의 가치와 제1차 세계 대전의 부조리에 대한 저항과 결부시켜 생각한다. '예술이 유일한 오성의 기본'이라고 주장하는 다다이즘은 회화, 시, 영화, 사진 등 모든 예술적 표현 양식을 낳았다. 우연, 불확실성, 무의식이 새로운 조형적·언어적 가치를 낳는 데 기여한다고 보았던 다다이즘은 가장 충격적인 현대 예술 실험의 모태가 되었다. 다다이스트들은 가장 엉뚱한 예술 행위를 펼쳤다. 마르셀 뒤샹은 「모나리자」에 콧수염을 그려 넣고 「L.H.O.O.Q.」라는 제목을 붙였고, 루이 아라공은 프랑수아 페늘롱의 『텔레마크의 모험』을 모방한 작품을 내놓았다. 또한 차라는 "시구 하나 쓴 적이 없어도 시인이 될 수 있다"고 주장했다.

다다이즘의 의의

한 예술 사조가 이처럼 특정 국가의 문화사나 주창자 개인과 결부되지 않은 경우는 드물다. 스위스와 미국에서 거의 동시에 나타난 다다이즘은 유럽의 여러 국가로 퍼졌다. 나라마다 유사점이 차이점보다 더 많았다면 아마 다다이즘은 국제적인 예술 운동으로 성장했을지도 모른다. 다다이스트들의 공통점은 여러 예술적 표현 양식의 경계를 무너뜨렸다는 것이지만 오히려 그 때문에 다다이즘의 혼합적인 특성이 더 강화되었다. 콜라주, 사진, 공장에서 제조된 물건 등 다다이스트들은 기법과 재료를 닥치는 대로 받아들였다. 뉴욕에서는 두 공간을 중심으로 다다이즘이 발전했다. 알프레드 스티글리츠가 운영했던 291 갤러리와 예술가들을 후원했던 재력가 월터 아렌스버그와 그의 아내 루이즈가 살았던 아파트 거실이었다. 취리히의 다다이스트들과 달리 뉴욕의 다다이스트들은 전쟁보다 예술적 쟁점에 더 관심을 가졌다. 베를린에서는 다다이즘이 보다 정치적인 성향을 띠었다. 어쨌든 다들 출판을 하고 성명서를 냈다. 독일에서는 다다이즘이 표현주의에 동화되었고, 파리에서는 문학계에서 어느 정도 입지를 다졌던 트리스탕 차라의 노력에도 불구하고 결국 그룹이 해체되었다.

모든 것은 다다이다

"가족을 부정하는 것이 될 수 있는 모든 혐오의 생산물은 '다다'이다. 파괴적인 행동으로 자신의 모든 존재를 주장하는 것: **다다**. 편리한 타협과 예의범절 때문에 지금까지 거부된 모든 수단에 대해 아는 것: **다다**. 논리의 철폐, 창작의 무능력자들이 추는 춤: **다다**. 모든 서열과 우리의 시종들이 만든 가치를 위한 사회 방정식: 다다. 각 사물, 모든 사물, 감정과 암흑, 수평선의 출현과 충돌은 투쟁을 위한 수단이다: 다다. 기억의 폐지: **다다**. 고고학의 폐지: 다다. 선지자들의 폐지: 다다. 미래의 폐지: **다다**. 즉흥성의 즉각적 결과물인 신에 대한 절대적이고 이론의 여지가 없는 믿음: **다다**. 조화에서 다른 영역으로 편견 없이 넘어가는 우아한 도약. 음반이 소리를 지르듯 내던진 말의 궤도. 진지하고, 겁이 많으며, 열렬하고, 기운 넘치며, 굳건하고, 열정 넘치는 순간의 광기 속에서 모든 개인성을 존중하기. 자신의 교회에 불필요하고 무거운 장식을 모두 벗어버리게 하는 것. 빛의 폭포수처럼 무례하거나 사랑스러운 생각을 내뱉기 또는 대천사처럼 몸에서 금빛이 나는 고결한 영혼을 위해 곤충이 없는 덤불에서—아무래도 상관없다는 충만함으로—그런 생각을 그만큼 소중히 다루기. 자유: **다다 다다 다다**. 경직된 색들의 비명, 대립과 모든 모순의 얽힘, 그로테스크, 일관성의 부재: **삶**." (「1918년 다다이즘 선언」, 『다다 3』, 트리스탕 차라, 취리히, 1918년 12월)

상징주의

상징주의는 19세기 후반에 발전한 문학 및 예술 운동이다. 상징주의 작가들은 산업 혁명, 자본주의, 중산층의 부상을 지지하고 실증주의와 과학주의를 반대했다. 상징에서 영감을 받고 신화의 세계를 무대로 삼으며 꿈에서 원천을 찾는 예술 작품이 상징주의의 핵심 가치였다. 이 시기에 철학자이자 미학자인 아르투르 쇼펜하우어가 프랑스에서 각광받았다. 1885년에 프랑스어로 번역된 『의지와 표상으로서의 세계』는 현실과의 관계라는 문제와 관련해 특히 상징주의 운동에 영감을 주었다. 작가들은 감각 세계—환상, 가면—를 재현하는 것에서 벗어나 인상을 뛰어넘는, 그보다 우위의 현실을 추구했다. 1874년 폴 베를렌은 「작시론Art poétique」이라는 시를 잡지에 게재했다. 이 작품은 다시 『옛날과 얼마 전*Jadis et naguère*』에 실렸는데, 제목에서도 알 수 있듯이 상징주의의 강령과 같은 글로 간주된다.

> 무엇보다 먼저 음악이다
> 그러려면 홀수 시구를 써라
> 보다 모호하고 곡조에 잘 녹아들도록
> 그 안에 누르거나 멈추는 것이 없도록
>
> 단어는 어느 정도 경시해서 골라라
> 미확정이 정확과 만나는
> 단조로운 노래보다 더 귀한 것은 없다

상징주의 문학

샤를 보들레르의 시는 상징주의 문학에 매우 중요한 역할을 했다. 1857년에 발표된 그의 시집 『악의 꽃』과 그가 번역한 에드거 앨런 포의 작품들은—조응correspondance의 개념을 받아들인—신세대 시인들에게 영감을 주었다. 그들은 시가 보여줄 수 있는 음악적 수준이라는 독창적인 개념을 만들기 위해 예술의 통합을 꿈꾸었던 바그너적 바람을 모르지 않았다. 고답파 시인들처럼 상징주의 작가들도 새로운 작시법이 필요하다고 느꼈다. 그들은 엄격했던 기존의 운율법을 버리고 산문시나 자유시를 시도했다. 시인의 개성적인 정신 상태를 보여주는 비유와 이미지를 무제한으로 사용한 것도 같은 이유에서였다. 상징주의 작가들은 내적 경험을 보여주는 즉각적이고 일시적인 감각의 표현을 중시했다.

상징주의 선언

「상징주의」는 장 모레아스가 쓴 선언서 성격의 글로, 1886년 9월 18일 『르 피가로』에 게재되었다. 이 글에서 모레아스는 상징주의의 태동을 알렸다. 문학의 부흥기에 활동했던 그는 자신이 반대하는 분파를 언급하고 상징주의의 선구자들을 소개했다. 그는 고답파, 낭만파, 자연주의를 저격했고 보들레르, 스테판 말라르메, 테오도르 드 방빌은 격찬했다. 이 글은 상징주의의 입장과 주요 원칙을 소개하고 수사학 문제에 관한 정확한 요점을 말한다.

> 교육, 과장된 수사, 가짜 감수성, 객관적 묘사의 적인 상징주의 시는 생각에 감각적 형태를 덧입히는 것을 목표로 한다. 그 형태는 그 자체가 목적이 아니라 생각을 표현하는 데 쓰이며 생각에 종속된다. 생각은 외부적 유추라는 화려한 옷을 벗어서는 안 된다. 상징주의 예술의 가장 큰 특징은 생각을 그 자체로 농축하지 않는 것이기 때문이다. 따라서 자연을 담은 그림이나 인간의 행동 등 모든 구체적 현상은 스스로 드러날 수 없다. 그것은 원초적 생각과 비의적 유사성을 재현할 감각적 외관이다.

상징주의 회화

폴 고갱의 열렬한 팬이었던 알베르 오리에는 인상주의의 강령과 미학, 예술 비평에 언제나 등장하는 인상주의의 꼬리표 등을 비난하며 인상주의를 격렬히 비판하는 글을 썼다. 그는 1891년 『메르퀴르 드 프랑스』에 발표한 글에서 상징주의 회화에 대한 정의를 내렸다.

드디어 요약해서 결론을 말하자면, 내가 논리적으로 언급하고 싶은 예술 작품이란 다음과 같다.

1. 아이디어적이다. 예술 작품이 추구하는 유일한 이상은 아이디어의 표현이기 때문이다.
2. 상징주의적이다. 아이디어를 형태로 표현해야 하기 때문이다.
3. 종합적이다. 일반적인 이해 방식에 따라 그 형태, 그 표상을 설명해야 하기 때문이다.
4. 주관적이다. 대상은 대상으로서가 아니라 주체가 인식한 아이디어의 표상으로 간주되기 때문이다.
5. 장식적(인 결과)이다. 이집트, 그리스, 원시 시대 회화처럼 본질적 의미의 장식 회화는 주관적이고 종합적이며, 상징적이고 아이디어적이기 때문이다.

상징주의 작가들로는 오딜롱 르동, 퓌비 드 샤반, 귀스타브 모로, 외젠 카리에르, 폴 세뤼지에 등이 있다. 폴 고갱은 대표적인 상징주의 화가이다. 모로는 고대 그리스·로마나 신화에서 피사체를 찾았다. 또한 신전이나 상상 속 궁전의 화려한 실내 장식을 눈부신 색으로 표현했다. 모로의 작품은 이국적 에로티시즘, 사치스러운 장식 등이 특징으로 꼽힌다. 르동은 주로 신비주의와 환상이 깃든 어두운 주제의 작품을 그렸다. 상징주의는 모리스 드니로 대표되는 나비파의 출현으로 전환기를 맞았다.

실존주의

실존주의라는 용어는 1940년대에 프랑스에서 최초로 사용되었으며 독일의 실존 철학Existenzphilosophie에서 비롯되었다. 엄밀히 말하면 실존주의는 이론보다는 운동에 가깝다. 쇠렌 키에르케고르의 저서 속에 나타난 실존주의의 기원은 헤겔의 합리주의에 대한 저항이고 이는 실존주의의 가장 본질적인 요소이다. 실존주의는 인간의 존재, 주체성, 자유를 가장 중요하게 생각했는데, 그런 의미에서 인간을 절대적 존재나 무한한 실체로 간주하는 모든 이론, 모든 형태의 필연론에 반대한다. 인간은 선택할 수 있으며 자신이 원하는 삶을 살 수 있는 가능성도 인간에게 달렸다. 키에르케고르와 더불어 니체도 실존주의의 선구자로 꼽힌다. 그 이후에 프랑스에서는 시몬 드 보부아르, 모리스 메를로퐁티, 알베르 카뮈가, 독일에서는 카를 야스퍼스, 마르틴 하이데거, 마르틴 부버가, 그리고 에스파냐에서는 호세 오르테가 이 가세트와 미겔 데 우나무노가 실존주의를 발전시켰다. 이 운동은 문학에도 영향을 미쳤다. 장폴 사르트르는 『존재와 무』(1943)와 『실존주의는 휴머니즘이다』(1945), 그리고 특히 제2차 세계 대전 이전에 발간된 소설 『구토』를 통해서 실존주의의 주요 개념들을 확산시켰다. 전후 키워드는 '존재하다'였다. 기만적인 이상주의와는 반대로 실존주의는 자유가 깃들어 있고 행동에 기반을 둔 메시지를 전달했다. 이러한 관점에서 "실존은 본질에 앞선다"는 사르트르의 말은 명료하다. 1960년대 이후 장 주네, 앙드레 말로, 사뮈엘 베케트 같은 작가, 알베르토 자코메티, 잭슨 폴락 등의 화가, 장뤼크 고다르, 잉마르 베리만 같은 영화감독들이 '실존주의자'로 분류되면서 실존주의는 매우 광범위한 지식 운동이 되었다. 실존주의 철학이라는 명칭은 머지않아 사르트르의 사상을 가리키는 말이 된다.

실존주의란 무엇인가

프랑스에 도입되었을 당시 실존주의는 주체의 철학과 밀접한 관련이 있는 하나의 사고방식과 삶의 방식을 가리켰다. 1936년 장폴 사르트르는 자유의 문제에 관심을 기울이고 인간이 경험하는 구체적인 상황을 다룬 글을 썼다. 제2차 세계 대전이 끝나자 개인의 자유는 더 큰 반향을 불러일으켰다. 사르트르는 인간이 역사를 소극적으로 감내한다고 가정하는 마르크스주의와 무의식이 인간의 행동을 결정하는 요인이라고 말하는 정신 분석학에 반대한다는 입장을 고수했다. 사회적 조건의 영향을 주로 연구하는 사회 과학과 반대로 실존주의는 개인에게 자유를 구축할 수 있는 가능성을 부여한다. 사르트르의 실존주의는 키에르케고르와 야스퍼스의 현상학보다 훨씬 더 멀리 나아갔다. 또한 무신론이 사르트르의 사고에 새로운 가능성을 열어주었다는 의미에서 가브리엘 마르셀의 기독교적 실존주의보다 사상의 범위를 더 확장했다.

자유의 길

『실존주의는 휴머니즘이다』는 사르트르가 1945년 10월 29일에 했던 강연 내용을 담아 출간한 강연록이다. 사르트르는 이 강연회에서 자신의 철학이 추구하는 주된 목적을 설명하고 자신이 받는 비판에 답했다. 가톨릭 신자들은 그의 철학이 비도덕적이라고 비난했고, 공산주의자들은 부르주아적이라고 손가락질을 하던 터였다. 게다가 양쪽 모두 실존주의가 개인을 중시하다 보니 연대감을 소홀히 했다고 주장했다. "실존은 본질에 앞선다"는 사르트르의 말은 인간의 본성이 존재하는 것이 아니라 인간은 자신의 행위로 규정된다는 것을 보여준다. 인간은 자신의 의지로 자신을 만들어가며, 그렇기 때문에 자신의 행동에 책임을 져야 한다는 것이다.

1938년에 출간된 『구토』는 8년 동안 글을 쓴 결과물이다. 일기 형식으로 쓴 이 소설에서 화자이자 주인공인 앙투안 로캉탱은 사르트르 자신의 분신이다. 자신의 삶에 낙담한 앙투안은 실제로는 존재하지 않는 도시인 부빌이라는 곳에 정착한다. 그러나 연구 활동도 일기 쓰기도 앙투안의 삶을 더 밝게 해주거나 더 낫게 해주지 못한다. 독자는 폭력적인 부조리가 지배하고 있는 의미 없는 주인공의 삶에 동화된다.

> 본질은 우연성이다. 내 말은, 존재란 필연이 아니라는 사실이다. 존재한다는 것은 그냥 거기에 있는 것이다. 존재하는 것들은 출현해서 순순히 만남을 이어가지만 우리가 그 존재들을 연역할 수는 없다. 나는 그것을 이해한 사람들이 있다고 믿는다. 다만 그들은 필요한 존재와 존재 이유를 만들어냄으로써 그런 우연성을 극복하려고 노력했다. 그런데 필요한 존재는 자신의 존재를 설명할 수 없다. 우연성은 가짜

로 꾸며낼 수 있는 것도 아니고 없앨 수 있는 모습도 아니다. 그것은 절대적인 것이고, 따라서 완전한 무상이다. 모든 것은 무상이다. 이 정원, 이 도시, 그리고 나 자신도 말이다. 사람들이 이 사실을 깨닫는 날이 오면 그들은 구역질을 느끼고 모든 것이 부유하기 시작할 것이다. (장폴 사르트르, 『구토』)

심리학

심리학은 개인 및 집단의 행동과 심리 현상을 연구하는 학문이다. 그리스어로 '영혼'을 뜻하는 '프시케psukhê'와 '말'을 뜻하는 '로고스logos'에서 비롯된 심리학psychology이라는 단어는 16세기에 출현했다. 심리학이 독자적인 학문으로 정립된 것은 19세기의 일이지만 심리학의 주요 관심사는 오래전부터 존재했다. 사고의 본질, 감정, 논리와 논증을 통한 행동 연구는 고대 철학의 전형적인 주제였다. 현대 심리학은 여러 분야로 특화되어 있으며 연구 분야와 방법론도 저마다 다르다. 임상 심리학은 환자의 말을 경청하는 것을 중시하고, 사회 심리학은 개인과 사회의 상호 관계를 주로 연구한다. 인지 심리학은 인간의 정신을 파악하는 데 도움이 되는 메커니즘을 중점적으로 다룬다. 1970년대에 심리학이 분야별로 전문화되면서 그와 관련된 직업도 다양해졌다. 교육, 커뮤니케이션, 언어가 중요한 역할을 하는 모든 분야, 그리고 스포츠에 이르기까지 심리학자들이 매우 다양한 업무를 맡아 활동하기 시작했다.

초기의 심리학자들

심리학은 사고의 본질, 감정, 행동에 대한 철학적 질문에서 탄생했다. 그리고 논리와 논증이 심리학의 도구였다. 1860년에 『정신 물리학 요강』을 발표한 구스타프 페히너가 정신 물리학의 창시자이다. 그는 생명체에서 일어나는 자극과 반응의 관계를 연구했다. 그로부터 20년 뒤 빌헬름 분트가 라이프치히에 최초의 실험 심리학 실험실을 개설했고, 이로 인해 실험 심리학의 아버지로 불린다.

테오뒬 아르망 리보는 1885년 콜레주 드 프랑스에서 그를 데려오려고 했을 때 이미 소르본 대학교의 교수로 재직 중이었다. 콜레주 드 프랑스는 그를 위해 실험 심리학 및 비교 심리학 강좌를 개설했다. 당시 제도적인 인정과 전문지의 창간으로 심리학은 조금씩 학문으로서의 지위를 얻어가고 있었다. 영국의 프랜시스 골턴은 차이 심리학을 만들었다. 이름이 말해주듯이 차이 심리학은 개인이 가진 심리학적 차이를 연구한다. 골턴은 심리 검사를 최초로 고안하고 피실험자에게 단어가 연상시키는 '심상'을 물어본 최초의 인물이기도 하다. 리보의 제자였던 알프레드 비네는 감각과 뇌의 기본적인 기능의 영역을 넘어서 뇌가 전체적으로 어떻게 작동하는지에 관심을 가졌다. 비네는 특히 어린이의 정신 발달을 분석했다. 그의 연구와 심리학에 기여한 공헌은 잘 알려져 있다. 비네는 또한 1905년에 환자의 정신 연령을 측정하기 위해 최초의 지능 검사를 고안했다. 그의 연구는 미국에 큰 반향을 불러일으켜서 미국의 연구자들은 지능을 계량화한 등급을 개발했다.

철학에서 심리학으로

철학에서 심리학으로의 이행은 빌헬름 딜타이가 이루었다. 그는 『정신과학 입문』(1883)에서 설명에 집착해 추상적인 현실로 나아가는 실증주의를 공격했다. 딜타이는 사회적·역사적 관점에서 인간의 현실을 재구축하는 것이 중요하다는 점을 증명했다. 역사로서의 사회학은 개인을 연구하고 인간의 구조적 단위, 삶의 방식을 강조하는 심리학에 기반을 둔다. 딜타이는 사회학 분야에서 역사주의의 발전에 기여했다. 카를 야스퍼스는 『세계관의 심리학』(1919)으로 실존주의의 흐름에 심리학이 기여하도록 했다. 이후 심리학은 철학이나 종교와 멀어져 경험주의와 실험으로 나아갔다.

반사와 뇌의 메커니즘

심리학은 클로드 베르나르의 영향으로 19세기 후반에 큰 발전을 거듭했다. 파리에서 그와 함께 연구를 했던 이반 세체노프는 뇌의 메커니즘과 반사 반응을 연구하는 정신 생리학을 창시했다. 세체노프의 제자 이반 파블로프도 뇌의 활동을 연구했고 그중 '조건 반사'에 대해 자세하게 다루었다. 조건 반사는 본능적인 반응인 무조건 반사와 달리 외부 자극(신호나 소리)으로 학습되거나 유도될 수 있다. 그가 한 실험의 목적은 인간의 적응 행동을 이해하고 신체의 요구와 외부 조건의 균형을 맞추려는 뇌의 역할을 강조하는 것이었다. 파블로프는 이 '불가능한 균형'을 발견하고 그 특징을 파악하려고 하면서 성격 장애—정신증과 신경증—에 관심을 갖게 되었다. 그는 히포크라테스의 원칙에 따라 성격을 구분해서 흥분형, 억제형, 침착형, 생기형 등 네 가지 유형으로 분류했다. 당시에는 약물이 뇌 기능에 미치는 영향이 연구되면서 뇌에 대한 최초의 정신 분석학적 접근이 이루어지기도 했다.

물살을 따라가자

행동주의는 실험 심리학의 이론과 방법론을 지배하던 내적 성찰에 대한 저항으로 발전했다. 행동주의의 창시자인 존 브로더스 왓슨은 관찰 가능한 현상에 기반을 둔 객관적인 학문을 구축하고자 했다. 개인의 행동은 연구할 수 있지만 그의 정신 상태는 알 수 없기 때문이다. 파블로프의 조건 반사 이론을 받아들였던 그는 인간과 동물의 모든 행동은 '자극/반응'의 관계로 설명될 수 있다고 생각했다. 1913년에 발표한 「행동주의자가 바라본 심리학」이라는 글에서 그는 행동의 예측과 제어가 심리학의 목적이라고 단언했다.

게슈탈트 심리학은 1920년대 독일에서 막스 베르트하이머, 쿠르트 코프카, 볼프강 쾰러와 같은 이론가들을 중심으로 발전했다. 이 심리학은 형태의 개념과 내용, 논리를 바탕으로 하는 지각 이론이다. 심리학적 현상은 조직화된 단위인 '게슈탈트 Gestalt'(형태)이다. 게슈탈트 심리학자들은 형태가 조직되고 내용에서 분리되는 방식을 연구한다. 그들은 지각을 기본적인 감각들을 조합한 결과라고 보는 주장에 반대한다. 그리고 전체적 형태를 재구성하는 것이 지각이라고 보았다. 우리가 지각한 것이 요소들의 총합이 아니라 총체로 조직된다는 것이다. 전체는 부분의 합보다 크기 때문이다. 이 이론에 따르면 행동 관계를 표현하기를 거부하는 요인은 외부 세계에 대한 지각으로만 설명된다. 지각 현상은 총체로서 이해해야 한다. 자극과 반응이 하나를 이룬다는 것을 망각한 다른 심리학 학파들이 하듯이 지각 현상을 '자극'에 따라 분리하는 것은 무용한 일이다.

정신 분석학은 지그문트 프로이트의 주도로 발전했다. 중요한 해였던 1885년에 빈의 의사 프로이트는 파리에서 유학할 수 있는 장학금을 받았다. 그는 최면과 히스테리를 연구하는 장마르탱 샤르코 교수의 신경과에 들어갈 수 있게 되었다. 샤르코는 신경 질환의 발생 원인을 몸의 일부분인 신경 체계의 기능 이상에서 찾았다. 프로이트는 같은 문제를 정신적 차원에서 탐구했다. 살페트리에르 병원에서 1년을 보내고 빈으로 돌아온 프로이트는 신경 질환을 치료하는 병원을 열었다. 그는 최면술을 쓰지 않고 말의 힘을 빌렸다. 자유롭게 발화되는 말은 치료에 긍정적인 영향을 미칠 수 있었다. 1899년 프로이트는 『꿈의 해석』을 출간했고, 2년 뒤에는 『일상생활의 정신 병리학』을 발표했다. 욕망과 성의 중요성을 단언하고 전통적으로 순수한 시기로 여겨지던 아동기로 거슬러 올라가 환자를 치료하는 방법을 소개함으로써 그의 저서들은 지극히 혁신적이면서도 그야말로 충격적으로 받아들여졌다. 프로이트는 신경증을 어린아이였을 때 겪었던 정신적 갈등과 결부시켰다. 그는 환자가 반대 성을 가진 부모에 대한 금지된 욕망 때문에 죄책감으로 괴로워한다고 보았다. 프로이트는 1908년 빈 정신 분석 학회를 설립했고, 2년 뒤에는 국제 정신 분석 학회를 창설했다. 『자아와 원초아』에서는 의식과 무의식 이론을 마음껏 펼쳤다. 인간의 정신은 원초아, 자아, 초자아로 이루어진다. 프로이트는 특히 아버지와 아이의 관계에 대해 깊이 있게 연구했다. 그는 개인 심리학의 엄격한 테두리를 벗어나 『토템과 터부』에서 '원시 사회'의 진화에, 『인간 모세와 유일신교』에서 종교의 근간에 자신의 이론을 접목했다.

주요 심리학 용어

카타르시스: 치료 실험에서 환자에게 모든 문제를 말로 표현하도록 하는 방법이다. 그 문제가 현실이든 상상이든 말을 내뱉음으로써 환자에게 차지하는 문제의 비중을 재지정할 수 있도록 해준다. 그러려면 환자가 잊어버렸던 트라우마를 기억해내야 한다. 능동적인 기억 꺼내기 또는 카타르시스로 증상(마비, 통증, 불편)이 사라진다.

리비도: 생물학적이면서 동시에 정신적인 성적 에너지.

원초아: 무의식. 주로 꿈으로 나타난다.

자아: 의식, 현실.

초자아: 원초아에서 욕망이 의식으로 흘러 들어가는 것을 막는 자기 금기.

아날학파

아날학파는 뤼시앵 페브르와 마르크 블로크가 1929년에 창간한 『경제사회사 연보 *Annales d'histoire économique et sociale*』라는 학술지와 관련이 있다. 아날학파는 변화 일로에 놓인 근대 사회를 제대로 꿰뚫지 못하는 역사의 실증주의적 관점과 완전히 결별할 것을 표방했다. 『경제사회사 연보』는 지리학, 경제학, 사회학을 어우르며 역사를 더 제대로 이해하자는 취지하에 사회 과학의 여러 분야를 통합하는 역할을 하고자 했다. 또한 외교사나 전쟁사와 달리 '역사-문제histoire-problème'를 만들고자 했다.

아날, 제2세대

제2차 세계 대전이 끝나고 『경제사회사 연보』는 『아날: 경제, 사회, 문명』으로 이름이 바뀌었다. 그러나 경제에 더 치중한 역사에 관심을 두었던 페르낭 브로델, 피에르 구베르, 에르네스트 라브루스 등이 참여함으로써 인문 과학을 통합하고자 하는 욕심을 버리지 않았다. 1970년대에 이르러 자크 르 고프, 피에르 노라, 필리프 아리에스 등이 합류하면서 문화 방면에 더 치중하게 된다. 아날학파는 대상 자체가 새로운, 심오하고 지속적인 현상들을 밝히려고 했다. 따라서 새로운 연구 방법론을 고안하고, 새로운 개념을 만들어내고, 사고를 갈고닦아야 했다. 아날학파의 연구는 과거에 대한 우리의 관점뿐만 아니라 사회 과학의 연구 방법론과 목적 자체를 크게 바꿔 놓았다.

페르낭 브로델

페르낭 브로델Fernand Braudel은 20세기의 위대한 역사가 중 하나이다. 1947년에 발표했던 그의 박사 학위 논문 「펠리페 2세 시대의 지중해와 지중해 세계」는 16세기 에스파냐와 오스만 제국의 분쟁을 다룬 논문으로 지금까지도 본보기가 되는 글이다. 이 논문에는 지리, 종교, 농업, 기술, 경제, 문화적 분위기 등 다양한 요소가 담겨 있다. 이 모든 요소가 우리가 역사라고 칭하는 것의 양분이 된다. 전쟁이 끝나자 브로델은 스승인 뤼시앵 페브르의 뒤를 이어 콜레주 드 프랑스와 파리 사회 과학 고등 연구원

에서 교편을 잡았다. 브로델이 국제적인 명성을 얻은 것은 사회 과학 분야의 판도를 완전히 뒤집어놓았기 때문이다. 그는 정치, 전쟁, 외교를 뒷전으로 미루고 지리적 시간(장기간), 사회적 시간(국가의 시간), 사건의 시간(사건의 역사) 등 세 층위의 역사적 시간성이라는 개념을 만들었다. 역사에서 정치적·군사적 접근의 중요성을 축소했다는 이유로 브로델은 현대 역사를 연구하지 않으려 한다거나 냉전 시대의 이데올로기와 도덕적 문제에 집착한다는 공격을 받았다.

아르 앵코에랑

아르 앵코에랑arts incohérents은 19세기 말에 작가 쥘 레비가 창시한 예술 운동이다. 시인이자 소설가였던 에밀 구도가 만든 문학 클럽 이드로파트('물을 싫어하는 사람들')와 상당히 유사했다. 19세기 말에 이러한 운동들이 늘어났는데 그리 오래가지는 못했으나—이드로파트도 1878년에서 1880년까지 존재했을 뿐이다—이 운동들과 관련된 인물들은 매우 활발하게 활동했다. 아르튀르 사페크라는 가명으로 잘 알려진 외젠 프랑수아 보나방튀르 바타유도 그중 하나였다. 19세기 말 문학 살롱들은 판에 박힌 관습을 지키는 작품을 내놓았다. 1882년 쥘 레비는 그림을 그릴 줄 모르는 사람들을 모아 전시회를 여는 등 공식적인 행사들을 패러디하기도 했다. 관람객은 촛불을 켜고 전시회를 관람했다. 이 전시회의 기획 의도는 주류 예술과의 관계를 특징짓는 권태와 어리석음을 조롱하는 것이었다. 두 번째 전시회도 같은 해에 쥘 레비의 집에서 열렸다. 10제곱미터밖에 되지 않는 작은 집에서 단 하루 저녁 열린 전시회에는 2000명 이상이 방문했다. 전시된 작품들의 공통된 주제는 유머였다. 이듬해에는 파리에 있는 비비엔 갤러리에서 한 달 동안 창고를 전시장으로 내주었다. 전시는 성공적으로 끝났다. 그런가 하면 가장 무도회도 개최되었는데, 첫 무도회는 1885년 3월 11일에 열렸고 그날의 주제는 '행복한 기분'이었다. 그로부터 1년 뒤에 쥘 레비는 출판사를 차렸고 친구들의 작품을 출간했다. 그러나 힘이 달린 아르 앵코에랑은 비난을 받기 시작했다.

아르 앵코에랑의 의의

이 운동은 프랑스가 패전한 프로이센·프랑스 전쟁 이후 이어진 암울한 시절과 낭만주의에 대한 저항으로 형성되었다. 당시에는 속임수가 유행했다. "진지함은 바보를 만들고 유쾌함은 다시 태어나게 만든다"나 "천장에 대고 침 뱉지 말기" 등의 문장이 벽보에 등장하고 작품의 제목으로 쓰였다. '푸짐한 식사를 하는 일요일'이라는 뜻의 '디망슈 그라dimanche gras'를 '기름이 묻은 손잡이 10개Dix Manches gras'로 바꾸는 등 동음이의어를 이용한 말장난도 유행했다. 예술가들은 전통적으로 사용하던 대리석 대신 빗자루, 솥, 냄비, 요강 등 재료를 가리지 않았고, 과슈 대신 탄산수나 침, 대구 기름에 섞은 수채 물감을 사용했다. 이로써 작품의 신성함을 박탈했다. 아르 앵코에랑 작가들의 작품은 대부분 전해지지 않으나 공식적인 행사를 흉내 내기 위해 만든 도록은 남아 있어 이 운동이 얼마나 활발한 창작으로 이어졌는지 알 수 있게 되었다. 도록에는 작가의 작품마다 매우 자세하고 재미있는 설명이 곁들여져 있어서 읽는 재미를 선사한다.

올랭피아에서 열린 아르 앵코에랑 전시회 포스터, 1893년.

웃고 비웃자

아르 앵코에랑의 목적은 웃음을 안겨주는 것이었고 그 목적을 위해서는 어떤 수단을 써도 상관없었다. 세기말에 수많은 작가, 기고가, 작곡가, 만화가, 화가들이 부르주아의 가치를 비웃는 작품을 만들어 발표했다. 사회에 대한 그들의 날카로운 비판과 이의 제기는 20세기에 다다이즘과 그 밖의 전위적 흐름이 일어날 수 있도록 길을 열었다. 1883년 아르튀르 사페크는 레오나르도 다빈치의 「모나리자」를 패러디해서 파이프 담배를 피우는 모나리자를 발표했다. 이 작품은 1919년에 나온 마르셀 뒤샹의 「L.H.O.O.Q.」보다 앞선 것이었다. 역시 1883년에 발표된 알퐁스 알레의 작품도 사실은 흰 백지에다가 「눈 오는 날 빈혈 있는 소녀들의 첫 성체 배령」이라는 제목만 달았을 뿐이었다. 이 작품은 당시 카지미르 말레비치와 이브 클랭 같은 화가들이 단색화를 발표하는 바람에 덩달아 유명세를 탔다.

예술을 위한 예술

'예술을 위한 예술'은 테오필 고티에가 『모팽 양』(1835)의 서두에서 언급한 유명한 구절이자 고답파 시인들의 신조이기도 하다. 예술 작품에 다른 목적은 있을 수 없다는 생각은 고답파 시인들뿐 아니라 19세기 미학 전반에 영향을 미쳤다. 이미 1804년에 벵자맹 콩스탕은 자신의 일기에 "모든 목적은 예술을 왜곡한다"고 썼고, 1828년에 빅토르 쿠쟁도 철학사 강의에서 비슷한 주장을 했지만 이 표현의 주인은 테오필 고티에이다. 그는 다른 아름다움을 추구하는 예술이라는 개념을 낭만주의가 절정에 이르렀을 시기에 내놓았다. "음악의 소용은 무엇인가? 회화의 소용은 무엇인가? 모차르트보다 카렐 씨를 더 좋아하고, 미켈란젤로보다 백겨자 소스 발명가를 더 좋아하는 미친 짓을 할 사람이 어디 있는가? 아무것에도 소용이 없는 것만이 진정으로 아름답다. 어느 것이든 소용이 있는 것은 추하다. 그것은 어떤 필요의 발현이기 때문이고, 인간의 필요는 인간이 비천하고 불완전하므로 비열하고 혐오스럽기 때문이다. 집에서 가장 소용 있는 장소는 뒷간이다. 누구는 싫어할지 모르지만, 나는 불필요한 것이 필요한 것이라고 생각하는 사람이다. 내가 좋아하는 물건과 사람은 나에게 도움이 되지 않기 때문에 좋아하는 것이다. 나는 나에게 소용이 되는 이름 모를 도자기 꽃병보다 용과 원앙새가 그려져 있으나 나에게는 하등 소용이 없는 중국 도자기 꽃병이 더 좋다. 나의 재능 중에서도 가장 높게 평가하는 것은 날말 맞히기에서 답을 추측하지 않는다는 것이다."

고답파의 의의

파르나소스산은 델포이에 있는 산으로 아폴론 신과 뮤즈를 기리는 장소였다. 그래서 시인들은 파르나소스산을 신성한 장소로 여겼으며, 환유적으로 파르나소스는 시인과 시를 가리키는 말이 되었다. '파르나시앵parnassiens', 즉 고답파라는 이름은 1860년에서 1866년까지 테오필 고티에를 중심으로 모인 시인들이 함께 낸 시문집 『현대 고답파 시집*Le Parnasse contemporain*』에서 따왔다. 루이자비에 드 리카르와 카튈 망데스가 편집하고 알퐁스 르메르가 출간한 이 시문집은 1866년에 제1권이 발간되었다. 테오도르 드 방빌, 르콩트 드 릴, 샤를 보들레르, 조제마리아 드 에레디아, 폴 발레리, 테오필 고티에 등 40여 명의 시인들이 참여했다. 제2권과 제3권은 각각

1871년과 1876년에 출간되었다. 1876년은 고답파 운동이 종지부를 찍은 해이기도 하다. 고답파 시인들은 엄격한 의미의 학파를 이루지는 못했지만 형식의 완성을 추구한다는 같은 목적을 가졌다.

예술을 위한 예술: 예술이 아닌 다른 것은 그 무엇도 중요하지 않다. 사회적 현실도, 정치 참여도 필요 없다. 예술을 위한 예술을 하기 위해서 범상함을 뛰어넘는 박학을 갖추고, 모든 운율법을 연마하고, 12음절의 알렉상드랭과 14줄로 구성된 소네트를 중요하게 생각해야 한다.

몰아성, 그리고 서정시에 대한 거부: 르콩트 드 릴은 『야만 시집』에 발표한 「조련사」에서 몰아성을 주장했다. "나는 너에게 나의 취기나 악을 팔지 않겠다." 고답파는 고대 그리스·로마의 세계 또는 그 신화에서 영감을 받으며 자신들이 사는 시대를 벗어나고자 했다. 낭만주의자들이 중요시했던 자아는 증오의 대상이 되었고 고답파 시인들은 1인칭을 사용할 때에도 감정을 표현하는 단어를 배제했다.

아름다움의 숭배: 작시법의 엄격한 준수, 정확한 단어의 사용, 균형 잡힌 구조의 구축, 운율의 제어, 소리의 조화에 대한 주의 등을 완벽, 즉 이상적인 아름다움에 이르는 방법이라고 여겼다.

오리엔탈리즘

빅토르 위고가 『동방시집』의 서문에서 말했듯이 "동양은 이미지로나 사상으로나, 지성뿐 아니라 상상력에서도 일종의 일반적인 관심사가 되었다." 오리엔탈리즘이라는 용어는 1826년에 이미 사용되었고 1832년에는 『아카데미 프랑세즈 사전』에 등재되었다. 이 용어가 가리키는 세상은 이집트, 레바논, 시리아, 북아프리카 해안 지역, 아랍의 지배를 받았던 에스파냐, 그리고 그리스이다. 오리엔탈리즘은 문학이나 예술 학파가 아니라 서양이 동양에 대해 가지고 있는 상상에 기반을 둔 표상이다. 그래서 동양적 분위기가 풍기는 사막, 하렘, 여성의 표상, 일상 등이 오리엔탈리즘의 주제였다. 장오귀스트 도미니크 앵그르의 「터키 목욕탕」이 좋은 예이다. 오리엔탈리즘의 기원은 도미니크 비방 드농이다. 1798년 나폴레옹의 이집트 원정에서 돌아와 1802년에 펴낸 그의 저서 『이집트 남부와 북부 여행』은 큰 인기를 끌었으며, 1809년에 출간된 공동 저작 『이집트 기술』은 원정을 따라갔던 학자들의 '관찰 및 연구 결과 모음집'이었다. 19세기에는 동양학 학교들이 설립되면서 이집트에 대한 붐이 일기 시작했다.

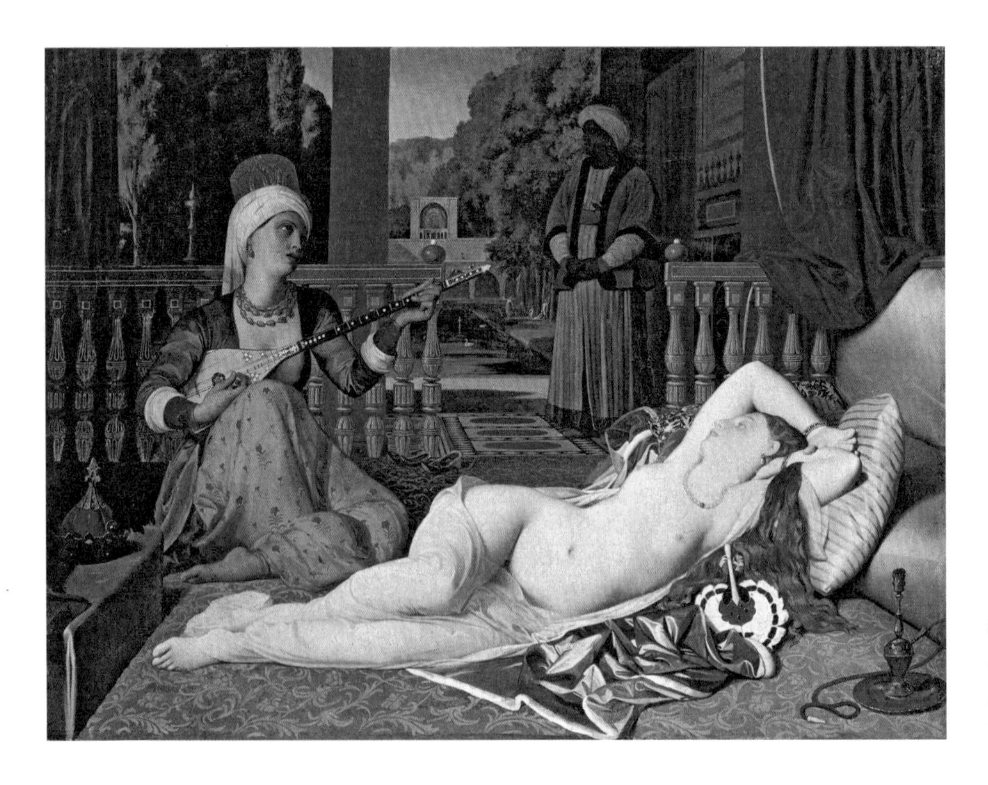

「오달리스크와 노예」, 장오귀스트 도미니크 앵그르, 1842년.

여행, 여행

오리엔탈리즘은 상상만으로 발전한 것이 아니다. 여행, 새로운 땅의 발견, 다른 문화와의 만남이 유행했기 때문이다. 바이런 경은 1809년에서 1811년까지 그리스를 여행했다. 그리스의 독립 전쟁은 외젠 들라크루아에게 영감을 주어 「키오스섬의 학살」이 완성되었고, 이 작품은 프랑스 사람들에게 새로운 땅에 대한 관심을 불러일으켰다. 그로부터 6년 뒤에 들라크루아는 알제 원정을 계기로 북아프리카를 여행했다. 여행 중 기록해야 할 자세한 사항들은 19세기 후반에 발명된 사진으로 해결되었다. 사람들은 대상을 꿈꾼 대로가 아니라 있는 그대로 간직하고 싶어 했다. 1836년 파리 콩코르드 광장에는 룩소르 오벨리스크가 세워졌다. 그러나 동서양의 관계는 훨씬 이전으로 거슬러 올라간다. 예술가들은 중세를 좋은 추억으로 기억했고, 십자군은 일종의 향수를 불러일으켰다. 베네치아와 터키의 관계, 영국인들의 인도 지배는 문화 교류의 기회를 제공했다. 그러나 오리엔탈리즘은 주로 장식적인 기능이 커서 터키풍과 중국풍이 건축, 회화, 의상에 모티프로 들어갔다. 좀 더 의미가 있는 징후도 있었다. 1814년 콜레주 드 프랑스에 산스크리트어와 중국어 강의가 개설되었고, 얼마 뒤에 파리 아시아 협회가 설립되었다.

동양화된 동양?

동양은 고정 관념으로 구축되었던 것일까? 일부 연구자들은 동양이 항상 같은 시각, 같은 옷, 같은 태도로 재현되는 역사적 보수주의의 피해를 입었다고 주장했다. 이러한 비판적인 입장을 따른다면 동양에 대한 접근법을 둘로 나눌 수 있다. 동양에 살았던 학자들의 접근법, 그리고 상상력을 통해 미지의 땅을 동양화하고 싶었던 유럽인들의 접근법이 그것이다. 결국 동양에 대한 이상화는 특히 현실을 알게 된 예술가들의 환멸을 낳았다. 상상으로 동양을 동경했던 사람들은 스스로의 잘못을 판단하는 재판관이 되었다. 그러나 고갈된 아이디어를 동양에서 찾아보겠다는 환상에 사로잡힌 포식자로 서양을 바라보는 방식에 모든 지식인이 동의하던 것은 아니다.

인상주의

19세기 말에 인상주의라는 예술 사조는 아카데미적인 회화와 완전한 결별을 선언했다. 인상주의의 출발점은 1874년 파리 회화·조각전의 심사위원들에게 작품을 거부당한 젊은 화가들이 직접 전시회를 열기로 한 사건이다. 이들은 '무명의 화가·조각가·판화가 협회'를 조직해서 '거부당한 자들의 전시회'를 열었다. 파리 회화·조각전은 왕립 회화·조각원의 후신인 미술원에서 인정한 예술가만 받아들였다. 루이 14세 통치 시절 수상이었던 콜베르가 만든 미술원은 인상주의 시대에 이미 200년이 넘는 역사를 자랑하는 기관이었다. 그러나 미술원의 취향을 결정짓는 규범은 매우 경직되었고, 그리스·로마 신화나 종교적 특징이 드러나는 역사가 가장 중요한 주제로 다루어졌다. 정물화보다는 초상화가 더 높은 평가를 받기도 했다. 파리 회화·조각전에는 학교에서 가르치는 미술에 익숙한, 당시 떠오르는 부르주아 계층에 속한 작가들의 작품이 전시되었다. 미술전의 심사위원들은 미술계를 쥐고 흔드는 유력 인사였기 때문에 창조적 자유를 누리고 싶은 작가는 아주 많은 노력을 기울여야 했고 그런 의미에서 인상주의는 그들의 욕망에 딱 들어맞았다. 인상주의 작가들은 미술전의 허가 없이 작품 홍보를 화상들에게 위임했다. 1870년 폴 뒤랑뤼엘은 자신의 런던 갤러리에서 이들의 작품을 바르비종파 작가들의 작품과 함께 전시했다. 인상주의의 대표적인 화가로는 카미유 피사로, 에드가 드가, 폴 세잔, 알프레드 시슬레, 클로드 모네, 피에르오귀스트 르누아르, 베르트 모리조, 메리 카사트, 귀스타브 카유보트 등이 있다.

인상주의의 처음과 끝

인상주의 역사의 처음에는 '무명의 화가·조각가·판화가 협회'의 첫 번째 전시회에 전시할 작품을 그리러 이젤을 옆구리에 끼고 르 아브르로 향하는 모네가 있었다. 그곳에서 모네는 작품 2점을 완성해서 돌아온다. 물에 비친 붉은 아침 해가 공간을 가득 메우고 있는 「인상, 일출」이 그중 하나이다. 인상주의 역사의 끝은 1880년대 중반이다. 이 시기에 인상주의 작가들은 제대로 된 학파를 만들지도 못하고 흩어졌다. 그들은 저마다 연구도 하고 나름의 스타일과 특징적인 터치를 발전시켰다. '무명의 화가·조각가·판화가 협회'가 개최한 마지막 여덟 번째 전시회는 1886년 파리의 카퀴신 거리 35번지에서 열렸다. 그 이후에 다양한 흐름이 형성되었다. 인상주의 운동은 비록 그 기간은 짧았지만 미술사에 진정한 혁명을 일으켰다. 신인상주의와 후기인상주의, 조르주 쇠라와 폴 시냐크, 폴 고갱과 빈센트 반 고흐의 작품들만 생각해 보아도 그 영향이 얼마나 대단했는지 알 수 있다.

인상주의란 무엇인가

인상주의 회화는 기존의 미술과 결별하고자 했지만 기존 작가들에게 영향을 받지 않을 수 없었다. 인상주의 작가들과 비슷한 색과 흐릿한 형태를 사용했던 윌리엄 터너, 역시 비슷한 색을 사용했던 바르비종파가 그들이다. 그런데 인상주의 작가들은 다른 면에서 혁신을 꾀했다. 그들은 화실을 벗어나 현장에서 실물을 보고 그렸고 스케치를 따로 하지 않았으며 원근법도 변형시켰다. 그들은 모두 자유로운 기법과 대상에 대한 개성적인 접근을 추구했으며 자연을 그대로 재현하는 것을 거부했다. 종교적 주제와 역사적 주제를 배제했고 풍경, 사람의 무리, 또는 혼자 있는 개인에게서 영감을 얻었다. 화법도 바꿔어 대상을 있는 그대로 묘사하지 않고 대상이 주는 인상을 표현했다. 또한 구성을 포기하고 순색을 사용했다. 때로는 팔레트에 물감을 짜서 섞어 쓰지 않고 캔버스에 바로 짜서 붓이나 나이프로 칠하기도 했다. 가장 중

인상주의 화가가 되려면

- 데생을 많이 해서 구성을 미리 계획하지 않는다.
- 물감을 여러 겹 칠한 캔버스를 준비하지 않는다.
- 붓뿐만 아니라 나이프를 사용해 색을 칠한다.
- 자연으로 나가 이젤을 놓는다.
- 움직이거나 변하는 대상을 그린다.
- 공간 배치는 선형적인 원근법을 따르지 않는다.
- 색은 중간색보다는 순색을 사용한다.
- 일본 목판화 우키오에를 알아둔다.
- 사진을 가까이한다(펠릭스 나다르는 자신의 작업실을 화가들에게 빌려주기도 했다).

요한 것은 빛이었다. 빛과 그림자에 따라서 색이 변했고 대상은 정해진 형태가 없이 순간성의 특징을 띠었다.

모네와 마네

클로드 모네는 인상주의의 선구자이자 리더로 꼽힌다. 그의 화풍은 평생 발전을 거듭했다. 인상주의의 신호탄이었던 「까치」에서 「생라자르 역」 연작과 「건초더미」를 거쳐 지베르니에서 완성한 「수련」에 이르기까지 모네는 빛에 대한 연구에 따라서 기법을 달리했다. 화가로서의 그의 삶은 외젠 부댕과의 우정에서 시작되었다. 부댕은 모네에게 늘 힘을 주었다. 야외 사생에 입문시킨 것도 그였다. 모네의 작품 중에서 가장 인기가 있는 것은 「풀밭 위의 점심 식사」이다. 4×6미터 크기의 이 작품은 같은 제목에 같은 크기의 그림을 그린 마네에 대한 헌정이자 도전이었다. 마네 역시 그 그림을 그린 것은 티치아노의 「전원 음악회」에서 영감을 받았기 때문이었다.

에두아르 마네는 아카데미적 규범을 거부하고 작품의 독립성을 추구함으로써 인상주의가 탄생하는 데 기여했다. 그가 마르티네 갤러리에서 전시한 작품 14점은 17세기 에스파냐 회화에 대한 경외심을 나타낸 것이다. 「풀밭 위의 점심 식사」는 1863년 전시 당시 외설적이라는 비난을 받았다. 나체인 모델의 몸이 고전적인 이상과는 거리가 멀었기 때문이다. 같은 해에 완성되었지만 2년 뒤에 전시된 「올림피아」는 전통 회화와의 결별을 예고했다. 매춘부를 표현한 이 그림은 '탁월한 외설', '짐승 같은 숫처녀'라고 불리며 스캔들을 일으켰다. 1867년 만국 박람회 당시 거부당한 작품이 많아지자 마네는 직접 전시관을 짓고 그림을 전시했다. 자연주의를 담은 마네의 작품에 깊은 인상을 받은 에밀 졸라가 마네를 지지했고 화상인 폴 뒤랑뤼엘이 그의 그림 대부분을 구입했지만 마네가 그린 그림의 작품성과 중요성은 20세기에 와서야 미술사가와 비평가들에게 인정을 받았다.

「푸른 수련」, 클로드 모네, 1916년.

입체파

예술 사조 중 조형 예술, 그중에서도 회화에 가장 큰 충격을 준 것은 아마 입체파일 것이다. 입체파, 즉 큐비즘이라는 용어는 조르주 브라크의 풍경화를 감상하던 앙리 마티스가 한 말에서 연유했다. 브라크 외에 입체파의 발전에 기여한 인물은 바로 파블로 피카소이다. 그의 작품 「아비뇽의 처녀들」(1907)은 큐비즘의 출생 신고서이자 선언서로 평가받는다. 5명의 여성의 나체가 각진 선으로 표현된 이 작품은 그림으로 표현되는 것이 실제로 본 것이 아니라 정신이 인식한 방식과 일치한다는 원칙을 보여준다. 따라서 대상은 해체되었다가 다양한 측면으로 제시된다. 입체파의 특징은 주제의 관념화, 대상의 해부학적 왜곡, 기하학적 형태의 사용이다. 입체파는 추상 예술에 이어 출현했지만 추상 예술과는 목적이 달랐다. 입체파 화가들은 현실과 결별하지 않았고 오히려 현실을 다각적으로 분석해서 종합적인 이미지를 구축하려 했다. 화가들이 고전적인 원근법을 사용하지 않고 대상의 '본질' 자체를 파악하려 했던 최초의 시도였던 것이다. 입체파의 기법은 캔버스의 표면이 바깥으로 돌출되어 보이게 하는 효과를 낸다. 이처럼 유의미한 변화를 아프리카 전통 회화의 발견과 폴 세잔의 영향으로 설명하려는 화가들도 있었다.

「아비뇽의 처녀들」 또는 철학적 난장

피카소는 매음굴의 벌거벗은 여인들의 모습을 담은 작품 「아비뇽의 처녀들」을 그렸다. 그는 입체파에게 매우 중요한 이 작품을 완성하기 전에 자신이 가고자 하는 방향을 보여주는 수많은 스케치와 준비 작업을 했다. 결국 1907년 피카소는 자신이 원하는 것을 찾았다. 공간과 부피를 전통적인 방식으로 연결하지 않았고, 색도 검은 공간과 흰 공간이 교차되도록 해서 구조를 파괴한 것이다. 형태도 해체되었다. 「아비뇽의 처녀들」에서 왼쪽에 있는 세 여인은 폴 고갱을 연상시키지만 오른쪽에 있는 여인들은 아프리카 회화에서 영감을 받은 것으로 보인다. 오른쪽 하단에 앉아 있는 여인은 입체파의 원칙을 압축하고 있다. 이 여인 안에 앞으로 발전하게 될 입체파의 미래가 모두 담겨 있다.

「아비뇽의 처녀들」, 파블로 피카소, 1907년.

세잔의 영향을 받은 입체파(1907~1909): 입체파의 시작

조르주 브라크의 「거대한 나부」(1907~1908)는 「아비뇽의 처녀들」만큼이나 중요한 입체파 작품이다. 브라크는 다년간 연구했던 폴 세잔을 통해 배운 따뜻하고 조화로운 색의 배합, 검은 테두리, 평행선 같은 일정한 붓 터치 등을 이 작품에 적용했다. 피카소와 마찬가지로 브라크도 개념적인 작업을 했지만 피카소가 대상을 분해하고 잘랐던 반면 브라크는 하나로 결합했다. 그 결과 대작이 탄생했다. 오른쪽 다리로 중심을 잡고 도는 여자의 거대한 나체가 표현된 것이다. 풍경의 재현도 변화를 겪었다. 세잔에게 바쳤던 「에스타크의 구름다리」에서는 기하학적 형태의 풍경이 평면적으로 표현되었다. 색이 잘 구분되지 않는 작은 정육면체들을 모아둔 형태이다.

분석적 입체파(1909~1912)

1909년은 입체파에게 새로운 시대가 시작된 해였다. 현실을 해석하지만 아직은 일관성 있는 외양을 갖춘 세잔의 입체파가 새로운 단계로 나아갔기 때문이다. 실재하는 대상이 사라지고 회화적 현실이 그 자리를 차지하면서 그림은 그 자체로 독립성을 확보하게 되었다. 비평가인 기욤 아폴리네르와 화상인 다니엘헨리 칸바일러가 입체파를 알리려고 함께 노력을 기울였지만 대중과 비평가들은 입체파를 전혀 이해하지 못했다. 이 시기에 새로운 자연 과학과 철학이 등장하면서 새로운 세계관도 자리 잡았다. 이 당시에도 피카소와 브라크는 위대한 화가였다. 예수 성심을 표현한 작품을 보면 알 수 있듯이 브라크는 외형을 더욱더 파괴했다.

종합적 입체파(1912~1925)

입체파의 초창기 실험을 지배하던 원칙이 "병으로 원기둥을 만든다"였다면 종합적 입체파에게는 "원기둥으로 병을 만든다"였다고 할 수 있다. 종합적 입체파를 주도한 사람들 중에는 여전히 브라크가 있다. 그는 그림에 문자를 도입했고 피카소보다 몇 달 일찍 파피에 콜레papier collé를 사용하기 시작했다. 그러나 피카소가 1912년에 발표한 「등나무 의자가 있는 정물」은 새로운 변화를 알렸다. 그는 이 작품에서 등나무로 짠 의자 무늬가 있는 유포를 삽입했는데, 이로써 그림이나 물감이 착각을 일으키는 것이 아니라 현실의 출현이 착각을 불러일으키게 되었다. 이는 불필요하고 부수적인 것을 모두 배제한 형태를 종합하려는 의지를 보여준다. 브라크와 피카소 외에도 후안 그리스와 프랑시스 피카비아가 무브먼트의 문제를 다루었고, 페르낭 레제는 기하학을 적용해 관(튜브) 형태를 작품에 많이 도입하다 보니 '튜비스트'라고 불리게 되었다.

입체파의 영향

입체파를 이론적으로 다룬 최초의 책 『입체파에 대하여』는 프랑스의 화가 알베르 글레즈와 장 메챙제가 1912년에 발표했다. 두 사람은 기하학과 수학 도형을 이용하는 양식을 이론화했다. 그해에 그들은 입체파의 두 거장을 제외한 입체파 화가들의 작품을 모아 전시회를 개최하기도 했다. 조화로운 원근의 관계를 정하는 황금비에서 따온 '황금 분할'이 전시회의 명칭이었다. 전통적 의미의 원근법을 버린 입체파 화가들은 공간을 2개의 차원으로 분할하고자 했다. 같은 해에 전시회에 참여하지 않았던 로베르 들로네를 통해 오르페우스적 입체파가 출현했다. 이 이름은 들로네의 작품에서 색이 어떻게 빛을 만드는지 본 아폴리네르가 지었다. 입체파는 네덜란드, 이탈리아, 러시아에서 비슷한 변화를 겪었다. 네덜란드에서는 세잔과 19세기 말 네덜란드 화가들의 영향을 받은 피트 몬드리안이 매우 단순한 형태의 상징주의적인 양식을 완성했다. 1917년에 몬드리안을 중심으로 신조형주의가 형성되었다. 신조형주의는 이후 건축, 디자인, 타이포그래피에 지속적으로 영향을 미쳤다. 러시아에서는 1912년 카지미르 말레비치가 '입체 미래주의'를 보여주는 첫 작품들을 전시했다. 그는 '절대주의'로 인해 정점에 이른 추상화의 영향으로 1915년에 「검은 사각형」을 완성했다.

자유주의

자유주의는 정밀과학과 철학의 발전으로 우리가 편의상 이 범주에 포함시킨 모든 경향이 싹텄을 때 제대로 모습을 드러냈다. 우리가 흔히 자유라고 할 때 떠올리는 것을 생각하면 자유주의가 과학이나 철학에 적용되는 것이 맞지만 실제로는 정치, 경제, 사회 분야에 적용되는 자유주의를 말한다. 파스칼과 데카르트가 과학적 이성을 종교적 사고의 우위에 둠으로써 창조에 의미를 부여하는 시대를 열었을 때 철학자 존 로크는 인간과 인간이 세상에 존재하는 궁극적 목적을 결부시키는 자연법 이론을 발전시켰다. 말 자체에도 드러나 있듯이 자유주의는 개인의 자유, 정치의 자유, 경제의 자유를 누릴 수 있는 권리를 요구하기 때문이다. 그러나 이러한 자유는 제한 없는 자유를 말하는 것이 아니다. 자유는 인간이 만든 제도의 이성적인 틀 안에서 행사되어야 한다. 자유주의는 19세기 중반까지 승승장구했지만, 특히 다양한 흐름의 사회주의 운동을 중심으로 문제가 제기되었다. 사실 자유주의를 단수가 아닌 복수로 일컫는 것이 더 정확할 것이다. 사상은 몇 권의 중요한 저서로부터 형성되는 것이 아니라 인간에게 필연적인 자유에 대한 공통된 생각을 넘어서서 나름의 주관을 가진 창시자들의 매우 개인적인 개념을 중심으로 유기적으로 구성되기 때문이다.

정치적 자유주의란 무엇인가

존 로크는 『통치론』에서 정치적 자유주의의 범위를 규정했다. 영국에서는 근대 민주주의의 기틀이 잡힌 시대였다. 권리 장전은 군주가 “군림하되 통치하지는 않는” 체제를 마련했다. 시민을 대표하는 의회는 자주 소집되었고 국왕의 뜻을 거역할 수 있게 되었다. 의원들은 표현의 자유를 누렸고, 유권자들은 투표의 자유를 누렸다. 로크의 『통치론』은 신권을 누리는 절대 왕정에 반대하고 새로운 민주주의를 이행할 수 있는 방법을 탐구했다. 로크는 이를 자연의 상태에서 사회의 상태로 나아가는 것이라고 보았다. 그 방법은 사유 재산권을 보장하는 국가의 역할을 결정하는 것이다. 다시 말하면 국가가 사유 재산권을 보장하는 형식을 통해서 정치 사회를 규제해야 한다. 국가의 보장은 무엇보다 사회 계약에 근거한다. 개인은 일부 권리를 포기하고

(예를 들면 개인적인 원한에 대한 복수를 하지 않는다) 공공의 선을 위해야 한다(복수하는 대신 국가에 사법권 행사를 위임한다). 이때 개인의 자유가 제한받는다는 우려를 할 수도 있다. 그러나 국가에 자유를 위임함으로써 상호 신뢰 관계 속에서 개인의 자유는 국가의 보호를 받을 수 있다. 이 계약이 준수되는 한 개인의 자연적 기본권(생명권, 안전권, 자유권, 사유 재산권)도 보장받는다. 국가가 독재적으로 변하면 개인은 저항할 권리가 있을 뿐만 아니라 저항해야 할 의무도 갖는다.

몽테스키외는 『법의 정신』에서 자유를 준수하는 데 가장 적절한 제도를 선택해 자유주의를 실천하는 방법을 강구했다. 그는 우선 평민 또는 귀족이 지배하는 공화제, 의회나 전제적인 국왕이 지배하는 군주제 등 다양한 정치 체제를 기술했다. 공화제와 군주제의 차이는 이중의 개념에 근거한다. 즉 정부의 성격 및 기능, 그리고 정부가 따르는 원칙이다. 몽테스키외는 공화제를 제외했다. 평민이 지배하는 공화제는 평등과 자유를 우선시할 것이고, 귀족이 지배하는 공화제는 소수의 이익을 위해 권력을 차지할 것이기 때문이다. 이와는 달리 군주제에서는 귀족이 투명하고 온건한 방식으로 권력을 행사하기만 한다면 더 많은 자유가 보장될 것이다. 몽테스키외는 전제 정치나 그와 비슷한 모든 일탈은 처음부터 탈락시켰다. 한 사람의 변덕이 나머지 사람들의 자유를 배제하기 때문이다. 18세기 사람이었던 몽테스키외는 그 당시 영국에서 태동하던 입헌 군주제로 시선을 돌렸다. 영국은 권리 장전에서 왕이

장자크 루소의 사회 계약론

장자크 루소는 정치적 자유주의를 한층 더 진전시켰다. 바로 사회 계약론을 통해서였다. 그가 쓴 저서의 제목도 '사회 계약론'이었다. 이 책은 근대 정치학을 성립하는 데 바탕이 되었다. 루소는 정치 체제를 기술하는 데 그치지 않고 정치 체제를 만들어가는 단계를 제안했다. 로크, 몽테스키외와 마찬가지로 루소도 통치권의 이양이 필요하다고 보았지만 두 사람과는 달리 그것이 국민 전체를 위해 이루어져야 하고 각 시민이 스스로를 위해 자신의 자유를 책임져야 한다고 주장했다. 그의 주장은 실현 가능성이 없어 보이고 극단적일 뿐만 아니라 위험해 보이기까지 한다. 그는 한 사람의 독재를 모두의 독재로 바꾼 것이 아닐까? 루소는 틀릴 리 없는 과반수의 '일반 의지'라는 개념으로 비판에 맞섰다. 그렇다면 소수 의견은 어떻게 되는 것일까? 루소는 이 문제를 빠르게 해결했다. 일반 의지에 비해 소수 의견은 잘못된 것이므로 일반 의지에 굴복해야 한다는 것이다. 루소는 이상적인 정부 형태로 군주를 선거로 뽑는 '공화 군주제'와 만인이 선택한 귀족들이 다스리는 체제를 꼽았다.

행사할 수 있는 권력의 범위와 한계를 정했다. 행정권은 군주에게 있고, 입법권은 두 의회가 나눠 갖도록 했다. 이것이 개인의 권리를 가장 잘 보장하는 온건한 군주제의 이상이었다.

뱅자맹 콩스탕은 1819년 파리 왕립 아테나이움에서 열린 강연회에서 자유주의에 대한 가장 고전적인 정의를 내렸다. 그는 『근대인의 자유와 비교한 고대인의 자유』에서 19세기 말까지 대세였던 개념들을 설명했다. 콩스탕은 참여와 감시를 필요로 하는 대의제를 옹호했다. 일반 의지나 개인의 권리를 위임할 국가로의 전환도 필요 없다고 했다. 반대로 개인의 자유를 박탈하려는 것은 모두 해롭다고 주장했다. 국가의 강화 원칙도 그에 포함된다. 국왕의 기능—사법, 질서, 국방—은 국가가 가지고 나머지는 모두 개인에게 속해야 한다. 이러한 주장을 보면 콩스탕이 자유주의를 진정한 개인주의로 만든 최초의 인물이라고 할 만하다.

개인주의

개인주의에 바탕을 둔 가장 극단적인 형태의 자유주의를 발전시킨 사람은 독일의 철학자 요한 카스파 슈미트이다. 그는 '막스 슈티르너'라는 필명으로 더 잘 알려져 있다. 슈미트는 『유일자와 그 소유』에서 인간은 자아의 외부에서는 존재할 수 없다는 이론을 펼쳤다. 인간이라는 개념은 없고 다만 개인의 자아가 인식할 수 있는 현실만 존재한다는 것이다. 따라서 사회와 세계는 개개인의 자아를 합쳐놓은 것이다. 절대적인 존재인 자아는 도덕에 반대하고 신앙에 저항하며 공동체의 이기주의를 표현하는 정치적·사회적 구조를 완전히 거부한다. 자아가 그것들보다 우위에 있다. 자아만이 자신의 개인성을 보호할 수 있기 때문이다. 자아는 신성한 이기주의로 작동한다. 그러나 이러한 개념과 거기에서 비롯된 생활 방식에는 이름이 따로 있다. 철학에서는 이를 자아주의라고 부른다.

경제적 자유주의란 무엇인가

자유주의적 사상은 경제 분야까지 확산되었다. 인간은 자신의 경제적 운명의 주인이 되어 자유를 행사할 수 있어야 한다는 것이다. 자유주의 학파의 가장 중요한 책인 『국부론』이 완성된 것은 애덤 스미스의 붓끝에서였다. 애덤 스미스가 이 책에서 단 한 번밖에 언급하지 않은 '보이지 않는 손'이라는 표현은 수많은 해석과 비평을 낳았다. 스미스는 개인이 자신의 욕구와 욕망을 충족시키면 그것이 오히려 사회 전체를 발전시킨다고 주장했다. 그러니까 국가는 시장을 내버려 두어야 하고 개인이 이익을 추구하는 것을 막아서는 안 된다는 것이다. 그의 사상은 '영국의 비관론자'로 평가받는 토머스 로버트 맬서스와 데이비드 리카도로 이어졌다. 두 사람은 인간이 경제를 지배하는 것이 아니라 경제에 종속되어 있다고 보았다. 반대로 '프랑스의 낙관론자'로 평가받는 장바티스트 세와 프레데릭 바스티아는 '시장의 법칙'—공급은 스스로 수요를 창출한다—을 믿었고 '예정 조화'—모든 문제에는 언제나 답이 있다. 그 답을 나타나게 하기만 하면 된다—를 신봉했다.

고전적 자유주의 학파에서 가장 이질적이면서도 가장 매력적인 인물은 아마도 존 스튜어트 밀일 것이다. 그의 사상은 고전적 자유주의의 절정과 쇠락을 동시에 경험했다. 밀은 『정치경제학 원리』에서 중요한 비판을 했는데 특히 근본적인 모순을 지적했다. 자유주의가 부를 창출하고 사회 경제적 진보를 담보하지만 그로 인해 발생하는 불평등과 빈곤의 문제는 해결하지 못한다는 것이다. 밀의 이론에는 자유주의에 대한 무분별한 신봉을 경계하는 도덕률이 존재한다. 그는 인간이 단순히 잘 살기 위해서 끊임없이 투쟁해야 하는 세상을 거부했다.

진화론

사람들은 살아 있는 생명체인 동식물의 기원이 그 이전에 존재했던 다른 형태의 생명체로 거슬러 올라간다는 사실과 여러 세대를 거쳐 변형이 일어난 결과 현재의 동식물이 되었다는 사실에 대해서 오랫동안 생각하지 못했다. 인류의 기원에 대해 생각하려면 한발 옆으로 물러나서 조금 더 자유로운 정신을 가져야 했다. 그리고 '인간이 되어가기'라는 개념이 필요했다. 즉 진보를 이성적인 인간 정신의 축적, 이성적인 정신이 사회 내에서 겪은 변형, 그리고 사회적·정신적 구조의 다양성에 대한 인식으로 정의하면 안 되었다. 이 세 가지 사고방식이 진화의 개념 자체를 제한하기 때문이다. 축적은 진보를 수학적 의미의 합으로 축소시키고, 변형은 정신의 축적을 단순한 사회 변화의 결과로만 본다. 다양성은 인간의 본성이 다수일 수 있다는 가능성을 가정한다. 이와는 다른 새로운 사고방식은 철학자와 자연주의자가 만든 것이다. 철학자는 인간의 본성에 대한 새로운 개념을 발전시키고 옹호했고, 자연주의자는 지구와 생명체의 역사를 파고들어 인류의 기원을 밝힐 수 있는 진화라는 생물학적 과정을 발견했다. 18세기에 발전과 진보라는 의미로 쓰인 '진화'라는 말은 모든 생명체가 시간이 흐르면서 변한다는 것을 가정한다. 이러한 직관은 라마르크와 다윈의 이론에 힘입어 생물학에서 가장 먼저 드러났다. 라마르크는 진화 과정에서 직접적이고 결정적인 영향을 주는 '환경'이 중요하다고 보았다. 즉 생명체의 형태는 환경에 따라 변한다는 것이다. 라마르크의 적응주의와 가까운 다윈의 이론은 거기에 우연의 요소를 첨가했다. 그러나 진화론의 체계를 제대로 세운 사람들은 허버트 스펜서와 루이스 헨리 모건이다. 그들은 진화론을 사회적 삶의 형태에 적용했다.

이론의 진화

고대 그리스와 아랍·이슬람 세계에서도 진화론과 유사한 사상이 있었다. 소크라테스 이전의 철학자였던 아낙시만드로스는 물고기가 인간의 조상이라고 믿었다. 물고기가 낳은 인간이 한동안 물고기의 입에서 지내다가 물 밖으로 나왔고 비늘도 없어졌다는 것이다. 더 후대의 철학자인 데모크리토스는 오랫동안 존재했던 원자들이 합쳐진 결과로 생명체가 태어났다고 주장했고, 아리스토텔레스는 생명체의 복잡성에 따라 피라미드식으로 분류해서 인간을 맨 꼭대기에 올려놓았다. 9세기에 알자히즈는 자신의 저서 『동물의 책』에서 환경에 대한 적응을 바탕으로 한 이론을 발전시킨 최초의 자연주의자이자 철학자였다. 13세기에 나시르 알딘 알투시는 유전과 적응이 핵심인 진화론적 가정을 내놓았다. 또한 광물이 식물에서 다시 동물이 되었다가 결국 인간이 되는 변형의 가설도 소개했다. 그로부터 한 세기가 지났을 때에는 이븐 할둔이 창조의 점진적 단계 및 생명체의 연속성continuum을 언급했다. 이는 인간이 원숭이와 비슷하다고 생각할 수 있게 하는 주장이었다.

소위 인간의 본성이라는 것

18세기에는 세 가지 중요한 요소가 등장해서 인간의 지식이 크게 발전한다. 먼저, 철학자들과 자연주의자들이 가진 인간 본성에 대한 개방적인 관점이 고고학에 영향을 미친다. 그리고 유적지에서 일상생활의 물리적 흔적이 발견되고 기술적 발전이 이루어진다. 마지막으로 원시 문명이 부상한다. 르네상스 시대에 많은 철학자가 자연 과학에 열광했다. 1716년 몽테스키외는 보르도 왕립 학술원에서 실험 과학으로 방향을 틀었다. 볼테르는 1737년 과학 학술원을 위해서 『불의 본질과 확산에 관한 이론』을 썼다. 이로써 그는 생명의 기원에 관한 연구의 서막을 열었다. 인간은 오래된 선입관을 가지고 있으며, 사상가들은 이를 깨뜨리기 위해 노력한다. 드니 디드로는 『달랑베르의 꿈』에서 인간 중심주의에 맞섰다. "두 가지 중요한 현상이 있습니다. 무기력에서 감수성이 깨어난 상태로의 변화, 그리고 즉흥적인 세대들이 그것입니다." 존 로크는 『인간 오성론』에서 신학적 교리에 얽매인 생득 관념설을 공격하고 경험주의를 옹호했다. 인간의 본성에 대한 합리적인 설명을 찾으려는 욕구를 지녔던 이 선구자들은 인류의 진화에 관한 연구의 토대를 쌓았다.

18세기에 인류의 기원에 관해 언급한 이론은 등장하지 않았다. 인간보다 하등한 상태라고 보았던 태초의 생명은 오로지 사변적인 관점에서만 다루어졌다. 루소도 원시인에 관한 연구를 이러한 관점에서 진행했지만 그의 저서들은 민족학의 성립에 크게 기여했다. 디드로와 달랑베르의 『백과전서』는 인류의 기원에 관해 아무런 가설도 내놓지 않았으며 고대 그리스와 로마 시대 이전의 시기를 다루는 글은 단 한

편도 없다. 그러나 『백과전서』라는 방대한 계획의 목표는 선입관을 타파하고 인간이 가진 지식의 총체를—신중하게—소개하고 그것을 체계적으로 조직하자는 것이었다. 『백과전서』의 집필에 참여한 사람들은 인간 현상들을 구조화하는 법칙을 만들고, 자연적 원인에서 설명을 찾고, 문명의 발전을 추구했다. 이성의 시대의 정점에서 생득 관념에 대한 믿음에도 금이 가기 시작했다. 사람들은 종교적 교리와 밀착되어 있었던 생득 관념을 다른 관점에서 다루기 시작했다. 민족학이 고개를 들기 시작했고, 1790년에 수많은 박물관의 시초가 된 국립 고등 문화재 위원회가 창설되면서 루소는 민족학의 선구자 중 하나가 되었다.

초현실주의

양차 세계 대전 사이에 출현한 초현실주의는 그 당시 인문 과학을 지배하던 합리주의에 대한 반발로 발생한 예술 및 문학 운동이다. 초현실주의가 가지는 파괴적 힘은 무의식, 그리고 특히 꿈, 환각, 광기를 중요하게 여기는 데서 온다. 뜻밖의 감각을 경험하고, 미개척의 상상을 탐험하고, 새로운 지식에 접근하는 데 이보다 더 훌륭한 영역은 없었다. 초현실주의가 발생한 시기는 파리에서 입체파가 부상하던 때였다. 루이 아라공은 초현실주의를 '희미한 운동'이라고 보았다. 기욤 아폴리네르는 1917년에 발표한 희곡 『티레지아의 유방』 서문에서 '초자연주의'라는 용어를 썼다. "나의 비극을 특징지을 말을 찾다가 신조어를 사용했다. 나는 신조어를 사용하는 일이 드물기에 이에 대해 용서를 구한다. 나는 '초현실적surréaliste'이라는 형용사를 만들었다." 초현실주의의 규범적 정의는 앙드레 브르통이 내렸다. 그는 1924년에 발표한 「초현실주의 선언」에서 다음과 같이 밝혔다. "초현실주의. 남성 명사. 말이나 글, 또는 그 어떤 형태로든 사고의 실제적 작용을 표현하기 위한 정신적 자동성. 이성의 제어가 부재한 상태에서 미적이나 도덕적인 염려 없이 사고를 그대로 받아 적는 것." 브르통은 프로이트의 무의식 이론을 바탕으로 삼았고 꿈을 창작을 위해 따라가야 할 길이라고 보았다.

앙드레 브르통을 중심으로

초현실주의 그룹은 점진적으로 형성되었으며, 앙드레 브르통과 뱅자맹 페레가 유일하게 오랜 일원이었다. 그러나 르네 크르벨, 막스 에른스트, 로베르 데스노스, 필리프 수포, 폴 엘뤼아르, 조르조 데 키리코, 만 레이, 프랑시스 피카비아, 마르셀 뒤샹, 르네 샤르, 미셸 레리스, 루이스 부뉴엘, 호안 미로, 르네 마그리트, 살바도르 달리, 장 아르프, 앙드레 마송, 이브 탕기, 피에르 루아, 폴 델보, 조르주 바타유, 앙토냉 아르토 등 문인이든 아니든 주요 인물들이 어느 순간에는 그룹에 합류했다. 이들은 1924년부터 초현실주의 이론에 관한 글이나 꿈에 관한 이야기를 모아 『초현실주의 혁명』이라는 잡지를 펴냈다. 브르통은 1928년에 출간된 중요한 해설서인 『초현실주의와 회화』라는 책에서—마침내—회화에 관심을 보였다. 「초현실주의 제2선언」

은 1930년에 발표되었고, 그해에 그룹의 잡지는 『혁명을 위한 초현실주의』로 바뀌었다. 초현실주의자들이 취한 새로운 정치 방향은 분명했고 이는 갈등을 낳아 결국 그룹은 분열한다. 공산당에 가입한 작가들 사이에서조차 격렬한 논쟁이 벌어졌고 공산당의 이데올로기에 대한 비판이 일었다. 아라공은 그룹에서 제외되었고, 당내에서 자신들의 미적 원칙을 인정받지 못한 초현실주의자들은 공산당과 결별했다. 그러나 이러한 역경은 지속적으로 지식인들에게 강한 인상을 주었던 초현실주의의 국제적 영향력에는 타격을 주지 못했다. 초현실주의가 쇠퇴하기 시작한 것은 프랑스가 나치 독일에게서 해방된 이후였고 브르통이 사망하면서 운동의 불꽃도 완전히 꺼졌다고 볼 수 있다.

회화에서의 초현실주의

『초현실주의와 회화』에서 브르통은 조형 예술이 초현실주의 운동에 기여해야 할 역할을 설명했다. 이 문제는 「초현실주의 선언」에서는 다루어지지 않았고 브르통은 '순수하게 내적인 모델'만을 위한 환상의 형태를 모두 거부했다. 조르조 데 키리코는 1910년경 완성한 초기 작품인 「켄타우로스의 전투」나 「안드레아의 초상」에서 제라드 드 네르발이 '현실에 스며든 꿈'이라고 부른 것을 실현했다. 이후의 작품들에서는 정지된 시간 속에 존재하는 신비롭고 건축적인 구성을 보여주거나 인간을 형이상학적으로 표현한 마네킹이 등장한다. 1922년 막스 에른스트는 상상의 배경 속에 한 무리의 사람들을 그려 넣은 「친구들과의 상봉」을 완성했고, 1929년에는 그의 첫 '콜라주 소설'인 『백 개의 머리를 가진 여인』을 내놓았다. 호안 미로는 자신이 상상한 요소들을 훌륭하게 조합시키는 재주가 있었다. 그는 기하학적 형태 옆에 아메바나 해삼을 연상시키는 도형을 배치했다. 그가 1925년에 완성한 「어릿광대의 사육제」에서는 현실에 존재하는 사물을 찾아보기 힘들다. 미로는 시인들과 공동 작업을 하기도 했고 말 그대로 그 흔적이 남아 있는 작품도 있다. 르네 마그리트는 「불가능한 것에 대한 시도」에서 캔버스 없이 한 여자의 모습을 그리는 화가를 보여준다. 1년 뒤에 그는 「이미지의 배반」에서 회화가 갖는 환상의 힘에 대해 생각해보도록 관객에게 요구한다. 이 작품에서 그는 담배 파이프를 그려 넣고는 "이것은 담배 파이프가 아니다"라는 문구를 삽입했다. 살바도르 달리는 1930년 초현실주의 잡지에 기고한 글 「썩은 당나귀」에서 자신의 '편집광적이고 비판적인' 방법론을 설명했다. 그는 정신 분석학 이론에 근거해 예술에서 현실이 갖는 믿음을 떨어트리는 데 기여했다. 그의 독특한 망상적 연상과 해석은 '흘러내리는 시계'라는 제목으로 더 유명한 「기억의 지속」에서 볼 수 있듯이 대상을 완전히 변신시켜 보는 사람을 불안하게 만들거나 「잠에서 깨기 전 석류 주변을 날아다니는 벌 때문에 꾼 짧은 꿈」처럼 몽환적으로 재현하는 데 이르렀다.

초현실주의 화가들은 꿈을 해석하지 않고 그것을 드러내고 자동성을 통해서 즉각적인 방식으로 작품에 옮기려 했다. 이러한 방법으로 그들은 이성과 기술적 노하우가 주는 제약에서 무의식을 해방시킬 수 있었을 것이다. 그런 점에서 프로타주와 콜라주 기법은 그들이 전통 회화에서 더 멀리 나아가고 대상을 있는 그대로 재현하는 데 더 가까워지도록 해주었다.

문학에서의 초현실주의

「초현실주의 선언」에서 브르통은 무의식을 마르지 않는 영감의 원천이라고 정의했다. 무의식만이 원시인, 어린아이, 광인의 사고인 본원적 사고를 복원할 수 있다. 초현실주의는 행동과 창작을 방해하는 모든 도덕적·사회적 제약에서 인간을 해방시켜야 한다고 주장한다. 브르통과 필리프 수포의 「자기장」은 '자동 기술'이라는 방법을 적용한 최초의 초현실주의 글로 인정받는다. 이러한 창조적 방법으로 이성의 굴레에서 벗어난 작가들은 무의식과 언어에 몸을 맡긴다. 자동 기술 외에도 작가들은 최면, 집단 기술, 카다브르 엑스키cadavre exquis 등을 사용할 수 있다. 전통 및 기존 질서와 결별하고자 하는 초현실주의 작가들의 욕망을 가장 잘 표현할 수 있게 해준 것은 바로 시였다. 이는 폴 엘뤼아르와 루이 아라공의 시에 완벽하게 드러나 있다. 광기 어린 사랑—1937년에 브르통이 쓴 글의 제목—도 중요한 주제였다. 인간이 사랑으로 자유를 얻기 때문이다.

19세기와 20세기 회화의 주요 경향

구성주의: 기하학적 추상을 추구하던 회화 운동으로 1910년대 말부터 1930년대까지 존재했다.

나이브 아트: 전문 교육을 받지 않은 작가들의 작품 경향을 지칭하며, 순수함이 충만한 화풍을 특징으로 꼽는다. 대표적인 작가로는 두아니에 루소가 있다.

다다이즘: 1916년경 취리히에서 시작되어 1922년경까지 전개되었던 예술·문학 운동이다. 전통적 가치를 거부하고 비합리성을 추구하는 것이 특징이다. 주요 작가로는 마르셀 뒤샹, 막스 에른스트가 있다.

더 스테일: 신조형주의라고도 불린다. 1917년 테오 판 두스뷔르흐가 창시한 이 예술 운동은 몬드리안이 추구하는 바와 맥락을 같이했다. 두 사람 모두 직선을 사용하는 것만 허용하면서 극단적인 기하학적 형태를 추구했다.

레디메이드 아트: 마르셀 뒤샹이 창시한 이 장르는 이미 만들어진 '기성품'을 예술 작품으로 선보인다.

서정 추상: 1947년 '상상' 전시회 개최 당시에 출현했으며 기하학적 추상에 대비되는 흐름이다. 서정 추상은 작가가 자연 발생적인 몸짓을 선택해야 가능해진다. 앙스 아르퉁은 비구상과 색조를 중시했지만 언제나 자연스러운 몸짓을 고수했다. 서정 추상의 핵심은 창작 과정에 의식적인 의도가 개입되지 않도록 하는 것이다. 작가는 자신의 충동적인 몸짓에 몸을 맡겨야 하고 창조적 에너지를 제어하려고 하지 말고 무조건 따라야 한다.

아르 누보(또는 모던 스타일): 1890년에서 1900년까지 유럽과 북아메리카에서 발전한 스타일이다. 식물에서 영감을 받은 아라베스크 양식과 소용돌이꼴 장식 등을 특징으로 들 수 있다. 대표적인 작가로는 오브리 비어슬리, 알폰스 무하가 있다.

아르 데코: 기하학적 형태, 단순한 입체감, 꽃무늬 도안이 특징인 건축 및 장식 양식을 말한다. 1910년경에 시작되어 1930년경까지 이어졌다.

아르테 포베라: '가난한 미술'이라는 의미로, 작가들이 '빈약한' 소재를 사용한다. 주요 작가로는 「누더기의 비너스」를 그린 미켈란젤로 피스톨레토를 들 수 있다.

아웃사이더 아트: 화가 장 뒤뷔페가 (정신 질환자나 어린이의 그림처럼) 전통적 미의 규범을 지키지 않고 작업한 예술 생산물—회화, 조각—을 지칭하며 아웃사이더 아트라는 용어를 사용했다. 지적인 과정이 전혀 개입되지 않은 자연 발생적인 예술을 말한다. 따라서 유파로 분류하거나 대표적인 작가를 꼽기는 어렵지만 뱅자맹 봉주르와 샤를카미유 르노 등을 언급할 수 있을 것이다.

앵포르멜: 그라피티와 추상화의 경계에 있는 흐름이다. 구성과 형태를 완전히 포기하고 충동적인 행위를 중시한다. 재료를 두꺼운 층으로 처리하는 앵포르멜에 대한 전시회가 여러 차례 열렸는데, 그중 한 번은 1950년대에 파리에서 미셸 타피에가 기획한 것이다. 가장 잘 알려진 앵포르멜 작가로는 장 포트리에와 「흔들린 삶」을 그린 장 뒤뷔페가 있다.

야수파: 1900년대 프랑스에서 발전한 회화적 흐름이다. 형태를 단순화해 표현했으며 강렬한 순색을 여러 겹 덧칠해 사용했다. 대표적인 작가로는 앙리 마티스가 꼽힌다.

에콜 드 파리: 파리는 제1차 세계 대전 이후 전 세계에서 몰려든 화가들의 집합소였다. 에콜 드 파리는 이들 예술가를 일컫는 말이며, 「샤임 수틴의 초상화」를 그린 아메데오 모딜리아니, 「가죽이 벗겨진 소」를 그린 샤임 수틴, 「천사의 추락」을 그린 마르크 샤갈이 대표적인 작가로 꼽힌다.

옵 아트: 1960년대 이후 일부 작가들이 쓰는 기법인 키네틱 아트는 착시에 기반을 둔다. 주요 작가로는 빅토르 바사렐리가 있다.

인상주의: 인상주의 화가들은 수많은 색을 써서 피사체에 떨어져 흩어지는 빛의 효과를 표현하려고 했다. 주요 작가로는 클로드 모네, 카미유 피사로, 알프레드 시슬레, 에드가 드가 등이 있다.

입체파: 1900년대 초 입체파 회화는 사물과 인물을 만화경으로 들여다본 것처럼 수많은 양상으로 재현한다.

초현실주의: 1924년에 앙드레 브르통이 창시한 문학·예술 운동으로, 무의식을 드러내는 환상의 세계를 창조한다. 초현실주의를 대표하는 작가로는 살바도르 달리(화가), 폴 엘뤼아르(시인)가 있다.

추상 예술: 주체의 구성 요소들을 분리해(비구상적) 현실과 먼 재현을 하는 예술 형태를 말한다.

타시즘: 타시즘은 미국에서 추상 표현주의가 발전하던 1951년에 비평가 피에르 게겡이 앙스 아르퉁의 「T」 연작(「T-1954-20」, 「T-50-5」, 「T-1973-E-13」 등)과 피에르 술라주의 「회화」를 정의하기 위해 쓴 용어이다. 이 흐름은 기하학적이지도 않고 전적으로 작가의 몸짓을 강조하는 것도 아닌 색 얼룩의 산란에 바탕을 둔 극단적 추상화로 이어진다. 미리 계획한 구성을 일절 거부하며 추상을 옹호하는 경향이 앵포르멜의 주요 원칙과 비슷하다.

팝 아트: 1950년대와 1960년대에 일상의 물건—사진, 병, 판지 조각—에 요란한 색을 입혀 작품에 포함시키고자 했던 예술 형태를 말한다. 대표적인 작가로는 로버트 라우센버그, 에두아르도 파올로치(조각가)가 있다.

표현주의: 1900년경에 시작된 예술 사조로 형태와 색을 강렬하게 표현하는 것이 특징이다. 표현주의 작가로는 빈센트 반 고흐와 에드바르 뭉크 등이 있다.

표현주의

표현주의는 20세기 초에 독일과 오스트리아에서 발전했던 문화 운동이다. 당시 정치적·사회적 문제와 이 시대를 지배했던 불안정이 회화뿐 아니라 문학, 건축, 조각, 연극, 영화에도 큰 영향을 미쳤다. 표현주의라는 용어는 1911년 인상주의에 반대하는 진보적인 화가들의 모임이었던 베를린 분리파의 제22회 전시회에서 처음 사용되었다. 표현주의는 유럽의 다른 전위주의 운동들과 유사했으며, 빈센트 반 고흐, 앙리 마티스를 그 선구자로 꼽는다. 그러나 표현주의 화가들의 기준점은 벨기에의 제임스 엔소르와 노르웨이의 에드바르 뭉크, 특히 그의 작품 「절규」였다. 두 작가는 비극적인 테마를 피하지 않았고 오히려 두려움, 공포, 기괴함을 포착하려 했다. 이들이 정물화로 방향을 튼 것은 자연을 환시적으로 찬양하기 위함이었다. 화가들은 색과 선이 가진 모든 표현 가능성을 이용해서 병든 문명을 재현하는 데 적절한 스타일을 만들어냈다. 표현주의는 여러 그룹으로 나뉜다. 그중 다리파와 청기사파가 대표적이다. 독일의 표현주의는 1933년 이후 미국에서 일어난 표현주의 화가들의 실험과도 간접적인 관련이 있다. 나치주의의 부상으로 표현주의는 '타락한 예술'이라는 비난을 받았다.

회화에서의 표현주의

표현주의라는 말 자체는 1901년 프랑스에서 독립 예술가 협회가 주관한 전시회가 열렸을 때 이미 등장했다. 쥘리앵오귀스트 에르베가 자신의 작품 8점을 전시하면서 표현주의라는 말을 썼다. 그러나 이 운동은 독일, 그중에서도 베를린과 더 관련이 있다. 베를린의 화가들은 당시 과감함과 엄격함, 강렬한 시각 효과가 특징인 스타일을 만들어냈다. 해체된 형태, 변형된 선, 조화롭지 않은 색을 사용한 그들의 혼란스러운 구성은 극도의 불안감을 전달했다. 현대적 삶의 추함과 평범함에 대해 그들의 화폭은 불만, 실망, 혐오, 불안을 표현했다. 표현주의에 중요한 역할을 한 두 그룹이 있는데 바로 다리파와 청기사파이다. **다리파**Die Brücke는 1905년 드레스덴에서 탄생했다. 다리파를 만든 사람은 에른스트 루트비히 키르히너, 에리히 헤켈, 프리츠 브라이엘, 카를 슈미트 로틀루프로, 이들은 당시 건축학과 학생이거나 화가, 풍자화

「꽈리 열매가 있는 자화상」, 에곤 실레, 1912년.

가, 판화가였다. 얼마 뒤에 에밀 놀데, 오스카어 코코슈카, 에곤 실레가 합류했다. 회화와 전통 기법에 각별한 관심을 두면서도 이들의 연구와 작품에는 매우 혁신적인 정신이 깃들어 있다. 다리파가 열정적으로 다루었던 목판화에 이와 같은 두 가지 경향이 공존한다. 1906년부터 그룹이 해체된 1913년까지 이들은 정기적으로 전시회를 열었다. 다리파의 가장 대표적인 작품으로는 키르히너의 「앉아 있는 소녀」(1910)가 꼽힌다. **청기사파**Der Blaue Reiter는 뮌헨에서 바실리 칸딘스키와 프란츠 마르크를 중심으로 형성되었다. 청기사파라는 제목으로 1911년과 1912년에 전시회가 열렸고, 5월에는 두 화가의 주도로 연감이 출간되었다. 청기사파는 연감에서 분명한 입장을 밝혔다. 즉 다양한 예술 표현의 교류를 지지하고, 보편적인 미를 발전시키며, 예술가가 갖는 내적 삶의 중요성을 강조했다. 예술가의 내적 삶을 강조했던 그들의 작품은 다리파 화가들의 작품과는 분명히 달랐다. 신비로운 감정을 구체화하고 심오한 정신적 콘텐츠로 예술을 물들이고자 했던 표현주의는 차츰 서정적인 추상으로 기운다. 1914년에 제1차 세계 대전이 발발하면서 청기사파의 활동도 막을 내렸다.

문학과 영화에서의 표현주의

표현주의는 글쓰기에도 영향을 미쳤다. 그 원칙은 같았다. 물질주의, 도시화의 폭력성, 부르주아 사회에 대항하는, 저항과 실망 사이의 비판 정신이 그것이다. 표현주의의 공격은 동인들이 이끄는 상징주의에도 가해졌다. 그 당시 동인들의 모임은 문학 사조를 대표하는 인물을 중심으로 수준 높은 아마추어들이 모여 만든 단체였다. 표현주의자들에게는 학식 있고 퇴폐적인 부르주아들만 가입할 수 있는 '끼리끼리' 모임이었다. 표현주의 소설은 시와 마찬가지로 폭력과 절망으로 물들었다. 작가의 성찰적 글쓰기에서 발원한 표현주의 문학은 형태나 미적 기준과는 상관없이 새로운 진리를 표현하고자 했다. 오스트리아의 시인 게오르크 트라클과 함께 표현주의 운동은 정점에 달했다. 일부 문학 비평가들은 프란츠 카프카의 작품을 표현주의와 가깝다고 평가했고 그가 베르톨트 브레히트의 희곡에 영향을 주었다고 강조했다. 영화는 다른 예술 장르의 영향을 많이 받았다. 영화의 미학은 표현주의 문학과 회화가 자주 다루는 주제를 그대로 답습했다. 인간의 본성과 비극적인 인간의 이중성, 그리고 악을 행할 수 있는 인간의 능력에 대한 비관적인 관점을 다룬 것이다. 사회 붕괴와 인간의 극악무도함이 중심을 차지했다. 그런 점에서 로베르트 비네의 「칼리가리 박사의 밀실」(1920)은 프리츠 랑의 「운명」(1921), 프리드리히 빌헬름 무르나우의 「노스페라투」(1922)와 함께 제7의 예술인 영화의 역사에 한 획을 그었다.

하스칼라

하스칼라Haskala는 18세기 말에서 19세기에 중유럽과 동유럽의 유대인 공동체에서 발달한 지적 운동이다. 하스칼라라는 말은 히브리어로 '이성' 또는 '지성'을 뜻하는 '세켈sekhel'에서 비롯되었다. 이 운동은 시기적으로나 문화적으로나 계몽주의의 연장선상에 있었다고 볼 수 있다.

하스칼라는 무엇인가

하스칼라는 제1차 산업 혁명으로 변혁을 겪은 유럽 사회처럼 유대 공동체도 현대성을 갖출 때가 되었다고 주장했다. 그래서 '유대 계몽주의'라고 불린다. 그 당시에 유대인은 게토에 거의 은둔해서 살고 있었다. 아이들 교육은 토라와 토라의 주해인 『탈무드』가 주는 가르침을 바탕으로 했다. 서민은 이디시어를 썼고 지식인만 히브리어를 썼다. 유대인은 상업 활동 외 다른 활동은 거의 하지 않았다. 이러한 문화 간 분리는 유대인의 탓만은 아니었다. 이는 폭력 행사로도 나타났는데, 예를 들어 러시아에서는 황제의 지지를 받아 유대인을 상대로 포그롬, 약탈, 학살이 자행되었다. 물론 공동체 밖에서 살면서 유대인이 아닌 사람들과 일하거나 직업과 관련된 일이 아니면 비유대인과 어울리는 사람들도 소수 있었다. 금융과 행정 분야에서 뛰어난 능력을 보여 군주에게 고용된 '궁정 유대인hofjude'이 그런 예이다. 그들은—군주의 총애가 사라지지 않는 한—특별한 법적 지위를 누려서 박해를 피할 수 있었다. 하스칼라의 창시자 중 하나인 독일의 유대인 철학자 모제스 멘델스존은 프로이센의 프리드리히 2세에게서 '특별 보호 대상 유대인'이라는 지위를 얻었다.

교육 문제

하스칼라의 주요 쟁점은 교육 개혁이었다. 전통적인 교육은 종교와 모세 율법인 할라카가 규정하는 규율의 준수를 근거로 했다. 하스칼라를 지지하는 마스킬림maskilim

은 종교 교육에 반대했던 것은 아니지만 국어(독일어, 폴란드어, 러시아어 등), 과학, 유럽 문화어인 프랑스어 교육을 보강하자고 주장했다. 이 주장은 일부 군주들의 뜻과 일치했다. 황제 요제프 2세는 유대인 아이들도 공립 학교에 다니게 해서 일반 국민과 동일한 교육을 받도록 했다. 그렇지 않을 경우에는 결혼할 때 필요한 증명서를 발급받지 못하도록 했다. 시간이 더 흐른 뒤에는 랍비도 독일어로 예배를 드려야 했다. 베를린은 1778년에 최초의 유대인 학교가 개교하면서 개혁의 중심지가 되었다. 이곳에서는 빈곤 가정의 아이들을 모아 지리, 역사, 산수, 독일어, 프랑스어, 히브리어를 가르쳤다. 독일뿐만 아니라 폴란드와 러시아에서도 유대인 학교들이 설립되었다. 여자아이들도 해방 운동의 덕을 보았는데, 함부르크에는 여학교가 문을 열고 도덕, 독일어, 기하학, 히브리어를 가르쳤다. 이러한 교육이 가능했던 것은 신진 교원이 양성되었기 때문이다. 당시 교원을 양성하기 위한 랍비 신학교들이 생겨났고, 그 중 최초의 학교는 1810년 카셀에 설립되었다.

하스칼라와 문학

국어에 대한 관심이 높아지면서 유대 문학도 부흥기를 맞았다. 그 시작은 토라를 독일어로 번역하는 일이었다. 모제스 멘델스존이 번역 작업을 했는데, 그는 번역한 독일어를 히브리어 철자로 표기해서 인쇄했다. 1783년에서 1811년까지 히브리어로 발행된 최초의 신문인 『하메아세프*Hameasef*』도 쾨니히스베르크에서 정기적으로 발간되었다. 신문을 발간하는 데 참여한 사람들은 성전에 쓰인 언어인 히브리어의 현대적 형태가 널리 사용되어서 이디시어를 점진적으로 대체하기를 바랐다. 하스칼라의 사상을 전파하는 신문은 빈과 프로이센에서도 발간되었는데 때로는 히브리어와 이디시어, 양 언어로 발간되기도 했다. 하스칼라 문학이 발전하기 시작한 때는 19세기 초였다. 초기에는 상투적인 내용을 히브리어로 쓴 작품이 많았다. 예를 들면 팔레스타인의 젊은 연인이 적대적인 인물들의 반대에 부딪혀 겪는 고통을 다루었다. 그 당시 유럽에서 유행했던 연애 소설과 유사하다고 볼 수 있다. 나중에는 보다 사회적인 주제인 유대인 공동체의 입지나 유대인의 미래, 그들이 받는 처우에 대해 다루었다. 이러한 문제 제기로 하스칼라는 개혁적인 사상에 통합되었고 이는 19세기 말 시온주의의 부상으로 이어졌다.

하스칼라와 메시아

마스킬림은 교육에 관한 문제만 다루었기 때문에 정통파 유대인의 적대감을 사지 않았다. 사실 정통파 유대인은 유대인이 현지인에 동화되어 유대주의의 존립 자체가 위협받을까 봐 두려워했다. 또한 유대인과 비유대인의 접촉이 잦아지면서 공동체의 엄격한 규율을 어기고 특히 비유대인과의 결혼이 증가할까 봐 우려했다. 메시아에 대한 관점도 반목의 원인이었다. 메시아가 이미 지상에 내려왔다고 믿는 기독교인과는 달리 유대인은 지금도 메시아를 기다리고 있다. 하스칼라는 메시아의 도래를 부정하지는 않지만 현재를 중시한다. 언제 올지 모를 메시아의 강림을 기다리지 말고 지상에서의 삶을 제대로 살 수 있도록 모든 수단을 강구해야 한다는 것이다. 실용적인 측면에서 보면 그 효과는 즉각적으로 나타날 수 있다. 마스킬림은 게토 안에 갇혀 사는 것을 원치 않았고 전통 의상을 거부했으며 수염도 깎았다. 간단히 말하면, 유대인으로 살면서도 다른 국민들과 단절될 만큼의 특수성을 갖고 싶어하지 않았으며 가장 보편적인 관습에 따라 사람들과 어울려 살기를 원했다. 이러한 변화가 훗날 현대적 유대주의로 발전하는 계기가 되었다.

현대

유적

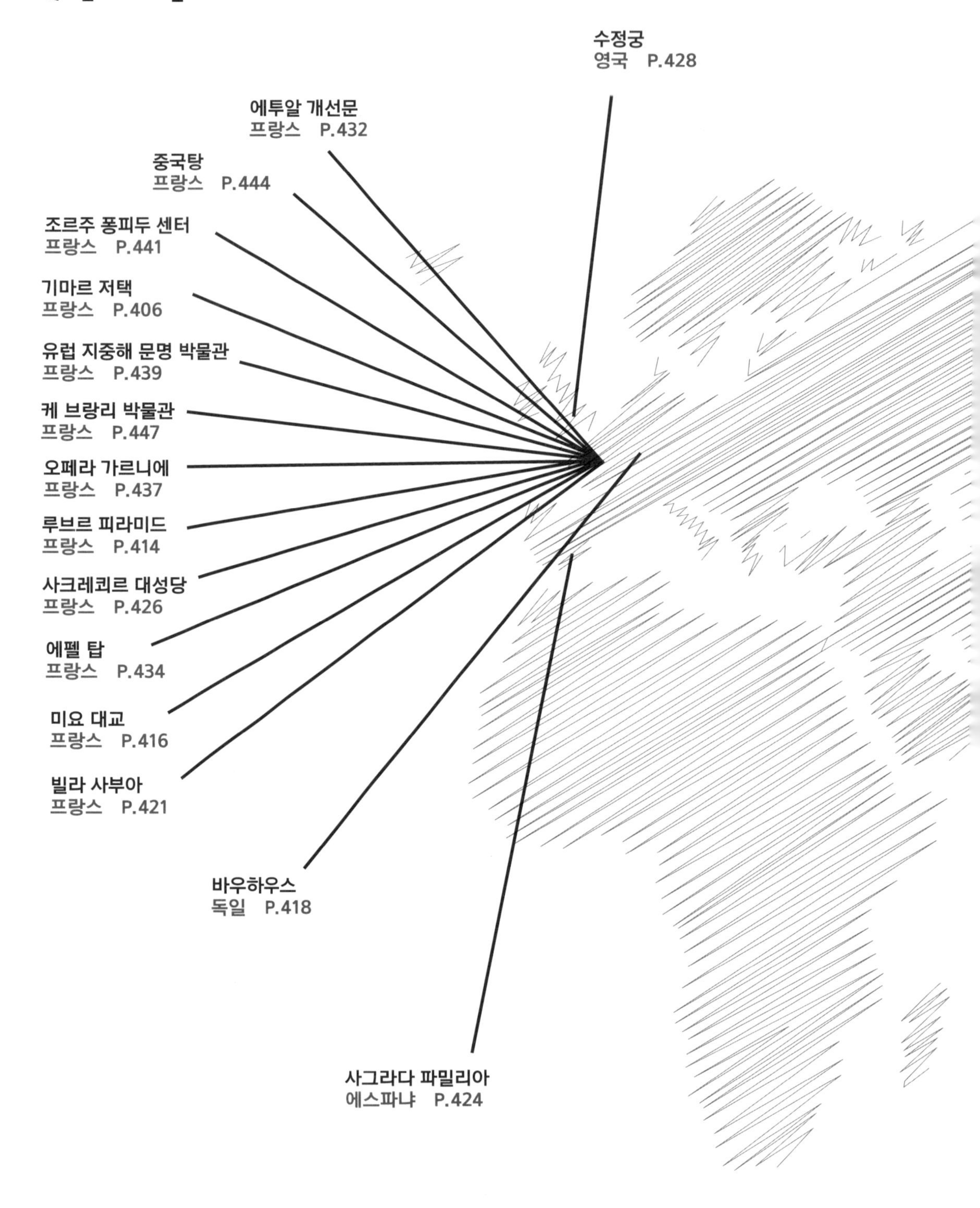
수정궁
영국 P.428
에투알 개선문
프랑스 P.432
중국탕
프랑스 P.444
조르주 퐁피두 센터
프랑스 P.441
기마르 저택
프랑스 P.406
유럽 지중해 문명 박물관
프랑스 P.439
케 브랑리 박물관
프랑스 P.447
오페라 가르니에
프랑스 P.437
루브르 피라미드
프랑스 P.414
사크레쾨르 대성당
프랑스 P.426
에펠 탑
프랑스 P.434
미요 대교
프랑스 P.416
빌라 사부아
프랑스 P.421
바우하우스
독일 P.418
사그라다 파밀리아
에스파냐 P.424

뉴욕 구겐하임 미술관
미국 P.408
록펠러 센터
미국 P.411
북아메리카
시드니 오페라 하우스
오스트레일리아 P.430

기마르 저택 프랑스 파리

건축가 엑토르 기마르Hector Guimard—프랑스 아르 누보의 대표적 인물—의 이름을 딴 기마르 저택은 파리 16구 모자르 대로 122번지에 있다. 기마르는 화가인 아델라인 오펜하임과 결혼하면서 아내와 살 집을 지으려고 1909년 이곳 부지를 매입했다. 부부는 이 집에서 1913년부터 1930년까지 살았다. 1층에는 긴 복도를 지나 건축 사무소가 있었고, 2층에는 거실과 식당이 있었다. 3층은 방 하나로 되어 있었고, 4층에는 부인의 작업실과 손님방이 있었다. 기마르는 건물을 설계하고 내부 장식도 세세하게 디자인했다. 부지가 삼각형이어서 기마르에게 큰 도전이었지만 그는 이런 모양의 땅도 잘 활용할 줄 알았다. 지적 예술과 수공예의 절충을 제안했던 아르 누보는 부르주아 계층을 매료시켰다. 예술가와 수공예 장인의 협업이 아르 누보의 주된 토론 주제였다. 기마르는 저택을 완전한 예술 작품으로 구상하고 그 안에 생활 공간을 꾸밀 수 있는 요소들을 통합시켰다.

엑토르 기마르는 누구인가

프랑스는 비올레르뒤크를 비롯해 파리의 국립 도서관을 만든 앙리 라브루스트나 에펠 탑을 건축한 귀스타브 에펠 같은 통찰력 있는 건축가와 엔지니어가 있다고 자랑할 수 있을지 몰라도 1893년 벨기에에서 움튼 아르 누보 건축이 대성공을 거둔 뒤 뒤늦게 이 분야에 뛰어들었다. 엑토르 기마르는 프랑스 건축가 중 드물게 아르 누보를 따른 인물로 분류할 수 있다. 기마르는 스물일곱 살이 되던 해 브뤼셀에서 훗날 그의 미래를 바꿔놓을 빅토르 오르타를 만났다. 오르타를 만난 기마르는 당시 짓고 있던 카스텔 베랑제 건물의 설계도를 완전히 수정했다. 그는 장뤼드라퐁텐가에 있는 이 7층 건물이 파사드에서 인테리어, 연철 문에 이르기까지 전체가 하나의 예술 작품이 되도록 설계를 바꾸었다. 바깥벽에는 넝쿨이 담벼락을 타고 올라가 서정적이고 추상적인 장식 구실을 했다. 기마르는 이 건물로 유명세를 얻고 건축 대상을 수상하기도 했다. 그는 지하철 입구의 설계를 맡는 계약을 체결했는데, 지금도 그가 설계한 이 입구들은 파리를 연상시키는 풍경 중 하나로 남아 있다. 기마르는 1920

년대까지 많은 건물을 건축했다. 제2차 세계 대전이 끝난 뒤에는 비용이 적게 드는 공업 건축 방식에 관심을 가졌다. 1930년에는 전원주택인 기마르디에르를 지었다. 이때 그는 관을 주요 요소이자 장식적 요소로 사용했다. 기마르는 이후 미국으로 건너가 여생을 보냈다.

기마르 저택의 의의

6층으로 이루어진 기마르 저택은 각 층의 면적이 90제곱미터이며, 계단과 엘리베이터가 있다. 채광창들에는 철 세공을 한 틀을 대서 보안을 강화했다. 파사드에는 여러 개의 입구가 있다. 다부지고 뭉툭해 보이는 집이지만 뜻밖의 장소에 발코니를 두는 등 창을 많이 내서 집 안으로 빛이 잘 들어오도록 설계했다. 작업실과 1층에는 커다란 창이 있었다. 4층 발코니에는 램프 2개가 설치되어 있었는데, 이는 기마르의 건축물에서 자주 볼 수 있었던 일종의 시그니처였다. 3층은 옷장이 있는 방 하나가 전부였고, 꼭대기 층에는 하녀를 위한 방이 3개 있었다. 집 안에는 놀라울 정도로 물건이 많았으며, 2층을 찍은 사진들을 보면 공간이 어떻게 배치되었는지 알 수 있다. 남편이 세상을 떠나자 기마르 부인은 가구 일체를 파리시와 국가에 기증하려고 했지만 거부당하면서 많은 물건이 소실되었다. 프티 팔레와 낭시 미술관에서 극히 일부분만 기증을 받았고, 나머지는 판매되거나 소실되었다.

뉴욕 구겐하임 미술관 미국 뉴욕

건축가 프랭크 로이드 라이트가 경제 부흥기였던 '영광의 30년' 시기(1946~1975)에 설계한 뉴욕 구겐하임 미술관은 뉴욕 5번가의 빌딩들과는 어울리지 않는 나선형 건물이다. 미술관을 건립한 인물은 미국의 억만장자 솔로몬 R. 구겐하임이다. 알래스카에 구리 광산과 은광을 소유하고 있었던 그가 수집한 예술 작품들은 대단했다. 예술 애호가였던 그는 특히 칸딘스키, 샤갈, 몬드리안, 레제를 좋아했다. 독일 화가 힐라 레바이의 조언으로 구겐하임은 미술관 건립을 계획했다. 그리고 1939년 맨해튼에 최초의 미술관을 개관했다. 비구상 회화 작품이 전시된 이 미술관은 얼마 지나지 않아 구겐하임의 수많은 소장품을 담기에는 협소한 장소가 되었다. 힐라 레바이는 센트럴 파크 맞은편에 있는 부지에 더 큰 미술관을 지을 계획을 세우고 그 당시 일흔 살이 넘었던 라이트에게 연락해서 건축을 의뢰했다. 그런데 부지 면적에 문제가 있었다. 부지는 제한되어 있는데 그에 비해 전시해야 할 작품은 엄청나게 많았던 것이다. 그래서 라이트는 바빌론의 지구라트에서 영감을 얻어 상부로 뻗어나가는 구조의 건물을 제안했다. 그러나 설계도대로 제작된 모형은 언론의 비난 세례를 받았다. 구겐하임은 전후 사회의 분위기가 아직 라이트의 설계를 받아들일 준비가 되지 않았다고 판단하고 공사를 미루었다. 1948년에 그의 수집품들은 임시 미술관으로 변한 이웃 여자 고등학교 건물로 옮겨졌다. 그로부터 1년 뒤에 구겐하임이 세상을 떠나자 미술관 건립 계획은 물거품이 될 위기에 처했다. 다행히 구겐하임은 새 부지를 매입해 미술관을 짓는 데 필요한 비용을 마련해두고 이를 유언장에 명시했다. 결국 미술관은 1959년 10월 21일에 문을 열었고 개관 전시로 라이트의 회고전을 개최했다.

'거대한 햄버거'

미술관 건설은 전후 예산이 부족했을 뿐만 아니라 건물을 '거대한 햄버거', '용수철'로 비하하는 격렬한 비판에 부딪혀 13년이나 지연되었다. 1990년대에 미술관을 정비할 때 8층짜리 빌딩이 추가되어 소장품을 전시할 공간이 넓어졌다. 미술관 내부의 나선형 난간은 전시를 위해 작품을 걸어놓는 공간으로 쓰이기도 한다. 라이트는 새로운 방식으로 미술관을 설계했다. 동료들과는 달리 작품을 정적으로 보관하는 장

뉴욕 구겐하임 미술관 나선형 구조의 내부, 프랭크 로이드 라이트, 1956~ 1959년.

소가 아니라 관람객이 마치 산책하듯이 위에서 아래로 이동하면서 작품을 즐길 수 있는 공간으로 미술관을 구상한 것이다.

초원의 집과 유기적 건축

라이트는 스승이었던 루이스 설리번의 영향을 받았고, 1893년 시카고 만국 박람회에서 섬세한 일본 건축을 접했다. 그는 형태와 자연의 공생에 매료되었고, 실내 공간을 나누거나 재분배하는 미닫이문에 관심이 많았다. 라이트는 1901년까지 70개의 주택 도면을 그렸고, 그중 49개는 실제로 공사가 진행되었다. 그 당시는 르 코르뷔지에의 작품들로 대표되는 시카고학파의 기능주의와 라이트가 지향하는 유기적 건축이라는 개념이 대세였다. 1871년에 발생한 대화재 이후 시카고는 재건이 필요했다. 라이트는 직선을 강조하는 당시의 건축 경향을 따르지 않고 자연에 녹아드는 가로선을 살린 '초원의 집'을 제안했다. 그렇게 해서 시카고의 교외 주거 지역인 오크 파크에 35채의 주택이 지어졌다. '초원의 집'을 내세운 유기적 건축은 주택이 들어서는 곳의 기후적 특성을 고려하고 주변 환경과 공생하는 건축 설계를 강조했다. 그러나 1920년대 말에 선구자들—가우디와 설리번—이 세상을 떠났고, 그 이후 제2차 세계 대전이 발발하면서 유기적 건축 운동도 사그라지다가 1950년대에 다시 부활했다.

빌바오 구겐하임 미술관

빌바오 구겐하임 미술관은 캐나다 출신의 건축가 프랭크 게리가 설계했다. 이 건물은 20세기에 가장 뛰어난 건축물로도 손꼽히지만 빌바오의 경제적·사회적·정치적 재건을 상징하기도 한다. 1997년에 개관한 이 미술관은 구겐하임 재단이 소유한 다섯 미술관 중 하나이다. 1억 달러에 달하는 건축비가 든 빌바오 구겐하임 미술관은 도시를 관통하는 네르비온강 가에 서 있다. 건물이 물 위에 뜬 배처럼 보인다는 사람들도 있고 거대한 물고기처럼 보인다는 사람들도 있다. 건물 외관을 티타늄으로 덮었기 때문에 빛에 따라 미술관의 모습도 다채롭게 변한다. 미술관 내부 중앙에는 대강당이 있고, 천장은 50미터 높이의 돔이다. 3개의 층에는 20개의 전시실이 있고, 전시실들은 공중 통로로 이어져 있다. 유리로 덮인 공간에는 반사 방지 처리가 된 유리 막을 통해 빛이 스며든다. 게리는 대중에게 익숙한 현대 건축의 합리적 조직을 경시하는 해체주의에 속하는 건축가이다.

록펠러 센터 미국 뉴욕

록펠러 센터는 뉴욕 남부의 맨해튼에 위치한 5헥타르 면적의 복합 상업 시설이다. 록펠러 가문이 지었으며, 1987년에 미국 역사 기념물로 지정되었다. 록펠러 센터는 여가, 사무, 상업 시설을 갖춘 도시 속의 도시처럼 설계되었다. 월스트리트 다음가는 맨해튼의 두 번째 경제 중심지가 되기 위한 무기를 갖춘 것이다. 공사는 1930년에 시작되어 1939년에 끝났다. 그러나 시설이 들어선 것은 1941년부터이다. 제2차 세계 대전이 끝나고 아르 데코 스타일의 사무실 14개와 타워 4개가 추가되었다. 이상하게 들릴지 모르지만 록펠러 센터는 국제적 명성을 지닌 예술가 39명이 참여한 현대 예술의 명소이고, 세계 최대의 재벌 존 데이비슨 록펠러의 비전을 상징하는 건물이다. 록펠러는 레이먼드 후드가 지휘하는 혁신적인 건축가들로 구성된 팀을 전적으로 신뢰했다. 후드는 13개 주가 모여 이루어진 국가인 미국의 헌법에서 영감을 얻었다. 13개의 빌딩은 지금은 GE 빌딩으로 불리는 70층짜리 RCA 빌딩에 비하면 초라해 보인다. GE 빌딩은 끝이 뾰족하지 않고 납작한 직선으로 마무리된 지붕으로도 다른 건물들과 대비를 이룬다. 이 빌딩은 뉴욕에서 아홉 번째로 높다. 록펠러 센터의 여러 빌딩은 지하로 연결되어 있으며 지하에는 상가가 형성되어 있다. 출판사, 음반사, 광고 회사, 방송사 등이 입주해 있는 이 거대한 개미집에는 매일 25만 명의 사람들이 일하러 모여든다.

아르 데코 장식

록펠러 센터는 동상, 조각, 회화 작품이 많아 진정한 예술의 중심지이다. 리 오스카 로리는 록펠러 센터에서 가장 유명한 동상 2점 중 하나인 「아틀라스」를 제작했다. 이 동상은 세인트 패트릭 성당 앞에 있다. 두 번째 동상은 폴 맨십이 제작한 「프로메테우스」이다. 청동에 도금을 한 이 작품은 무게가 8톤이 넘고 높이는 6미터나 된다. 록펠러 플라자 30번지에 있는 분수대 한가운데에 세워져 있다. 조각가이자 디자이너인 이사무 노구치는 AP 통신사가 입주한 '50 록펠러 플라자'의 정문 위에 있는 스테인리스 스틸 재질의 부조 작품인 「뉴스」를 제작했다. 이 작품은 전화기, 타자기, 사진기 등의 물건을 통해서 언론과 저널리즘을 상징한다. 배리 포크너는 가로 26미

뉴욕의 록펠러 센터,
엽서, 1940년경.

터, 세로 5미터의 대형 모자이크 벽을 제작했다. 이 작품은 건물에 NBC 방송국의 스튜디오가 입주해 있다는 사실을 상기시키는 소리의 파동을 상징한다. 카탈루냐 출신의 호세 마리아 세르트는 근대 아메리카 정복에 나선 인간을 상징하는 대작 「인류의 승리」를 그렸다.

아르 데코

아르 데코는 양차 세계 대전 사이에 건축, 조각, 디자인, 패션, 텍스타일, 사진, 영화 등 많은 분야에서 전 세계적으로 유행했던 양식이다. 이 양식은 경제, 정치, 사회적 위기를 관통하기도 했지만 기술 진보와 유례없는 사회 변혁을 겪기도 했다. 이러한 변화에 발맞추어 아르 데코도 상상과 창조 쪽으로 방향을 틀었는데 초현실주의나 다다이즘 등과는 달리 선언서나 강령이 없었다. 아르 데코라는 이름은 1925년 파리에서 열린 국제 장식 미술 전시회에서 유래했다. 아르 데코는 한편으로는 무엇보다 장식적이었던 아르 누보의 발전에 대한 반발이기도 했다. 아르 데코의 창시자였던 디자이너 폴 푸아레는 동양풍의 신비로움과 다채로움 또는 자연에서 받은 영감을 담은 원단을 사용했다. 그의 뒤를 이은 예술가들은 단순한 형태, 더 나아가 단순화한 형태를 사용해서 주로 값비싼 소재로 다양한 작품을 만들었다. 예를 들면 유리, 강화 시멘트, 합성수지인 베이클라이트, 플라스틱, 옥, 은, 상아 등을 사용했다. 예술가들도 그만큼 다양했다. 가구 디자이너 자크에밀 륄만, 은세공 전문가 장 퓌포르카, 보석 디자이너 르네 랄리크, 조각가 두미트루 키퍼루슈, 건축가 윌리엄 밴 앨런 등이 아르 데코 양식을 따른 예술가들이다.

루브르 피라미드 프랑스 파리

루브르 피라미드는 프랑수아 미테랑이 대통령에 당선된 지 얼마 되지 않은 1981년 9월에 중국계 미국인 건축가 이오 밍 페이에게 설계를 의뢰했다. 보스턴과 워싱턴에 세운 건축물로 이미 이름을 알렸던 페이는 루브르 박물관의 3개 동으로 통할 채광창을 구상했다. 그것이 바로 35미터의 기저 위에 세워진 26미터 높이의 이 대형 유리 피라미드이다. 새 건물이 생기면 박물관의 작품들을 더 잘 분배할 수 있고 소장품의 일부도 전시할 수 있을 것이었다. 피라미드를 세우려면 나폴레옹 3세 때 지어진, 당시 재정부가 쓰고 있던 북쪽 동에 박물관 입구를 내야 했다. 그렇게 되면 피라미드는 카루젤 개선문과 튈르리 정원을 마주 보게 된다. 결국 7만 5000제곱미터의 면적이 더 늘어나게 된다. 리슐리외 동은 1993년 11월에 대중에게 공개되었다. 1981년 재정부를 베르시로 이전해 루브르 궁전 전체를 박물관으로 사용하고자 했던 미테랑 대통령은 나폴레옹 광장을 중심에 두고 전 구역을 변경하는 대규모 계획을 실행에 옮겼다. 피라미드 건설은 많은 비판을 불러일으켰다. 특히 구조물이 너무 현대적이어서 고전적인 루브르 궁전과는 어울리지 않는다는 목소리가 높았다.

대형 피라미드

피라미드는 사실 새로운 구상은 아니었다. 나폴레옹이 1798년 이집트에 원정을 갔을 때 이미 황제의 업적과 대혁명을 기리기 위한 피라미드를 건설하자는 이야기가 나온 바 있다. 그러나 자주 범람하는 센강이 가까이 있어서 5개의 피라미드—1개의 주 피라미드와 그 주변에 3개의 피라미드, 그리고 끝이 바닥을 향하는 거꾸로 선 피라미드 1개—를 세운다는 계획은 실행하기 쉽지 않았다. 그래도 공사 덕분에 지하를 정비하다가 샤를 5세 시절 루브르의 요새 도랑을 발견했다. 요새는 프랑수아 1세가 이곳에 우리가 익히 아는 궁전을 짓기 위해 없앴다. 루브르 피라미드는 건축학적으로 매우 큰 도전이었다. 793개의 마름모꼴 유리판을 1밀리미터의 오차도 없이 조립해야 했고, 128개의 기둥으로 만든 구조물을 그만큼 많은 강철 케이블로 지탱해야 했기 때문이다. 흙 40만 세제곱미터를 파내야 하는 힘든 작업이 시작되었다. 80개의 기둥이 35톤의 구조물을 지탱했다. 피라미드와 피라미드를 둘러싼 직사각형 파사드의 건물이 이루는 대조, 각각의 자재들—피라미드의 유리 및 강철, 그에 대비되는 고색창연한 루브르의 돌—이 이루는 낯선 조화가 격렬한 비난을 불러일으켰다.

박물관의 문제

애슈몰린 박물관은 1683년 일라이어스 애슈몰이 수집가인 존 트라데스칸트의 소장품으로 옥스퍼드 대학교에 만든 세계에서 가장 오래된 대학 박물관이다. 대영 박물관은 1759년에, 루브르 박물관은 1793년에 개관했는데, 당시에 루브르 박물관은 '공화정의 중앙 예술 박물관'이라고 불렸다. 소수가 독점했던 문화재는 계몽 시대에 국민 전체가 접근할 수 있어야 하고 국민 교육에 기여해야 한다는 인식이 퍼졌다. 그러나 공화정의 중앙 예술 박물관은 1801년이 되어서야 대중에게 전면 개방되었다.

궁전에서 박물관으로

1190~1202년 루브르 궁전은 원래 필리프 2세가 지은 거대한 요새였다. 요새 주위로는 외호가 있었고, 성의 사방에는 둥근 탑이 세워져 있었다. 필리프 4세가 여기에 성벽을 쌓는다.

1360년 샤를 5세가 건축가 레몽 뒤 탕플에게 요새를 왕궁으로 바꿀 것을 주문한다. 탕플은 루브르를 넓히고 요새의 기능을 없애버린다. 왕의 대형 도서관이 루브르로 옮겨진다.

1528년 포로가 되었다가 풀려난 프랑수아 1세는 요새를 없애고 새롭게 왕궁을 짓는다. 건축은 피에르 레스코가 맡았다. 1층에는 여인상이 있는 카리아티드 방이, 2층에는 왕의 집pavillon du roi이 있다.

1594~1610년 앙리 4세가 루브르 궁전과 튈르리 궁전을 합친다. 왕이 비극적인 죽음을 맞으면서 공사가 중단된다.

1624년 루이 13세가 공사를 재개한다. 레스코 동이 확장되고 북쪽 동이 없어진다.

1660~1664년 건축가 루이 르 보가 궁의 길이를 2배로 연장한다. 샤를 르 브룅은 1663년부터 아폴론 회랑의 장식을 맡는다. 이 공사는 19세기가 되어서야 마무리된다.

1667~1670년 클로드 페로가 궁의 동쪽 파사드를 이루는 주랑을 만든다. 이 주랑은 프랑스 고전주의를 대표하는 걸작으로 꼽힌다.

1793년 살롱 카레와 그랑드 갤러리에서 회화 작품들이 전시된다. 공화정의 중앙 예술 박물관이 개관한다.

1802~1815년 나폴레옹이 대공사를 재개한다. 도미니크 비방 드농이 박물관 관장으로 임명된다. 나폴레옹 3세가 공사를 계속 진행시켜 박물관의 모습을 갖춰간다.

1989년 루브르 피라미드가 개관한다.

2012년 이슬람 미술관이 개관한다.

미요 대교 프랑스

세계에서 가장 높은 사장교인 미요 대교는 2004년 말에 개통되었다. 길이가 약 2.5킬로미터에 달하고 7개의 교각이 떠받치고 있는 이 다리는 아베롱 지역에 있는 타른 계곡을 가로지른다. 미요 대교의 건설과 관련된 수치는 놀랍기만 하다. 높이가 343미터로 에펠 탑보다 19미터 더 높고, 다리 상판의 무게는 3만 6000톤으로 에펠 탑보다 5배나 더 나간다. 건설비가 4억 유로에 달하는 미요 대교는 4차선 도로로 파리—베지에—클레르몽페랑에 이르는 고속도로와 연결되어 있으며 미요시의 교통량 해소에 도움이 되고 있다. 최악의 기상 조건에서도 교량이 견딜 수 있는 것은 최첨단 기술이 사용되었기 때문이다. 미요 대교는 시속 200킬로미터로 부는 강풍과 지진에도 견딜 수 있다. 2001년 10월 10일에 공사가 시작되었던 이 다리의 수명은 120년이다. 미요 대교 건설은 지역 경제와 관광 산업에 매우 긍정적인 효과를 가져왔다.

숫자로 본 미요 대교

프랑스 환경부 산하 국도·고속도로 연구 기술부SETRA의 토목 공학과는 100여 개의 교량을 설계한 경력이 있는 미셸 비를로죄에게 타른 계곡에 교량을 건설하는 계획의 타당성 연구를 의뢰했다. 이후 노먼 포스터가 건축자로 선정되었다. 대규모 건설 계획이었지만 완공까지 걸린 기간은 고작 3년이었다. 교각 하나를 건설하는 데 800

미요 대교,
그랑 코스
지방 공원.

명의 인부가 밤낮으로 매달렸기 때문이다. 170미터에 달하는 상판의 첫 구간은 2003년 3월 25일에 완성되었다. 17개의 나머지 구간도 4~5주마다 1개씩 설치되었다. 1만 3000톤의 아스팔트를 7센티미터 두께로 깔아서 도로의 상태도 유지하고 형태가 보존되도록 했다. 철탑 중 가장 높은 것은 89미터이고, 무게는 각각 700톤 이상 나간다. 철탑은 174개의 케이블을 팽팽하게 당기는 역할을 한다. 효율성을 최대화하기 위해서 거꾸로 된 V자 모양으로 설계되었다. 그 밖에도 인상적인 통계가 많지만 이 경이로운 건축물은 상도 여러 번 받았고 세계 기록도 5개나 보유하고 있다는 사실만 덧붙인다.

바우하우스 독일

바우하우스는 작센 대공국 미술 학교와 1915년에 문을 닫은 바이마르 응용 예술 학교가 1919년에 합쳐지면서 탄생했다. 새 학교의 명칭은 '슈타틀리헤스 바우하우스Staatliches Bauhaus'로 정해졌고, 정식 임명된 교장은 건축가 발터 그로피우스였다. 바우하우스는 '건축의 집'이라는 뜻이다. 학교에 소속된 교수들은 모두 윌리엄 모리스, 그리고 예술과 전통 수공예를 접목한 아트 앤 크래프트 운동의 혁명적인 활동에서 영향을 받았다. 1923년부터 그들의 연구는 산업적 생산 방식과 그것이 디자인에 미치는 영향으로 흘렀다. 예술은 기능을 위해 존재했고, 이를 위해 미적 가치가 있는 형태와 일상적 용도를 양립시켰다. 헝가리의 작가 라슬로 모호이너지는 바우하우스에 합류해서 조각과 기술의 결합체인 '빛과 공간 조절기'를 만들었다. 바우하우스에서는 야금술부터 직조술, 목공에서 회화에 이르기까지 모든 분야가 활용되었다. 그리고 파울 클레, 바실리 칸딘스키 같은 작가들이 색조 예술을 가르쳤다. 심지어 연극과 무용 과목도 있었다. 바이마르시에 극우 집단의 세력이 강해지자 바우하우스는 1925년에 이전을 결정했고, 데사우시가 그로피우스에게 전권을 주며 바우하우스를 유치했다. 학교를 이전하면서 현대 건축의 규칙에 따라 새로운 건물이 설계되고 교수들이 발전시킨 아이디어를 알릴 수 있는 기회가 생겼다. 1928년 그로피우스가 교장에서 물러나고 하네스 마이어가 그 자리를 이어받았다. 그는 훗날 러시아로 떠난다. 데사우시에 자리 잡았던 바우하우스는 1932년에 폐교했고, 이후 베를린에서 1년 동안 문을 열었다가 완전히 폐교했다.

두 번째 바우하우스

학교에 필요한 사항들을 100퍼센트 만족시키며 1926년에 완성된 새 캠퍼스는 직선으로 이루어진 건축물, 완벽한 대칭의 거부, 대형 유리 파사드, 편평한 지붕 등 바우하우스가 만든 건축의 이상을 그대로 보여준다. 데사우시가 내어준 땅은 도심에서 약간 벗어난 미개발 지역이어서 그로피우스의 일이 한결 쉬워졌다. 다른 건물들과 줄이나 높이를 맞추지 않아도 되었으니 말이다. 캠퍼스에는 고등 창작 학교와 그 아틀리에가 있었고 행정 구역, 극장과 식당이 있는 공동 구역, 방 80개가 있는 5층 건물의 학생 기숙사, 교수 숙소용 건물, 수습생을 교육시키는 기술 학교도 있었다. 비대칭을 이루는 건물 설계도에는 여러 공간을 잇는 복도가 많다. 가장 신선한 충격을 주는 것은 건물 파사드이다. 파사드는 전면이 유리로 되어 있는데, 마치 커튼처럼 건물의 무게를 떠받치고 있는 안쪽 기둥들을 모두 감춰준다. 투명성이 법칙이었다. 교수들의 숙소용 건물은 바우하우스의 정신에 따라 뒤쪽에 지어졌다. 제2차 세계대전이 발발하려 할 때 학교를 폐쇄하기로 결정한 나치는 이곳을 고위 관리 교육장으로 활용했다.

칸딘스키

『예술에서의 정신적인 것에 대하여』에서 칸딘스키는 회화를 세 유형으로 분류했다.

- 인상은 출발점으로서의 외부 현실에 기초한다.
- 즉흥은 무의식에서 떠오른 이미지를 묘사한다.
- 전작과 동일한 성격의 구성은 더 짜임새가 생긴다.

칸딘스키는 1909년부터 자신이 '색의 합창'이라고 부르는 것을 더 중요하게 여기기 시작했다.
처음으로 완성한 추상 수채화에는 아마도 날짜가 실제보다 앞당겨 기록되었을 것이다.
1911~1914년에는 유색의 큰 면적, 경계선이 아니라 조합의 기능이 있는 선과 형태를 포함하는 구성이 화폭에 힘을 실어주었다.
바우하우스 시기에는 기하학적 요소—원, 반원, 직선, 곡선, 각—가 큰 비중을 차지했다. 풍부하고 그러데이션이 있는 색의 사용이 구성주의 및 절대주의 경향과 구분되는 특징이었다.
1934년 이후 전작들을 전반적으로 어우르면서 작품이 성숙해졌다.

텔아비브의 화이트 시티

텔아비브에는 바우하우스의 원칙에 따라 패트릭 게데스가 설계해서 지은 4000개의 건물이 들어선 지역이 있다. 건물 벽을 흰색으로 칠했기 때문에 구역이 형성된 1930~1940년대에 '화이트 시티'라는 별명이 생겼다. 1909년에 조성된 텔아비브는 영국령 팔레스타인에 속해 빠르게 발전했다. 1930년대에 많은 이민자들이 이스라엘로 들어오면서 이들에게 주거를 공급하는 일이 시급했다. 이때 그로피우스가 가르쳤던 젊은 건축가들도 이스라엘로 들어와 지붕이 납작하고 거리로 큰 발코니가

나 있는 건물들을 짓기 시작했다. 게데스는 도시 구역에 녹지를 만들어야겠다고 결심했고, 그 덕분에 각 건물의 면적은 주변 녹지 면적의 3분의 1을 넘지 않았다. 많은 건물이 바닷바람이 잘 통할 수 있는 필로티 구조의 건물이었다. 건물 높이는 상점이 많은 대로에서는 15미터, 골목에서는 9미터로 제한되었다. 주로 시멘트로 빨리 지었고, 자재의 품질은 그다지 좋지 않았다. 정비 사업이 시작되었지만 아직까지 몇백 채 정도만 정비가 이루어졌다. 2003년에 화이트 시티는 유네스코 세계 유산으로 지정되었다.

빌라 사부아 프랑스 푸아시

르 코르뷔지에가 1928년에서 1931년까지 지은 빌라 사부아는 파리에서 북서쪽으로 30킬로미터 떨어져 있다. 피에르 사부아와 외제니 사부아가 소유했던 이 집은 건축의 전통적인 문법을 깨뜨렸다. 옥상 정원, 흰색의 평행 육면체 건물, 수평 창으로 이루어진 빌라 사부아는 르 코르뷔지에가 생각하는 기능적인 '주거용 기계'였다. 빌라 연작 이전에 지은 빌라 사부아는 르 코르뷔지에가 옹호하는 주거 건축의 이상을 모아놓은 집합체여야 했다. 그는 주거를 자연—빌라 사부아의 경우 숲에 둘러싸인 풀밭 언덕—속에 녹여내고자 했다. 르 코르뷔지에의 독창성은 과거의 원칙을 단순화하고 종합할 줄 알았던 그의 능력에서 나왔다. 빌라 사부아는 1965년에 프랑스 역사 유적으로 지정되었고, 2016년에는 유네스코 세계 유산에 등재되었다.

빌라 사부아의 파사드, 르 코르뷔지에, 1931년, 푸아시.

빌라 사부아에 대해 알아야 하는 것

르 코르뷔지에의 작품은 현대성에 대한 의지, 그리고 과거로부터 배우면서도 전통과 결별하고 싶은 욕구로 점철되어 있다. 라 쇼드퐁에서 태어난 샤를에두아르 잔레그리, 일명 르 코르뷔지에는 1907년에서 1911년까지 건축을 독학하면서 그의 미래에 결정적인 영향을 미칠 여행을 했다. 동유럽과 지중해를 다니면서 보았던 세 건축물이 이후 그의 작업에 매우 큰 영향을 미쳤다. 첫 번째 건축물은 토스카나주 에마강 인근에 있는 피렌체 카르투시오회 수도원이다. 1342년에 지어진 이 건물은 르코르뷔지에가 이상적인 주거를 구상하는 데 도움을 주었다. 르 코르뷔지에는 수도사들의 방을 둘러보고 '주거 단위'라는 것을 만들게 되었다. 두 번째 건축물은 후기르네상스 시대인 16세기에 안드레아 팔라디오가 베네토 지역에 지은 팔라초들이다. 그리스의 고대 유적도 고전주의 건축의 비율을 익히는 데 도움이 되었다. 마지막으로 그에게 영감을 주었던 것은 지중해와 발칸반도의 서민주택이었다. 르 코르뷔지에는 이를 통해 기하학적 형태와 빛의 작용, 배경으로서의 자연 환경에 대해서 배웠다. 이와 같은 영향을 받은 그는 경제적인 주택뿐만 아니라 고급 빌라에도 적용 가능한 그만의 건축학적 언어를 만들어냈다. 르 코르뷔지에는 1920년에서 1930년까지 보크르송, 파리, 가르슈에서 빌라를 지었고, 1927년에는 피에르 잔레와 함께 제네바에 들어설 국제 연맹 건물 건설 프로젝트를 따냈다. 전문가로 구성된 심사위원들은 두 사람의 안을 선정했지만 발주자들은 설계가 지나치게 현대적이라고 이를 거부했다. 1930년에 열렸던 모스크바의 소비에트 궁전 설계 공모전에서도 운이 없었다. 시멘트와 강철로 짓겠다는 그의 설계안은 표를 많이 얻을 것 같았으나 설계가 지나치게 공업 건축에 가깝다는 이유로 결국 탈락했다.

르 코르뷔지에는 1927년 잔레와 함께 건축에 관한 자신들의 생각을 정리해 『근대 건축의 다섯 가지 원칙』이라는 책으로 펴냈다. 이 원칙들을 간단히 소개하면 다음과 같다.

내력벽은 제거한다. 상인방과 창문으로 파사드 전체를 채울 수 있다.

평면도는 층마다 자유롭게 구성한다. 내력벽으로 나눈 배치에 좌우되지 않는다.

파사드는 빛을 통과시킬 수 있는 소재로 만든다.

필로티는 집이 땅에서 떨어져 있으므로 정원을 만들 수 있는 공간이 확보된다.

옥상 정원은 여가와 휴식의 기능을 갖도록 한다.

제2차 세계 대전이 끝난 뒤 르 코르뷔지에는 건축을 그만두고 도시 계획으로 방향을 틀었다. 그는 특히 300호 이상의 아파트가 들어선 마르세유의 위니테 다비타시옹을 설계했다.

빌라 사부아의 의의

르 코르뷔지에는 빌라 사부아를 지으면서 자신이 만든 다섯 가지 원칙을 적용할 수 있었다. 빌라 사부아는 황금 비율로 설계했다. 필로티는 부지의 정중앙에 있었기 때문에 바깥 풍경을 최대한 많이 볼 수 있는 방향으로 설치되었다. 내부 설계는 태양의 방향과 시점에 따라 정해졌다. 옥상 정원은 남쪽에 있고, 거실은 북서쪽을 향한다. 1층은 현관, 주차장, 가사 도우미 방으로 구성되어 있으며, 2층에는 방과 거실이 있다. 3층은 일광욕실이다. 넓은 난간이 있는 나선형 계단이 집을 관통하며, 선반이 있는 지하 창고가 2개 있다. 제대로 된 정원은 1층이 아니라 일광욕실 위에 있다. 여기가 주변 풍경을 잘 볼 수 있는 곳이다. 사용된 색은 코드와 같다. 주차장과 가사 도우미 방의 녹색은 흰 벽과 대비를 이룬다. 제2차 세계 대전 당시 독일군과 연합군이 차례로 점령했던 탓에 피해를 입은 빌라 사부아는 철거될 위기를 맞았다. 다행히 국가가 나서서 1985년에서 1992년까지 복원 공사가 이루어졌다. 건축가 장 뒤뷔송과 장루이 베레가 공사를 맡았다. 르 코르뷔지에는 빌라 사부아로 건물의 기능성을 높이기 위해 최고의 미학을 적용하는 새로운 건축 방식을 창시했다.

사그라다 파밀리아 에스파냐 바르셀로나

'성가족 성당'이라고도 불리는 사그라다 파밀리아는 1882년에 바르셀로나에 세워진 성당이다. 오늘날에는 가우디라는 이름과 떼려야 뗄 수 없는 관계이지만 이 성당의 건축을 처음 맡은 사람은 프란시스코 델 비야르였다. 그는 공사가 시작된 지 1년이 지나 사임했고 안토니 가우디 이 코르네트가 작업을 이어받았다. 1926년 세상을 떠날 때까지 공사를 맡았던 가우디는 기독교의 모든 상징을 성당 건물에 담아 예수의 삶을 시기별로 기리는 진정한 『성경』을 만들고자 했다. 사그라다 파밀리아는 라틴 십자가 형태로 설계되었다. 제단은 나사렛의 요셉의 고통과 죄에 바쳐진 7개의 소제단에 둘러싸여 있다. 성당에는 18개의 탑이 있으며, 각 탑에는 나선형 계단이 종루까지 나 있다. 이 탑들은 12명의 사도와 4명의 복음서 저자, 성모 마리아, 예수를 상징한다. 예수를 상징하는 탑은 높이가 170미터로 가장 높은 탑이고, 성당의 중앙에 있으며 꼭대기에는 화살이 장식되어 있다. 성당의 문들은 예수의 탄생과 수난에 축성되었고, 주 파사드는 예수의 영광에 바쳐졌다. 고딕 양식의 여느 성당과 마찬가지로 사그라다 파밀리아도 파사드의 식물 및 동물 조각 장식이 매우 과한 편이다. 1880년에서 1930년까지 카탈루냐에서 발전한 모더니즘에 속하는 이 성당은 엄격함과 단순함을 추구하는 현대의 공업 건축과는 확연히 구분된다. 가우디는 공사를 마무리 짓지 못하고 사망했는데, 그가 중요하게 여겼던 원칙이 지켜지면서 지금도 공사가 진행 중이며, 준공은 2026년으로 예정되어 있다. 공사 비용은 신도들의 헌금으로 충당한다. 사그라다 파밀리아가 속죄를 위해 기도하는 성당이기 때문이다.

예술과 기술의 만남

프란시스코 델 비야르는 예수가 수태되었을 장소인 요셉과 마리아의 집, 산타 카사 성당을 그대로 본떠 성당을 지으려고 했다. 그러나 계획은 실현되지 못했고, 안토니 가우디는 오히려 정반대로 완전히 상상해서 그린 설계를 제안했다. 대규모 프로젝트였던 사그라다 파밀리아의 건설에 가우디가 워낙 오랜 세월 매달려 있다 보니 성당은 그의 취향 변화를 그대로 드러낸다. 1885년에 가우디는 가장 중요한 것만 남기는 매우 단순화된 신고딕 양식으로 후진을 짓기 시작했다. 1893년에는 자연주의 양식의 피너클을 올렸다. 1891년에 이미 예수의 탄생을 보여주는 파사드 공사를 시작했는데, 원래의 고딕 양식이 사라지고 식물과 동물이 등장하는 환상적인 분위기의 장식으로 바뀌었다. 사그라다 파밀리아에는 놀라운 예술적 혁신—도자기로 만든 바위와 나무, 돌로 만든 구름, 반투명 유리—뿐만 아니라 포물선 아치, 쌍곡선을 그리는 원뿔형 궁륭 등 기술적 업적도 가득하다. 서로 끌어당기는 힘이 작용하는 석제 구조물의 응집력을 유지하기 위해 철도 사용되었다. 가우디는 모형을 많이 제작해서 기둥이나 궁륭이 저항을 견딜 수 있는지 시험했다.

가우디의 실험

가우디는 현수선을 경험적으로 계산한 것에 상상력을 더해서 그리스 예술, 이슬람 예술, 고딕 예술에서 나온 전통 기법을 모방해야 하는 당시의 제약을 뛰어넘었다. 그는 초기 작품에서 무어 양식을 차용해 실험하고 그것을 벽돌 같은 전통 소재에 적용했다. 견인력이 강한 벽돌 구조물의 결합력을 높이기 위해 철도 사용했다. 바르셀로나에서 볼 수 있는 가우디의 일곱 작품은 구엘 공원, 구엘 궁전, 카사 밀라, 카사 비센스, 사그라다 파밀리아의 탄생의 파사드와 지하 예배실, 카사 바트요, 콜로니아 구엘 성당으로, 1984년과 2005년에 모두 유네스코 세계 유산으로 지정되었다.

아르 누보: 무엇이 새로운가

아르 누보의 선구자들은 모든 예술 양식을 생활과 결부시킨 총체적 예술을 원했다. 유럽 전역에서 유행했던 이 양식은 프랑스에서 '스틸 누이'(국수 양식)라고 불렸고, 독일에서는 '유겐트슈틸'—1896년 뮌헨에서 발간되었던 잡지에서 따온 이름—로, 카탈루냐에서는 '모더니즘'으로, 이탈리아에서는 '플로레알레'로, 오스트리아에서는 '제체시온슈틸'로 불렸다. 아르 누보는 1893년에 시작되어 제1차 세계대전이 일어나면서 끝났다. 이 운동은 산업화의 폐해에 반대해 일어났고 곡선의 미학을 중시했다. 식물에서 영감을 받아 주로 꽃과 나뭇잎을 모방한 복잡한 장식을 많이 사용했다. 때로는 과장된 모티프들이 반복되었다. 피사체는 직선이나 날카로운 각을 쓰지 않고 표현했다.

사크레쾨르 대성당 프랑스 파리

파리 몽마르트르 언덕에 있는 사크레쾨르 대성당은 1876년에 공사가 시작되었고 1919년에 축성되었다. 공사를 담당한 첫 건축가는 폴 아바디였는데, 그가 사망하자 오노레 도메가 그 뒤를 이었고, 다시 샤를 레스네로 바뀌었다. 샤를 가르니에도 고문직을 제안받았다. 펠릭스 푸르니에 주교는 프랑스가 프로이센에게 패배한 것은 대혁명 이후 저지른 죄가 있어서 신에게 벌을 받았기 때문이라고 주장했다. 알렉상드르 르장티는 프랑스가 수많은 정치적 재앙을 겪을 만큼 죄를 지었으며 그 죄에 대한 고해 성사를 하고 죗값을 치르기 위해 대성당을 지어야 한다고 말했다. 종교계에서 어느 정도 영향력을 행사하던 르장티의 바람은 전국을 휩쓸었고, 그렇게 해서 사크레쾨르 대성당 건설 계획이 실행에 옮겨졌다. 건설 비용을 마련하기 위해 전국적으로 모금 운동이 펼쳐졌고, 프랑스 국민은 각자 형편이 닿는 대로 기부를 했다. 그러나 비판도 만만치 않았다. 대성당을 지어야 하는 이유뿐만 아니라 대성당의 외관도 문제가 되었다. 대성당은 로마네스크 양식 및 비잔티움 양식으로 설계되었는데 이는 당시 유행하던 절충주의의 영향을 받은 것이다. 그래서 사크레쾨르 대성당에서는 베네치아, 동양, 로마네스크 미술에서 영감을 받은 흔적을 볼 수 있다. 그 밖에도 절충의 의도를 엿볼 수 있다. 프랑스는 가톨릭 덕분에 근대 건축의 정수를 갖게 되었을 뿐만 아니라 잃어버린 영성도 되찾았다.

사크레쾨르 대성당의 건축

샤토랑동의 채석장에서 가져온 석회암으로 만든 대성당의 흰 외관은 상당히 인상적이다. 대성당은 전형적인 가톨릭 십자가 형태를 하고 있다. 80미터 높이에 달하는 중앙의 돔에는 채광창이 있다. 성당 지붕의 네 귀퉁이에 큐폴라가 각각 하나씩 있고, 중앙의 큰 큐폴라는 중앙 홀과 십자가의 교차 지점이 만나는 곳에 솟아 있다. 건축가로 아바디가 선정된 것은 그가 중랑과 성당 전체로 보았을 때 중앙 부분을 가장 넓은 공간으로 제안했기 때문이다. 성가대석이 있는 내진에는 통로인 주보랑이 있어서 중랑의 뒷부분과 연결된 느낌을 준다. 대성당의 앞부분과 큐폴라는 로마네스크·비잔티움 양식이고, 후진이 있는 뒷부분은 로마네스크 양식이다. 장식이 거의 없는 중랑에는 천장에서 한 줄기 빛만 쏟아져서 절제의 느낌을 준다. 장식이 많은 내진은 예배 도중에 촛불이 켜지면 모습이 드러난다. 후진의 천장은 프랑스에서 가장 큰 375제곱미터의 모자이크로 장식되어 있다. 사크레쾨르 대성당은 파리의 도심을 내려다보고 있다. 포치에는 3개의 문이 있고 각 문에서 아케이드가 이어진다. 각 문에는 부조로 장식된 팀파눔이 있다. 중앙의 팀파눔은 론지노에게 심장을 찔린 예수를 나타낸다.

수정궁 영국 런던

수정궁은 각국의 산업 제품을 한자리에 모은 1851년의 만국 박람회를 위해 런던 하이드 파크에 지어졌다. 영국은 19세기에 절정을 이루었던 자국의 산업적 우월성을 상징하기 위한 건물이 필요했다. 그래서 조지프 팩스턴 경에게 의뢰해 사상 최대의 박람회 건물을 짓고자 했다. 세계 최대 규모의 온실을 설계했던 것으로 유명세를 얻은 팩스턴은 대규모 프로젝트를 기획했다. 수정궁은 여러 개의 기둥 위에 네모난 건물을 올리고 건물에는 견고한 새시를 두르는 방식으로 설계되었다. 조립식으로 건축된 수정궁은 복잡하게 얽힌 철빔 구조와 투명한 유리로 만들어졌고 그 면적은 7헥타르에 달했다. 본관은 가로가 563미터, 세로가 124미터였고, 중앙 회랑의 높이는 33미터였다. 박람회가 끝난 뒤에 수정궁은 해체되어 시드넘에서 다시 조립되었는데, 안타깝게도 1936년에 화재로 소실되었다. 수정궁에서는 몇 년 동안 전시회, 공연, 음악회 등 다양한 행사가 열렸다. 수정궁은 건축 기법 및 미학적 측면에서 오랫동안 다른 만국 박람회의 전시관에 영향을 미쳤다. 수정궁을 방문한 관람객은 600만 명에 이른다.

수정궁의 의의

수정궁은 예술, 그리고 아름다움을 유용함과 결합하는 산업에 대한 고찰의 결과물이다. 빅토리아 여왕의 남편 앨버트 공작은 국내외로 만국 박람회 초청장을 보냈고, 1만 4000명이 초청에 화답했다. 이 중 절반의 참가자는 영국 이외의 지역에서 왔다. 과학과 예술의 최신 경향을 알 수 있는 훌륭한 기회였던 만국 박람회는 신형 자동차, 새로운 발명품, 이국적 물건을 전시하며 교육의 기능을 수행했다. 물론 정치적 목적도 있었다. 빅토리아 여왕은 개막식에서 평화의 메시지를 전했다. 박람회는 두 축으로 나뉘어 영국에서 온 것은 모두 서쪽에서, 나머지 지역에서 온 것은 모두 동쪽에서 전시되었다. 만국 박람회는 빅토리아 시대와 영국 산업의 근대화를 동시에 접할 수 있는 장소였다. 그 당시에 영국은 많은 분야에서 혁신의 첨단을 걷고 있었고 무역을 비약적으로 발전시켰으며 아무런 미련 없이 보호주의를 버리고 자유무역을 택했다.

건축적 측면에서 본 수정궁

9만 2000제곱미터에 이르는 수정궁 내부에는 지하에 설치한 20개의 보일러에서 데운 물을 관을 통해 흘려보내는 기발한 설비로 난방이 이루어졌다. 수정궁에서 가장 흥미로운 장소는 주택과 종교 건축물의 역사를 알 수 있는 전시관일 것이다. 관람객은 그곳에서 그리스와 로마 시대의 주택을 재현한 모형, 테베나 니네베, 알람브라의 유물, 그리고 중세와 르네상스 시대의 건축물을 볼 수 있었을 것이다. 고전주의 시대의 훌륭한 조각 작품의 복제품도 프랑스와 독일에서 들여왔다. 원래 조경사였던 팩스턴이 수정궁의 정원도 설계했는데, 수많은 분수와 폭포, 9개의 못을 배치한 이탈리아와 영국식 정원이었다.

시드니 오페라 하우스 오스트레일리아

오스트레일리아에 있는 시드니 오페라 하우스는 덴마크의 통찰력 있는 건축가 예른 웃손이 완성한 뛰어난 건축물이다. 시드니 항구의 베넬롱 포인트에 위치한 이 오페라 하우스의 건립은 전대미문의 프로젝트였다. 건설 기간만 해도 1959년에 시작해서 1973년에 마무리되어 상당히 길었다. 길이 185미터, 너비 120미터에 달하는 이 건물의 가장 큰 특징은 시멘트에 스웨덴에서 수입한 흰 화강석 타일을 덧붙여 완성한 거대한 조개 모양의 지붕이다. 오페라 하우스는 2개의 공연장과 하나의 식당이 있으며, 조개 모양의 지붕 3개가 그 위를 덮고 있다. 오스트레일리아 국립 오페라단, 교향악단, 시드니 연극단이 이곳에서 공연한다. 뉴사우스웨일스주의 주 정부는 건축가들에게 2개의 음악 공연장을 만들 것을 주문했다.

무거운 지붕

이 대형 프로젝트는 막대한 비용을 필요로 했다. 놀라운 것은 정부의 예산으로 그 비용을 감당할 수 있었다는 점이다. 첫 견적 비용은 700만 달러였으나 최종안은 2300만 달러를 필요로 했다. 공사는 기반 공사, 지붕 공사, 유리 벽과 바닥 공사를 포함한 내부 공사, 이렇게 세 단계로 나뉘었다. 웃손은 조개 모양의 지붕 구조를 견딜 수 있도록 2헥타르에 이르는 시멘트 기단을 만들었다. 그런데 심각한 문제가 발생했다. 지붕의 하중 때문에 하부 구조가 견디지 못할 수도 있었다. 웃손이 손으로 직접 그렸던 조개 모양의 지붕은 구조의 저항을 높일 수 있는 첨두아치로 약간 변형시켜야 했다.

죄수들로 이루어진 식민지

에스파냐 항해사들은 오랫동안 오스트레일리아 땅을 불모지로 생각하고 별다른 관심을 보이지 않았다. 1606년에 네덜란드의 항해사가 처음으로 접근을 시도했고, 1699년에 영국인들이 그 뒤를 따랐다. 그로부터 한 세기가 지난 뒤에야 영국의 탐험가 제임스 쿡이 오스트레일리아를 뉴사우스웨일스라고 명명했다. 1788년 영국 정부는 시드니 코브에 죄수들을 보내 식민지를 건설했다. 19세기 초반에 가서야 시드니는 도시의 모습을 체계적으로 갖춰가기 시작했고 1854년에 근대적인 대도시로 발전했다. 1914년에는 인구가 100만 명에 달했다.

시드니의 정체성

오페라 하우스의 건설은 시드니가 정체성을 찾던 시기에 시작되었다. 1973년 오스트레일리아는 여러 민족 공동체가 어울려 사는 다문화 국가를 천명했고 다양성을 문화 정책에 녹여낼 필요가 생겼다. 도시의 건축 계획도 그러한 위상이 날개를 펼칠 수 있도록 해야 했다. 베넬롱 포인트는 원주민 베넬롱의 이야기를 상기시키는 상징들로 가득한 공간이다. 베넬롱은 원주민이 식민 사회에 성공적으로 동화된 첫 사례로 사람들의 기억에 남아 있다. 바다를 바라보는 시드니 오페라 하우스는 따라서 나눔의 공간, 국경을 넘어 해외로 열린 시드니의 이미지를 반영하는 거울로 인식되어야 한다.

에투알 개선문 프랑스 파리

파리 에투알 광장에 우뚝 서 있는 개선문은 나폴레옹 1세가 아우스터리츠 전투가 끝난 뒤 대육군의 승리를 자축하기 위해 짓기로 결정한 것이다. 건축가 장프랑수아 샬그랭이 로마의 티투스 개선문을 보고 설계한 에투알 개선문은, 공사가 1806년에 시작되어 1836년에 끝났다. 1810년 마리루이즈 도트리슈와 결혼한 나폴레옹은 그해에 성대한 파리 입성식을 계획했지만 개선문은 기초 공사만 겨우 끝났을 뿐이었다. 당시 나무와 채색 천을 사용해서 설계 비율을 그대로 적용한 축소 모형이 제작되기도 했다. 이후 샬그랭이 세상을 떠나고 나폴레옹 군대도 패전을 거듭하자 공사가 중단되었다가 1823년 루이 18세에 의해 재개되었다. 처음에는 루이로베르 구스트가 공사를 총괄했다가 장니콜라 위요가 그 뒤를 이어받았다. 공사가 끝난 것은 루이필리프 1세 때였고, 아돌프 티에르가 그때부터 파사드 장식을 만들 조각가를 모집했다. '라 마르세예즈'로도 알려진 「1792년 출발」을 조각한 작가는 프랑수아 뤼드였다. 장피에르 코르토는 「1810년 승리」를, 앙투안 에텍스는 「1814년 저항」과 「1815년 평화」를 제작했다. 낙성식은 7월 혁명 6주년 기념일인 1836년 7월 29일에 열렸다

에투알 개선문의 유래

에투알 개선문은 전면부에 1개, 측면부에 2개, 총 3개의 아치로 구성되어 있다. 높이 50미터, 너비 45미터, 두께 22미터인 육중한 건축물이다. 원래는 그 당시만 해도 늪과 숲으로 이루어져 있던 샤요에 카루젤 개선문에 이어 두 번째 개선문을 세우려고 했던 나폴레옹은 결국 바스티유 광장에 거대한 코끼리상을 세우고 그 내부를 자신을 기리는 박물관으로 꾸미기로 결정했다. 1814년에 석고로 완성했던 코끼리상은 1846년에 파괴되었고, 청동으로 제작하기로 한 계획은 아예 무산되었다. 그 대신에 샹젤리제 대로 위에 로마 황제를 연상시키는 개선문을 짓자는 안이 우세했다.

국가 정신을 상징하는 장식

개선문에 국가 정신을 상징하는 장식물을 제작할 조각가 22명이 동원되었다. 궁륭을 떠받치는 기둥에 부조된 4개의 조각물은 공화국, 제국, 왕정복고를 나타낸다. 뤼드가 「라 마르세예즈」에 새겨 넣은 날개를 단 자유의 여신은 나라를 지키기 위해 전장으로 떠나는 프랑스인을 상징한다. 아돌프 티에르는 프랑스 대혁명과 제국의 위인들의 이름을 새겨도 좋다고 승인했다. 전투 장면은 대아치의 안쪽 면에 새겨져 있고, 장군들의 이름은 소아치의 안쪽 네 면에 새겨져 있다. 다른 이름들도 명단에 계속 추가되었다. 이는 전쟁에서 목숨을 잃은 전사들과 프랑스 군대를 찬양하기 위한 조치였다. 20세기에 치른 큰 전쟁들도 그랑드아르메 대로를 바라보는 방향의 벽면에 언급되어 있다. 1945년 이래 개선문 주변 바닥에는 대혁명 이후의 프랑스 군대를 기리는 문구들이 적혀 있다. 여기에는 혁명군뿐만 아니라 제국의 군대도 포함되었다. 1920년부터는 프랑스를 위해 목숨을 바친 병사들을 대표하는 무명용사가 포슈, 조프르, 페탱 장군 등과 함께 개선문 아래 잠들어 있다.

에펠 탑 프랑스 파리

에펠 탑은 로마의 성 베드로 대성당의 돔이나 기자의 피라미드들보다 두 배나 높다. 원래는 300미터였으나 안테나를 설치해서 현재는 24미터 더 높다. 그래서 에펠 탑 꼭대기에 올라서면 반경 80미터까지 볼 수 있다. 이 거대한 구조물을 짓는 데에는 1887년에서 1889년까지 단 2년이 걸렸다. 에펠 탑은 철의 사용에 관련된 모든 지식을 접목한 구조물이다. 그런 점에서 1만 톤에 달하는 탑을 세우겠다는 것은 기술적 도전 그 자체라고 할 수 있다. 1889년 파리 만국 박람회와 프랑스 대혁명을 기념하기 위해 지어진 에펠 탑은 기술과 과학이 급속하게 발전하는 시대의 과도기를 상징한다. 1889년에는 기상 관측을 위해 사용되었는데 나중에는 무선 통신용 안테나가 설치되었다. 300미터 높이의 철탑을 짓겠다는 아이디어는 두 엔지니어에게서 나왔다. 모리스 쾨슐랭과 에밀 누기에는 건축가이자 같은 에펠사 소속이었던 스테팡 소베스트르에게 설계를 개선해 달라고 부탁했다. 쾨슐랭과 누기에가 등록한 특허를 나중에 귀스타브 에펠이 사들여 만국 박람회를 위해 개최된 대회에서 우승을 거머쥐었다. 공사는 1887년에 시작되었다. 에펠 탑을 안테나로 활용할 수 있다는 사실을 사람들이 깨닫지 못했다면 아마도 이 탑은 철거되었을 것이다. 1991년 에펠 탑은 유네스코 세계 유산으로 지정되었다.

철의 여인

귀스타브 에펠은 1860년에 완공한 보르도의 생장 철교와 1869년 시울강에 세운 2개의 다리로 이미 알려져 있었다. 그는 오베르뉴의 가라비 철교와 바르톨디의 자유의 여신상에 들어간 철근 골조를 만들면서 명성을 얻기 시작했다. 에펠 탑 하단은 지하 15미터까지 파고들어 가서 세운 기저부 위에 서 있다. 따라서 센강 수면보다 낮아서 공사에 애를 먹었다. 인부들이 곡괭이와 삽만 들고 방수 케이슨에 내려가 펌프로 보내진 압축 공기를 마시며 버팀벽을 만들어야 했기 때문이다. 1층을 이루는 4개의 다리는 탑의 무게를 분배하기 위해 16개의 트러스를 볼트로 조여 만들었다. 에펠 탑이 기술적으로 훌륭한 이유는 4개의 다리를 2층에서 하나로 연결되게 했다는 점이다. 에펠은 유압 실린더를 탑에 설치했다. 유압 실린더는 오일을 밀어보내기만 하면 원하는 위치에 도달할 수 있는 장치이다. 에펠은 또한 모래를 채운 통을 트러스 위에 놓아서 이상적인 수직 방향을 찾아 최적의 접점을 찾아냈다. 2층이 완성된 뒤에는 미리 제작된 부품을 조립하고 나사로 조여 탑을 만들기만 하면 되었다. 유압식 엘리베이터 2대와 계단도 설치되었다.

벨 에포크

벨 에포크Belle Époque는 1889년 파리 만국 박람회를 기점으로 시작되었고 1914년에 끝났다. '아름다운 시절'이라는 뜻의 벨 에포크는 제1차 세계 대전이 시작되기 전 평안하고 행복했던 시절을 가리키는 말이다. 프랑스인들은 정치 성향을 막론하고 대혁명 100주년을 자축했다. 인권에 기초한 새로운 시대가 막을 열었다. 만국 박람회는 한 세기의 종말뿐만 아니라 에너지, 속도, 기록을 찬양하고 발견과 모험에 열광하는 새로운 세대의 도래를 고했다. 파리와 빈은 삶에 대한 애정과 진보에 대한 믿음을 상징하는 도시였다. 그러나 그 시절은 위기의 시대이기도 했다. 1889년에 대중적으로 사랑받던 불랑제 장군이 군사 쿠데타를 일으키려 했고, 1893년에는 파나마 스캔들이 터졌다. 이 스캔들은 국회의원들이 뇌물을 받고 국민에게 결국 파산한 파나마 운하 회사의 주식을 마구 사들이도록 부추겼던 사건이다. 그해 12월에는 무정부주의자 바이양이 의회 건물에 폭탄을 투척했다. 그런가 하면 1894년에서 1906년까지는 드레퓌스 사건이 있었다. 드레퓌스는 유대인이고 알자스 출신이라는 이유만으로 독일 스파이라는 누명을 쓴 장교였다. 이처럼 정치적 사건들이 벌어졌지만 만국 박람회는 점점 더 자주 개최되었다. 1900년 파리에서 세기의 결산이라는 주제로 열린 만국 박람회에는 53개국이 참가했고 5000만 명이 넘는 관람객이 르네 비네가 설계한 거대한 문을 통과했다. 같은 시기에 뤼미에르 형제와 조르주 멜리에스는 영화를 상영했다. 또한 알렉산드로스 3세 다리, 프티 팔레, 그랑 팔레 등도 건축되어 낙성식이 열렸다. 식민지—아프리카, 앤틸리스 제도, 아시아—를 주제로 한 공간은 트로카데로에 집중되었다. 이곳은 전통 마을이나 가옥이 재현되어 관람객이 원주민의 생활 방식을 이해할 수 있는 공간이었다.

19세기의 위대한 건축가들

빅토르 발타르는 1854년에 지금은 사라진 레 알 시장을 지었다. 철 구조물이었던 레 알 시장은 1971년에 철거되었다.

장루이 샤를 가르니에는 이탈리아 예술 양식을 조합해 오페라 극장을 지은 건축가이다. 그는 몬테카를로 카지노도 지었다.

앙리 라브루스트는 최초로 주철을 사용한 건축가였다. 파리의 생트준비에브 도서관을 설계했다.

빅토르 알렉상드르 프레데리크 랄루는 오르세 역 건설에 참여했다(1898~1900).

조지프 팩스턴은 영국의 건축가로, 1851년 런던 만국 박람회를 위한 수정궁을 건설하는 데 참여했다.

외젠 비올레르뒤크는 『건축에 관한 대담』, 『건축 사전』 등을 출간했고, 유적 복원으로 잘 알려져 있다.

오페라 가르니에 프랑스 파리

나폴레옹 3세가 1860년 샤를 가르니에에게 건축을 의뢰한 파리 오페라 극장은 19세기의 뛰어난 건축물 중 하나로 꼽힌다. 나폴레옹 3세는 프랑스가 영국과 경쟁할 수 있을 정도로 경제 강국이 되기를 원했다. 그러려면 빈민가가 한곳에 집중되는 것을 막아야 했다. 1858년 나폴레옹 3세는 옛 오페라 극장이 있던 르 펠르티에가에서 벌어진 테러를 가까스로 모면했다. 이 사건을 계기로 하루라도 빨리 새 오페라 극장을 테러 위협이 훨씬 적은 대로에 지을 필요가 있었다. 르 펠르티에가에 있는 극장은 너무 작기도 했다. 새로 지을 극장은 보다 화려해서 오페라나 무용 공연이 열릴 수 있을 터였다. 부르주아 계층에게 오페라 극장은 사교의 장소이자 사회적 경쟁의 장소였으니 화려한 극장이 필요했다. 이윽고 극장을 지을 사람을 뽑기 위한 대회가 열렸는데, 경험이 풍부한 건축가들이 많이 있었음에도 젊은 샤를 가르니에가 뽑혔다. 가르니에는 기존의 여러 건축 양식을 적절히 절충해 극장을 지었다. 그는 건축학적으로 세로 대칭을 구현했다. 극장은 1875년 1월 5일에 개관해서 그 시대 가장 훌륭한 무대를 대중에게 선사했다. 새 극장은 일반적으로 파리 오페라 극장이라고 불렸으나 1989년에 바스티유 오페라 극장이 생기면서 건축가의 이름을 붙여 오페라 가르니에라고 불린다.

15년간의 공사

새 오페라 극장의 부지를 정한 사람은 파리의 도시 정비 계획 등을 지휘한 관리 오스만이었다. 원래는 기업, 은행, 철도 등이 들어선 파리 서쪽 구역의 높은 건물들이 둘러싸고 있는 좁고 비대칭인 땅에 극장을 지을 계획이었다. 그 때문에 가르니에의 작업도 힘들어졌다. 파리 만국 박람회가 열린 1867년에 극장 파사드의 낙성식을 했다. 제2제정의 몰락으로 계획이 중단되었지만 제정을 반대한 제3공화정이 수립되면서 15년 동안 공사가 진행되었다. 그리고 마침내 계획했던 대로 웅장하고 화려하게 장식된 건물이 준공되었다. 가르니에는 직접 14명의 화가와 카르포를 포함한 73명의 조각가, 모자이크 화가들을 선발했다. 그는 예술과 기술을 완벽하게 결합해서 철제 구조물에 통합된 예술 작품과 최첨단 기술을 적용한 건물을 짓고자 했다. 가르니에는 야금술과 금속 및 암석을 결합하는 기술이 비약적으로 발전한 덕을 톡톡히 보았다. 오페라 가르니에의 외벽은 금으로 장식되어 있고 바닥은 대리석이 깔려 있어 베르사유 궁전 이후로 잊혔던 사치의 전통을 되살렸다.

건물 장식

샤를 가르니에는 극장의 장식을 미술원의 동료들에게 맡겼다. 주 파사드를 장식하는 4개의 테마로 나뉜 조각물은 여러 작가가 참여해서 만들었다. 프랑수아 주프루아는 「시」를 조각했고, 장바티스트 카르포는 「춤」, 외젠 기욤은 「기악」, 장조제프 페로는 「가극」을 조각했다. 또한 베토벤, 모차르트, 알레비 등 위대한 음악가를 기리는 흉상이 있다. 가르니에는 대형 로비, 무대, 행정실, 그리고 이 시설들 양옆으로 국가 원수와 회원들의 전용실 등 여러 활동 구역이 확실히 구분되면서 연속적으로 이어지듯이 설계를 짰다. 그는 각 방과 연결 통로 하나하나에 집중했다. 회원들을 맞이하는 로비를 설계할 때에는 팔레루아얄의 프랑스 극장에서, 계단의 경우에는 보르도 대극장에서 영감을 얻었다. 공연장 앞쪽 홀 천장은 가르니에가 프랑스에서 최초로 적용한 모자이크 기법으로 장식되어 있다.

유럽 지중해 문명 박물관 프랑스 마르세유

유럽 지중해 문명 박물관MUCEM은 2013년 당시 문화부 장관이었던 오렐리 필리페티가 참석한 가운데 개관식을 가졌다. 마르세유 출신의 건축가 루디 리치오티가 롤랑 카르타와 함께 설계한 이 박물관은 마르세유 구항구와 라 졸리에트 사이에 있는 4만 5000제곱미터의 부지에 3개의 섹션으로 나뉘어 있다. 섬유 강화 시멘트로 덮인 박물관 외벽과 구조적인 기둥들이 생장 요새의 노란 돌과 대조를 이룬다. 밤이 되면 건물들은 조명으로 인해 파란색과 청록색으로 물든다. 박물관은 선사 시대부터 오늘날까지 지중해 지역을 발전시킨 다양한 문화에 대해 개방적인 시각을 갖게 해준다. 100만 점에 달하는 박물관의 소장품은 2005년 국립 민속 예술 전통 박물관이 폐관하면서 옮겨온 것이다.

유럽 지중해 문명 박물관, 루디 리치오티, 2013년.

유럽 지중해 문명 박물관의 구조

방파제 위에 지어진 J4가 본관으로 기술 진보, 과학 혁신, 일신론, 대발견 등 다양한 테마별 전시가 열린다. 19미터 높이에 있는 테라스 지붕은 면적이 1400제곱미터이고 바다와 12세기에 처음 지어졌다가 재건된 생장 요새를 바라보고 있다. 여름에는 테라스 지붕에서 행사도 열린다. J4는 거대한 육면체의 돌 모양 건물로 섬유 강화 시멘트가 레이스처럼 72미터의 건물 외벽을 덮고 있다. 130미터 길이의 통로가 독dock을 지나 생장 요새까지 이어진다. 이보다 짧은 또 다른 통로는 파니에 구역으로 이어진다. 이 통로들은 박물관 부지의 지형과 도시 형태를 고려해 도심에서 라 졸리에트까지 길을 내기 위해 만든 것이다. 건물 내부에 있는 돌출 발코니의 격자창으로는 은은한 빛이 들어온다. 3층에는 강당이 있고, 4층은 전시 공간으로 쓰이면서 연구자들을 위한 공간, 도서관, 자료 보관 센터가 있다.

전설에서 태어난 도시, 마르세유

마르세유는 프랑스에서 가장 오래된 도시이다. 마르세유의 기원이었던 고대 마살리아는 전설의 마을로 보였지만 1970년대 고대 유적이 발견되면서 새롭게 조명되기 시작했다. 3세기의 역사가 유스티누스가 마르세유의 건설을 기록한 유일한 인물로 알려져 있었다. "타르퀴니우스왕이 다스리던 시대에 아시아의 포카이아에서 온 젊은이들이 테베레강 하구에 이르렀다. 그들은 로마인들과 우호 조약을 맺은 뒤 갈리아에서 가장 먼 만灣에 가서 마르세유를 건설하고 리구르족과 야만족인 갈리아족과 이웃하여 살았다." 유스티누스는 아우구스투스 황제 시대의 역사가 폼페이우스 트로구스의 책을 인용하며 마르세유가 초기에 어려움을 겪었다고 했다. 마르세유의 건립은 기원전 6세기로 거슬러 올라가지만 세구시아위족(리구르족)이 이 지역을 점령했던 것으로 보인다. 기원전 5세기에 마살리아는 카르타고인들이 패전을 거듭하면서 침입이 줄자 큰 번영을 누렸다. 평화의 시기에 마살리아는 지중해 내에서 입지를 강화하고 앙티폴리스와 올비아를 비롯한 여러 곳에 상관을 세웠다. 이때부터 마살리아는 3만여 명의 인구가 사는 갈리아족 최대의 도시로 떠올랐다. 이는 남유럽의 북쪽과 서쪽을 잇는 무역로에 있어서 지리적으로 이상적인 위치를 점했기 때문이다.

조르주 퐁피두 센터 프랑스 파리

조르주 퐁피두 센터는 파리 도심인 보부르 광장의 레알과 마레 사이에 있다. 조르주 퐁피두 대통령이 센터를 만들겠다고 결정한 이유는 파리 시민, 더 나아가 프랑스 국민에게 근현대 예술에 할애된 공간을 마련해주기 위함이었다. 미술관도 아니고 왕궁도 아닌 장소에서 문화의 대중화를 꾀하려면 파리 도심을 선택할 수밖에 없었다. 또 다양한 관객을 대상으로 다채로운 문화 예술 분야를 소개해야 했다. 조르주 퐁피두 센터를 지을 건축가를 정하기 위해 국제 공모전이 열렸고, 거기에서 영국의 리처드 로저스와 이탈리아의 렌초 피아노의 안이 채택되었다. 두 사람은 세자르의 응고 기법, 니키 드 생팔의 채색 조각상, 앤디 워홀의 팝 아르가 승승장구하던 시대를 지배한 독사doxa와 정반대로, 간단하면서도 기능적인 '반反유적'을 만들자고 제안했다. 공사는 1972년부터 5년간 진행되었고 1977년에 건축가들의 바람에 따라 '기술의 패러디' 형태를 띤 조르주 퐁피두 센터가 개관했다. 센터 건설은 미술관과 음악관, 연극 및 영화를 상영할 다목적관, 거기에 도서관까지 한 건물에 지어야 하는 야심 찬 계획이었다. 조르주 퐁피두 센터의 개관으로 초현실주의 작품들이 전시될 공간이 근현대 작품을 전시하는 프랑스 국립 근대 미술관 외에 하나 더 늘었다.
센터 앞에는 '피아자'라고 불리는 큰 광장이 펼쳐진다. 이곳을 지나면 센터의 입구로 갈 수 있다. 지하는 주차장이다. 조르주 퐁피두 센터는 완공된 뒤에 '관 노트르담', '정유소' 등 여러 별명을 얻었다. 독특한 큐레이팅이나 문화의 탈신성화를 시도한다는 점 등도 여론을 들끓게 했다. 퐁피두 대통령이 서거하자 후임 대통령 발레리 지스카르 데스탱은 비용이 지나치게 많이 든다는 이유로 공사를 중단시키려고 했다. 그러나 당시 총리였던 자크 시라크의 설득으로 결국 센터가 완공될 수 있었다.

조르주 퐁피두 센터의 탄생

조르주 퐁피두 센터를 건립하기 전에 비슷한 계획이 두 건 있었다. 앙드레 말로는 르 코르뷔지에가 관장을 맡는 현대 미술관 건설을 제안했고, 에티엔 덴느리는 대형 국립 도서관 건립을 언급했다. 조르주 퐁피두 센터는 이 두 아이디어를 합쳐놓은 결과물이다. 14톤에 이르는 강철과 시멘트로 만든 기초 위에 세워진 센터 건물은 강철과 유리가 섞여 있는 철골에 6개의 판을 서로 겹쳐놓은 형상이다. 전체 8층으로 이루어져 있으며 7500제곱미터에 달하는 실내는 이동식 벽 시스템으로 설계되어 공간을 다양하게 바꿀 수 있다. 유리통 속에 설치된 옥외 계단 옆으로 피아자가 보인다. 건물 뒤쪽에는 다양한 색의 관이 밖으로 드러나 있는데 붉은색은 기중 장치, 초록색은 상하수도, 파란색은 공기, 노란색은 전선이 통과한다는 것을 알려준다. 이 기발한 장치가 건물 전체에 역동적인 생동감을 부여한다. 조르주 퐁피두 센터 안에는 문화 교육장, 상점, 카페, 식당, 갤러리 등이 들어가 있어서 센터가 시장판으로 변했다는 비난도 들린다.

신사실주의를 향하여

1950년대 이후 예술이 새로운 형태를 취하자 작품도 다른 방식으로 선보여야 했다. 예술 비평가 피에르 레스타니를 중심으로 10여 년 동안 발전한 신사실주의의 작가들은 이브 클랭, 아르망, 세자르, 니키 드 생 팔, 장 팅겔리 등이다. 1960년대에 레스타니는 「신사실주의 작가들」이라는 전시회 도록의 서문에서 조르주 퐁피두 센터에서 전시를 했던 위에 언급된 작가들을 소개했다. 그의 서문은 신사실주의를 알리는 최초의 선언문으로 여겨진다. 그러나 서로 아주 달랐던 작가들은 어떤 미적 합의에 이르지 못했다. 클랭은 의도적으로 청색 시대의 작품과 비슷한 작품을 그려서 산업 규격화를 반영하고자 했다. 그는 순색의 경험이 감수성에 도달할 수 있는 수단이라고 생각했다. 한편 아르망은 현대 사회가 물건을 신성화하면서도 소비재로 보는 관점에 흥미를 가졌다. 그는 타자기, 톱, 바이올린 등을 쌓아 올려 일종의 조각 작품을 만드는 '집적' 기법을 만들었다. 니키 드 생 팔은 일찍 성공을 거둔 작가는 아니었다. 그녀는 1965년에 「나나」 연작을 처음 선보였다. 나나는 펄프에 아교를 섞어 만든 혼응지, 철사, 털실을 사용해서 제작한 거대한 인형이다. 그녀는 「사격 회화」를 통해서 유명세를 얻었다. '사격 회화'는 작가가 총을 쏴서 물감 주머니를 터트리면 물감이 분사되는 기법이다.

리처드 로저스의 또 다른 스캔들

1978년에서 1986년까지 리처드 로저스가 세계 최대의 보험사 런던 로이즈를 위해 지은 로이드 빌딩이 다시 한번 비판과 논쟁을 불러일으켰다. 런던의 구시가지 한복판에 우뚝 선 하이테크 디자인의 타워 6개는 주변 건물들과 극적인 대비를 이룬다. 타워 3개가 본체를 이루고 직사각형 공간을 둘러싼 나머지 타워 3개는 서비스와 유지 보수를 위한 공간이다. 1층 로비는 건물에서 매우 흥미로운 곳 중 하나이다. 상부의 갤러리식 복도와 60미터 높이의 아트리움에는 유리로 된 반원천장을 통해 빛이 들어온다. 파사드 외관으로 배관을 드러내서 내부 공간을 최적화했다. 엘리베이터도 건물 바깥에 설치했다. 로이드 빌딩은 런던에서 엘리베이터를 파사드 바깥쪽에 설치한 최초의 건물이다. 건물이 하나의 덩어리가 아니라 모듈 형식으로 설계되었고 전체가 실버 메탈로 마무리되어 있다. 1928년에 준공되었던 런던 로이즈의 원래 건물은 현재 사옥의 맞은편에 있었는데, 이곳에서 가져온 것은 12층에 있던 18세기 가구로 장식한 살롱뿐이다.

중국탕 프랑스 파리

중국탕Bains chinois의 운명은 19세기 초 파리에서 일어난 도시의 변화와도 관계가 있다. 중국탕은 건축가 삼송 니콜라 르누아르의 작품이다. '로마인'이라 불렸던 그는 파리와 부르고뉴에 건물, 극장, 개인 주택을 지었다. 투자자들은 외관이 이국적이라는 이유로 '터키탕'이나 '이집트탕'이라는 이름을 더 선호했지만 결국 '중국탕'으로 결정했다. 클뤼니의 로마식 공중목욕탕이나 중세의 나무 목욕통 등 파리에는 언제나 목욕탕이 있었다. 그러나 18세기에 페리에 형제가 도수관을 발명하면서 목욕 시설도 센강 가를 벗어나게 되었고 파리에서 가장 인기 높은 구역들에 물을 공급할 수 있게 되었다. 이탈리앵 대로 29번지와 라 미쇼디에르가가 만나는 모퉁이에 있었던 중국탕은 영국의 유명한 박애주의자로 자신의 이름을 딴 식수 분수대를 설치한 것으로도 유명한 리처드 월리스 경에 의해 철거되었다.

청결

고대 로마인들이 만든 최초의 목욕탕은 개인 목욕탕이었다. 기원전 1세기에 와서야 폼페이에도 있었던 공중목욕탕을 볼 수 있었다. 로마 제국에서 흔했던 목욕탕은 모든 사회 계층이 애용했다. 탕은 냉탕인 프리기다리움과 온탕인 칼다리움, 미지근한 탕인 테피다리움으로 나뉘었다. 중세의 목욕탕은 몸을 씻는 곳이라기보다 만남의 장소였다. 매춘이 매우 활발하게 일어났던 것이다. 당시에 목욕탕의 물은 질병을 옮길 수 있기 때문에 위험하다는 인식이 있었다. 1292년에 약 20만 명의 사람들이 살았던 파리에는 25개의 공중목욕탕이 있었다.

르네상스 시대에는 비록 향수를 뿌린 수건으로 얼굴과 손만 씻었으나 고대 서적들을 통해서 목욕의 이로운 효과를 재발견했다. 1571년 의사였던 안드레아 바치는 갈레노스 이후 목욕 기술의 변천을 다룬 책 『온천*De thermis*』을 썼다. 18세기에는 몸을 씻는 행위가 개인적인 일이라는 인식이 높아져 욕조가 발명되었다. 그러나 위생이 대중의 관심사가 되고 의사들이 위생과 건강을 결부시킨 것은 19세기의 일이다. 이러한 위생학적 흐름에 자극을 받은 국가는 시민들이 개인위생을 습관화할 수 있도록 시립 공중목욕탕 등 수많은 기반 시설을 구축했다.

중국탕의 운명

중국탕은 2년 만에 완공되어 1787년에 문을 열었다. 카르나발레 박물관에 보관된 2점의 모형과 지금까지 남아 있는 조각물들 덕분에 중국탕의 구조를 어느 정도 짐작할 수 있다. 프랑스 제국 시대와 왕정복고 시대에는 파리에 37개의 공중목욕탕이 있었는데 중국탕은 그중 가장 화려했다. 중국탕은 두 동으로 이루어진 3층짜리 건물로 파사드에는 층마다 3개의 창이 있었다. 마당 안쪽에 중앙 건물이 위치했다. 중앙 건물의 박공은 알 수 없는 한자로 장식되었고, 약간 오목하게 들어간 탑 모양의 지붕에는 작은 종들이 설치되어 있었다. 두 동을 잇는 지붕에 설치된 차양이 대로에서도 보였다. 당시 즐거운 여흥의 장소였던 중국탕은 인공 동굴 위에 세워졌다. 1830년부터 공공건물에도 동양식 스타일이 대거 접목되었고, 목욕탕에는 19세기에 유럽에서 널리 유행했던 무어 양식의 장식이 많이 사용되었다.

오리엔탈리즘

오리엔탈리즘은 동양에서 영감을 얻은 문학 및 예술 운동이다. 이 운동은 18세기에 발전했는데 이 시기는 이국적인 것에 대한 탐구가 활발해지고 다른 문화권의 관습에 대한 관심이 커져가던 때로 이러한 사회 분위기는 예술가들에게 많은 영향을 미쳤다. 고대로부터 유럽의 예술가들은 이국에 매료되었지만 18세기, 특히 19세기에 와서야 동양을 다룬 예술 작품들이 일회적으로 생산되지 않았고 제대로 고증되기도 했다. 렘브란트는 암스테르담에서 상상 속의 동양을 그렸고, 몰리에르는 터키 발레를 무대에 올렸다. 베네치아의 예술은 지중해의 동양에서 영향을 받아 발전했다. 오리엔탈리즘은 19세기까지 이어지다가 빅토르 위고가 『동방시집』에서 말한 것처럼 '일반적인 관심사'가 되었다. 나폴레옹의 이집트 원정도 그때까지 상상과 환상의 대상이었던 동양을 중요하고 구체적인 관심사로 바꾸는 데 영향을 미쳤다. 1830년 샤를 10세의 군대가 알제를 점령하자 화가들은 민족적 주제를 많이 얻을 수 있었다.

일부 동양 국가와 유럽의 문화 교류를 가능하게 했던 수에즈 운하의 개통으로 오리엔탈리즘은 더욱 발전했다. 19세기는 빅토르 위고, 외젠 들라크루아, 피에르 로티로 대변되는 오리엔탈리즘의 황금기였다. 20세기에 동양에 대한 새로운 접근을 제안한 사람은 앙리 마티스였다.

케 브랑리 박물관 프랑스 파리

에펠 탑 인근에 위치한 케 브랑리 박물관은 완공될 때까지 5년이 걸렸다. 이 박물관의 건립을 처음 제안한 사람은 자크 시라크 전 대통령과 화상이었던 자크 케르샤슈였다. 두 사람은 부족 미술에 속하는 명작들을 부각시키고자 했다. 2006년 6월 23일 드디어 박물관이 개관하면서 인류 박물관의 소장품 25만 점과 아프리카·오세아니아 박물관의 소장품 3만 점을 옮겨서 전시했다. 첫 공사는 2001년 장 누벨의 지휘 아래 시작되었지만 공사 도중에 발견된 지하수층과 유적 때문에 더디게 진행되었다. 3200톤에 달하는 강철로 만든 건물은 2개의 시멘트 사일로가 받치고 있는 26개의 금속 기둥 위에 지어졌다. 케 브랑리 박물관의 가장 큰 특징은 5층 건물의 파사드이다. 파사드 전체가 800제곱미터의 면적에 달하는 식물로 뒤덮여 있다. 200종에 가까운 식물을 사용한 이 파사드는 식물학자 파트리크 블랑의 작품이다. 이 녹색의 벽은 조경 설계사 질 클레망이 설계한 정원으로 연결된다. 그는 자연을 있는 그대로 재현하면서 못과 구불구불한 오솔길을 배치한 정원을 만들고자 했다. 박물관에는 3500점의 작품이 전시되어 있다. 유명한 원주민 예술가들이 그린 천장의 그림도 다른 박물관에서는 볼 수 없는 묘미이다.

케 브랑리 박물관의 구조

2층의 전시 공간은 문화권에 따라 아프리카, 오세아니아, 아메리카, 아시아 등 네 곳으로 나뉘고 다시 국가별로 구분되어 있다. 전시 구역 입구에는 현재 전시 중인 작품을 소개하는 표지판이 설치되어 있다. 전시품의 자연스러운 색이 드러나도록 전시해서 그 기원을 알 수 있게 배치하는 등 상당히 신경을 썼다. 전시품은 교육적 기준보다 미적 기준에 따라 배치되었고, 희귀성뿐만 아니라 기술적·민족학적 가치에 따라 선별되었다. 상설 전시관인 2층 서쪽에는 멀티미디어 프로그램, 일반 전시 테마 등을 보여주는 갤러리가 3개 있다. 1층에서는 국제 전시회가 열린다. 박물관은 소장품 중 일부만 전시하고 있다. 아프리카 소장품이 37만 점이고 아메리카, 오세아니아, 아시아에서 가져온 소장품도 10만 점에 이르기 때문이다.

박물관에 간 문화

박물관의 설계자들이 추구한 목적 중 하나는 다른 대륙에서 가져온 작품을 오직 미적 가치만 강조해 전시하자는 것이었다. 작품의 배경이나 민족학적 중요성을 지나치게 자세하게 알려주면 서양인인 관람객의 관점을 해칠 수 있기 때문이다. 이러한 입장은 많은 비난을 낳았다. 박물관의 박물학적 접근이 분명 혁신적이기는 하지만 기존의 교육적 목적에서 멀어질 수 있다는 것이다. 계속해서 제기되는 또 다른 비판은 인류 박물관의 소장품과 도서관의 문헌을 거의 다 털어오다시피 했다는 것이다. 인류 박물관은 전시품의 문화적 연속성을 조명했던 반면에 케 브랑리 박물관은 전시품들이 갖는 상관관계를 고려하지 않는다는 비판도 있다.

도판 목록

고대

P. 57「홍해 횡단」, 미세화, 조르주 트뤼베르, 1492~1493년. © SuperStock/Leemage.

P. 64 금강계 만다라, 직물에 물감, 17~18세기, 티베트. © DeAgostini/Leemage.

P. 67 연어 모양의 토템, 나무에 조각, 틀링기트족. © Werner Forman Archive/Scala, Florence.

P. 81 여덟 개의 팔을 가진 힌두교의 신 브라흐마, 「비슈누의 일곱 번의 환생 이야기」, 1802년. © The British Library Board/Leemage.

P. 86 스플리트에 있는 디오클레티아누스 궁전, 에르네스트 에브라르의 복원 조감도, 1911년. © akg-images.

P. 92 마우솔로스의 영묘, 「세계 8대 불가사의」, 필립 갈레, 1572년. © FineArtImages/Leemage.

P. 100 2015년에 복원된 신비의 저택, B.C. 70년~B.C. 60년, 폼페이. © Mimmo Frassineti/AGF/Leemage.

P. 120 여인의 반신상, 테라코타, B.C. 3세기, 타르퀴니아. © MP/Leemage.

P. 133 왕의 무덤들, 페트라, 요르단. © PETIT J.P./HorizonFeatures/Leemage.

P. 142 기자의 스핑크스와 대피라미드, 1900년. © UIG/Leemage.

중세

P. 151「궁정풍 연애의 모습」, 이탈리아 노래 모음집 속의 미세화, 13세기. © DeAgostini/Leemage.

P. 162「밀가루를 많이 얻어 수도사들에게 식사를 제공하는 베네딕토」, 프레스코화, 조반니 안토니오 바치, 1503~1508년, 몬테 올리베토 마지오레 수도원, 피렌체. © DeAgostini/Leemage.

P. 166「대학에서 수업을 듣는 학생들」, 부조, 자코벨로 달레 마세네, 14세기 말. © Luisa Ricciarini/Leemage.

P. 178「콘스탄티노폴리스의 시장 풍경」, 17세기에 제작된 원본의 미세화, 1828년. © Luisa Ricciarini/Leemage.

P. 184「1209년 카르카손에서 추방되는 알비의 카타리파」, 『프랑스 연대기』에 수록된 미세화, 1415년경. © The British Library Board/Leemage.

P. 197 금각사, 교토. © Michel Guillemot/Leemage.

P. 206 보로부두르 사원, 판화, 1820년경. © Florilegius/Leemage.

P. 207 산마르코 대성당의 모자이크화, 12~13세기, 베네치아. © Electa/Leemage.

P. 212 앙리 2세와 카테리나 데 메디치 무덤의 횡와상, 제르맹 필롱, 16세기, 생드니 대성당. © Jean Bernard/Leemage.

P. 218 생트샤펠 성당의 장미창과 스테인드글라스, 13세기, 파리. © Superstock/Leemage.

P. 221「영광의 그리스도와 최후의 심판」, 생트푸아 수도원의 팀파눔, 11~12세기, 콩크. © DeNoyelle/Godong/Leemage.

P. 223 성 기오르기스 교회의 순례자들, 에티오피아 랄리벨라. © Lissac/Godong/Leemage.

P. 233 아발로키테스바라, 12~13세기, 바이욘 사원, 앙코르 톰. © Imagebroker/Leemage.

근대

P. 258「만남」, 귀스타브 쿠르베, 1854년. © Luisa Ricciarini/Leemage.

P. 262『인간론』 중 '지각론: 눈', 르네 데카르트, 1686년. © SSPL/Science Museum/Leemage.

P. 268「공기」, 주세페 아르침볼도, 1566년경. © FineArtImages/Leemage.

P. 271「페르세포네의 납치」, 조반니 로렌초 베르니니, 1622년. © Jemolo/Leemage.

P. 293 프랑스 제1제국 당시 프리메이슨의 상징들, 19세기. © Josse/Leemage.

P. 303 바탁 비비엔다족의 전통 가옥, 링가의 토바호. © Aisa/Leemage.

P. 308 왕비의 촌락과 프티 트리아농의 정원, 베르사유 궁전, 클로드루이 샤틀레, 18세기. © DeAgostini/Leemage.

P. 315 샹보르성 © Youngtae/Leemage.

P. 318 성 바실리 대성당, 1555~1561년, 모스크바. © Collection Artedia/Artedia/Leemage.

P. 328 델리의 샤자하나바드 요새, 1780~1790년경. © The British Library Board/Leemage.

P. 330 송가이 제국의 황제 아스키아 무함마드 1세의 무덤, 15세기, 가오. © DeAgostini/Leemage.

P. 333 펠리페 2세 통치 시기의 엘 에스코리알, 16세기 중반. © Raffael/Leemage.

P. 336『쿠란』의 문구가 적혀 있는 문, 타지마할. © Dorling Kindersley/UIG/Leemage.

현대

P. 372 욜랭피이에서 열린 아르 앵코에랑 신시회 포스터, 1893년. © Rue des Archives/CCI/Bridgeman Images.

P. 376「오달리스크와 노예」, 장오귀스트도미니크 앵그르, 1842년.

P. 381「푸른 수련」, 클로드 모네, 1916년. © Photo Josse/Leemage.

P. 383「아비뇽의 처녀들」, 파블로 피카소, 1907년. © Succession Picasso, 2017. © Aisa/Leemage.

P. 399「꽈리 열매가 있는 자화상」, 에곤 실레, 1912년. © DeAgostini/Leemage.

P. 409 뉴욕 구겐하임 미술관 나선형 구조의 내부, 프랭크 로이드 라이트, 1956~1959년. © Adagp, Paris, 2017. ©Electa/Leemage.

P. 412 뉴욕의 록펠러 센터, 엽서, 1940년경. © CCI/Bridgeman Images.

P. 416 미요 대교, 그랑 코스 지방 공원. © Patrice Blot/Leemage.

P. 421 빌라 사부아의 파사드, 르 코르뷔지에, 1931년, 푸아시. © F.L.C./Adagp, Paris, 2017. © Jean Bernard/Leemage.

P. 439 유럽 지중해 문명 박물관, 루디 리치오티, 2013년. © Jean Bernard/Leemage.

찾아보기

ㄱ

가르니에, 샤를 437
가상디, 피에르 44
가우디, 안토니 424
갈레노스 80
게데스, 패트릭 419
결의법 279
경건주의 250
고고학 352
고답파 374
고전주의 253, 270
고티에, 테오필 374
골턴, 프랜시스 282, 365
구겐하임, 솔로몬 R. 408
궁정풍 연애 150
그랑 트리아농 308
그로피우스, 발터 418
근대성 257
근대인 257
금각사 196
기독교 14, 20
기마르, 엑토르 406
기마르 저택 406
기베르티, 로렌초 209
기욤(샹포의 기욤) 155, 165

ㄴ

나브타 플라야 84
나폴레옹 보나파르트 136, 432
네페르타리 103
노트르담 대성당 200
뉴욕 구겐하임 미술관 408
니키 드 생 팔 442

ㄷ

다다이즘 357, 396
다리파 398
다윈, 찰스 282
다윗 56
단성설 15
달리, 살바도르 395
데모크리토스 45
데제르 드 레츠 300
데카르트, 르네 260
데카르트주의 260
도쿄 17
도나투스 마그누스 20
도나투스파 20
도미니코(구스만의 도미니코) 189
도미니코회 189
둔스 스코투스 193
뒤샹, 마르셀 357, 373, 393
들라크루아, 외젠 377
들로네, 로베르 51, 385
디드로, 드니 391
디안 드 푸아티에 325
디오클레티아누스 궁전 86

ㄹ

라마르크, 장바티스트 354
라스트렐리, 프란체스코 바르톨로메오 341
라우렌시오 332
라이트, 프랭크 로이드 408
라이프니츠, 고트프리트 빌헬름 75
라파엘로 130
랄리벨라 222
레비, 쥘 371
레오나르도 다빈치 316
렌, 크리스토퍼 322
로스켈리누스 165
로스탕, 에드몽 291
로저스, 리처드 443
로크, 존 386
록펠러 센터 411
록펠러, 존 데이비슨 411
루브르 피라미드 414
루소, 장자크 387
루이 14세 253, 281, 305
루이 15세 253
루이 16세 309
루이, 빅토르 310
루크레티우스 43, 46
루터, 마르틴 273
룻 60
르 노트르, 앙드레 305
르 보, 루이 305
르 브룅, 샤를 306
르 코르뷔지에 421
리메스 107

ㅁ

마가 16
마그리트, 르네 393
마네, 에두아르 380
마니 22
마니교 22
마담 귀용 252
마데르노, 카를로 272
마르크스, 카를 289
마리아 15
마리앙투아네트 309
마사다 90
마야 27
마우솔로스의 영묘 92
마이모니데스 교리 153
마키아벨리, 니콜로 264
마키아벨리즘 264
마티스, 앙리 382, 398
마하비라 61

만다라 63, 64, 65, 205
만리장성 94
말레르브, 프랑수아 드 254
말로, 앙드레 236
말브랑슈, 니콜라 260
매너리즘 267, 270
메흐메트 2세 337
모네, 클로드 380
모레아스, 장 360
모세 54
모어, 토머스 284
몬드리안, 피트 385
몰리에르 255, 291
몽생미셸 수도원 202
몽테스키외 387
무신론 24
무위 19
무함마드 179
뭄타즈 마할 328
미노스 문명 115
미로, 호안 393
미요 대교 416
미켈란젤로 209, 321
밀, 존 스튜어트 389

ㅂ

바로크 224, 270
바사리, 조르조 267
바오로 3세 275
바오로 5세 320
바우하우스 418
바울로 15, 158
바위의 돔 204
바탁족의 가옥 302
반종교 개혁 273, 275
발도파 186
발도, 피터 186
베네딕토(누르시아의 베네딕토) 188
베네딕토회 187
『베다』 29, 38
베드로 16
베르길리우스 296
베르나르 드 클레르보 214
베르니니, 조반니 로렌초 272
베르사유 궁전 255, 305
벨 에포크 435
변증법 33, 34, 71
보고밀 157
보고밀파 22, 157, 183
보나파르트, 루이 나폴레옹 339, 340
보들레르, 샤를 257, 359, 374
보로부두르 205
보르도 대극장 310
보리달마 97
보쉬에, 자크베니뉴 291
보이티우스 164
볼테르 391
부알로, 니콜라 254
불교 26
불해 62
브라만교 29, 78
브라만테, 도나토 320
브라크, 조르주 382
브로델, 페르낭 369
브루넬레스키, 필리포 343
브르통, 앙드레 393
비네, 알프레드 365
비방 드농, 도미니크 376
비올레르뒤크, 외젠 201, 436
비트루비우스 92, 138
빌라 사부아 421

ㅅ

사그라다 파밀리아 424
사르트르, 장폴 287, 289, 362
사성제 26
사크레쾨르 대성당 426
사회 계약론 387
산마르코 대성당 207, 343
산 조반니 세례당 209
산 카를로 극장 312
상징주의 359
생드니 대성당 211
생트마리마들렌 대성당 214, 216
생트샤펠 성당 217
생트푸아 수도원 216, 220
샤를 3세 드 부르봉 공작 312
샤를 5세 414
샤를 8세 325
샤를 10세 445
샤를마뉴 165, 238
샤 자한 327
샹보르성 314, 326
석가모니 26
선 문자 117
설교자들의 수도회 189, 190
성 기오르기스 교회 222
성 바실리 대성당 317
성 베드로 대성당 320
성 소피아 대성당 224
성왕 루이 200
세인트 폴 대성당 322
세잔, 폴 378
세티 1세 105
소림사 97
소크라테스 69
수도주의 161, 187, 239
수리야바르만 2세 232
수정궁 428, 436
쉬제 211, 212
슈농소성 325
슈미트, 요한 카스파 388
슈페너, 필리프 야코프 250
슐리만, 하인리히 354
스미스, 애덤 388
스콜라주의 287
스콜라 철학 155, 164
스피노자 259
시드니 오페라 하우스 430
시라노 드 베르주라크, 사비니앵 드 291
시라크, 자크 447
시몬 마구스 47, 48
신구 논쟁 277
신비의 저택 99
신비주의 75
신토 31
실레, 에곤 399
실존주의 287, 362
심리학 365

ㅇ

아그라 요새 327

아날학파 369
아라공, 루이 229, 393
아르노, 앙투안 281
아르 데코 396, 411, 413
아르두앵망사르, 쥘 305
아르 앵코에랑 371
아리스토텔레스 33, 69, 154
아리스토텔레스주의 33
아베로에스 166, 168
아베로에스주의 168
아부심벨 103
아브라함 54
아소카 26
아스키아 무덤 329
아스키아 무함마드 1세 329
아야 소피아 224, 226
아우구스투스 135
아우구스티누스 21, 172
아우구스티누스주의 171, 263
아유르베디즘 38
아크로폴리스 126
아타나시우스(알렉산드리아의 아타나시우스) 162
아타락시아 43
아틸라 339
아폴론 50, 374
아폴리네르, 기욤 51, 384, 393
아힘사 62
안자르 228
안토니누스 방벽 106
알라 177
알람브라 229
알렉산데르 3세 200
알렉산데르 6세 265, 273
알렉산드로스 3세 108
알렉산드로스 모자이크 108
알베르투스 마그누스 166, 169, 191
앙리 2세 275, 325
앙코르 문명 234
앙코르 와트 232
애니미즘 24, 31, 40
앵그르, 장오귀스트도미니크 376
야로슬라프 224, 225
얀센주의 279
얀센, 코르넬리우스 279
얀트라 63
에라스무스 286
에른스트, 막스 393
에번스, 아서 115
에우디리케 49
에투알 개선문 432
에펠, 귀스타브 434
에펠 탑 434
에피쿠로스 43, 44
에피쿠로스주의 43
엘뤼아르, 폴 393
엘리야 161, 190
엘 에스코리알 332
영지주의 47
예수 14, 158
예술을 위한 예술 374
예카테리나 2세 342
오르페우스 49
오르페우스교 49
오르피즘 51
오리에, 알베르 360
오리엔탈리즘 376, 445
오비디우스 152
오시리스 110, 111
오컴주의 174
오페라 가르니에 437
완전자 159, 185
왓슨, 존 브로더스 367
왕비의 촌락 309
요셉 210, 424
요한(사도) 158
우르바노 8세 280
우생학 282
위고, 빅토르 339, 376
윌리엄(오컴의 윌리엄) 174
유교 52
유대교 54, 58, 123
유딧 60
유럽 지중해 문명 박물관 439
유스티니아누스 1세 70, 110
유이, 라몬 193
유토피아적 이상주의 284
유피테르 87, 118
율리오 2세 320
『이단 반박』 47, 48
이븐 루시드 168
이사벨 1세 230
이세 신궁 236
이슬람교 123, 177
이시스 신전 110
이오 밍 페이 414
이원론 158, 183, 260
이자나기 32
이자나미 32
인노첸시오 3세 189
인노첸시오 8세 273
인노첸시오 11세 251
인문주의 287
인상주의 360, 378, 397
입체파 382, 397

ㅈ

자금성 96
자야바르만 2세 232
자유분방주의 290
자유주의 386
자이나교 61
작은 형제회 189
장크트갈렌 수도원 237
정적주의 250
제우스 50
조르주 퐁피두 센터 441
조토 디 본도네 343
준비에브 211, 339
중국탕 444
진화론 283, 390

ㅊ

차라, 트리스탕 357
청기사파 399
체액설 80
초현실주의 393

ㅋ

카라바조, 미켈란젤로 메리시 다 272
카라이트 58
카롤링거 소문자 239
카르멜회 190

카르카손 240
카를 5세 267
카잔루크의 트라키아인 무덤 113
카타리파 183
카탈리나 다라곤 274, 284
카테리나 데 메디치 325
칸딘스키, 바실리 419
칼뱅, 장 275
칼뱅주의 275
케 브랑리 박물관 447
코르네유, 피에르 254
코튼 성경 208
콘스탄티누스 1세 20
콜로세움 88
콜베르, 장바티스트 305, 307, 353
콩스탕, 뱅자맹 388
크노소스 궁전 115
크레티앵 드 트루아 150
클라라(아시시의 클라라) 189
클랭, 이브 442
클로비스 240
키르쿠스 막시무스 118

ㅌ

타르퀴니아의 공동묘지 120
타르퀴니우스 118
타일러, 에드워드 40
타지마할 328, 335
탁발 수도회 166, 187
탄트라교 63
테레사(아빌라의 테레사) 276
테오도시우스 1세 20
토마스 아퀴나스 191
토마스주의 191
토인비, 아널드 259
토테미즘 40, 66
톱카프 궁전 337
통곡의 벽 123
트라야누스 106, 138
트루바두르 150, 151
트리엔트 공의회 275
트리클리니움 99, 101
티베리우스 15
티치아노 269
티칼 242

ㅍ

파르테논 125
파블로프, 이반 366
파스칼, 블레즈 25, 254
파이윰 미라 초상화 128
파코미우스 161
파타리아파 186
파하르푸르 대승원 245
판테온 130, 344
팡테옹 339
팩스턴, 조지프 428
페늘롱, 프랑수아 277, 285, 357
페로, 샤를 277
페르난도 3세 229
페테르고프 341
페트라 132
페트라르카 288, 296
펠라기우스 279
펠리페 2세 267, 275, 332
포르타 니그라 135
퐁뒤가르 수도교 137
표트르 1세 319, 341
표현주의 397, 398
푸아 220
푸코, 레옹 340
프라티첼리파 186
프란치스코(아시시의 프란치스코) 189
프란치스코회 189
프랑수아 1세 314
프로이트, 지그문트 367
프리메이슨 292, 310
프톨레마이오스의 칸타로스 139
프티 트리아농 309
플라톤 24, 69, 71, 171, 257, 283
플라톤주의 69
플레이아드 253, 295
피라미드 141
피렌체 대성당 343
피카비아, 프랑시스 384, 393
피카소, 파블로 382
피코 델라 미란돌라, 조반니 289
피타고라스 74
피타고라스주의 74
피피누스 3세 237
핀아모르 150

ㅎ

하드리아누스 56, 106
하스칼라 401
해골 성지 144
헤로데 1세 56
헤지라 180
헨리 8세 274
황금 사원 346
후드, 레이먼드 411
후안 데 에레라 334
힌두교 29, 78

문화가 인문학이 되는 시간 사상·유적편

초판 인쇄 | 2021년 7월 15일
초판 발행 | 2021년 7월 20일

지은이 | 플로랑스 브론스타인·장프랑수아 페팽
옮긴이 | 조은미·권지현
펴낸이 | 조승식
펴낸곳 | 도서출판 북스힐
등록 | 1998년 7월 28일 제22-457호
주소 | 서울시 강북구 한천로 153길 17
전화 | 02-994-0071
팩스 | 02-994-0073
홈페이지 | www.bookshill.com
이메일 | bookshill@bookshill.com

디자인 | 파워기획
마케팅 | 김동준·변재식·이상기·임종우·박정우

ISBN 979-11-5971-353-8
(세트) 979-11-5971-354-5

값 24,000원

* 잘못된 책은 구입하신 서점에서 교환해 드립니다.